씨크릿 독트린 I

THE SECRET DOCTRINE I

우주발생론

H. P. 블라바츠키

씨크릿 독트린 I

과학, 종교 & 철학의 종합

"진리보다 더 고귀한 종교(법칙)는 없다."
"사티아 나스티 파로 다르마."

우주발생론

"나의 독트린은 나의 것이 아니라, 나를 보낸 그분의 것이다."

— 요한복음 vii. 16.

서 문

저자—오히려 작가—는 본서가 나오는 데 오랫동안 지체된 것에 사과할 필요가 있다고 느낀다. 좋지 않은 건강과 그것의 착수 작업의 방대함 때문에 그렇게 되었다. 심지어 지금 나온 두 권도 전체 계획을 완성하는 것이 아니며, 그것도 거기서 다루어진 주제들을 남김없이 다루는 것도 아니다. 아리안 인종의 위대한 초인들의 삶 속에 담긴 오컬티즘의 역사를 다루면서, 그리고 오컬트 철학이 삶의 행위에 있는 그대로 그리고 당연히 그렇게 미치는 영향을 보여주면서, 거대한 양의 자료가 이미 준비되었다. 현재 1, 2 권이 호의적인 수용을 받는다면, 그 작업의 계획을 전체로 실행하는 데 어떤 노력도 아끼지 않을 것이다. 3 권이 완전히 준비되었고, 4 권도 거의 끝났다.

그 작업의 준비가 처음 선언되었을 때, 이 계획을 생각하지 않았다는 것을 첨언해야 한다. 처음에 선언되었을 때, "씨크릿 독트린"은 "아이시스 언베일드"의 개정 확대 판이어야 한다는 의도였다. 하지만 에소테릭 과학을 다루는 아이시스 언베일드나 다른 저작들에서 이미 세상에 내놓은 내용들에 추가할 수 있는 설명이 다른 방법으로 다루어져야 할 필요가 있다는 것을 곧 알게 되었다: 그리고 결과적으로 본서는 "아이시스 언베일드"에서 발췌한 양이 전체 20 페이지도 안 된다.

저자는 본서에서 보일 수 있는 불완전한 영어와 문어체의 많은 결함들에 대해서 독자들이나 비평가들의 관대함을 구할 필요가 없다고 느낀다. 그녀는 외국인이고, 그녀는 그 언어를 늦게 습득하였다. 영어로 쓴 이유는 그녀가 세계 앞에 내놓는 것이 의무인 그런 진리들을 전달하기 위해서 그것이 가장 폭넓게 분산된 도구이기 때문이다.

이 진리들은 결코 *계시*로써 내놓은 것이 아니다; 또한 저자는 세계 역사상 처음으로 대중에게 공개되는 신비 지식의 계시자의 위치를 주장하지도 않는다. 왜냐하면 본서에 포함된 것이, 상형문자와 상징으로 숨겨진 채 지금까지 이런 베일에 알아채지 못하고 남겨진 채, 아시아 지역과 초기 유럽의 위대한 종교들의 성전을 구체화하는 수 천 권의 문헌들에 두루 흩어져 있다는 것을 발견하게 될 것이기 때문이다. 지금 시도되는 것은 가장 오래된 가르침을 모아서 하나의 조화롭고 이어지는 전체를 만드는 것이다. 저자가 전임자들에 비해서 가진 유일한 이점은 개인적인 추론과 이론에 의지할 필요가 없다는 것이다. 왜냐하면 본서는 그녀 자신이 더 진보한 학생들로부터 배워온 것을 부분적으로 진술한 것이고, 몇 가지 세부 사항에서만, 그녀 자신의 연구와 관찰의 결과로 보강된 것이기 때문이다. 많은 신지학자들과 신비주의 학생들이 그들에게 이전에 전달된 몇 가지 사실로부터 완전한 사상 체계를 그들의 상상대로 풀어내려는 노력 속에서, 지난 몇 해 동안, 그들이 탐닉해온 자유분방하고 공상적인 추론들 때문에 여기서 언급된 많은 사실들의 출판이 필요하게 되었다.

본서가 씨크릿 독트린 전체가 아니라, 그것의 많은 근본 가르침을 선별한 단편이라 것을 설명할 필요가 없으며, 다양한 작가들이 입수해서 진리와 전혀 유사하지 않게 왜곡해버린 어떤 사실들에 특별한 관심을 둘 것이다.

그러나 본서에 포함된 가르침이 아무리 단편적이고 불완전하더라도, 이것은 힌두교, 조로아스터교, 칼데아 혹은 이집트 종교, 불교, 이슬람교, 유대교, 기독교에만 배타적으로 속한 것이 아니라고 명확하게 진술하는 것이 아마도 바람직할 것이다. 씨크릿 독트린은 이 모든 것의 본질이다. 다양한 종교들이 그 기원에서 씨크릿 독트린에서 생겨났기에, 이제 그것의 원래의 요소로 다시 합쳐져야 되며, 그것에서 모든 신비와 도그마가 자라나왔고 발전하였으며 물질화되었다.

많은 대중이 본서를 가장 자유분방한 종류의 로맨스로 간주할 가능성이 많다; 왜냐하면 누가 잔의 서(book of Dzyan)를 들어본 적이 있겠는가?

그러므로 작가는 본서에 담긴 것에 대한 모든 책임을 질 준비가 되어있고, 심지어 그것 전체를 만들어냈다는 비난도 대면할 준비가 되어 있다. 본서가 많은 결함을 가지고 있다는 것을 필자는 잘 알고 있다; 그녀가 주장하는 전부는, 본서가 많은 사람에게 낭만적으로 보일지라도, 그것의 논리적 일관성과 정합성 때문에 이 새로운 창세기가 근대 과학에서 자유롭게 수용하는 "작업 가설"과 동등한 수준의 위치를 받을 자격이 있다는 것이다. 게다가, 본서는 숙고를 요구한다. 왜냐하면 도그마적 권위에 호소하는 이유 때문이 아니라, 그것이 대자연과 밀접하게 붙어있고, 균일성과 유추의 법칙을 따르기 때문이다.

본서의 목표를 이렇게 말할 수 있다:
- 대자연은 "원자들의 우연한 동시 작용"이 아니라는 것을 보여주고, 우주 계획 속에서 인간에게 그의 정당한 자리를 배정하는 것;
- 모든 종교들의 토대인 태고의 진리를 타락에서 구조하는 것;
- 그리고 모든 종교들이 나온 근본적인 통일성을 어느 정도 밝히는 것;
- 마지막으로 대자연의 오컬트 측면은 근대 문명의 과학으로 결코 접근되지 못했다는 것을 보여주는 것이다.

만약 이것이 조금이라도 달성된다면, 저자는 만족한다. 이 책은 인류에 봉사하기 위해서 쓰여졌으며, 인류와 미래 세대가 판단해야만 한다. 저자는 하급 항소법원을 염두에 두지 않는다. 욕설에 그녀는 익숙하다; 비방에도 그녀는 나날이 익숙해지고 있다; 중상 모략에 그녀는 조용한 경멸로 웃어버린다.

법은 사소한 것까지 개입하지 않는다(De minimis non curat lex).

H.P.B. 런던, 1888년 10월.

차 례

서 론

─────

"들을 때는 천천히, 판단할 때는 친절히."

- 셰익스피어

영국에서 신지학 서적이 출현한 이후, 그 가르침을 "에소테릭 붓디즘(Esoteric Buddhism)"으로 부르는 것이 습관처럼 되었다. 그리고 하나의 습관이 되어 버린 이후에—매일매일 경험에 바탕을 둔 오래된 속담에서 말하듯이—"오류는 경사면을 내달리고, 반면에 진실은 오르막 고개를 힘겹게 올라가야 한다."

과거의 진부한 문구가 종종 가장 현명하다. 인간의 마인드는 편견에서 거의 완전히 자유로울 수가 없고, 어떤 주제에 대하여 모든 측면에서 철저한 조사가 이루어지기 전에 결정적인 의견이 자주 형성되어 버린다. 이것은 요즘 만연하는 두 가지 잘못을 염누하고 말한 것이다. 즉, (a) 신지학을 불교로 제한하는 것: 그리고 (b) 고타마 붓다가 설파한 종교 철학의 교리와 "에소테릭 붓디즘"에서 폭넓게 개략적으로 그려진 가르침을 혼동하는 것이다. 이것보다 더 잘못된 것을 거의 상상할 수가 없다. 그것이 우리의 적이 신지학에 대항하는 효과적인 무기를 발견하게 해주었다; 왜냐하면 어느 저명한 팔리어 학자가 아주 날카롭게 지적하여 말했듯이, 그 책 속에는 "비의가르침(esotericism)이나 불교라고 불린 것이 없기" 때문이다. 씨네트 씨 저작에서 제시된 비의적인 진리들은 공개되는 순간부터 더 이상 비의가르침이 아니었다; 그것은 붓다의 종교를 포함하지도 않았고, 본서에서 확장되고 설명되며, 이제 더 많이 보충된 지금까지 숨겨져 온 가르침에서 나온 몇몇 교리만 가지고 있을 뿐이다. 그러나 본서가 동양의 씨크릿 독트린에서 온 많은 근본 가르침을 제시하더라도, 이것조차도 어두운 베일 작은 한쪽 모서리를 조금 들어올리는 것에 불과하다. 왜냐하면 어느 누구도, 심지어 가장 위대한 살아 있는 초인도, 오랜 장구한 세월 동안 효과적으로 숨겨온 그것을 비웃으며 믿지 않는 세계에 난삽하게 제공하는 것이 허락되지 않고, 심지어 그럴더라도, 그렇게 할 수가 없기 때문이다.

"에소테릭 붓디즘"는 본서의 표제인 "씨크릿 독트린"을 나타낸 것에 불과하지만, 매우 불운한 표제를 가진 훌륭한 저작이었다. 사람들은 그것의 의미 보다는 겉모습으로 사물을 판단하는 습관이 항상 있기 때문에, 그 표제가 운이 없었다; 그리고 그 오류가 이제는 너무 보편적으로 되었기 때문에, 심지어 신지학회 동료들 대부분도 똑같은 오해의 희생자가 되었다. 하지만 처음부터, 브라만과 다른 사람들로부터 그 표제에 반대하는 항의가 제기되었다; 그리고 공정하게 말해서, "에소테릭 붓디즘"이 완성된 책으로 필자에게 보내졌으며, 그 저자가 "Budh-ism"이라는 단어를 표기하려는 방식을 전혀 알지 못했다는 것을 덧붙이고자 한다.

이것은, 그 주제를 대중에게 처음으로 알린 후에, "붓디즘(Buddhism)"―고타마가 설파한 그리고 그분의 칭호인 붓다(Buddha), "깨달은 자(Enlightened)"를 쫓아서 이름 붙인 윤리의 종교 체계―과 산스크리트어 "Budh"인 "알다"에서 유래한, 인식의 기능, "지혜" 혹은 지식(Vidya), 부다(Budha)의 차이를 지적하는 것을 방치한 사람들에게 책임을 지워야 한다. 우리가 당시 그 잘못을 바로잡으려고 최선을 다했더라도, 인도에 있던 우리 신지학자들 자신이 실재 피고인이다. ("신지학자," 6 월, 1883 년 참조) 이런 개탄스러운 잘못된 이름을 피하는 것이 쉬웠다; 그 단어의 철자를 바꾸기만 하면 되었고, 공통의 동의로 "Buddhism" 대신에 "Budhism"으로 발음하고 쓰면 되었다. 하지만 붓디즘(Buddhism)도 영어로 불교는 "Buddhaïsm(붓다이즘)"으로 그리고 옹호자를 "Buddhaïsts(붓다이스트)"라고 불러야 하기에 올바르게 표기되거나 발음되지도 않았다.

이런 설명이 본서 같은 문헌의 서두에서 절대적으로 필요하다. "에소테릭 붓디즘"에서도 "2 년전에 (1883 년), 본인이나 어떤 다른 유럽인도 그 과학의 알파벳도 몰랐기 때문에, 여기서 처음으로 과학적인 형태로 제시된다"고 진술하였지만, "지혜 종교(WISDOM RELIGION)"는 세계 모든 국가의 유산이다. 이런 실수가 부주의 때문에 기어들어오게 되었다. 왜냐하면 필자는 "에소테릭 붓디즘" 저자와 또다른 유럽인에게 씨크릿 독트린의 작은 부분을 전하는 것이 그녀의 의무가 되기 (1880 년) 여러 해 전에, "에소테릭 붓디즘"에서 "누설된" 모든 것과 훨씬 더 많은 것을 알고 있었기 때문이다; 그리고 확실히 본인은 유럽인으로 태어나서 교육받은 것에 대하여 본인에게는 확실하지만 오히려 애매한 특권을 가지고 있다. 더구나 씨네트 씨가 설명한 철학의 상당한 부분을, 심지어 "아이시스 언베일드"가 출판되기 이전에, 두 명의 유럽인과 나의 친구 H.S. 올코트 대령에게 미국에서 가르쳤기 때문이다. 올코트 대령의 세 분의 스승들 중에서, 한 분은 헝가리인 입문자였고, 두 번째 분은 이집트인, 세 번째 분은 인도인이셨다. 허락되었듯이, 올코트 대령은 이 가르침 일부분을 다양한 방식으로 제공하였다; 만약 다른 두 사람이 주지 않았다면, 그것은 단순히 그것이 허락되지 않았기 때문이다: 대중적인 작업을 위한 그들의 시간이 아직 오지 않았기 때문이다. 하지만 다른 사람들에게 때가 왔고, 씨네트 씨의 몇 권의 흥미로운 책의 출판이 그 사실의 명백한 증거이다. 어떤 신지학 서적도 가장된 권위에서 추가적인 가치를 얻지 않는다는 것을 명심하는 것이 무엇보다도 중요하다.

어원학에서 아디(Adi)와 아디 부다(Adhi Budha), 하나(one) (혹은 최초)의 "지고의 지혜"는 아리아상가가 그의 비밀 논고에서 사용한 용어이며, 이제는 북방불교 모든 신비가들이 사용하는 용어가 되었다. 그것은 산스크리트어이고, 가장 초기 아리안들이 미지의 신(Unknown deity)에게 붙인 명칭이다; 브라흐마(Brahma)라는 단어는 베다와 초기 작품에서는 찾아볼 수 없다. 그것은 절대적 지혜를 의미하고, "아디 부타(Adi-bhuta)"는 "태초의 창조되지 않는 만물의 원인"으로 피츠워드 홀이 번역하였다. 붓다(Buddha)라는 별칭이 인간화되어, 말하자면, 그 용어가 인간에게 적용되고 결국에는 비할 데 없는 미덕과 지식으로 "부동의 지혜의 붓다(Buddha of Wisdom unmoved)"의 칭호를 받게 된 자에게 사용되기까지 헤아릴 수 없을 정도의 오랜 세월이 지나갔음에 틀림없다. 보다(Bodha)는 신성한 지성 혹은 "이해"의 선천적인 소유를 의미한다; "붓다(Buddha)"는 개인의 노력과 공적으로 그것을 얻은 것이다; 반면에 붓디(Buddhi)는 신성한 지식이 "자아(Ego)"에 다다르는 채널을 인식하는 기능이고, 선과 악의 분별, "신성한 양심"이다; 그리고 "영적인 혼"으로, 아트마(Atma)의 매개체이다. "붓디가 모든 비카라(Vikaras)와 함께 자아성(EGO-tism)을 흡수할 때 (그것을 파괴할 때), 아발로키테쉬바라(Avalokiteshvara)가 우리에게 현현하게 되고, 니르바나 혹은 묵티(Mukti)에 도달한다"에서, "묵티"는 니르바나와 같은 것으로, 즉 "마야" 혹은 환영의 구속에서 해방이다. 마찬가지로 "보디(Bodhi)"는 사마디(Samadhi)로 불려지는 특정한 트란스 상태의 이름으로, 그 동안에 주체가 영적 의식의 절정에 도달한다.

단순히 명칭이 일신론자로써 그들에게 유해한 가르침을 암시하기 때문에, 맹목적으로 그리고 우리 시대에 불교(Buddhism)에 대한 그리고 반발로 "부디즘(Budhism)"에 대한 때 아닌 혐오로, 그것의 에소테릭 가르침 (그것은 브라만의 가르침이다)을 부인하는 사람들은 현명하지 않다. "현명하지 않다"는 것이 그들에게 사용할 수 있는 올바른 용어이다. 왜냐하면 에소테릭 철학만이 조잡하고 비논리적인 이런 물질주의 시대에 인간이 그의 내면의 영적인 삶에서 가장 소중하고 성스럽게 간직하는 모든 것에 대한 반복된 공격에 견딜 수 있도록 계산되었기 때문이다. 진정한 철학자, 즉 에소테릭 지혜의 학생은 개성, 독단적 믿음 그리고 특별한 종교를 철저히 잊어버린다. 게다가, 에소테릭 철학은 모든 종교를 조화시키고, 모든 것에서 그것의 외적, 인간적 의상을 모두 벗겨 내며, 각각의 뿌리가 다른 모든 위대한 종교의 근원과 동일하다는 것을 보여준다. 그것은 자연에 있는 절대적 신성 원리의 필요성을 증명한다. 그리고 태양을 부정하지 못하듯이, 그것은 신을 부정하지 않는다. 에소테릭 철학은 대자연 속에 있는 신을 결코 거부하지 않았고, 또한 절대적, 추상적 존재(Ens)로써 신성(Deity)도 부정하지 않는다. 그것은 소위 유일신 종교의 신들 어느 것도, 인간이 자신의 이미지와 유사하게 창조한 신, 영원한 미지자(Ever Unknowable)의 불경하고 유감스러운 풍자만화를 받아드리는 것을 거부할 뿐이다. 더욱이, 독자 앞에 제시하려는 기록들은 우리 인류의 시작 이후 전세계에 걸쳐 있는 비의적인 교의를 포함하고, 불교의 오컬티즘이 그 속에서 합당한 위치를 차지하며, 그 이상은 아니다. 진실로, 고타마의 형이상학에 나오는 "단(Dan)" 혹은 "냐-나(Jan-na)"[1] ("디얀(Dhyan)")의 비밀 부분—그것이 고대의 지혜 종교 가르침에 익숙하지 않은 사람에게는 웅대한 것으로 보이지만—은 전체의 아주 작은 일부분에 불과하다. 힌두의 개혁자 고타마는 그분의 대중 가르침을 지혜 종교의 순전히 도덕적,

---

1 _단(Dan)_ 이 근대 중국과 티벳 음성학에서 이제 _ch'an(찬)_ 으로 되었지만, 비의 학파와 그들 문헌에서는 일반적인 용어이다. 고대 문헌들에서, 냐나(Janna)라는 단어가 "명상과 지식으로 자기자신을 개혁하는 것", 두 번째 내적인 탄생(second inner birth)으로 정의된다. 따라서 _단(Dzan)_, 음성학적으로 _다안(Djan)_, "_잔_ 의 서(Book of _Dzyan_)."

생리학적 측면, 윤리와 인간으로만 한정하였다. "보이지 않는 무형의(unseen and incorporeal)" 사물들, 우리의 지상 영역 바깥에 있는 대존재의 신비에 대해서, 이 위대한 대스승은 그분의 아라한들의 비밀 써클을 위해서 숨겨진 진리들을 예비해두면서, 그분의 대중 강연에서 전혀 건드리지 않은 채 남겨두었다. 아라한들은 바이바르 산 (팔리어 사본에서는 웨바라) 근처에 있는 유명한 삽타파르나 동굴에서 (마하반사의 사따판니) 그들의 입문을 받았다. 이 동굴은 고대 모가다의 수도인 라자그리하에 있고, 어떤 고고학자들이 맞게 추정하듯이, 파-히안에 있는 체타 동굴이었다.[2]

일단 그 가르침들이 아라한들의 비밀스럽고 성스러운 써클에서 인도보다 형이상학 개념에 덜 준비된 토양으로 이식되면서, 개종 작업의 과정 동안에, 시간과 인간의 상상력이 이런 가르침의 순수성과 철학을 빠르게 해치우고 말았다; 예를 들면, 그 가르침이 중국, 일본, 태국 그리고 버어마로 옮겨졌을 때 그랬다. 이 웅대한 계시의 원시의 순수성이 어떻게 다루어졌는지 중국과 일반적인 다른 불교도 국가들뿐만 아니라, 심지어 입문하지 않은 라마들과 몽고 개혁가들에게 맡겨진 티벳의 적지 않은 학파들에서도, 근대 옷을 입은 고대의 소위 "에소테릭" 불교도 학파들의 일부를 연구할 때 보일 수 있다.

이렇게 독자는 정통적 불교—즉, 고타마 붓다의 대중적 가르침—와 그의 에소테릭 부디즘(Budhism) 사이에 매우 중요한 차이를 명심해야 한다. 하지만 그의 씨크릿 독트린은 당시 입문한 브라만들의 가르침과 전혀 다르지 않았다. 붓다는 아리안 토양에서 태어난 자손으로, 힌두인, 크샤트리아, "두 번 태어난 자"(입문한 브라만) 혹은 드위자(Dwijas)의 제자였다. 그러므로 그의 가르침은 브라만의 가르침과 다를 수가 없었다. 왜냐하면 전체 불교 개혁은 사원-입문가와 고행자들로 이루어진 "매혹된 자"의 써클 밖에 있는 모든 사람들로부터 비밀로 간직되어왔던 그것의 일부를 나누어 준 것에 불과하기 때문이다. 그가 진정한 비의적 지식의 기반 위에 세워진 철학을 가르쳤더라도 그분에게 전해진 모든 것을 가르칠 수 없기 때문에—

---

2 베글로 씨는 붓다가야에 있는 수석 엔지니어이자 저명한 고고학자로, 그것을 발견한 첫 번째 사람이다.

그의 서약 때문에—붓다는 세상에는 외적인 물질 체계만 주었고, 그의 선택된 자들을 위해서 그것의 *혼(soul)*을 간직하였다. (2 권 참조) 동양학자들 중에 많은 중국 학자들은 "혼의 가르침(Soul Doctrine)"을 들어보았다. 하지만 어느 누구도 그것의 실재 의미와 중요성을 이해하지 못한 것처럼 보였다.

그 가르침은 성소 안에서 비밀리에—어쩌면 너무 비밀스럽게—보존되었다. 그것의 주된 교리와 열망을 뒤덮은 신비—니르바나—가 그것을 연구해온 학자들의 호기심을 너무 시험하고 자극하였지만, 그것을 논리적으로 만족스럽게 풀 수 없어서, 그 난제를 푸는 데, 그들은 니르바나(Nirvana)는 *절대적 절멸(absolute annihilation)*을 의미했다고 선언함으로써, 그것을 잘라버렸다.

19 세기 초가 끝날 무렵에, 독특한 부류의 문학이 세계에 출현하였고, 해가 갈수록 그것이 경향에서 점점 더 세련되었다. 일반적으로 산스크리트어 학자들과 동양학자들의 자칭의 학문적 연구에 토대를 두었기에, 그것이 과학적으로 여겨졌다. 힌두, 이집트, 그리고 다른 고대 종교들, 신화들과 상징들은 상징학자가 원하는 어떤 것을 주도록 만들어져서, 내적인 의미 대신에 자주 조잡한 외적인 형태가 주어졌다. 한 명 이상의 산스크리트어와 팔리어 학자의 삼단논법에서처럼 뻔한 결론이 전제에 따라서 위치를 바꾸면서, 가장 독창적인 연역과 추론을 하는 저작들이 악순환 속에서 빠르게 잇따라 나타났고, 서로 모순되는, 진정한 상징에 대한 것보다 오히려 남근 숭배와 성적 숭배에 관한 논문들로 도서관을 넘쳐나게 하고 있다.

태고의 씨크릿 독트린의 몇 가지 근본 진리들의 윤곽이 가장 심오한 침묵과 비밀의 수천 년이 지난 후에 이제 그 빛을 보는 것이 허락된 진정한 이유가 이것이다. "몇 가지 진리"라고 조심스럽게 말한다. 왜냐하면 말하지 않고 남겨 두어야 하는 것이 수 백 권 분량으로도 채울 수 없고, 현재의 물질주의 세대에 줄 수도 없기 때문이다. 그러나 심지어 지금 주어지는 그 "조금"도 중요한 진리에 대한 완전한 침묵보다는 더 낮다. 오늘날 세계는 미지(unknown)—문제가 물리학자의 이해를 빗겨갈 때마다, 알 수 없는 것(unknowable)과 너무 쉽게 혼동하기 쉽다—를 향한 광란의 질주 속에서 영성과 반대의 물질계로 빠르게 나아가고 있다. 그것이 이제는 광대한 투기장—부조화와 영원한 분쟁의 진정한 계곡—대규모 매장지로 되었으며, 그 속에 우리의 영-혼(Spirit-Soul)의 최고로 높고 가장 성스러운 열망이 묻혀 있다. 그 혼은 새로운 세대 때마다 점점 더 마비되어 위축되고 있다. 그릴리가 말했듯이, 사회의 "온화한 불신자들과 성취한 방탕자들"은 과거에 죽어버린 과학의 부흥에는 거의 신경 쓰지 않는다; 하지만 지금 나눠줄 수 있는 그 약간의 진리를 배울 자격이 되는 소수의 진실한 학생들이 있다; 그리고 "아이시스 언베일드" 혹은 에소테릭 과학의 신비를 설명하려는 나중의 시도들이 출판되었을 때보다, 이제 10 년 이상 되었다.

씨크릿 독트린 전체 작업의 정확성과 신뢰성에 가장 큰 그리고 동시에 가장 심각한 반대 중에 하나는 서두에 나오는 스탠저들일 것이다: "그것들 속에 간직된 진술을 어떻게 확인할 수 있을까?" 그렇다. 본서에서 인용한 상당한 부분의 산스크리트어, 중국어 그리고 몽고어 저작들이 어떤 동양학자들에게 알려져 있지만, 주된 저작—스탠저를 제공하는 것—은 유럽인 도서관에 소장되어 있지 않다. "잔의 서(Book of Dzyan 혹은 Dzan)"는 문헌학자들에게 전혀 알려지지 않았고, 현재 이름으로 결코 들어 본적도 없다. 물론, 이것은 공식 과학에서 규정하는 조사 방법을 따르는 사람들에게는 큰 결함이다; 하지만 오컬티즘을 공부하는 학생들과 모든 진정한 오컬티스트에게 이것이 중요하지 않을 것이다. 여기서 주어진 가르침의 주된 부분은 수 천 페이지에 달하는 산스크리트어 사본에서 발견되며, 어떤 것은 이미 번역되었고—여느 때처럼 그것의 번역에서 왜곡되었고—다른 것은 아직 순서를 기다리고 있다. 따라서 모든 학자가 여기서 말한 진술을 검증하고 대부분의 인용들을 확인할 수 있는 기회를 가지고 있다. (세속의 동양학자에게만 새로운 것이지만) 몇 가지 새로운 사실들과 주석에서 인용된 문장들을 추적하는데 어려움이 있을 것이다. 또한 몇몇 가르침은 지금까지 구전으로 전해져 왔다: 하지만 심지어 그것들도 브라만, 중국 그리고 티벳 사원에 있는 무수히 많은 문헌들 속에 암시되어 있다.

악의적인 비판을 통해서 작가를 기다리고 있는 것이 무엇이건 그리고 그것이 어떤 것이건, 한 가지 사실은 상당히 확실하다. 몇몇 에소테릭 학파 구성원들—본부가 히말라야 너머에 있으며, 그것의 지부들이 중국, 일본, 인도, 티벳 그리고 심지어 시리아와 남미에서 볼 수 있다―은 사본이나 활자본으로 된 성스럽고 철학적인 저작들 총합을 수중에 가지고 있다고 주장한다: 사실 글쓰기의 예술이 시작된 이후, 언어가 무엇이건 혹은 문자가 무엇이건 언제나 쓰여 온 모든 저작들; 표의문자, 상형문자부터 카드모스 및 데바나가리 알파벳에 이르기까지.

알렉산드리아 도서관의 파괴 이후 (아이시스 언베일드, 2 권, p. 27 참조), 세상 사람들이 비밀 과학의 신비의 일부라도 궁극적으로 발견해서 이해하게 해줄 수도 있었던 그런 성격의 모든 저작을 형제단 구성원들의 단합된 노력으로 부지런히 찾아왔다고 모든 시대에 주장해왔다. 더구나, 일단 발견되면 사본 3 개를 남겨서 안전하게 보관시키고, 그런 저작들은 모두 파괴되었다고 아는 분들이 첨언한다. 인도에서는 소중한 사본들이 악바르 황제 통치 기간 동안 안전하게 감추어졌다.[3]

게다가, 그런 종류의 모든 성스러운 서적, 본문이 상징으로 충분히 감추어져 있지 않았거나, 고대의 신비를 직접 설명한 것들은, 가장 현명한 고문서 학자의 기술도 허용하지 않을 만큼의 암호문자로 신중하게 복사한 후에, 마지막 사본까지도 파괴되었다고 주장한다. 악바르 통치 기간 동안에, 어느 광적인 조신이 황제가 이교도들의 종교를 들춰보는 것에 불쾌하여, 브라만들이 그들의 사본을 숨기는 것을 도와주었다. 그런 사람이 바다오니였고, 그는 악바르 황제가 우상 숭배 종교에 열광하는 것에 대하여 노골적인 불쾌감을 가졌었다.[4]

---

3 맥스 뮐러 교수가 악바르부터 어떤 협박이나 뇌물도 브라만으로부터 베다 원본을 강탈할 수 없었다는 것을 보여준다; 그리고 유럽계 동양학자들이 그것을 가지고 있다고 자랑한다. ("종교의 과학"에 대한 강연, p. 23) 유럽이 완전한 사본을 가지고 있는지 매우 의심스럽지만, 미래에 동양학자들을 위해서 매우 불쾌한 놀라움이 기다리고 있을 수 있다.
4 바다오니(Badaoni)가 *연대기 발췌*에서 썼다: "폐하께서 이 이교도 종파들에 대한 탐구를 즐기셨다 (그 수가 너무 많고 *드러난 책*들도 끝이 없어서, 신뢰할 수가 없다) . . . 그들― 스라마나(Sramana)와 브라만―은 윤리, 물질 과학과 종교 과학에 대한 그들의 논고에서 다른 박식한 사람들보다 더 앞서고, *미래에 대한 그들의 지식에서*, 영적인 힘과 인간의 완성에서 높은 정도에 도달하기 때문에, 그들은 이성과 증언에 바탕을 둔 증거를 가져왔고, 그들의 가르침을 너무 확고하게 주입시켜서 심지어 산이 무너져서 먼지로 된다 해도 혹은 하늘이 두 조각 난다 해도 어느 누구도 폐하가 있는 데서 의심을 제기할 수가 없었다." 이 저작이 "비밀로 간직되었고, 자항기르 통치 때까지 출간되지 않았다." ("악바르 헌정," 블로쉬만 박사 번역, p. 104, 주)

더구나 거대하고 부유한 라마사원에는, *곤파*와 *라캉*이 산에 있을 때마다, 바위를 잘라서 만든 지하 동굴과 동굴 도서관이 있다. 서쪽 차이담 너머 쿠엔룬[5] 산맥의 쓸쓸한 통행로에 숨을 수 있는 장소가 몇 군데 있다. 지금까지 어떤 유럽인도 발을 들여놓은 적이 없는 알틴 토가 능선을 따라서, 깊은 협곡 안에 감추어져 있는 작은 마을이 있다. 그것은 수도원이라기 보다는 작은 마을로 몇몇 집들이 모여 있으며, 그곳에 보잘것없는 사원과 나이 든 라마승, 은둔자가 그것을 지켜보며 근처에 살고 있다. 순례자들이 말하길, 그 밑에 있는 지하 통로와 홀에는 많은 책들이 있으며, 주어진 설명에 의하면, 그 책의 수가 영국 대영박물관조차 다 수용할 수 없을 정도로 거대하다고 한다.[6]

이 모든 것이 의심 어린 미소를 유발시킬 것이다. 하지만 독자가 이 기록의 진실성을 거부하기 전에, 멈춰 서서 다음의 잘 알려진 사실들을 심사숙고 해보길 바란다. 동양학자들의 집단적 연구와 특히 비교언어학 및 종교 과학의 학생들의 최근의 노력으로 그들이 다음과 같은 확증에 이르렀다: 지금까지 존재해 온 것으로 알려진 셀 수 없이 많은 엄청난 양의 사본과 인쇄본이 이제는 더 이상 발견되지 않는다. 그것들은 아주 작은 어떤 단서도 남기지 않은 채 사라져버렸다. 만약 그것들이 중요한 것이 아니었다면, 시간이 지나면서 자연스럽게 소멸되도록 놓아두었을 것이고, 그것들의 이름들이 인간의 기억에서 지워졌을 것이다. 그러나 그렇지 않았다; 이제 확인하듯이, 그것들 대부분이 여전히 남아있는 문헌들에 대한 진정한 열쇠들을 가지고 있고, 그것의 독자들의 더 큰 부분이 추가적인 설명이자 주석 없이는 전혀 이해할 수 없는 것들이었다. 예를 들면, 공자 이전에 있던 노자의 문헌들이 그렇다.[7]

---

5 카라코룸 산, 티벳 서쪽.
6 똑같은 전통에 따르면, 타림의 물이 없는 이젠 황폐해진 지역—투르케스탄 중앙에 있는 진짜 황무지—은 고대에는 번창하는 부유한 도시들로 덮여 있었다고 한다. 현재는 녹색의 오아시스가 완전한 고독을 거의 완화시켜주지 못한다. 사막 모래가 삼켜버리고 그 밑에 묻힌 거대한 도시의 무덤 위로 솟아난 그런 곳은 어느 누구 주인도 없으며, 가끔 몽고사람들과 불교도들이 방문한다. 똑같은 전통에서 타일과 실린더로 가득 찬 거대한 지하 거주처, 거대한 복도에 대하여 말하고 있다. 헛소문일 수도 있고, 실제 사실일 수도 있다.
7 "중국을 보면, 공자의 종교는 자체로 상당한 정도로 그리고 수많은 주석서로 둘러싸인 *사서오경(Five King and Four Shu-books)* 위에 세워졌으며, 그 주석서들이 없다면 심지어 가장

노자는 윤리와 종교에 관하여 930 권, 마술에 관하여 70 권, 총 1,000 권을 썼다고 말한다. 하지만 그의 위대한 저작, 그의 가르침의 심장, "도덕경(Tao-te-King)" 혹은 도교의 신성한 경전은, 스타니슬라스 줄리앵이 보여주듯이, 겨우 12 페이지도 안 되는 "약 5,000 자"만 (도덕경, xxvii 페이지) 가지고 있다. 그럼에도 맥스 뮬러 교수는 "그 본문은 주석 없이는 이해할 수 없어서, 줄리앵 씨는 그의 번역을 위해서 60 명 이상의 주석자를 참고해야만 했다"고 말했으며, 가장 초기의 주석자는 이미 알고 있듯이, 적어도 기원전 163 년까지 거슬러 올라간다. 그 주석자들의 최초보다 선행하는 450 년 동안, 입문한 승려들을 제외한 일반인으로부터 노자의 진정한 가르침을 숨기기에 충분한 기간이 있었다. 일본에는 노자를 따르는 학식이 높은 승려들과 추종자들이 있는데, 그들은 유럽 중국학자들의 가설과 실수를 비웃는다; 전통에 의하면, 우리 서구 중국학자들이 가지고 있다는 주석은 진정한 오컬트 기록들이 아니라, 의도적으로 만든 베일에 불과하며, 거의 모든 기록들과 진정한 주석들은 일반인 눈으로부터 오래 전에 사라졌다고 한다.

이제 셈족 종교의 고대 문헌으로, 칼데아인의 성전, 누이이자 여교사, 모세 성경의 근원은 아닐지라도, 기독교의 기반이며 시발점으로 눈을 돌려보면, 학자들은 무엇을 발견할 것인가? 바빌론의 고대 종교에 대한 기억을 영속시키는 것; 칼데아인 마기(Magi)들의 천문 관측의 광대한 주기를 기록하는 것; 그들의 화려하고 우수한 오컬트 문헌 전통을 정당화하는 것, 이제 무엇이 남는가? – 겨우 몇 가지 단편들만 있다고 베로수스가 말한다.

그러나 이것들이 심지어 사라진 것의 성격에 대한 실마리로써 거의 쓸모가 없다. 왜냐하면 그 문헌들이 캐사리아 주교의 손을 거쳤고—다른 사람들 종교의 신성한 기록을 검열하고 편집하는 권한을 가진 스스로 정한 사람—그것들은 의심할 여지없이 주교의 진실하고 신뢰할 수 있는 손의 흔적을 가지고 있다. 그러면 한 때 웅대한 바빌론 종교에 관한 이 논고의 역사는 무엇인가?

박식한 학자들도 *그 성전들의 깊이를* 감히 이해하려고 하지 않는다." (맥스 뮬러, "종교의 과학"에 대한 강연, p. 185) 그러나 그들은 그것을 이해하지 못하였다—그리고 그 단체의 매우 박식한 구성원이 1881년에 파리에서 불평하였듯이, 이것이 공자학자들의 불만이다.

벨루스 사원의 사제인 베로수스가 그 사원의 사제들이 보존한 그리고 20 만년의 기간을 망라하는 천문학적 기록과 연대기들에서 알렉산더 대왕을 위하여 그리스어로 작성한 것이 이제는 사라지고 없다. 기원 전 1 세기경에 알렉산더 폴리히스터는 그 기록에서 일련의 초록을 만들었으나 이것 또한 사라졌다. 유세비우스는 그의 연대기 (270~340 A.D.)를 쓸 때 이 초록을 사용하였다. 유대 성전과 칼데아 성전[8] 사이 유사점—거의 동일한 점—때문에 유대 성전을 채택한 새로운 신앙의 수호자이며 투사였던 유세비우스에게는 칼데아 성전이 가장 위험한 것이었고, 그래서 터무니없는 연대기를 만들게 되었다. 게다가 유세비우스가 마네토의 이집트 연대기표도 남겨두지 않았다는 것이 상당히 확실하다—너무 많아서 분센은[9] 그가 역사를 가장 부도덕적으로 훼손한다고 비난한다. 그리고 5 세기 역사가인 소크라테스와 8 세기 콘스탄티노플의 부주교였던 신캘러스 둘 다 그를 가리켜 가장 과감하고 지독한 위조자라고 비난한다.

그렇다면 너무 성급하게 받아들인 새로운 종교를 이미 위협하는 칼데아 기록들을 그가 부드럽게 대했겠는가?

그래서 의심스러운 단편들을 제외하고, 전체 칼데아 성전이 사라진 아틀란티스처럼 세속인들 눈에서 사라져 버렸다. 베로수스 연대기 속에 있는 몇 가지 사실들이 2 권, 2 부에서 주어질 것이며, 벨(Bel)과 용(Dragon)으로 인격화된 추락 천사들(Fallen Angels)의 진정한 기원에 대하여 상당한 빛을 줄 것이다.

이제 가장 오래된 아리안 문헌인 리그-베다로 눈을 돌리면, 학생들은 말한 동양학자들이 제공한 자료를 엄격하게 따르면, 리그 베다가 "약 10,580 구절, 혹은 1,028 찬가"만 가지고 있더라도, 브라흐마나와 대량의 주해 및 주석들에도 불구하고, 오늘날까지 정확하게 이해되지 않고 있다. 왜 그런가? "태고의 찬가들에 대한

---

8 조지 스미스 (그의 "창세기에 대한 칼데아인의 설명" 참조)가 발견한 것을 통해서 이제서야 발견되고 증명되었으며, 이 아르메니아 날조자 때문에, 1500년 이상 넘게 모든 *문명 국가들*이 유대 성전이 *직접적인 신성의 계시*라고 받아들이게 만들었다!
9 분센의 *"역사에서 이집트의 위치"* 1권, p. 200.

학문적으로 가장 오래된 논고들"인 브라흐마나들 자체가 동양학자들이 확보하지 못한 어떤 열쇠가 필요하기 때문이다.

학자들은 불교 문헌에 대하여 무엇을 말하는가? 그들이 불교 문헌을 완전하게 가지고 있는가? 분명히 그렇지 않다. 북방 불교도의 칸주르와 탄주르의 325 권에도 불구하고, 각 권이 "4 파운드 혹은 5 파운드 무게가 나가는데," 라마사상에 대해서는 사실 아무것도 알려지지 않았다. 그러나 남방교회의 성전은 사다르마 아란카라어로[10] 29,368,000 글자를 가지고 있다고 말하며, 혹은 논문과 주석을 제외하더라도, "성경에 담겨있는 양보다 5 배 혹은 6 배 많다"고 말한다. 맥스 뮬러 교수에 의하면, 성경은 겨우 3,567,180 글자가 있다고 한다. 이 "325 권"(실제로는 333 권으로, 칸주르 108 권과 탄주르 225 권이다)에도 불구하고, "번역가들이 정확한 버전을 제공하는 대신에 그들 몇몇 학파들의 도그마를 정당화시키는 목적으로 그것들을 그들 자신의 주석과 서로 엮어서 짜 놓았다.[11] 더구나 "불교학파들이 보존한 전통에 따르면, 남방 불교와 북방 불교의 경전은 원래 80,000 혹은 84,000 소책자를 구성하였지만, 대부분이 소실되었고, 그래서 6,000 개만 남았다"고 그 교수가 청중들에게 말한다. "소실되었다"는 것은 유럽인들에게 그렇다는 의미이다. 그러나 불교도들이나 브라만들에게도 소실된 것인지 누가 확신할 수 있겠는가?

불교도들이 붓다 혹은 그의 "선법(Good Law)"에 관하여 쓰여진 모든 기록을 신성하게 여기는 것을 고려할 때, 거의 76,000 경의 소실은 기적에 가까운 일인 것처럼 보인다. 그것이 반대의 경우였다면, 사건의 자연스러운 흐름에 익숙한 사람은 모두 이 76,000 경 중에서 5 천 혹은 6 천경이 인도에서 박해 시절 혹은 인도로부터 탈출 기간에 파괴되었을 수도 있다는 진술에 동의할 것이다. 그러나 불교도 아라한들이 기원전 300 년경 초기부터[12] 카시미르와 히말라야 너머로 새로운 믿음을 전파할 목적으로 그들의 종교적 탈출을 시작하였고, 그들이 서기 61 년에[13] 중국에

---

10 스펜스 하디, "불교도의 이론과 전통," p. 66.
11 "티벳 불교," p. 78.
12 라센은 ("인도 고전 연구" 2권, p. 1072) 기원전 137년경 카일라 분지에 세워진 불교 사원을 보여준다; 커닝행 장군은 그것보다 이전 것을 보여준다.
13 T. 에드킨스, "중국 불교."

도달해서, 카시야파(Kashyapa)가 밍티(Ming-ti) 황제의 초청에 거기로 가서 "천자(Son of Heaven)"가 불교 가르침을 알게 하였다는 것이 잘 알려져 있기 때문에, 동양학자들이 그런 방대한 소실이 실제로 가능한 것처럼 말하는 것이 이상하게 들린다. 그들은 단 한 순간도 그 경들이 서구와 그들 자신에게만 소실될 수도 있다는 가능성을 감안하지 않는 것처럼 보인다; 혹은 아시아 사람들이 그들의 가장 성스러운 기록을 외국인 손이 닿지 않는 곳에 보관할 만큼 대범해서, 그들보다 "광대하게 우월한" 인종들이 남용하고 모독하지 못하도록 그것들을 전달하지 않았다는 가능성을 단 한 순간도 감안하지 않는 것처럼 보인다.

거의 모든 동양학자들이 표명한 유감과 수많은 고백 때문에 (예를 들면, 맥스 뮬러의 "강연" 참고) 대중은 다음을 충분히 확신하는 것으로 느낄 수 있다: (a) 고대 종교를 연구하는 학생들은 그들이 고대 종교에 대하여 일반적으로 내리는 그런 최종의 결론을 세우는 데 진실로 매우 적은 자료를 가지고 있다. 그리고 (b) 그런 자료의 부족이 그들이 독단화하는 것을 결코 막지 못한다. 고전들과 많은 고대 작가들 속에 보존된 이집트 신통기와 신비에 대한 수많은 기록들 덕분에, 파라오 시대 이집트의 의식 절차와 도그마가 최소한 잘 이해되리라고 상상할 것이다; 하여튼 인도의 너무 심오한 철학과 범신론보다는 더 잘 이해되리라고 상상할 것이며, 인도의 종교와 언어에 대하여 유럽은 금세기 초 이전에는 거의 알지 못했다. 그런 나일 강변을 따라서 그리고 전 국토에서, 지금 이 시간까지 매년 그리고 매일 그들 자신의 역사를 유창하게 말하는 새로운 유물이 발굴되고 있다. 여전히 그렇지 않다. 박식한 옥스퍼드 언어학자가 다음과 같이 진실을 고백한다: "비록 . . . 우리는 여전히 서 있는 피라미드, 그리고 사원과 미로의 유적들을 보고, 상형문자와 신들 그리고 여신들의 기이한 그림들로 뒤덮여 있는 벽을 본다. . . 시간의 약탈을 거부하는 것처럼 보이는 파피루스 두루마리 위에서, 이집트인들의 성전으로 부를 수도 있는 것의 단편들을 가지고 있다; 그러나 많은 것이 그 신비스러운 인종의 고대 기록에서 해독되어 왔지만, 이집트 종교의 원동력과 의례의 숭배의 원래 의도가 우리에게 결코 충분하게 드러나지 않았다."[14] 여기서 다시 신비스러운 상형문자 사본들이 여전히 남아 있으며, 그것들을 이해할 수 있는 열쇠들이 사라져 버렸다.

---

14 가장 위대하다는 우리의 이집트 학자들이 이집트인의 장례 의식과 미이라에 있는 성들의

그럼에도 불구하고, "언어와 종교 사이에 자연스러운 연결고리가 있다"는 것; 둘째로, 아리안 인종의 분리 이전에 공통의 아리안 종교가 있었고; 셈족의 분리 이전에 공통의 셈족 종교가 있었으며; 우랄알타이어족에 속하는 다른 민족과 중국으로 분리되기 이전에 공통의 우랄 알타이 종교가 있었다는 것을 발견하였고; 사실 "세 개의 고대 종교 센터"와 "세 개의 언어 센터"를 발견하였으며, 그들의 원시 종교나 원시 언어 및 그것의 기원에 대하여 거의 전적으로 무지하더라도, 교수는 "세계의 주요 종교들의 과학적 연구의 진정한 역사적인 기초를 얻었다"는 것을 거리낌 없이 선언하였다.

어떤 주제에 대한 "과학적인 취급"이 그것의 "역사적 근거"에 대한 보증이 아니다; 그리고 수중에 있는 그런 자료의 희소성으로, 심지어 가장 뛰어난 언어학자라도 역사적인 사실들에 대한 자신의 결론을 제시하는 것을 정당화할 수가 없다. 의심할 여지없이, 그 탁월한 동양학자는 음성 규칙에 관한 그림의 법칙(Grimm's law)에 따라서, 오딘(Odin)과 붓다(Buddha)는 서로 상당히 구분되는 다른 두 사람이고, 그것을 과학적으로 보여주었다는 것을 세계가 만족스럽게 철저히 증명하였다. 그러나 오딘이 "베다나 호머 시대 훨씬 이전 시기 동안에 지고의 신으로써 숭배되었다"고 ("비교 신학," p. 318) 동시에 말할 기회를 가질 때, 그는 그것에 대한 어떤 "역사적인 근거"를 가지고 있지 않다. 그는 역사와 사실을 그 자신의 결론에 종속시키며, 이것이 동양학자들이 보기에 매우 "과학적"일 수 있지만, 실제 진리에서는 매우 멀리 빗나간 것이다. 베다의 경우, 마틴 하우그부터 맥스 뮬러 자신에 이르기까지, 다양한 훌륭한 언어학자들이자 동양학자들이 그것의 연대기에 대한 서로 상충된 견해가 그 진술이 어떤 역사적 근거를 갖고 있지 않다는 분명한 증거이며, "내적인 증거"가 따르기에 안전한 등불이 아니라 종종 도깨비불이라는 것을 보여준다. 그리고 "그리스와 이탈리아 신전들에 보존된 . . . 인류 전체의 조상들에게 주어진 태고의 계시의 단편들이 있었음에 틀림없다"고 지난 세기 동안에

차이를 나타내는 외적인 표시를 거의 알지 못해서 가장 터무니없는 실수를 하게 되었다. 그 이후 1년 혹은 2년 뒤, 그런 종류의 하나가 카이로 불락에서 발견되었다. 중요하지 않은 파라오 부인으로 여겨졌던 미이라가 목에 있던 부적에서 발견된 표시 때문에 이집트의 가장 위대한 왕인 세소스트리스의 미이라로 밝혀졌다.

주장해온 박식한 많은 저자들이 완전히 틀렸다는 것을 보여주는 근대 비교 신화의 과학도 더 나은 증거가 되지 못한다. 왜냐하면 이것이 모든 동양의 입문자들과 인도학자들이 때때로 세상에 공표해오던 것이기 때문이다. 실론의 저명한 승려 한 명이 신성한 규범에 속하는 가장 중요한 불교 경전들이 유럽 학자들이 접근할 수 없는 국가나 장소에 소중하게 보존되었다고 확인해 주었으며, 당시 인도의 가장 위대한 산스크리트어 학자였던 스와미 다야난드 사라스바티도 또한 몇몇 신지학회 회원들에게 고대 브라만 경전들에 대하여 같은 사실을 확인해 주었다. 맥스 뮬러 교수가 그의 "강연"에 온 청중들에게 "인류 조상들에게 주어진 태초의 초자연적인 계시가 있다는 이론에 현재 지지자들이 거의 없다"고 선언하였다는 것을 들었을 때, 그 신성한 사람은 웃었다. 그의 답변이 다분히 시사적이었다. "만약 목시 뮬러 씨가 (그가 맥스 뮬러 교수 이름을 이렇게 불렀다) 브라만이었고, 나와 같이 왔다면, 나는 그를 히말라야에 있는 오키 마쓰 근처에 있는 비밀 동굴로 데려갔을 것입니다. 그리고 거기서 인도에서 유럽으로 칼라파니(흑해)를 건넌 것은 단지 우리의 신성한 경전들에서 거절당한 몇몇 구절들에 지나지 않는다는 것을 곧 알게 될 것입니다. 태초의 계시는 있었어, 그것은 여선히 존재합니다; 그리고 그것은 결코 잃어버리지 않을 것이며, 다시 나타날 것입니다; 비록 외국인들은 당연히 기다려야 하지만요."

이 점에 대하여 더 물었으나, 그는 더 이상은 말하려 하지 않았다. 이것은 1880 년 미룩에서 있었던 일이다.

지난 18 세기에 캘커타에서 브라만들이 월포드 대령과 윌리엄 존스 경에게 한 속임수는 확실히 잔인한 일이었다. 그러나 그것은 그들이 받을 만한 것이었고, 그 사건에서 선교사들과 월포드 대령 자신 이외 그 누구도 비난할 수 없었다. 윌리엄 존스 경 자신의 증언에서 선교사들은 어리석게도 "힌두인의 브라흐마, 비쉬누, 그리고 마혜샤(Mahesa)가 다름 아닌 기독교 삼위일체이기 때문에, 힌두교도가 이제는 거의 기독교도이다"[15]라고 주장하였다. 그것은 좋은 교훈이었다. 그 사건으로

---

15 맥스 뮬러의 "종교의 과학 서문" 참조. *비교 신학에서 허위 유추에 관한* 강연, p. 288, 298 이하 참조. 그 강연은 월포드 대령의 권위자들이 아담과 아브라함, 노아 그리고 그의 세 아들 등등에 관하여 들었다는 모든 것에 대한, 정확한 고대 산스크리트어로 된, (고대 푸라나 사본에 삽입된 나뭇잎에 관한) 영악한 위조에 대하여 언급한다.

동양학자들을 훨씬 더 신중하게 만들었다; 그러나 아마도 그 사건이 몇몇 사람들을 너무 소심하게 만들었으며, 그 반작용으로 뻔한 결론의 진자를 반대 방향으로 너무 많이 움직이게 만들었다. 왜냐하면 월포드 대령을 위해서 만들어진 "브라만 시장에 나온 그 첫 번째 보급품 (위조 사본)" 때문에 이제는 선교사들이 그 기회를 이용하기 위해서 충분한 정당성을 갖도록 동양학자들이 거의 모든 태고의 산스크리트어 사본이 근대의 것이라고 선언해야 하는 분명한 필요성과 욕망을 만들었기 때문이다. 그들이 그들 멘탈 힘이 닿는 최대한 그렇게 하는 것이 크리슈나에 관한 푸라나 이야기 전체가 브라만들이 성서에서 표절한 것이라고 최근에 증명하려는 터무니없는 시도로 나타났다. 그러나 "종교의 과학"에 관한 그의 강연들에서 월포드 대령을 도와주기 위해서 그리고 나중에 슬프게 된 그 유명한 삽입 어구에 관하여 그 옥스포드 교수가 인용한 사실들은 씨크릿 독트린을 공부하는 사람이 불가피하게 내리는 결론에 전혀 간섭하지 못한다. 왜냐하면 신약성서나 심지어 구약성서가 더 고대의 종교들인 브라만과 불교로부터 차용한 것이 없다는 결과를 보여주더라도, 유대인이 그들이 알았던 모든 것을 칼데아인의 기록에서 차용하지 않았다고 하지 못한다. 칼데아 기록은 나중에 유세비우스에 의해서 훼손되었다. 칼데아인들에 관하여, 그들은 확실히 그들의 초기 가르침을 브라만으로부터 얻었다. 왜냐하면 로린슨이 바빌론의 초기 신화에서 의심할 여지없는 베다의 영향을 보여주기 때문이다; 그리고 반스 케네디 대령은 그 이후 오랫동안 바빌로니아는 그 기원부터 산스크리트와 브라만 학문의 중심이었다고 공정하게 선언하였다. 그러나 그런 모든 증거들은 맥스 뮬러 교수가 생각해낸 최근 이론으로 그 가치를 잃어버려야만 했다. 그것이 무엇인지 모두가 알고 있다. 음성학 법칙의 코드가 이제는 많은 국가들의 신들 사이에 "연결고리"이자 모든 확인의 보편적 용매제가 되었다. 이렇게, 머큐리(Mercury)—부다(Budha), 토트-헤르메스 등—의 어머니는 마이아(Maia)였고, 붓다(고타마) 어머니 역시 마야(Maya)이며, 예수의 어머니도 마찬가지로 마야이다—환영, 왜냐하면 메리(Mary)가 마레(Mare), 바다, 상징적으로 거대한 환영이기 때문이다. 하지만 이 세 인물은 어떤 연결고리가 없으며, 밥(Bopp)이 "그의 음성학 법칙의 코드를 세운" 이후에, 그들은 어떤 연결고리를 가질 수도 없게 되었다.

집필되지 않은 역사의 많은 타래를 합치려는 그들의 노력에서, 우리의 동양학자들이 그들의 특별한 결론에 딱 맞아떨어지지 않는 모든 것을 선험적으로 부정해버리는 것은 대담한 행동이다. 이렇게 시간의 밤 아득히 멀리 존재하였던 위대한 예술과 과학에 대하여 매일매일 새로운 발견을 하지만, 심지어 가장 고대 국가들 중에 어떤 나라에는 글쓰기 지식이 없었다고 보며, 그리고 그들이 문화 대신에 야만주의를 가지고 있었다고 믿었다. 그렇지만 중앙아시아에서조차도 엄청난 문명의 흔적들이 여전히 발견되고 있다. 이런 문명은 부인할 수 없이 유사 이전이다. 그리고 어떻게 어떤 연대나 연대기가 없이 어떤 형태로 어떤 문학이 없는 문명이 있을 수 있겠는가? 상식만이 떠나간 국가들의 역사에서 끊어진 연결고리를 보완해야 한다. 황허강 상류에서부터 카라코룸 언덕까지 내려가는 티베트 고원 전체를 포위하는 끊어지지 않는 거대한 산맥의 벽이 수 천 년 동안 어떤 문명을 증언하였고, 인류에게 들려줄 이상한 비밀들을 가지고 있을 것이다. 그 지역의 동부와 중앙부—난산과 알티네타가—는 오래 전엔 바빌론과 경쟁할 수 있는 도시들로 덮여 있었다. 이동하는 모래 언덕들과 타림 분지의 광대한 중앙평원의 불모의 땅이 증언하듯이, 그 도시들이 마지막 숨을 내쉰 이후, 전체 지질기가 그 지역을 휩쓸어버렸다. 경계지역만이 여행자들에게 피상적으로 알려져 있다. 이런 사막 고원에는 물이 있고, 싱그러운 오아시스에서는 만발한 꽃들이 발견되지만, 지금은 위험한 땅으로, 어떤 서구인도 아직은 위험을 무릅쓰며 발을 들여놓지 않았다. 이 신록의 오아시스 중에서 심지어 세속의 원주민 여행자조차도 접근할 수 없는 곳이 있다. 허리케인이 사막을 찢어 놓고 전체 평원을 날려버릴 수 있지만, 닿지 않는 곳에 있는 것을 파괴하지는 못한다. 땅 속 깊은 곳에 세워져 있기에, 지하 저장고는 안전하다; 그리고 그 입구가 그런 오아시스 속에 숨겨져 있기에, 심지어 몇 개의 군대가 황무지를 침입하더라도, 누가 그것들을 발견할 염려가 거의 없다. 그곳에는

"연못도, 수풀도 없고, 한 채의 집도 보이지 않으며,
그리고 산맥은 우툴두툴한 장막을 치고 있다.
메마른 사막의 건조한 고원으로 둘러싸인 채. . . . ."

그러나 같은 나라의 비교적 사람이 많이 살고 있는 지역에서 고대 문명의 똑같은 증거들이 발견되고 있기에, 사막을 가로질러 독자를 보낼 필요가 없다. 예를 들면, 테체르첸-다리야 강 높이보다도 약 4000 피트 높은 곳에 위치한 테체르첸 오아시스는 어느 방향이건 고대 도시와 마을의 폐허로 둘러 쌓여 있다. 거기에 약 3,000 명의 사람들만이 민족학자들에게 이제는 알려지지 않은 이름들, 약 100 여 인종과 국가들의 흔적을 나타내고 있다. 인류학자는 그들을 분류하고 나누고 세분화하는데 당혹해할 것이다; 게다가 대홍수 이전에 갈라진 모든 부족과 인종의 자손들은 마치 그들이 달에서 내려오기라도 하듯이 선조들에 대해서 아는 것이 거의 없다. 그들 기원에 대하여 물어보았을 때, 그들은 그들 선조가 어디서 왔는지는 모르나, 전해지는 이야기로는 그들의 최초 선조를 사막의 대정령들이 통치하였다고 한다. 이것이 무지와 미신 탓이라고 생각될지 모르겠지만, 씨크릿 독트린의 가르침에서 볼 때, 그 대답은 태고의 전통에 기초를 둔 것이다. 코라산 부족만이 알렉산더 시대보다 훨씬 이전에 지금의 아프카니스탄에서 왔다고 주장하면서 그것을 확증하는 전설을 가져오고 있다. 러시아 여행자 푸르제발스키 대령 (이제는 장군이다)은 테체르첸 오아시스와 아주 가까운 곳에서 두 개의 거대한 도시 폐허를 발견하였고, 그곳 전설의 의하면, 그 중에서 가장 오래된 도시는 3,000 년 전에 영웅과 거인이 멸망시켰고, 다른 하나는 10 세기에 몽고인이 멸망시켰다고 말한다. "두 도시가 있던 자리는 이동하는 모래와 사막 바람 때문에 잡다한 여러 종류의 이상한 유물들 (깨진 도자기나 주방용품 그리고 인골)로 덮여 있다; 원주민들은 종종 구리나 금화, 녹아버린 은, 금괴, 다이아몬드 그리고 터키옥과 가장 주목할 만한 것인 깨진 유리잔을 발견하곤 한다. . . . ""또한 부식되지 않는 어떤 나무나 재료로 만든 관들이 발견되었는데, 그 안에는 훌륭하게 보존되고 방부제 처리된 미이라가 있었다. . . . 남성 미이라는 모두 긴 곱슬머리에 엄청 키가 크고 강해 보였다. . . 12 명의 죽은 사람이 앉아 있는 지하 납골소도 발견되었다. 다른 때, 우리는 또 다른 관 안에서 어린 소녀를 발견하였다. 그 소녀의 눈은 황금 원반으로 감겨져 있었고, 턱은 턱 아래부터 머리 위까지 황금관으로 단단하게 고정되어 있었다. 또한 아주 얇은 모직 옷이 입혀져 있었으며, 그녀의 가슴은 황금별로 덮여 있었고, 맨발이었다." (N.M. 푸르제발스키 강연에서) 이 유명한 여행가가 덧붙여 말하길, 그들은 테체르첸강을 따라서 오래 전에 사막의 모래 바람에 묻혀버린 23 개 마을에 관한 전설을 들었다고 한다. 똑같은 전설이 롭-노르와 케리야 오아시스에 남아있다.

인도나 몽고의 교양 있고 박식한 원주민들이 지금까지 안전하게 보관해둔 다양한 고대 마법 지식에 관한 유물들과 함께 사막에서 되찾은 엄청난 양의 도서관에 관한 이야기를 말할 때, 이런 문명의 유적과 비슷한 전통이 다른 전설의 전통을 믿을 만한 근거를 제시하는 것이다.

요약하면. 씨크릿 독트린은 고대와 유사이전 세계에 보편적으로 퍼져 있던 종교였다. 그것이 여기저기에 퍼져 있다는 증거와 그것의 역사를 뒷받침할 만한 진짜 기록들 그리고 모든 지역에 존재했던 그 가르침의 성격을 보여주는 일련의 완전한 문서들이 모든 위대한 초인들의 가르침과 함께 오컬트 형제단에 속하는 비밀 지하 도서관에 보존되고 있다.

다음 사실을 생각해 보면 이 진술이 한층 더 믿을 수 있게 된다: 알렉산드리아 도서관이 파괴되었을 때 수천 개의 고대 양피지 사본들이 보전되었다는 전승; 악바르 통치시절 인도에서 사라진 수천 개의 산스크리트어 자료들; 원전을 이해하는 데 도움을 줄 수 있는 수 천 권에 달하는 주석과 원전들이 오랜 전에 세속인들 손이 닿지 못하게 사라져 버렸다는 중국과 일본의 전승; 또한 방대한 양의 바빌론의 신성한 오컬트 문헌의 실종; 이집트 상형문자 기록의 수 천 가지 수수께끼를 풀 수 있는 유일한 열쇠들의 상실; 베다를 이해할 수 있게 해주는 진정한 비밀 주석이 세속의 눈에는 더 이상 볼 수 없지만, 아직 입문자를 위해서 비밀 동굴과 지하에 남겨져 있다는 인도의 전승; 그리고 불교의 비밀 문헌들에 대한 불교도 사이에서의 똑같은 믿음.

이 모든 것이 서구의 약탈로부터 안전한 채, 좀더 깨어난 시대에 다시 나타나기 위하여 존재하고 있다고 오컬티스트들은 단언한다. 그것에 대하여 스와미 다야난다 사라스바티의 말로 표현하면, "믈레차하들 (추방된 사람들, 야만인들, 아리안 문명 범위 밖에 있는 사람들)은 그때가 올 때까지 기다려야 할 것이다."

왜냐하면 이런 문서들이 지금은 세속인들로부터 없어지게 된 것이 입문자들의 잘못이 아니기 때문이다; 또한 생명을 주는 신성한 지식을 독점하려고 어떤 욕망이나 이기주의에 의해서 정해진 방침도 아니기 때문이다. 셀 수 없을 정도의 긴 시대 동안 세속의 시선에서 감추어진 채로 남아있어야 하는 비밀 과학의 부분이 있다. 그 이유는 준비되지 않은 일반대중에게 그런 엄청난 중요한 비밀을 주는 것이 어린 아이에게 화약고에서 촛불을 건네주는 것과 같기 때문이었다.

이런 진술을 만날 때 학생들 마음에서 종종 일어나는 질문에 대한 대답을 다음과 같이 서술할 수 있다.

"필라델피아의 J.W. 킬리가 발견한 바위를 파괴하는 힘 혹은 브릴(Vril) 같은 비밀을 일반대중으로부터 숨길 필요가 있다는 것을 우리는 이해할 수 있다. 하지만 행성 체인의 진화 같은 순전히 철학적인 가르침을 누설하는 것이 어떤 위험을 일으키는지 우리는 이해할 수가 없다"고 그들은 말한다.

그 위험은 이렇다: 행성 체인이나 일곱 근원인종 같은 가르침은 인간의 칠중구조의 성질에 대한 실마리를 제공한다. 왜냐하면 각각의 원리는 계, 행성 그리고 인종과 상관관계가 있기 때문이다; 그리고 인간의 원리는 모든 계에서 칠중의 오컬트 힘—상위계 힘은 엄청난 힘을 가진다—과 상관관계가 있다. 그래서 어떤 칠중 구분은 엄청난 오컬트 힘에 대한 실마리를 제공하게 되어, 그것을 악용하게 되면 인류에게 헤아릴 수 없을 정도의 해를 주게 된다. 어떤 실마리, 현재 세대, 특히 서구 세대에는 실마리가 아니지만, 그것은 그들의 맹목과 오컬트에 대한 무지한 물질주의적 불신으로 보호받고 있다; 그러나 기원 초기에는 그 실마리가 오컬티즘의 실재에 대하여 충분히 확신했던 사람들과 오컬트 힘과 최악의 마법을 악용하는 것이 만연된 타락의 주기로 들어가는 사람들에게는 매우 실재적이다.

그 문서들이 숨겨진 것은 사실이지만, 지식 그 자체 그리고 그것의 실재 존재는 사원의 제사장에 의해서 비밀로 되지 않았다. 사원 안에서 비의(MYSTERIES)는 언제나 하나의 수련이고 미덕을 향한 자극이었다. 이것은 매우 오래된 뉴스이고,

피타고라스와 플라톤부터 신플라톤 학파에 이르기까지 위대한 초인들에 의해서 반복적으로 알려져 온 것이다. 수세기에 걸쳐서 나쁘게 바뀐 것은 나자렛파의 새로운 종교였다.

게다가 여러 해 동안 어느 러시아 대사관에 소속되어 있던 존경할 만한 한 신사가 본인에게 확인해준 기묘하면서 잘 알려진 사실이 있다. 즉, 상트 페테르부르크 황실 도서관에는 프리메이슨이나 신비가의 비밀결사조직이 지난 세기 말과 현세기 초반까지 러시아에서 방해받지 않은 채 융성하였다는 기록과 한 명 이상의 러시아 신비가가 중앙 아시아 미지의 지하에서 입문과 지식을 찾기 위해서 우랄 산맥을 거쳐서 티벳으로 여행하였다는 몇몇 기록들이 남아있다고 한다. 그리고 몇 년 후에 유럽에서도 결코 받을 수 없는 그런 풍부한 정보를 가지고 몇 사람이 돌아왔다. 몇 가지 사례를 인용할 수 있고 잘 알려진 이름을 제시할 수 있지만, 그렇게 알려지게 되면 작고한 입문자들의 남아있는 친척들을 괴롭힐 수 있어서 공개하지 않는다. 러시아 수도에 있는 기록보관소에 보관된 프리메이슨 기록과 역사를 찾아보면, 말한 사실을 확신할 수 있을 것이다.

이것은 이전에도 여러 번 그리고 불행히도 너무 경솔하게 말했다는 것을 확인시켜준다. 심지어 진실하지만 거의 알려지지 않은 사실을 주장하는 사람들에게 의도적으로 던진 사기라는 악성 비난은 인류에게 도움이 되지 못하고 비난한 사람들이 나쁜 카르마만을 만들었을 뿐이다. 그러나 나쁜 짓이 행해지지만, 그 결과가 어떻지라도 진리를 더 이상 부인하지 못할 것이다. 그것이 새로운 종교인가? 라고 물음을 받는다. 그것은 결코 종교가 아니고, 또한 새로운 철학도 아니다; 이미 말했듯이, 그것은 사고하는 인간만큼이나 오래된 것이다. 그 가르침을 이제 처음으로 출판되는 것이 아니라, 한 명 이상의 유럽 입문자가 가르쳤고 조심스럽게 주었다─ 특히 고 라곤에 의해서.

새로운 종교를 창시했거나 새로운 진리를 드러낸 종교 창시자는 아리안이건, 유대인이건, 우랄알타이인이건 결코 없었다고 위대한 학자들은 말했다. 이 창시자들은 모두 전달자이지 원래 스승들이 아니다. 그들은 새로운 형태나 해석자들이지만, 해석의 토대가 되는 진리는 인류만큼이나 오래되었다. 그 웅대한 진리들—진정한 현자와 선각자 눈에만 보이는 실재들—한 두 가지를 선택하여, 처음에는 인간에게 구전으로만 드러냈고, 입문을 통해서, 비의(MYSTERIES)를 거치는 동안 그리고 개인적인 전달에 의해서 사원의 지성소에 보존되고 영속되어왔다— 그들이 대중에게 이런 진리를 드러냈다. 이렇게 모든 국가가 그들만의 독특한 상징의 베일 아래에서, 앞서 말한 진리 몇 가지를 받았다; 시간이 지나면서, 그것이 어느 정도 철학적 숭배, 신화적인 가장을 한 신으로 발전하였다. 그러므로 공자가 역사적 연대기 속에서는 매우 고대 입법자이지만, 세계의 역사 속에서는 극히 근대 현자이며, 레게[16] 박사가 보여주듯이—그를 "제조자가 아닌, 강력하게 전달자"라고 부른다—이렇게 말한다: 나는 전해주기만 한다: 나는 새로운 것을 만들 수 없다. 나는 옛것을 믿고 그러므로 그것들을 좋아한다."[17] (맥스 뮬러의 "종교의 과학")

필자도 옛것을 좋아하고, 그래서 고대인들과 그들의 지혜의 근대 계승자를 믿는다. 그리고 둘 다 믿기 때문에, 그녀도 그것을 받아들인 사람들로부터 받고 배운 것을 지금 전달한다. 그녀의 증언을 거부하는 사람들—대다수—에게 그녀는 적의를 갖지 않는다. 왜냐하면 우리는 진리를 두 가지 전혀 다른 관점에서 보기에, 본인이 나름대로 단언하는 것이 옳듯이, 그들도 나름대로 부정하는 것이 옳기 때문이다. 동양학자는 비판적 학문 규칙에 따라서, 스스로가 충분하게 확인할 수 없는 증거는 무엇이건 선험적으로 거부해야만 한다. 그리고 서구 학자가 전해들은 말로 자신이 아무것도 모르는 것을 받아들일 수 있겠는가? 본 서에서 주어진 가르침은 구전뿐만 아니라 쓰여진 가르침에서 선별한 것이다. 이 비의가르침의 첫 번째 부분은 민족학에서 알려지지 않은 민족의 기록인 스탠저에 바탕을 두고 있다; 또한 그것들은 언어학에서 알려지지 않은 언어와 방언 목록에 없는 언어로 쓰여 있다고 한다; 그것들은 과학에서 인정하지 않는 원천(오컬티즘)에서 나왔다고 말한다; 그리고 마지막으로 그 기록은 환영받지 못하는 진리를 싫어하는 사람들 혹은 자기자신의 특별한 취미를 고수하는 사람들에 의해서 끊임없이 세상에서 불명예를 받은 채 대리인을 통해서 제공된다. 그러므로 이 가르침을 거부하는 것이 예상될 수

---

16 룬-유 쇼트, "중국 문학," p. 7.
17 "공자의 삶," p. 96.

있고, 그것을 사전에 받아들여야만 한다. 정밀과학 어떤 분야에서 자신을 "학자"라고 자칭하는 사람 누구도 이 가르침을 심각하게 평가하는 것이 허락되지 않을 것이다. 이번 세기에는 그것들이 선험적으로 거부되고 냉소 받을 것이지만, 그것은 단지 이번 세기에서만 그러할 것이다. 20 세기에 학자들이 "씨크릿 독트린"이 창작된 것도 과장된 것도 아니라, 윤곽만을 그린 것이라고 인정하기 시작할 것이다; 그리고 결국에는 그 가르침이 베다 보다 더 오래된 것임을 알게 될 것이다.[18] 50 년 전만 해도, 베다가 냉소 받고 배척당하며 "근대의 위조"라고 불리지 않았던가? 렘프라이러와 다른 학자들이 산스크리트어가 그리스어에서 유래된 방언이자 자손이라고 주장하지 않았던가? 1820 년쯤까지, 브라만교, 배화교 그리고 불교 성전들이 "거의 알려지지 않았을 뿐만 아니라, 그것의 존재도 의심받았고, 베다, 젠드 아베스타 혹은 불교도 삼장(Tripitaka) 한 줄을 번역할 수 있는 학자가 한 사람도 없었으며, 이제는 베다가 보존된 양만 해도 거의 경이로운 가장 오래된 작품으로 입증되었다"고 맥스 뮬러 교수가 말한다. (베다에 대한 강연)

태고의 비밀 가르침에 대해서도 그것의 부인할 수 없는 존재와 기록의 증거들이 제시될 때 똑같이 말할 것이다. 그러나 그것에서 더 많은 가르침이 주어지기까지는 많은 세기가 걸릴 것이다. 세상에서 거의 사라져버린 십이궁도의 신비 열쇠에 관하여, 약 10 년 전에 "아이시스 언베일드"에서 필자가 다음과 같이 언급하였다: "전체 체계가 알려지기까지는 말한 열쇠를 일곱 번 돌려야만 한다. 우리들은 그 열쇠를 한 번 돌릴 것이고, 세속인들에게 신비를 힐끗 보도록 허락할 것이다. 전체를 이해하는 자는 행복하도다!"

전체 비의 체계에 대해서도 똑같이 말할 수 있다. "아이시스 언베일드"에서는 그 열쇠를 한 번만 돌렸다. 본서에서는 더 많이 설명될 것이다. 필자가 "아이시스 언베일드"를 쓴 시기에는 영어를 거의 알지 못했고, 이제는 자유롭게 말하는 많은

---

18 이것은 예언하려는 주장이 아니라, 단지 사실에 대한 지식에 토대를 둔 진술이다. 매 세기에 오컬티즘이 헛된 미신이 아니라는 것을 보여 주려는 시도가 있다. 일단 그 문이 약간 열리는 것이 허락되면, 매 세기 점점 더 넓게 열릴 것이다. 지금까지는 여전히 제한적이더라도, 이제 허락된 것보다 더 진지한 지식을 위한 때가 무르익었다.

것을 드러내는 것이 금지되었다. 20 세기에는 굽타-비디야(Gupta-Vidya)라고 부르는 과학이 존재하는 최종적이며 반박할 수 없는 증거를 주기 위해서 지혜의 대스승들이 더 정통하고 적합한 제자를 보낼 것이다; 한 때는 나일강의 신비스러운 원천처럼, 지금 세계에 알려진 모든 철학과 종교의 원천이 많은 세월 동안 잊혀 왔지만, 이제 마침내 발견될 것이다.

"씨크릿 독트린" 같은 서적은 간단한 서문이 아니라 한 권 정도 분량을 가지고 소개되어야 한다; 이것은 어떤 논문이 아니며 애매한 일련의 이론도 아니기 때문에 단순한 논문이 아닌 19 세기에 세계에 줄 수 있는 모든 것을 포함하고 있는 서적이다.

이런 가르침의 존재의 진정성과 진실성—적어도 개연성—이 먼저 세워지지 않는다면, 속박에서 풀려나온 비의 가르침의 이런 부분조차도 이 책에서 출판하는 것이 쓸모 없는 것보다 더 나쁠 것이다. 지금 하려는 진술들이 다양한 권위에 의해서 보증되고 있다는 것을 보여주어야만 한다: 고대 철학자들과 고전, 그리고 심지어 박식한 교부들의 권위로, 몇몇 교부들은 이 가르침을 공부하였기 때문에 알았고, 그것에 대하여 쓰여진 서적들을 보았거나 읽었다; 또 다른 교부들은 심지어 개인적으로 고대 비의 속으로 입문하였으며, 그 비의를 수행하는 동안 고대 가르침이 우화적으로 연기되었다. 필자는 역사적으로 신뢰할 수 있는 이름들을 제시해야 할 것이고, 능력과 올바른 판단 그리고 진실성을 인정받은 고대와 근대 유명한 저자들을 인용할 것이며, 이상한 고대 형태로 비밀 과학의 신비를 밝혀가면서 혹은 대중에게 부분적으로 제시해 가면서, 그 비밀의 예술과 과학에 능숙한 유명한 사람들 이름도 인용할 것이다.

이것을 어떻게 할 것인가? 그런 목적을 이루는 가장 좋은 방법은 무엇인가? 가 계속해서 되풀이되는 질문이다. 우리의 계획을 좀 더 명확하게 하기 위해서, 하나의 예를 들어보겠다. 잘 정리된 나라에서 오는 어떤 여행자가 갑자기 도저히 뚫고 지나갈 수 없는 커다란 바위 장벽에 둘러 쌓인 보이지 않는 미지의 땅 경계에 도달하였을 때, 그는 자신의 탐험 계획이 좌절됐다고 스스로 인정하지 않을 수 없다.

입구 너머는 금지되었다. 그러나 그가 개인적으로 신비 영역을 방문할 수가 없다면, 그가 갈 수 있는 한 가장 가까운 곳에서 조사할 수 있는 방법을 찾을 수 있을 것이다. 그가 거쳐오면서 봤던 풍경에 대한 지식으로 도움을 얻어서, 그가 앞에 있는 가장 높은 봉우리 정상까지 오르기만 한다면, 절벽너머에 대한 생각을 일반적이면서 꽤 정확하게 가질 수가 있다. 일단 그 정상에 오르기만 하면, 그의 노력으로, 그가 안개와 구름으로 덮인 낭떠러지 너머에 있기 때문에, 방금 지나온 아래쪽과 희미하게 지각한 그것을 비교하면서 여유 있게 경치를 바라볼 수 있을 것이다.

본서에서 주어진 태고 이전의 신비에 대하여 더 정확한 이해를 얻고 싶은 사람들을 위해서, 그런 사전 관찰이 이 두 권 안에서 다 제공될 수가 없다. 그러나 독자가 인내심을 갖고, 유럽의 교의와 믿음의 현황을 둘러보면서, 기원 전후 시대의 역사로서 알려진 것과 그것을 비교하고 체크해본다면, 그러면 "씨크릿 독트린" 3 권에서 모든 것을 보게 될 것이다.

그 3 권에서 역사상 알려진 모든 주요한 초인들에 내하여 간략하게 요약할 것이고, 비의의 타락에 대하여 묘사할 것이다; 그 타락 이후, 입문과 신성 과학의 진정한 성질이 인류의 기억에서 체계적으로 제거되고 결국에는 완전히 사라져버렸다. 그때부터 그 가르침이 불행히도 비밀(오컬트)로 되었고, 마법(Magic)이 존경할 만하지만 빈번히 헤르메스 철학이라는 잘못된 이름으로 나아갔다. 진정한 오컬티즘이 우리 시대 이전 수 세기 동안은 신비가들 사이에서 널리 유행하였듯이, 기독교 초기에 마법 오히려 흑마법이 오컬트 기술과 함께 만연하게 되었다.

기독교 초기에 이교도들의 정신적, 지성적 노력의 모든 흔적을 없애려는 광신적인 노력이 아무리 위대하고 열광적이라 하더라도, 그것은 실패로 끝났다; 그러나 편협하고 옹졸한 어둠의 악마 같은 똑같은 정신이 기독교 시대 이전에 쓰여진 모든 밝은 기록을 체계적으로 왜곡시켰다. 심지어 그 부정확한 기록에서조차도, 역사는 전체에 공정한 빛을 던져주기에 충분할 만큼을 보존하여 왔다. 그럼 여기서 독자가 작가와 함께 선택한 관찰 지점에서 잠시 머물러보자. 예수 탄생 원년으로 기원전 기원후로 나누어지는 그 밀레니엄에 집중해보자. 이 사건—그 탄생이 역사적으로 정확한지 그렇지 않은 지 관계없이—은 그럼에도 불구하고 미움 받던 과거 종교로 돌아가는 것 혹은 힐끗 보는 것조차 막는 여러 가지 방어물을 세우는 첫 번째 신호 역할을 하게 되었다; 과거 종교를 미워하고 두려워한 이유는 그것이 이제는 "새로운 율법"으로 알려진 것에 대한 새롭게 의도적으로 베일에 덮인 해석에 너무나 생생한 빛을 비추기 때문이었다.

초기 기독교 신부들이 아무리 초인적으로 인류의 기억에서 씨크릿 독트린을 말살하려고 노력했다 하더라도 그들은 모두 실패하였다. 진리는 결코 죽지 않는다; 그래서 지구 상에서 고대 지혜의 발자취를 완전히 쓸어버리고 그것을 증언하는 모든 목격자를 속박하고 재갈 물리려는 모든 것이 실패로 끝났다. 수 천, 아마도 수 만권이 될지도 모르는 불살라 버려진 사본에 대하여 생각해 보라; 부서져 먼지가 된 그들의 너무 경솔한 비문과 그림 상징이 있는 건축물들을 생각해보라; 초기 기독교 은둔자와 고행자 무리들이 사막과 산, 계곡과 고원에 퍼져 있는 상 이집트와 하 이집트의 파괴된 도시들을 돌아다니면서, 그들 손에 닿는 모든 오벨리스크와 기둥, 두루마리 혹은 양피지에 타오(tau) 상징이 있거나 새로운 종교가 차용하고 빌려왔다는 어떤 표시만 있으면, 모두 파괴하려고 애를 썼다는 것을 생각해보라; 그러면 어떻게 해서 과거 기록이 거의 남아있지 않았는지 명백하게 알 수 있을 것이다. 진실로 초기 그리고 중세 기독교와 이슬람의 광신적인 악령은 처음부터 어둠과 무지 속에서 살아가는 것을 좋아했다; 그리고 둘 다 이렇게 만들었다:

> "피 같은 태양, 무덤 같은 세상,
> 무덤은 지옥, 그리고 지옥은 더 음울한 어둠!"

기독교, 이슬람교 둘 다 칼의 위협으로 개종자를 얻어왔다; 둘 다 하늘에 이를 정도로 많은 수의 희생자들 위에 교회를 세웠다. 서기 1 세기 입구에 "이스라엘의 카르마"라는 섬뜩한 단어가 치명적으로 타올랐다. 19 세기 입구를 넘어서면서 미래 투시가는 자간나트의 두 마차—편협성과 물질주의—사이에서 알아보지 못하게 훼손되었으며, 후손들에 의해서 비방된 위대한 인물들, 의도적으로 왜곡된 사건들 그리고 교묘하게 날조된 역사에 대한 카르마를 지적할 것이다; 하나는 너무 많이 받아들이고, 다른 하나는 모든 것을 부정한다. 황금의 중심점을 유지하는 자, 사물의 영원한 정의를 믿는 자는 현명하도다. "천 개 종파에 속하는 자유사상가의 훌륭한 연설의 증인"인 파이지 디완이 말한다: "과거사가 용서받게 되는 부활의 날에, 기독교 교회의 먼지를 위하여, 카바(Ka'bah)의 죄가 용서될 것이다." 이것에 대하여 맥스 뮬러 교수가 답한다: "이슬람의 죄는 *기독교 먼지만큼이나 가치가 없다. 부활의 날에, 이슬람교도나 기독교도 모두 그들 종교의 교의의 허망함을 알게 될 것이다. 인간은 지상에서 종교에 대하여 싸운다; 천국에서는 신의 영(God's SPIRIT)의 숭배인 단 하나의 진정한 종교가 있다는 것을 발견할 것이다.*"[19]

다른 말로 하면 "진리보다 더 고귀한 종교(법칙)는 없다(THERE IS NO RELIGION (OR LAW) HIGHER THAN TRUTH)"—"사티아 나스티 파로 다르마(SATYAT NASTI PARO DHARMAH)"—이것잉 신지학회가 채택한 베나레스의 마하라자의 모토이다.

서문에서 이미 말했던 것처럼, "씨크릿 독트린"은 원래 의도되었던 것처럼 "아이시스 언베일드"의 개정판이 아니다. 이것은 오히려 그것의 해설서이고, 이전 작업과는 완전히 독립적이지만, "아이시스 언베일드"를 이해하는 데 필수적인 부록이다. "아이시스 언베일드"에 있는 많은 내용을 당시 신지학을 공부하는 학생들이 거의 이해하지 못하였다. 이제 "씨크릿 독트린"이 "아이시스 언베일드"에서 풀지 않고 남겨둔, 특히 결코 이해되지 못했던 소개 페이지에 있던, 많은 문제에 빛을 던져주게 될 것이다.

"아이시스 언베일드" 두 권에서는 우리 역사 속에 있는 철학과 멸망한 국가들의 상징주의에 관심을 갖고, 오컬티즘의 파노라마를 대략 훑어볼 수 있었다. 본서에서는 자세한 우주발생론과 우리 다섯 번째 인류 이전에 있던 4 개 인종의 진화에 대하여 자세히 설명하였고, 이 두 권의 두꺼운 책이 "아이시스 언베일드" 첫 페이지와 그 책 여기 저기 흩어진 몇 가지 암시들에서 언급된 것을 설명하는 것이다. 우주의 진화와 행성의 진화, 그리고 우리의 "아담" 인류 이전에 있었던 신비한 인류들과 인종의 점진적인 발전 같은 엄청난 문제들을 다루기 전에, 본서에서 광대한 고대 과학

---

19 맥스 뮬러의 "종교의 과학에 대한 강연," p. 257.

연구목록을 다룰 수가 없다. 그러므로 비의 철학의 어떤 신비를 설명하려는 현재의 시도는 이전 작품과는 아무런 관계가 없다. 하나의 예로써, 작가가 말한 것을 설명하도록 해야 한다.

"아이시스 언베일드" 1 권은 "어느 오래된 책"을 언급하며 시작한다 —

"너무 오래되어서 근대 골동품 연구가들은 그 책 페이지들이 어느 때 것인지 명확하지 않고, 그것이 쓰여진 직물의 성질에 대해서도 아직 의견이 일치하지 못하고 있다. 지금 현존하는 유일한 원본이다. 오컬트 학문에 대한 가장 오래된 히브리어 문서—*시프라 드제니우타*, 숨겨진 신비의 서—가 그 고대 문헌이 문학적 유물로 빛을 발할 때에 그 책에서 편집된 것이다. 그 책에 있는 삽화 중에 하나는 원을 형성하기 위하여 나아가는 빛나는 아치 모양처럼 아담에서[20] 발산하는 신성한 본질을 나타낸다; 그리고 원주의 최고점에 도달하고 나서, 말로 표현할 수 없는 영광이 다시 휘어서, 그 소용돌이 속에서 최고 유형의 인류를 가지고 지상으로 돌아온다. 그것이 점점 우리 지구에 가까워질수록, 그 발산은 점점 어두워지고, 그것이 땅에 닿았을 때는 밤처럼 어둡게 된다."

그 "매우 오래된 문헌"은 많은 책의 키우-티(Kiu-ti)가 편찬된 원전이다. "키우-티"와 시프라 드제니우타 뿐만 아니라 심지어 유대 카발리스트들이 그들의 선조 아브라함 저작이라고 하는 세페르 예치라(Sepher Jezirah),[21] 중국 태초 성전인 서경(Shu-king), 이집트인의 토트-헤르메스에 관한 신성한 문헌들, 인도의 푸라나, 칼데아인의 "수의 서(Book of Numbers)" 그리고 모세오경, 모두가 그 작은 원전에서부터 유래된 것이다. 전통에 의하면, 다섯 번째 인종 초기 중앙 아시아에서 빛의 아들들에게 받아쓰게 한 신성한 존재들의 비밀 언어 센자르어로 받아 적은 것이라고 한다; 센자르어가 각국

---

20 그 이름이 그리스어 *[anthropos]* 의미로 사용되었다.
21 랍비 여호수아 벤 차나네는 A.D. 72년에 죽었으며, 그가 *"세페르 예치라의 서"*에 의해서 기적을 일으켰다고 공공연하게 선언하였으며, 모든 회의가에게 도전하였다. 프랭크가 바빌로니아 탈무드를 인용하면서 다른 두 명의 마술사, 랍비 차니나(Chanina)와 오쇼이(Oshoi) 이름을 말한다. ("프랭크," pp. 55, 56와 *"예루살렘 탈무드, 산헤드린(Jerusalem Talmud, Sanhedrin),"* c. 7 등 참조) 많은 중세 오컬티스트, 연금술사 그리고 카발리스트들도 똑같이 주장하였다; 그리고 심지어 근대 마법사 엘리파스 레비도 그의 책 마법에서 그것을 공공연하게 주장한다.

입문자들에게 알려진 때가 있었다. 그 당시 톨텍 선조들은 잃어버린 아틀란티스 거주자들처럼 그 언어를 쉽게 이해하였고, 아틀란티스인은 세 번째 근원인종의 성인들인 마누쉬들로부터 물려 받았으며, 마누쉬들은 첫 번째, 두 번째 근원인종의 데바들로부터 직접 배웠다. "아이시스"에서 앞서 말한 "삽화"는 바이바스바타 만반타라 혹은 "라운드"에 이 인종들과 우리의 네 번째, 다섯 번째 근원인종의 진화에 관하여 말하는 것이다; 각 라운드는 인류의 일곱 주기의 유가로 구성되어 있다; 그 중에서 우리 생명 주기에 4 주기가 이제 지나갔으며, 지금 우리는 5 주기 중간 지점에 거의 도달하였다. 그 삽화는 누구라도 잘 이해할 수 있도록 상징적으로 표현되었고, 처음부터 망라하고 있다. 그 오래된 책은 우주의 진화를 기술하고 물질 인간을 포함한 지구에서의 모든 것의 기원을 설명하며, 첫 번째 근원인종부터 다섯 번째 근원인종까지의 진정한 역사를 제공한 후, 더 이상 나가지 않는다. 그것은 한 때 살아 있는 영웅이자 개혁가였던 찬란한 "태양-신" 크리슈나의 죽음의 시기인 4989 년 전 칼리유가 시작에서 끝난다.

그러나 또 다른 책이 존재한다. 그것을 기지고 있는 사림들 누구노 그것이 매우 오래된 것으로 여기지 않으며, 그것은 약 5000 년 전인 암흑시대 (칼리 유가)만큼이나 오래되었다. 지금부터 대략 9 년이 지나면, 칼리 유가 대주기가 시작된 첫 번째 5000 년의 첫 번째 주기가 끝날 것이다. 그러면 그 책 (암흑시대에 관한 예언적 기록을 한 제 1 권)에 포함되어 있는 마지막 예언이 성취될 것이다. 우리는 긴 시간을 기다리지 않아도 되고, 우리 대부분은 새로운 주기의 여명을 목격할 것이다. 그 주기 끝 무렵에는 인종간의 많은 문제가 해결되고 청산될 것이다. 그 예언들의 제 2 권이 거의 준비되었고, 붓다의 위대한 후계자인 샹카라차리야 이후 준비해 왔다.

한가지 중요한 점을 주목해야만 한다. 즉 하나의 태초의 보편적 지혜의 존재에 대한 일련의 증거들 중에서 적어도 기독교 카발리스트와 학생들에게 가장 중요한 것이다. 이 가르침은 교회 교부들에게 최소한 부분적으로 알려져 있었다. 오리겐, 시네시우스, 그리고 심지어 클레멘스 알렉산드리누스 조차도 알렉산드리아 학파의 신플라톤주의에 기독교 베일 하에서 그노시스 철학을 추가하기 전에 그들 자신이 비의 속으로 입문하였다는 것을 순전히 역사적 근거로 주장한다. 이것 이상으로 그 비밀 학파들의 가르침 중 어떤 것이—전부는 아니지만—바티칸에 보존되었고, 그 이후 라틴 교회에 의해서 원래 기독교 프로그램에 훼손된 형태로 비의의 일부가 되었다. 그것 중 하나가 원죄 없는 잉태(Immaculate Conception)라는 이제는 물질화된 도그마이다. 이것이 오컬티즘, 프리메이슨 그리고 이단적 신비주의 전반에 대하여 로마 가톨릭 교회가 가한 대박해를 설명한다.

콘스탄티누스 시대가 역사상 마지막 전환점이었다. 즉 서구에서 오래된 종교를 질식시켜 죽이고 그것 위에 세운 새로운 종교에 유리하게 끝난 최대의 투쟁의 시기였다. 그때부터 "대홍수"와 "에덴 동산"을 너머, 아주 먼 과거까지의 전망이 강제적으로 그리고 가차없이 모든 수단으로 경솔한 후손의 시선에서 닫히기 시작하였다. 모든 발행이 차단되었고, 그들의 손이 닿은 모든 기록은 파괴되었다. 그러나 그렇게 훼손된 기록들 중에서도 근원 가르침이 실제 존재한다는 가능한 증거가 있다고 말할 수 있을 만큼 충분히 남아 있다. 남아있는 단편들은 그 이야기를 전하기 위해서 지질적 정치적 대변동에서 살아남았다; 그리고 남아있는 모든 단편들이 보여주는 증거는 지금의 씨크릿 독트린이 지난날 언제나 흐르는 영원한 원천, 하나의 근원으로, 첫 번째 작은 개천부터 마지막 개천까지 모든 작은 개천—모든 국가들의 종교들—에 물을 공급하는 근원이라는 것이다. 한편에서 피타고라스와 붓다로 시작해서 다른 한편에서 신플라톤주의와 그노시스로 끝나는 이 시기가 편협과 광신의 손에 의해서 어둡게 되지 않은 채, 지나간 영겁의 시간에서 흘러나오는 찬란의 빛의 광선이 마지막으로 모이는 역사상 남은 유일한 집중점이다.

이것이 작가가 역사 기간부터 모아온 증거로 태고부터 주어진 사실을 힘겹게 설명하려는 필요성을 설명해준다. 방법과 체계가 미흡하다는 비난을 받을 위험에도 불구하고, 다른 방법이 없다. 일반 대중은 최소한 그 교의는 아니더라도 그런 철학이 존재한다는 지식을 인류 기록 속에 보존하려는 많은 세계 초인들, 입문한 시인, 작가, 그리고 모든 시대의 예술가들의 노력을 알아야만 한다. 만약 역사의 다른 시대 속에서 입문자들이 살면서 보여주지 않았다면, 1888년의 입문자들의 존재는 이해할 수 없고 겉으로 보기에 불가능한 신화로 남아있게 되었을 것이다. 그들은 대홍수 이전과 이후 예술 속에서 보이는 유명한 대스승들의 길고 끝없는 선으로 이어져 있으며, 이 위대한 인물들을 언급하는 몇 장 몇 절을 알려 줌으로써 그들을 알 수 있다. 이렇게 반은 전통을 토대로 그리고 반은 역사적 권위를 갖고 사람들에게 전하는 오컬트와 힘에 관한 지식이 허구가 아니라, 세계 자체만큼이나 오래되었다는 것을 보여줄 수 있다.

따라서 과거이건 미래이건 본인을 심판하는 사람들에게—그들이 심각한 문학 비평가들이건, 혹은 내용은 거의 보지 않은 채 육체의 가장 약한 지점에 달라붙어있는 치명적인 세균 같은 사람들, 저자의 명성에 좌우되어 책을 판단하며 으르렁거리는 데르비시(dervish)이건—본인은 할 말이 없다. 또한 자기 이름보다 더 잘 알려진 모든 저자를 비난함으로써 일반 대중의 관심을 끌기를 기대하면서, 자신의 그림자를 보고 거품 물고 짖어 대는 머리가 돈 비방하는 사람들—다행히도 그 수가 적다—에게도 굽히지 않을 것이다. 이 사람들은 "신지학자"에서 가르치고 "에소테릭 붓디즘"에서 절정을 이룬 가르침이 모두 본인에 의해서 발명되었으며, 결국에는 돌아서서 "아이시스 언베일드"와 그 외 다른 책을 엘리파스 레비(!), 파라셀수스(!!) 그리고 말하기에도 이상한 불교와 브라만교에서(!!!) 표절한 것으로 맹렬히 비난히였다. 차라리 르낭이 그의 저서 "에수의 삶"을 복음서에서 훔쳤으며, 맥스 뮬러가 "동양의 성전집" 혹은 그의 "독일인 작업장의 글조각들"을 브라만이나 고타마 붓다 철학에서 훔친 것이라고 비난하는 것이나 마찬가지이다. 그러나 "씨크릿 독트린" 독자들과 일반 대중에게 본인이 줄곧 말해온 것을 이제 몽테뉴의 말로 반복해서 말할 수 있다: "여러분, 나는 추려낸 꽃으로 꽃다발을 만들었을 뿐입니다. 그리고 그것을 묶는 줄 이외에 내가 가져온 것이라고는 아무것도 없습니다."

그 "줄"을 뽑아서 산산조각 내고 그것을 갈기갈기 잘라라. 사실들의 꽃다발에 대하여—당신은 이것들을 결코 없앨 수 없을 것이다. 단지 그것을 무시할 수만 있을 뿐, 그 이상은 할 수가 없다.

이제 1권 맺음말로 이 글을 마무리 짓겠다. 우주발생론을 다루는 부분에 대한 서론에서 제시한 어떤 주제들이 부적절하게 보일 수도 있겠지만, 이미 주어진 것들에 추가해서 한 번 더 숙고한 후에 그것들을 언급하게 되었다. 모든 독자는 자신이 이미 배워온 것에 기초한 자기자신의 지식, 경험 그리고 의식의 관점에서 내용을 필연적으로 판단할 것이다. 이 사실을 본인은 항상 명심하고 있다: 그래서 엄밀히 말하면 본서의 나중 부분에 속하는 문제들을 빈번하게 언급하지만, 독자가 본서를 요정 이야기―근대 두뇌에서 만들어진 허구―로 무시하지 않도록 침묵 속에서 지나갈 수 없기 때문이다.

이렇게 *과거*는 *현재*를 인식하록 도와주고, 현재는 *과거*를 더 잘 음미할 수 있도록 도와준다. 그 시대의 오류들이 설명되고 털어내야 하지만, 아마도―확신에 해당한다―오랜 시대와 역사의 증언이 매우 직관적인 사람들―매우 소수이다―을 제외하고는 인상을 줄 수 없다는 것이다. 그러나 근대 회의적인 사두개인 (물질주의자)에게 그들의 완고한 고집과 편협에 대한 수학적 증거와 기록을 제시함으로써, 진실하고 충실한 사람들이 위안을 얻을 수 있을 것이다. 프랑스 학사원 기록보관소 어딘가에, 어떤 수학자가 회의론자들을 위하여 대수과정으로 풀어놓은 유명한 확률 법칙이 존재한다. 그것은 다음과 같다: 만약 두 사람이 어떤 사실에 그들의 증거를 제시하고, 이렇게 그것 각각에 참일 확률이 각각 6 분의 5 를 준다면, 그 사실은 36 분의 35 의 참일 확률을 가질 것이다; 즉, 그것의 확률과 거짓일 확률이 35 대 1 비율을 가질 것이다. 만약 그런 세 가지 증거가 합쳐지면, 그것이 참일 확률이 216 분의 215 가 될 것이다. 이와 같은 10 명 모두 2 분의 1 씩 참일 확률을 준다면, 그것은 1024 분의 1023 이 된다. . . 오컬티스트는 만족하며, 더 이상 신경 쓰지 않는다.

프로엠(PROEM)

유사시대 이전부터 전해내려 온 사본들

태고의 사본—알려지지 않은 어떤 구체적인 과정으로, 물, 불, 그리고 공기가 침투할 수 없게 만들어진 야자수 잎들의 모음—이 필자 눈 앞에 있다. 첫 페이지에는 흐릿한 검정색 바탕 속에 순백의 원이 있다. 다음 페이지에는 똑같은 원 중심에 점을 가지고 있다. 첫 번째는 나중에 여러 체계에서 말씀(Word)의 발산, 여전히 잠자고 있는 대에너지가 다시 깨어나기 이전에, 영원 속에 있는 대우주를 나타내는 것으로 학생은 안다. 지금까지 순백의 원 속에 있는 점은 프랄라야 속에 있는 공간(Space)과 영원(Eternity)으로 분화의 새벽을 나타낸다. 그것은 세계 알 (2 부 "세계 알" 참조) 속에 있는 점, 무궁하고 주기적인 대우주, 전체(ALL), 우주가 될 그 세계 알 속에 있는 배아로써, 이 배아가 주기적으로 번갈아 가면서 잠재적이고 활동적으로 된다. 하나의 원은 신성한 통일성(Unity)으로, 거기서 모든 것이 나오고, 모든 것이 거기로 돌아간다. 원 둘레—인간 마인드의 한계 때문에 무리하게 제한된 상징이다—는 추상적이며 영원히 인식할 수 없는 대실재(PRESENCE)와 그것의 계(plane), 보편 혼(Universal Soul)을 나타내며, 그 둘은 하나이다. 그 원의 표면이 하얗고 바탕이 온통 검정으로, 이것은 그것의 계 (표면)가 여전히 존재하지만 희미하고 흐릿한, 인간이 성취할 수 있는 유일한 지식이라는 것을 분명하게 보여준다. 바로 이 계 위에서 만반타라 현현이 시작된다; 왜냐하면 프랄라야 동안 신성한 사고(Divine Thought)가 잠자고 있는 것이 바로 이 혼(SOUL) 속이기 때문이다. 그리고 그 속에 미래 모든 우주발생론과 신의 계보에 대한 계획이 감추어져 있다.

그것은 하나의 대생명(ONE LIFE)으로, 영원하고, 보이지 않으면서, 편재하고, 시작도 끝도 없지만, 규칙적인 현현으로 주기적이고, 그 현현 사이 기간에는 비존재의 어두운 신비가 지배한다; 무의식이지만, 절대적 의식이다; 인식할 수 없지만, 그럼에도 하나의 자존하는 실재이다; 진실로 "감각에는 혼돈이고, 이성에는 우주이다." 이것의 하나의 절대적 속성은 자체(ITSELF)로, 영원하고 끝없는 대운동(Motion)이며, 비의적인 용어에서 "거대한 대숨결(Great Breath)"로[22] 부른다. 그것은 제한 없는, 언제나 실재하는 공간(SPACE)이라는 의미에서 우주의 영속하는 운동이다. 움직이지 않는 것은 신성할 수가 없다. 그러나 보편 혼 속에서 절대적으로 움직이지 않는 것은 사실상 그리고 실재로 아무것도 없다.

기원전 5 세기경에, 데모크리토스 스승인 레우기푸스는 공간은 끊임없는 운동으로 활성화된 원자들로 영원히 가득 차 있으며, 그 운동은 시간이 가면서 원자들이 모였을 때, 측면 운동을 만드는 상호 충돌로 회전 운동을 만든다고 주장하였다. 에피큐로스와 루크레티우스도 똑같은 것을 가르쳤으며, 원자들의 측면 운동에다 친화성의 개념—오컬트 가르침이다—을 덧붙였다.

인간의 유산의 시작부터, 그가 사는 구체의 건축가들의 최초 출현부터, 드러나지 않은 신이 철학적 측면 하에서만 인식되었고 고려되었다—보편 운동, 대자연 속에 있는 창조적 대숨결의 떨림. 오컬티즘은 "하나의 대존재(One Existence)"를 이렇게 요약한다: "신은 불가사한 살아 있는 (움직이는) 불(FIRE)이며, 보이지 않는 실재의 이 영원한 증거가 빛(Light), 열기(Heat) 그리고 습기(Moisture)이다"—이 삼위일체는 대자연 속에 있는 모든 현상을 포함하고 그 현상의 원인이다.[23] 우주 내면

---

22 플라톤은 신(gods), 즉 *테오이[theoi]*로 부르는 천체들의 운동을 관찰한 최초 천문학자로서 *테오스[theos]*가 "움직이다," "달리다" 라는 동사 *테인[theein]*에서 유래되었다고 "크라틸러스"에서 말함으로써 자신이 입문자라는 것을 증명한다. (2권 2부 "십자가와 원의 상징" 참조) 나중에 그 단어가 "신의 숨결(breath of God)"이라는 또 다른 용어 [*aletheia*]를 만들었다.
23 버클리와 논쟁에서 유명론자들은 "움직이는 물체와 구분되는 운동의 추상적 개념을 형성하는 것이 불가능하다"고 ("인간 지식의 원리", 서문 10절) 주장하면서, 다음과 같은 질문을 했을 수 있다: "그 운동을 만드는 것, 그 체는 무엇인가? 그것은 질료인가? 그러면 당신들은 인격신을 믿는가?" 등등. 이것은 이 책 부록에서 깊게 답할 것이다; 한편 우리는 실존론과 유명론에 대한 로셀리니의 물질주의 관점에 반대하는 개념론자의 정당성을 주장한다. 그것의 가장 유능한 옹호자들 중 한명인 에드워드 클로드는 "과학이 과거, 현재 그리고 미래 모든 종교의 본질이 있는 고대 말씀, 즉 바르게 행하고, 자비를 사랑하며, 그대 신 앞에서 겸손하게 걸으라는 말씀에 반대하거나 그것을 약화시키는 어떤 것을 드러냈는가? 신이라는 단어를 *현재 신학체계의 근간을 여전히 이루는 조잡한 신인동형론이 아니라, 우주의 생명과 운동인 상징적 개념*으로 본다면, 물리적인 질서 속에서 아는 것은 현상의 연속적인 존재 속에서 과거, 현재 그리고 미래를 아는 것이다; 도덕 질서 속에서 아는 것은 인간 의식 속에 있어 왔고, 현재 있으며, 계속 존재할 것을 아는 것이다." (1885, 12월 27일, 런던 핀스베리, 사우스 플레이스 교회 강연, "과학과 감정" 참조)

운동(Intra-Cosmic Motion)은 영원하고 끊임없다; 우주 운동 (보이는 것 혹은 지각하에 있는 것)은 유한하고 주기적이다. 영원한 추상성으로써, 우주 운동은 언제나 실재한다(EVER-PRESENT); 하나의 현현으로써, 그것은 다가오는 방향과 그 반대에서 유한하고, 이 둘은 연속적인 재건의 "알파"이자 "오메가"이다. 대우주—본체(NOUMENON)—는 현상계와 인과 관계에서 아무 관련이 없다. 불변의 신성한 사고 속에 있는 이상적인 대우주, 우주 내면의 혼에 대해서만 우리는 다음과 같이 말할 수 있다: "그것은 결코 시작도 없었고 끝도 없을 것이다." 그것의 체 혹은 우주적 구성조직에 대하여, 그것이 시초였거나, 또는 마지막 건설이 될 것이라고 말할 수는 없지만, 그럼에도 매번 새로운 만반타라 마다, 우주의 조직은 매번 더 높은 계에서 진화해 가면서, 그것의 시초이자 마지막으로 간주될 수 있다.

몇 해 전에, 다음과 같이 말했다:

"에소테릭 가르침은 불교와 브라만교 그리고 심지어 카발라처럼 하나의 무한한 미지의 대본질(Essence)이 영원부터 존재하며, 규칙적이고 조화로운 연속성 속에서 수동적이거나 활동적이라고 가르친다. 마누(Manu)의 시적인 구절에서 이런 상태를 브라흐마의 '낮'과 '밤'이라 부른다. 브라흐마는 깨어 있거나 잠들어 있다. 가장 오래된 불교 종파의 철학자들 혹은 스바바비카 (아직도 네팔에 있다)는 그들이 스바바바트(Svabhavat)로 부르는 이 '대본질'의 활동 상태에 대해서만 추론하고, 그것의 수동 상태에 있는 추상적이고 '알 수 없는' 힘에 대하여 이론화하는 것을 어리석다고 여긴다. 그래서 기독교 신학자들과 근대 과학자들은 그들 철학의 심오한 논리를 이해하지 못하기 때문에 그들을 무신론자로 부른다. 기독교 신학자들은 눈에 보이는 우주를 이루어 낸 그리고 기독교도의 인격화된 신—즉, 천둥과 번개 속에서 노호하는 남성 '여호와'—이 된 이차적인 힘 이외에는 어떤 다른 신을 인정하지 않을 것이다. 다음으로, 합리주의적 과학은 불교도와 스바바비카파를 태고 시대의 '실증철학자'로서 환영한다. 만약 우리가 불교와 스바바비카파 철학 어느 한쪽 시각을 취한다면, 유물론자들도 그들 나름대로 옳을 수도 있다. 불교도들은 창조자는 없지만, 무한한 창조적 힘들이 있으며, 이것이 집합적으로 하나의 영원한 질료를 구성하고, 그것의 본질은 불가해하다고—그래서 어떤 진정한 철학자의 추론의 주제가 되지 않는다고—주장하였다. 소크라테스는 변함없이 보편적 존재의 신비에 대하여 논의하는 것을 거부하였지만, 그를 파멸시키려고 작정했던 무리들을 제외하고, 어느 누구도 그를 무신론자라고 비판하지 않았다. 씨크릿 독트린에서 말하길, 활동기가 시작하자마자, 이 신성한 본질이 외부에서 안으로 그리고 안에서 외부로 확장이 영원불변의 법칙에 순응해서 일어나며, 그리고 현상의 우주 혹은 볼 수 있는 우주가 이렇게 점진적으로 시작된 우주의 여러 힘의 긴 연결고리의 최종적인 결과이다. 비슷한 방식으로, 수동적인 상태가 재개될 때, 신성한 본질의 수축이 일어나고, 이전의 창조 작업이 점차로 그리고 점진적으로 원상태로 되돌아간다. 눈에 보이는 우주가 붕괴하고, 그 물질이 흩어진다; 그리고 "어둠"만이 홀로 '심연(deep)'의 표면 위로 또다시 배회한다. '비밀의 문헌'에 있는 비유를 사용하면, 그 생각을 한층 더 명확하게 전달할 것으로, "미지의 본질"의 날숨이 세계를 만든다; 그리고 들숨이 세계를 사라지게 한다. 이 과정이 영원에서부터 계속되어 왔으며, 현재의 우리 우주는 시작도 끝도 없는 무한한 일련의 하나에 불과하다."—(아이시스 언베일드 참조; 또한 2 부 "브라흐마의 낮과 밤" 참조)

이 구절이 본서에서 최대한 설명될 것이다. 지금 있는 그대로, 그것은 동양학자에게는 새로운 것이 없지만, 그것의 비의적 해석은 지금까지 서구 학생에게 전혀 알려지지 않은 채 남아 있던 많은 것을 포함할 수도 있을 것이다.

첫 번째 설명은 단순한 원반 ◯ 이고, 태고 상징에서 두 번째는 그 속에 점이 있는 원반 ⊙ 을 보여준다—언제나 영원한 성질의, 무성의(sexless) 그리고 무한한 "그것 속에 있는 아디티(Aditi in THAT)" (리그 베다)의 주기적 현현 속에서 첫 번째 분화, 원반 속에 있는 한 점, 혹은 추상적 공간 속에 있는 잠재적 공간. 세 번째 단계에서 그 점이 직경으로 이렇게 ⊖ 변형된다. 이제 그것은 만물을 품는 절대적 무한성 속에 있는 신성하고 순백의 어머니-대자연을 상징한다.

이 직경선이 수직선과 교차될 때 ⊕, 그것은 현세의 십자가로 된다. 인류가 세 번째 근원인종에 도달한 것이다; 그것은 인간 생명의 기원이 시작된 표시이다. 원

둘레가 사라져서 ✝ 만 남을 때, 그것은 물질 속으로 인간의 추락이 이루어졌다는 표시이고, 네 번째 인종이 시작된다. 원 속에 있는 십자가는 순수한 범신론을 상징한다; 그 십자가가 내접하지 않았을 때, 그것은 남근을 상징하게 된다. 그것은 원 속에 내접한 "타우(tau)" ⊖ 혹은 "토르의 망치," 소위 자이나교 십자가, 혹은 단순히 원 속에 있는 스와스티카 ⊕ 와 똑같지만 동시에 다른 의미를 가진다.

세 번째 상징—지름이 수평선으로 둘로 나누어진 원—은 창조적인 (여성이기 때문에 여전히 수동적이다) 대자연의 최초 현현을 의미하였다. 출산과 관련하여 인간이 하는 최초의 어슴푸레한 지각은 여성이다. 왜냐하면 인간은 아버지보다 어머니를 더 알기 때문이다. 그래서 여신들이 남신들보다 더 신성시되었다. 그러므로 대자연은 여성이며, 어느 정도 객관적이고 감지할 수 있으며, 그것을 열매 맺게 하는 영의 원리는 숨겨져 있다. 수평선이 있는 원에다 수직선을 추가함으로써, 가장 오래된 글자 형태이 타우 ┳ 가 형선되었다. 그것은 세 번째 근본인종의 상징적인 "추락(Fall)"—즉, 자연적인 진화로 성의 분리가 일어났을 때—의 날까지, 세 번째 근원인종의 상형문자였다. 이때 모양이 ⊕ 으로 되었고, 원 혹은 무성의 생명이 변형되거나 분리되었다—이중의 상형문자 혹은 이중의 상징이다. 다섯 번째 근원인종의 아인종에서 그것은 최초로 형성된 인종의 상징에서 자카르(sacr')와 히브리어에서 네케바(n'cabvah)로 되었다;[24] 그리고 그것이 이집트인의 ⚲ (생명의 상징)로 바뀌었고, 그리고 나서 한층 더 후에 금성 표시인 ♀ 로 바뀌었다. 그리고 나서 스바스티카(Svastica) (토르의 망치 혹은 지금은 "헤르메스 십자가")가 오고, 원에서 완전히 분리되었으며, 이렇게 순전히 남근 상징으로 된다. 칼리 유가의 비의적 상징은 오각별을 거꾸로 세운 ⛧ 이다—두 점 (뿔)이 하늘로 향한 채 있는

---

24 암시적인 작품인 "측정의 근원(The Source of Measures)"을 참고하라. 거기서 저자는 "sacr'" 단어의 진정한 의미를 설명한다. 그 단어에서 "신성한(sacred)," "성례(sacrament)"가 유래되었으며, 순전히 남근 숭배이지만 이제는 "신성(holiness)"과 동의어가 되었다!

인간 주술의 기호로, 모든 오컬티스트가 의례의 마법에서 사용하는 "좌도의 길"의 하나로써 인식하는 배치이다.[25]

이 책을 읽어 가는 동안에 범신론에 관한 일반 대중의 잘못된 생각이 수정되길 희망한다. 불교도와 아드바이트 오컬티스트를 무신론자로 여기는 것은 잘못이고 정당하지도 않다. 그들 모두가 철학자는 아닐지라도, 그들은 모두 엄격한 추론에 바탕을 둔 반론과 주장을 하는 논리학자들이다. 실제로 만약 힌두교의 파라브라흐맘(Parabrahmam)을 다른 나라들의 이름 없는 숨겨진 신들의 대표로 받아들인다면, 이 절대적 원리가 모든 다른 신들이 복사된 원형이라는 것을 발견하게 될 것이다. 파라브라흠(Parabrahm)은 "신(God)"이 아니다. 왜냐하면 그것(IT)은 하나의 신이 아니기 때문이다. 만두키야 우파니샤드 2 장 28 절에서, "그것은 지고하고, 동시에 지고하지 않은(paravara) 그것이다"라고 설명한다. 그것(IT)은 원인으로써 "지고하며," 영향으로써 지고하지 않다. 파라브라흠은 최고의 영적 의미에서 간단히 "유일무이의 대실재(Secondless Reality)"로써 만물을 포함하는 대우주—혹은 오히려 무한한 우주 공간—이다. 브라흐마 (중성)는 불변의, 순수하고, 자유롭고, 쇠퇴하지 않는, 지고의 뿌리이기에, "하나의 진실한 대존재, 파라마르티카(Paramarthika)"이고 절대적 치트(Chit)이자 차이타냐(Chaitanya) (지성, 의식)는 인식자가 될 수 없다. "왜냐하면 그것(THAT)은 인식의 어떤 대상을 가질 수 없기 때문이다." 불기둥(Flame)이 불(Fire)의 본질이라 부를 수 있는가? 이 대본질은 "우주의 대생명(LIFE)과 빛(LIGHT)이고, 보이는 불과 불기둥은 파괴, 죽음 그리고 악이다." "불(Fire)과 불기둥(Flame)은 아라한의 체를 파괴하며, 그것의 본질이 아라한을 불멸로 만든다." (보디-무르, 2 권) 샹카라차리야는 말한다: "절대적 영의 지식은 태양의 광휘처럼 혹은 불 속의 열기처럼, 절대적 대본질 자체 이외에

---

25 서구 수학자들과 미국의 일부 카발리스트들이 카발라에서 "여호와 이름의 값은 원의 지름의 값이다"라고 말하는 것을 듣는다. 이것에다가 여호와가 세 번째 세피로스(Sephiroth), 비나(Binah), 여성의 단어라는 사실을 추가하면, 그러면 신비의 열쇠를 갖게 된다. 어떤 카발라 변형으로 창세기 첫 장에 있는 이 이름, 자웅동체가 그 변형에서 전적으로 남성, 카인의 후예이자 남근 숭배로 되었다. 이교도인의 신들 중에서 어느 한 신을 선택해서 그것을 특별한 민족 신으로 만들고, 그것을 "하나의 살아 있는 신," "신들 중에 신(God of Gods)"으로 부르며, 이런 숭배를 일신교라고 선언하는 것으로, 그것을 "통일성은 배가, 변화 혹은 형태의 여지가 없다"는 하나의 원리(ONE Principle)로 바꾸지 못한다. 이제 나타내 보여줄 여호와처럼, 특히 남근 신의 경우처럼.

아무것도 아니다." 그것(IT)은 불 자체가 아니라, "불의 영(Spirit of the Fire)"이다; 그러므로 "불의 속성, 열기나 불기둥은 영의 속성이 아니라, 그 영이 무의식적 원인인 그것의 속성이다." 이 문장이 후일 장미십자회 철학의 진정한 기조가 아닌가? 간단히 말해서, 파라브라흠은 무한과 영원 속에서 대우주의 집합적 총계이며, 배분하는 총합이 적용될 수 없는 "그것(THAT)"과 "이것(THIS)"이다. [26] "태초에 이것(THIS)은 유일무이의 대아였다" (아이타레야 우파니샤드); 위대한 샹카라차리야는 "이것(THIS)"은 우주 (자가트)를 말한 것이라고 설명한다; "태초에(In the beginning)"라는 단어의 의미는 현상 우주의 재탄생 이전을 의미한다.

그러므로 범신론자들이 씨크릿 독트린처럼 "이것"이 창조할 수 없다고 말하는 우파니샤드에 공명할 때, 그들은 어떤 창조자, 오히려 창조자들의 *집합*을 부인하는 것이 아니라, "창조"와 특히 형성 같은 유한한 어떤 것을 무한한 원리(Infinite Principle)에 기인하는 것으로 돌리는 것을 매우 논리적으로 부인할 뿐이다. 그들에게 파라브라흐맘은 절대적 대원인(Absolute Cause), 무조건의 묵타(unconditioned Mukta)이기에 수동적이다. 무한한 원리에 거부되는 것은 제한된 전지와 전능뿐이다. 왜냐하면 이것들은 여전히 속성 (인간의 지각 속에서 반영되듯이)이기 때문이다; 그리고 파라브라흠은 "지고의 전체(Supreme ALL)"이기에, 언제나 볼 수 없는 대자연의 영이자 혼은 영원불변이기에 어떤 속성을 가질 수가 없다; 절대성은 매우 자연스럽게 어떤 유한한 혹은 조건화된 어떤 개념이 그것과 연결되는 것을 배제시킨다. 그리고 만약 베단타파가 속성들을 단순히 발산에 속하는 것으로 전제하고 그것을 "이쉬와라+마야" 그리고 아비디야 (무지라기 보다 불가지론) 라고 부르더라도, 이런 개념 속에서 어떤 무신론을 찾기가 어렵다. [27] 무궁하다고 여기는 우주 속에 두 개의 절대자들(ABSOLUTES) 혹은 두 개의 무한자들(INFINITES)이 있을 수 없기 때문에, 이 자존자(Self-Existence)가 개인적으로 창조하는 것으로 거의

---

26 G. A. 제이콥 대령의 "베단타 사라" 참조; 또한 코웰 번역, "산딜랴의 금언," p. 42 참조.
27 그럼에도 불구하고 편견에 사로잡힌 오히려 광적인 기독교 동양학자들은 이것이 순전히 무신론이라는 것을 증명하려고 한다. 이것을 보여주는 제이콥 대령의 "베단타 사라"를 참고하라. 하지만 고대사상 전체가 이 베단타 사상을 메아리 치고 있다: (루크레티우스, "사물의 본성에 대하여," II, 646-7).
  "왜냐하면 신성의 바로 그 성질은 필연적으로, 가장 깊은 평화 속에서 불멸의 삶을 즐긴다."

생각될 수 없다. 유한인 "존재들"의 감각과 지각에서, 그것(THAT)이 하나의 있음(BE-NESS)이라는 의미에서 비-"존재"(Non-"being")이다; 왜냐하면 이 전체(ALL) 속에 영원히 공존하고 동시대의(coeternal and coeval) 그것의 발산 혹은 내재적 방사가 숨겨져 있기 때문이다. 그리고 그 방사는 주기적으로 브라흐마 (남성-여성 잠재성)가 되면서 자체가 현현된 우주이거나 확장하여 우주로 된다. 나라야나(Narayana)가 공간의 (추상적) 물 위를 움직이면서 그에 의해서 움직이게 된 구체적인 질료의 물(Waters)로 변형되고, 그가 이제 현현한 말씀(WORD) 혹은 "로고스"로 된다.

정통 브라만들은 범신론자와 아드바이트파를 무신론자라고 부르면서 그들을 가장 강력하게 반대하면서, 만약 마누 법이 이 문제에 어떤 권위를 가진다면, 이 창조신의 "대시대(Age)"가 끝날 때마다, 그 창조자, 브라흐마의 죽음을 받아들여야만 한다. (100 년의 신의 해—우리의 연도로 표시하면 15 자리가 필요하다) 하지만 그들 사이에 어느 철학자도 이 죽음을 존재의 현현계에서 일시적으로 사라지는 것, 혹은 주기적인 휴식으로 보는 것 이외에 어떤 다른 의미로 보지 않을 것이다.

그러므로 오컬티스트들은 위의 교리에 대하여 아드바이트 베단타 철학자들과 같은 견해이다. 그들은 절대적 전체(absolute ALL)가 "황금 알"을 창조하거나 심지어 전개시켜서, 그 속으로 들어가서 자신을 브라흐마—창조자로 자신이 나중에 보이는 모든 우주와 신들로 확장한다—로 변형하는 사상이 철학적인 바탕 위에서 불가능하다는 것을 보여주고 있다. 그들은 절대적 통일성(Absolute Unity)이 무한성으로 갈 수 없다고 말한다; 왜냐하면 무한성은 *어떤 것*의 끝없는 연장과 그 "어떤 것"의 지속기간을 전제하기 때문이다; 그리고 그 하나의 전체(One ALL)는 공간처럼—우리의 존재계 혹은 지구에서 멘탈적 물질적 표상에 불과하다—지각의 대상도 지각되는 것도 아니기 때문이다. 만약 영원 무한의 전체(Eternal Infinite All), 편재하는 통일성(Omnipresent Unity)이, 영원 속에서 있는 대신에, 주기적인 현현을 통하여 다중의 우주 혹은 다양한 개성으로 된다고 가정한다면, 그 통일성은 하나라는 것을 멈추는 것이다. "순수 공간은 저항도, 운동도 할 수 없다"는 로크 생각은 틀린 것이다. 공간은 "제한 없는 허공"도 아니고, "조건화된 충만"도 아니라, 둘 다이다: 절대적 추상계에서 언제나 인식될 수 없는 신으로, 유한한 마인드에게만 그것은 허공이고, [28] 마야적 지각계에서, 그것은 현현되건 비현현되건 존재하는 만물의 절대적 용기 (그릇), 플레넘(Plenum)이다: 따라서 그것은 절대적 전체(ABSOLUTE ALL)이다. "그(Him) 속에서 우리가 살고 움직이며 존재한다"고 말하는 기독교 사도의 말과 "우주는 브라흐마 속에 살고, 브라흐마에서 나오며, 브라흐마로 돌아갈 것이다"라고 말하는 힌두교 리쉬의 말 사이에는 차이가 없다: 왜냐하면 미현현 브라흐마 (중성)는 *비밀 속에* 있는 저 우주이고, 현현된 브라흐마는 상징적인 정통 도그마에서 남성-여성으로 된 [29] "로고스"이기 때문이다. 사도-입문자와 리쉬의 신은 보이지 않는 그리고 볼 수 있는 공간이다. 공간은 비의적 상징체계에서 "일곱 겹의 피부를 가진 영원한 어머니-아버지(Seven-Skinned Eternal Mother-Father)"라고 부른다. 공간은 미분화 상태에서 일곱 층의 분화된 표면으로 구성되어 있다.

"우주가 존재하건 존재하지 않건; 신들이 있건 없건, 존재하였고, 존재하고, 존재할 그것은 무엇인가?"라고 비의 센자르어 문답집에서 묻는다. 그리고 그 답은 "공간(SPACE)"이다.

거부하는 것이 대자연 속에 혹은 *숨겨진* 대자연 속에 언제나 실재하는 하나의 미지의 신이 아니라, 인간의 도그마와 *인격화된* "말씀"의 신을 거부하는 것이다. 무한한 자만과 내재적인 오만과 허영에서, 인간은 자신의 보잘것없는 작은 두뇌 조직 속에서 발견한 그 재료에서 그의 신성모독적인 손으로 그것을 형성하였고, 그것을 드러나지 않은 하나의 대공간(SPACE)에서 온 직접적인 계시로써 인류에게

---

28 두 가지 주요 신의 바로 그 이름들, 브라흐마(Brahma)와 비쉬누(Vishnu)는 오래 전에 비의적 의미를 암시했었다. 왜냐하면 전자의 뿌리, 브라흐맘(Brahmam) 혹은 브라흠(Brahm)은 "성장하다" 혹은 "확장하다"라는 Brih 단어에서 유래되었다고 한다 ("캘커타 리뷰," 67권, p. 14); 그리고 다른 이름, 비쉬누는 "스며들다," 본질의 성질로 들어가다는 Vis 어근에서 유래되었다; 브라흐마-비쉬누는 이런 무한 공간이고, 우주 속에 있는 신, 리쉬, 마누 그리고 만물은 단순히 그것의 잠재성들, 비부타야(Vibhutayah)이다.
29 브라흐마가 그의 체를 남성과 여성으로 분리하여, 이 여성이 여성 바크(Vach)로 되며, 그 속에서 그가 비라지(Viraj)를 창조하는 마누 설명을 참조하고, 이것을 창세기 2, 3, 4장의 비의 가르침과 비교하라.

강요하였다.[30] 오컬티스트는 계시가 신성하지만 여전히 유한한 존재들, 즉, 현현된 생명들로부터 오는 것이지, 결코 현현될 수 없는 "하나의 대생명(ONE LIFE)"에서 오는 것으로 받아들이지는 않는다; 그것은 원초의 인간(Primordial Man), 디야니-붓다(Dhyani-Buddha) 혹은 디얀-초한(Dhyan-Chohans), 힌두교의 리쉬-프라자파티(Rishi-Prajapati), 엘로힘(Elohim) 혹은 신의 아들들(Sons of God), 모든 국가의 행성영(Planetary Spirits)으로 부르는 존재들로부터 오며, 이들이 인간의 신들(Gods)로 되었다. 또한 오컬티스트는 "아디-샤크티(Adi-Sakti)"—그것(THAT)의 영원한 뿌리인 물라푸라크리티의 직접 발산이며, 보편 혼(Universal Soul)의 아카샤 형태 속에서 창조적 원인 브라흐마의 여성 측면—를 철학적으로 마야로 여기고, 인간의 마야의 원인으로 본다. 하지만 이 견해는 "마야"가 지속되는 동안, 마하-만반타라 동안, 오컬티스트가 그의 존재를 믿지 못하게 막을 수는 없다; 또한 세계-혼이 과학에

---

30 금세기 말에 오컬티즘이 유행이다. 최근에 출판된 많은 책들 중에서, 우리 인간계의 영역 너머로 가지 않고자 하는 이론적 오컬티즘을 공부하는 학생들에게 특히 한 권을 추천한다. 헨리 프랫 박사가 쓴 "생명과 종교의 새로운 측면"이다. 그것은 에소테릭 교리와 철학으로 가득 차 있지만, 결론 부분에서는 조건화된 실증주의 정신처럼 보이는 것으로 그것의 철학이 제한적이다. 그럼에도 불구하고, 공간을 "미지의 제일 원인(Unknown First Cause)"으로 말한 것은 인용할 가치가 있다. "이 미지의 어떤 것이 단순한 통일성(Simple Unity)의 일차적 구체화로써 인식되고 그것과 동일시되며 보이지도 않고 느낄 수도 없다"—(*추상적* 공간을 인정된다); 그리고 보이지도 않고 느낄 수도 없기 때문에, 인식할 수가 없다. 그리고 이런 비인식성 때문에 그것을 단순한 허공, 단순한 수용적 용량으로 가정하는 오류를 범하게 이끌었다. 그러나 심지어 절대적 허공으로 보더라도, 공간은 자존하는, 무한하며 영원한 것이나, 혹은 자체 밖에, 뒤에 그리고 너머에 제일 원인이 있다고 인정해야 한다.

"그리고 그런 원인이 발견되고 정의될 수 있다면, 이것은 단지 공간에 누적되는 속성들로 이동시켜서, 일차적 원인에 대한 추가적인 빛을 얻지 못한 채, 그 기원의 어려움을 한층 더 멀리 뒤로 던지는 것에 불과하다." (p. 5.)

이것이 바로 우주 안의 창조자 대신에 우주 밖의 창조자, 인격신을 믿는 사람들이 해왔던 것이다. 많은 것—프랫 씨의 대부분 주제들—이 고대 카발라 사상과 이론을 그가 상당히 새로운 옷을 입혀서 제시한 것이다: 진실로 대자연 속에 있는 "새로운 측면들"이다. 하지만 "실질적 통일성(Substantial Unity)"—"살아 있는 생명의 원천(living Source of Life)"—으로써 본 공간은 "미지의 원인 없는 원인(Unknown Causeless Cause)"으로써 오컬티즘에서 가장 오래된 가르침으로, 그리스와 라틴의 *페이터-아에테르(Pater-AEther)*보다 수 천년 오래되었다. 그래서 "공간의 효능(잠재성)으로써 힘과 물질이 분리될 수 없고, 미지자의 미지의 계시자(Unknown revealers of the Unknown)"이다. 그것들 모두가 아리안 철학에서 비스바카르만(Visvakarman), 인드라, 비쉬누 등등으로 인격화된 것에서 발견된다. 여전히 그것들은 매우 철학적으로 표현되며, 특이한 측면 하에서 많이 언급되고 있다.

알려진 혹은 알려지지 않은 모든 자연 현상과 연결되듯이, 물라푸라크리티의 [31] 방사인 아카샤를 실제적인 목적에 적용하지 못하게 막지 못할 것이다.

세계에서 가장 오래된 종교들—비의적 뿌리 혹은 기초는 하나지만, 대중적으로—은 인도, 조로아스터 그리고 이집트의 종교들이다. 다음으로 칼데아 종교이고, 이것들에서 나온 결과이다—현재는 고고학자들이 제시한 것처럼 왜곡된 사비니즘을 제외하고, 이제는 세상에서 완전히 사라졌다; 그리고 나중에 언급될 많은 종교들을 지나서, 비의적으로, 카발라에 있듯이, 바빌로니아 마기교(Magism)를 따르는 유대교가 온다. 대중적으로 유대교는 모세오경과 창세기에 있듯이, 우화 같은 전설을 모아 놓은 것이다. 조하르 관점에서 읽으면, 창세기 처음 네 개 장은 우주발생론에서 고도의 철학적 단편이다. (SD, 3 권, 굽타 비디야와 조하르 참조) 상징적인 위장으로 남겨두면, 그것은 유아용 동화로, 과학과 논리 측면에서 추한 가시이며, 분명한 카르마의 영향이다. 창세기를 기독교 성서의 도입부 역할을 하도록 놓아 둔 것은 모세오경이 무엇을 의미하는지 잘 알았던 랍비들의 잔인한 복수였다. 그것은 그들 성전을 강탈한 것에 대한 무언의 항변이었고, 유대인들은 그들의 전통 박해자보다는 이제 확실하게 우위에 있다. 진행하면서 위에 언급한 대중 교의를 보편적 교리에 비추어 설명할 것이다.

오컬트 교리문답서는 다음과 같은 질의응답을 가지고 있다:

---

31 현현된 물질 우주와 대비하여, *물라푸라크리티* 라는 용어—"뿌리(Root)"의 *물라(Mula)*와 "성질(nature)"의 *푸라크리티(prakriti)*—혹은 미현현된 태초 물질—서구 연금술사들은 아담의 지구(Adam's Earth)라고 불렀다—는 베단타 학자들이 *파라브라흐맘*에 적용하였다. 물질은 종교적 형이상학에서 이중이고, 에소테릭 가르침에서는 우주에 있는 모든 것처럼 칠중이다. 물라푸라크리티로써, 그것은 비분화되고 영원하다; 스베타스바타라 우파니샤드 1권 8절과 *데비 바가바타 푸라나*에 따르면, 비아크타(Vyakta)로써, 그것은 분화되고 조건화된다. 바가바드 기타에 대한 네 번의 강연자는 물라푸라크리티를 다음과 같이 말한다: "(로고스의) 객관적 관점에서, 파라브라흐맘이 물라푸라크리티로서 나타난다 . . . 객관적 물질이 우리에게 물질이듯이, 물론 이 물라푸라크리티는 그것에게는 물질이다 . . . 파라브라흐맘은 조건화 되지 않은 절대적 실재이고, 물라푸라크리티는 일종에 그것에 드리워진 베일이다." ("신지학자," 8권, p. 304.)

"언제나 존재하는 것이 무엇인가?" "공간(Space), 영원한 아누파다카(Anupadaka) 입니다."[32] "언제나 존재했던 것은 무엇인가?" "뿌리 속의 배아입니다." "언제나 오고 가는 것은 무엇인가?" "거대한 대숨결입니다." "그러면 영원한 것이 세 개 인가?" "아닙니다. 그 셋은 하나입니다. 언제나 존재하는 것이 하나이고, 언제나 존재했던 것도 하나이며, 언제나 존재하면서 되어가는 것도 하나입니다: 이것이 공간입니다."

"오, 제자여! 설명해 보라."— "하나(One)는 원주가 없는 끊어지지 않은 원(Circle) 입니다. 왜냐하면 그것은 어디에도 없으면서 모든 곳에 있기 때문입니다; 하나는 만반타라 동안만 직경을 현현하는 원의 무궁한 계입니다; 하나는 만반타라 동안에 모든 곳에서 인식된, 어디에서도 발견되지 않는 불가분의 점입니다; 그것은 수직이고 수평이며, 아버지이고 어머니이며, 아버지의 정상이자 바닥이며, 사실상 어디에도 도달하지 못하는 어머니의 두 가지 극입니다. 왜냐하면 하나는 고리(Ring)이고, 그 고리 속에 있는 고리들처럼 고리이기 때문입니다. 어둠 속에 있는 빛 그리고 빛 속에 있는 어둠: '영원한 대숨결'입니다. 그것이 모든 곳에 있을 때, 그것은 외부에서 내부로 나아가고, 그리고 그것이 어디에도 없을 때, 그것은 내부에서 외부로 나아갑니다—(예를 들면, 마야,[33] 센터들 중 하나[34]). 그것은 팽창과 수축을 합니다. (들숨과 날숨). 그것이 팽창할 때 어머니가 퍼뜨리고 흩어지게 합니다; 그것이 수축할 때 어머니가 회수하고 모읍니다. 이것이 진화와 붕괴, 만반타라와

---

32 "부모가 없는(parentless)"을 의미한다—더 계속 참고.

33 에소테릭 철학은 모든 유한한 것을 마야(혹은 무지의 환영)로 여기면서, 모든 우주안의 행성과 체도 조직된 어떤 것으로써 똑같이 유한한 것으로 본다. 그러므로 "그것은 외부에서 내부로 나간다 등등" 표현은 문장 첫 번째 부분에서 마하-만반타라 기간의 새벽, 혹은 대자연 속에 있는 모든 복합 형태가 (행성부터 분자에 이르기까지) 그것의 궁극의 본질 혹은 원소 속으로 완전한 주기적 붕괴 후에 거대한 재-진화의 새벽을 말하는 것이다; 그리고 두 번째 부분으로, 태양계 혹은 심지어 행성일 수도 있는 부분적 혹은 국부적 만반타라를 말하는 것이다.

34 "센터"는 에너지의 센터 혹은 우주의 집중점을 의미한다; 소위 "창조" 혹은 행성의 형성이 오컬티스트가 대생명(LIFE)으로 부르고 과학자가 "에너지"로 지칭하는 그 힘으로 성취될 때, 그때 그 과정이 내부에서 외부로 일어나고, 모든 원자가 자체 속에 신성한 숨결의 창조적 에너지를 간직하고 있다고 말한다. 그러므로 절대적 프랄라야 후에, 혹은 존재 이전의 물질이 하나(ONE)의 원소를 구성하고, 대숨결이 모든 곳에 있을 때, 그 숨결이 외부에서 내부로 작용한다: 소규모 프랄라야 후에, 모든 것이 현재 상태에 그대로 있으면서—말하자면 달처럼 냉동 상태 속에서— 만반타라의 첫 펄럭임에, 행성 혹은 행성들이 내부에서 외부로 그들의 부활을 시작해서 살아난다.

프랄라야의 기간을 만들어냅니다. 씨앗은 보이지 않고 불 같습니다; 뿌리 (원의 면)는 시원합니다; 그러나 진화와 만반타라 동안 그녀의 옷은 차갑고 빛이 납니다. 뜨거운 숨결은 많은 면의 원소 (이종)의 자손을 먹는 아버지입니다; 그리고 한 면의 원소들 (동종)을 남겨둡니다. 시원한 숨결은 형태들을 잉태하고, 내보내며, 새벽 (브라흐마의 낮 혹은 만반타라)에 형태들을 다시 구성하기 위해서, 그녀 가슴 속으로 그것들을 받아들이는 어머니입니다...”

일반 독자가 더 분명하게 이해하도록, 오컬트 과학에서는 일곱 가지 우주 원소를 인정한다고 말하지 않을 수 없다—그 중 네 가지는 순전히 물질적이고, 다섯 번째 (에테르)는 반물질로, 제 4 라운드가 끝나갈 무렵에 공기 속에서 눈에 보이게 될 것이며, 제 5 라운드 전기간 동안 다른 네 가지를 지배하게 된다. 나머지 두 가지는 아직은 절대적으로 인간의 지각 범위 너머에 있다. 그러나 이 두 가지는 이번 라운드의 여섯 번째 근원인종과 일곱 번째 근원인종 동안에 암시로써 나타날 것이고, 각각 제 6, 7 라운드에 알려지게 될 것이다.[35] 이들 일곱 원소는 과학에서 알려진 원소들보다 셀 수 없이 많은 아원소들이 있으며, 유일한 대원소(ONE and only Element)의 단순한 *조건적* 변형과 측면에 불과하다. 이것은 *에테르(Ether)*가[36] 아니고,

---

35 개념들의 진화 주기 속에서 고대의 사상이 어떻게 근대 추론 속에서 반영되는 것처럼 보이는지 주목하는 것이 신기하다. 허버트 스펜서 씨가 그의 “첫 번째 원리들” (p. 482)에서 어떤 구절을 쓸 때 고대 힌두 철학자들을 읽고 연구하였다면, 혹은 그가 “물질뿐만 아니라 운동도 질량이 고정되어 있다고, 반은 맞게 반은 틀리게 말하게 만든 것이 내적인 지각의 독립적인 섬광인가(?), 운동이 일으키는 물질의 분포에서 변화가 어느 방향이건 어떤 극한까지 오게 될 때, 거기서 파괴할 수 없는 운동이 정반대 분포를 피할 수 없는 것처럼 보인다. 겉보기에, 보편적으로 동시에 존재하는 인력과 반발력이 우주에 걸쳐서 두루 모든 작은 변화들 속에서 리듬을 필요하게 만들고, 또한 그 변화들의 전체 속에서도 리듬을 필요하게 만들며—측정할 수 없는 기간을 만들며 그 기간 동안 인력이 우세하면 보편적인 집중을 만들고 그리고 나서 반발력이 우세한 측정할 수 없는 기간 동안 보편적인 분산을 일으킨다—진화와 파괴 기간을 번갈아 생기게 한다.”

36 이 주제에 대한 물질 과학의 관점이 무엇이건, 오컬트 과학은 수많은 세월 동안 아카샤—에테르가 아카샤의 가장 조잡한 형태이다—를 가르쳐왔으며 다섯 번째 보편적 우주 원리 (인간의 마나스가 그것에 상응하고 그것에서 나온다)가 우주적으로 빛나고 시원하며 투열성의 가소성 물질이고, 그것의 물리적 성질 속에서는 창조적이며, 가장 조잡한 측면과 부분에서는 상호관계적이고, 더 상위 원리들 속에서는 불변하는 것이다. 첫째 조건 속에서 그것은 근저에 있는 뿌리이다; 그리고 빛나는 열기와 관련하여, 그것은 “죽은 세계를 살아나게” 불러낸다. 상위 측면에서 그것은 세계의 혼이다; 그것의 하위 측면에서 파괴자(DESTORYER)이다.

*아카샤*도 아니며, 이것들의 *근원*이다. 이제 과학에서 상당히 자유롭게 옹호한 다섯 번째 원소는 아이작 뉴턴 경이 가설로써 세운 에테르가 아니다—그가 그것을 그 이름으로 불렀지만, 아마도 그의 마인드 속에서 아에테르(AEther), 고대의 "아버지-어머니(Father-Mother)"와 연계한 것이다. 뉴턴이 직관적으로 다음과 같이 말한다: "대자연은 영원히 순환하는 작업자로, 고체에서 액체를 발생시키고, 휘발성에서 불휘발성을, 불휘발성에서 휘발성을 만들어내며, 조밀한 것에서 정묘한 것을, 정묘한 것에서 조밀한 것을 만들어 낸다. . . 이렇게 아마도 만물이 에테르(Ether)에서 기원하였을 것이다." (가설, 1675 년)

독자는 제공된 스탠저들이 우리 행성계의 우주발생론과 태양계 프랄라야 후에 그것에서 보일 수 있는 것만을 다룬다는 것을 명심해야 한다. 보편적 대우주의 진화에 대한 비밀의 가르침은 제공될 수가 없다. 왜냐하면 이 시대 최고의 지성들도 그 가르침을 이해할 수 없고, 심지어 이 주제를 숙고하는 것이 허락된 최고의 입문자들 사이에서도 매우 극소수인 것처럼 보이기 때문이다. 게다가 최고의 디야니-초한들 조차도 소위 "중심의 태양"과 수십 억 개의 태양계를 나누는 그 경계선 너머 신비를 꿰뚫은 적이 없다고 스승들께서 공공연하게 말씀하신다. 그러므로 본서에서 주어진 것은 "브라흐마의 밤"이 끝난 후 우리 눈에 보이는 우주만을 말한다.

독자가 본서의 토대를 구성하는 "잔의 서(Book of Dzyan)"에서 가져온 "스탠저들"을 숙고하기 전에, 먼저 그의 관심을 요구하는 전체 사고체계 근저에 놓여 있으며 스며들어가 있는 몇 가지 근본개념을 숙지하는 것이 절대적으로 필요하다. 이 기본 개념들은 몇 가지 안되지만, 그것들을 명확하게 이해함으로써 다음에 나오는 모든 것을 이해하게 된다; 그래서 독자가 내용을 숙독하기 전에 먼저 그것과 친숙해지도록 요청하는 것이 무례가 아닐 것이다.

씨크릿 독트린은 세 가지 근본 명제를 세운다: -

(가) 편재하는, 영원한, 무궁의, 불변의 원리(PRINCIPLE)로. . . 그것에 대한 모든 추론이 불가능하다. 왜냐하면 그것은 인간의 사고력을 초월하고 인간의 어떤 표현이나 비유로 축소될 수가 없기 때문이다. 그것은 사고의 도달 범위를 넘어선다―만두키아 우파니샤드의 말로 "생각할 수도 말할 수도 없는(unthinkable and unspeakable)."

일반 독자에게 이 개념을 좀더 명확하게 표현하기 위해서, 모든 현현된, 조건 지워진 존재보다 선행하는 하나의 절대적 대실재(one absolute Reality)가 있다는 명제를 가지고 시작하자. 이 무한의 영원한 원인(Infinite and Eternal Cause)―요즘 유럽 철학에서 "무의식자(Unconscious)"이자 "불가지자(Unknowable)"로 희미하게 표현된― 은 "존재하였고, 존재하며, 언제나 존재할 만물"의 뿌리 없는 뿌리이다. 그것은 물론 모든 속성이 없고 현현된 유한한 존재와 어떤 관계도 본질적으로 없다. 그것은 존재(Being)라기 보다 "있음(BE-NESS)"―산스크리트어 *사트(SAT)*―으로 모든 생각 혹은 추론을 넘어선다.

이 "있음(BE-NESS)은 씨크릿 독트린에서 두 가지 측면 하에서 상징되고 있다. 한편으로, 숨김없는 주관성을 나타내는 절대적 추상적 공간으로, 인간의 마인드 어느 누구도 단독으로 생각할 수 없거나, 어떤 개념에서도 배제시킬 수 없는 한 가지이다. 다른 한편으로, 무조건의 대의식(Unconditioned Consciousness)을 나타내는 절대적 추상적 운동이다. 심지어 서구 사상가들도 변화와 별개로 대의식을 상상할 수 없고, 운동이 그것의 본질적인 특이성인 변화를 가장 잘 나타낸다는 것을 보여주었다. 하나의 대실재의 이런 운동 측면은 또한 "거대한 대숨결(Great Breath)"이라는 용어로 상징되기도 하는데, 이 상징은 더 이상 설명이 필요 없는 충분하게 사실적인 상징이다. 이렇게 씨크릿 독트린의 첫 번째 근본 명제는 이 형이상적 하나의 절대자(ONE ABSOLUTE)―있음(BE-NESS)―로 유한한 지성으로는 신학의 삼위일체로 상징되는 것이다.

하지만 여기서 몇 가지 설명을 더 제시하면 학생의 이해를 도울 것이다.

허버트 스펜서는 오컬티스트가 더 논리적으로 "원인 없는 원인(Causeless Cause)," "영원자(Eternal)" 그리고 "불가지자(Unknowable)"에서 이끌어 내는 "제일 원인(First Cause)"의 [37] 성질이 우리 안에서 솟아나는 의식과 본질적으로 똑같을 수 있다고 주장하기 위해서, 그의 불가지론을 최근에 수정하였다; 즉 대우주에 침투해 있는 초월적 실재가 사고의 순수한 본체라고 주장한다. 그의 이런 발전으로 그가 비의 가르침과 배다 가르침에 매우 가까워졌다.[38]

파라브라흠 (하나의 대실재, 절대자)은 절대적 의식의 장, 즉, 조건화된 존재와 아무 관계가 없는 대본질(Essence)이고, 의식적인 존재가 그것의 조건화된 상징이다. 그러나 일단 우리가 생각 속에서 이 절대적 부정(Absolute Negation)을 지나가면, 이분성이 영 (혹은 의식)과 물질, 주체와 객체의 대조 속에서 개입하게 된다.

그러나 영 (혹은 의식)과 물질은 서로 독립적인 실재가 아니라, 절대자 (프라브라흠)의 두 가지 측면 혹은 양상으로써 간주되어야 하며, 이것이 주관적이건 객관적이건 조건화된 존재의 토대를 구성한다.

이 형이상학적 삼개조를 모든 현현이 나오는 뿌리(Root)로써 간주하면, "거대한 대숨결"이 우주이전의 개념작용(Ideation)의 성격을 띠게 된다. 이것이 힘과 모든 개별 의식의 *원천이자 기원(fons et origo)*이고, 우주의 진화라는 광대한 체계 속에서 안내하는 지성을 제공한다. 반면에, 우주이전의 근원-질료 (*물라푸라크리티*)는 대자연에 있는 모든 객관계의 근저에 있는 절대자의 측면이다.

우주이전의 개념작용이 모든 개별 의식의 뿌리이듯이, 마찬가지로 우주이전의 질료는 분화의 다양한 등급 속에 있는 물질의 기층이다.

---

37 "제일(first)"은 반드시 "최초로 나온," "시간, 공간 그리고 순서에서 첫째"의—그러므로 유한하고 조건화된—어떤 것을 반드시 전제로 한다. "최초"가 *절대자가 될 수가 없다*. 왜냐하면 그것은 하나의 현현이기 때문이다. 그러므로 동양의 오컬티즘은 절대적 전체(Abstract All)를 "원인 없는 하나의 원인," "뿌리 없는 뿌리(Rootless Root)"라로 부르며, "제일 원인"을 플라톤이 그 용어에 부여한 의미로 *로고스(Logos)*로 제한한다.
38 수바 로우 씨의 바가바드 기타에 관한 네 강연 참조. "신지학자," 1887년 2월.

그래서 절대자의 이런 두 측면의 대조는 "현현된 우주"가 존재하는데 필수적이라는 것이 분명해질 것이다. 복잡성의 어떤 단계에서 "보편 마인드(Universal Mind)"의 광선의 초점을 맞추는데 물질적인 토대가 필요하므로, 의식이 "나는 나다(I am I)"로서 솟아오르는 것은 물질의 매체개를 [39] 통해서만 가능하기 때문에, 우주적 질료와는 별개로, 우주적 개념작용(Cosmic Ideation)은 개별 의식으로 현현할 수가 없다. 다시 우주적 개념작용과 떨어져서, 우주적 질료(Cosmic Substance)는 공허한 추상성으로 남아 있을 것이고, 어떤 의식의 출현도 잇따라 일어날 수가 없다.

그러므로 "현현된 우주"는 이분성으로 스며들어가 있다. 즉 "현현"으로써 그것의 밖으로-서는(Ex-istence) 바로 그 본질이다.

그러나 주관과 객관, 영과 물질의 서로 반대되는 극들이 그것들이 통합되는 하나의 통일성(One Unity)의 측면들에 불과하듯이, 마찬가지로 현현된 우주 속에서, 영과 물질, 주체와 객체를 연결하는 "그것"이 있다.

서구의 추론에서는 현재 알려지지 않은 이 "어떤 것"을 오컬티스트들은 "포하트(Fohat)"라고 부른다. 이것은 "신성한 사고" 속에 존재하는 "이데아(Ideas)"가 "대자연 법칙"으로써 우주 질료에 각인되는 "가교"이다. 이렇게 "포하트"는 우주 개념작용의 역동적 에너지이다; 혹은 다른 측면에서 볼 때, 그것은 지성적인 매개체, 모든 현현을 안내하는 힘, "신성한 사고"가 보이는 세계의 건축가들인 디얀 초한들을 [40] 통해서 전달되고 현현된 것이다. 이렇게 영 혹은 우주의 개념작용으로부터, 우리의 의식이 온다; 우주의 질료로부터 그 의식이 개체화되고 자아—혹은 반영하는—의식에 도달하는 몇 가지 매개체들이 온다; 반면에 "포하트"는 다양한 현현 속에서 마인드와 물질을 연결하는 신비한 연결고리, 모든 원자에 전기를 통하게 해서 살아있게 하는 생명을 불어넣는 원리이다.

다음 요약을 보면 독자가 더 명확하게 이해하게 될 것이다.

---

39 산스크리트어로 "우파디(Upadhi)로 부른다.
40 기독교 신학에서 대천사(Archangels), 치품천사(Seraphs) 등등으로 부른다.

(1) 절대자(ABSOLUTE); 베단타 철학의 *파라브라흠* 혹은 하나의 대실재, 사트(SAT)는 헤겔이 말한 것처럼 절대적 존재이면서 비-존재(Non-Being)이다.

(2) 최초의 현현, 초월자(impersonal), 그리고 철학에서 *미현현한* 로고스, "현현한 것"의 전조이다. 이것이 서구 범신론자의 "무의식자(Unconscious)," "제일 원인"이다.

(3) 영-물질, 대생명(LIFE); "우주의 영(Spirit of the Universe)," 푸루샤와 푸라크리티 혹은 *두 번째* 로고스.

(4) 우주의 개념작용, 마하트(MAHAT) 혹은 대지성(Intelligence), 보편적 세계-혼(Universal World-Soul); 물질의 우주적 본체, 마하-붓디(MAHA-BUDDHI)로 부르는 대자연의 그리고 대자연 속에 있는 지성적 작용의 토대.

하나의 대실재(ONE REALITY); 조건화된 우주에서 그것의 두 가지 측면.

추가로 씨크릿 독트린에서는 다음과 같이 확언한다: –

(나) 무궁한 세계로써 전체 우주의 영원성; "현현하는 별들" 그리고 "영원의 불꽃들(sparks of Eternity)"로 부른 주기적으로 "끊임없이 현현하고 사라지는 무수히 많은 우주들의 놀이터." "순례자의[41] 영원"은 자존자(Self-Existence)의 눈짓과 같다. (잔의 서) "세계의 출현과 소멸은 밀물과 썰물의 규칙적인 조수와 같다." (2 부, "브라흐마의 낮과 밤" 참조)

---

41 "순례자(Pilgrim)"는 여러 화신의 주기 동안 우리 *모나드* (하나 속에 있는 둘)에게 붙여진 명칭이다. 그것이 우리 속에 있는 유일한 영원불멸의 원리로, 통합하는 세계—그것이 발산하여 나오고, 주기가 끝날 무렵에 다시 흡수되는 보편적인 영(Universal Spirit)—와 분리될 수 없는 부분이다. 하나의 영에서 발산하여 나온다고 말할 때, 적합한 단어가 없어서 어색하고 정확하지 않은 표현을 써야만 한다. 베단타 학자들은 그것을 수트라트마(Sutratma) (혼-줄:Thread-Soul)로 부르지만, 그들 표현도 오컬티스트들이 부르는 것과 다소 다르다; 그 차이가 무엇인지는 베단타 학자들에게 남겨놓겠다.

씨크릿 독트린의 두 번째 주장은 주기성의 법칙, 조수간만의 법칙의 절대적 보편성으로, 물질 과학이 자연의 모든 부문에서 관찰하고 기록해온 것이다. 낮과 밤, 삶과 죽음, 수면과 깨어남의 교차 같은 것은 너무나 일상적이고 완전히 보편적이며 예외가 없는 사실이기에 그 속에서 우주의 절대적 근본 법칙들 중에 하나를 이해하는 것은 쉬운 일이다.

(다) 보편 대령(Universal Over-Soul)과 모든 혼들의 근본적인 동일성으로, 보편 대령은 미지의 뿌리(Unknown Root)의 한 측면 자체이다; 그리고 모든 혼—보편 대령의 불꽃—이 전체 기간 동안 주기적 법칙과 카르마 법칙에 따라서 화신 (혹은 "필요성")의 주기를 통해서 의무적으로 순례를 가는 것. 다른 말로 하면, 순수하게 영적인 붓디 (신성한 혼) 어떤 것도 독립적인 (의식적인) 존재를 갖기 위해서는 보편적 여섯 번째 원리—혹은 대령(OVER-SOUL)—의 순수 본질에서 나온 그 불꽃이 (1) 만반타라의 현상계의 모든 엘리멘탈 형태를 경험하고, (2) 처음에는 자연적인 충동으로 그리고 (카르마에 제지되면서) 자기 스스로 시작하고 자기 스스로 계획한 노력으로, 개체성을 획득해서, 가장 낮은 마나스부터 최고 마나스에 이르기까지, 광물과 식물부터 최고의 성스러운 대천사 (디야니-붓다)에 이르기까지, 지성의 모든 정도를 지나서 올라가야 했다. 에소테릭 철학의 충추적인 가르침은 오랜 기간 동안 일련의 혼의 이주와 재화신을 거쳐서 개인의 노력과 공과를 통해서 자신의 자아(Ego)가 얻은 것을 제외하고, 인간 속에서 어떤 특권이나 특별한 재능도 인정하지 않는다. 이것이 바로 힌두인들이 우주는 브라흐마와 (중성) 브라흐마라고 말하는 이유이다. 왜냐하면 브라흐마는 우주 모든 원자 하나하나 속에 있으며, 대자연의 여섯 가지 원리가 대우주이건 소우주이건 우주 속에 있는 유일한 실재, 일곱 번째(SEVENTH)이자 하나(ONE)의 모든 결과—다양하게 분화된 측면들—이기 때문이다; 그리고 현현과 형태의 계에서, 여섯 번째 (브라흐마의 매개체)의 치환을 (심령적, 영적 그리고 물질적) 형이상학적 어의반용(antiphrasis)으로 환영이자 마야라고 보는 이유이다. 왜냐하면 비록 개별적으로 모든 원자의 뿌리와 집단적으로 모든 형태의 뿌리는 그 일곱 번째 원리 혹은 하나의 실재이지만, 여전히 현현된 현상적 그리고 일시적인 출현 속에서, 그것은 우리 감각의 덧없는 환영과 다름없기

때문이다. (더 명확한 정의를 위해서, 부록 "신, 모나드 그리고 원자"와 "신의 현현(Theophania)," "보디삿트바와 재화신" 등등 참조)

그것의 절대성에서, 하나의 원리(One Principle)는 (파라브라흐맘과 물라푸라크리티) 두 측면 하에서 무성(sexless)이고, 조건화되지 않으며(unconditioned), 영원하다. 그것의 주기적 (만반타라) 발산—혹은 원초의 방사—도 하나(One)이고, 양성이며 현상적으로 유한하다. 그 방사가 다음에 방사할 때, 모든 방사물도 양성이며, 그것의 하위 측면에서 남성 원리와 여성 원리로 된다. 프랄라야 후에, 그것이 거대한 프랄라야이건 혹은 작은 프랄라야이건 (작은 프랄라야는 세계를 *현재 상태 그대로* 둔다 [42]) 활동적인 생명으로 다시 깨어나는 첫 번째가 가소성의 아카샤(Akasa), 아버지-어머니(Father-Mother), 에테르의 영과 혼, 혹은 원의 표면에 있는 평면이다. 공간은 그것의 우주활동 전에 "어머니"라고 불리며, 다시 깨어나는 첫 단계에서 "아버지-어머니"라고 불린다. (스탠저 II 주석 참조) 카발라에서는 그것이 아버지-어머니-아들이다. 그러나 반면에 동양의 가르침에서 이것들은 현현된 우주의 일곱 번째 원리 혹은 "아트마-붓디-마나스"(영, 혼, 지성)로서, 삼개조가 일곱 가지 우주 원리이자 인간 원리로 분기하고 나누어진다. 서구의 기독교 신비가들의 카발라에서, 그것은 삼개조(Triad) 혹은 삼위일체이고, 서구의 오컬티스트들에게 그것은 남성-여성의 여호와, 즉 야-하바(Jah-Havah)이다. 여기에 기독교 삼위일체와 비의적 삼위일체 사이에 전체 차이가 있다. 신비가들과 철학자들, 동양과 서구의 범신론자들은 그들의 발생 이전의 삼위일체를 순수한 신성한 추상성 속에서 통합한다. 하지만 정통파는 그것을 인격화시킨다. *히란야가르바(Hiranyagarbha)*, *하리(Hari)*, *상카라(Sankara)*—현현하는 "지고한 영의 영(Spirit of the Supreme Spirit)"의 삼위격 (그 칭호로 프리티비—지구—가 첫 번째 아바타인 비쉬누를 맞이한다)—는 형성, 보존, 파괴의 순전히 형이상적 추상적 특질이며, "창조된 것과 사멸하지 않는" 그것의 세 가지 신성한 아바스타스(Avasthas) (글자 그대로, 위격)이다 (혹은

---

42 거대한 우주 프랄라야 혹은 심지어 태양계 프랄라야 동안에, *현재 상태 그대로* 남아 있는 것은 무엇보다도 심령적 원리는 말할 것도 없고, 물질적 유기체가 아니라, 그것들의 아카식 혹은 아스트랄 "사진들"만이다. 그러나 작은 프랄라야 동안에, 일단 "밤"이 닥치게 되면, 행성은 죽었지만 거대한 동물로써 극빙 속에 넣어진 채, 많은 세월 동안 그대로 있게 된다.

아치유타(Achyuta), 비쉬누의 이름); 반면에 정통 기독교는 그들의 인격적 창조신을 삼위일체의 세 가지 인격으로 나누고, 그보다 더 높은 신성을 인정하지 않는다. 오컬티즘에서는 더 높은 신은 추상적 삼각형이다; 정통파에서는 그것은 완전한 정육면체이다. 동양 철학자는 창조신 혹은 집합의 신들을 *"브란티다르사나타"*로 여긴다—이것은 "잘못된 이해," "틀리기 쉬운 겉모습에 의해서 물질 형태로써 인식된" 어떤 것이고, 자기중심적인 개성과 인간 혼 (하위 다섯 번째 원리)의 환영적 개념에서 생기는 것으로 설명한다. 그것이 "비쉬누 푸라나"의 새 번역판에서 아름답게 표현되었다. "그 브라흐마는 전체성 속에서 본질적으로 진화되어 나온 그러면서 동시에 진화되지 않은 (물라푸라크리티) 푸라크리티의 측면이고, 또한 영의 측면이자 시간의 측면이다. 영(Spirit)은, 두 번 태어난 자여, 지고의 브라흐마의 선도적인 측면이다.[43] 다음이 이중의 측면—진화되어 나온 그리고 진화되지 않은 푸라크리티—이고, 시간이 마지막 측면이다." 오르페우스의 신통기에서도 크로노스가 발생된 신 또는 대리인으로써 보인다.

우주가 다시 깨어나는 이 단계에서, 신성한 상징체계에서는 그것을 센터(Center)에 (뿌리) 점을 가진 완전한 원으로써 나타낸다. 이 표시는 보편적이므로, 그래서 우리는 그것을 카발라에서도 보게 된다. 그러나 지금은 기독교 신비가들의 수중에 들어가 있는 서구의 카발라는 그것이 조하르에서 분명하게 보여주더라도 그것을 완전히 무시한다. 이런 종파주의가 끝에서 시작하고, 발생 이전의 대우주 상징인 이 기호 ⊕ 를 보여주며, 그것을 "장미와 십자가의 합일"로 부르면서, 오컬트적 발생의 거대한 신비를 보여준다. 이것에서 장미십자회 (장미 십자가)라는 이름이 나온다.

---

43 이렇게 스펜서는 쇼펜하우어와 폰 하트만처럼, 고대의 비의 철학자들의 한 측면만을 숙고해서 그의 독자들을 불가지론의 절망의 암담한 해변에 내려놓으며, 경건하게 웅대한 신비를 만들어낸다; "우주가 우리에게 제시하는 이런 지각할 수 있는 겉모습 하에서, 양적으로 변하지 않은 채 지속하지만 형태에서는 언제나 변하는 그것이 미지의 그리고 불가지의 힘이며, 우리는 그것이 공간 속에서 제한 없이 시간 속에서 시작도 끝도 없는 것으로 인식해야 한다." 언제나 무한자를 가늠하여 헤아릴 수 없는 자(Fathomless)이자 불가지자를 드러내려고 하는 것은 결코 과학이나 철학이 아니라 대담한 신학이다.

하지만 "장미십자회 상징"으로 가장 잘 알려진 것으로써 가장 중요한 것에서 판단해보면, 지금까지 근대 신비가들조차 결코 이해하지 못했던 하나가 있다. 그것은 일곱 마리 새끼를 먹이기 위해서 자신의 가슴을 찢어 여는 "펠리칸"의 상징이다— 그것은 장미십자가 형제들의 진정한 신조이자 동양의 씨크릿 독트린에서 온 직접적인 소산이다. 브라흐마 (중성)를 칼라한사(Kalahansa)로 부르는데, 서구 동양학자들이 설명하듯이, 그것은 영원한 백조(Eternal Swan) 혹은 거위를 의미하며 (스탠저 III 주석 8 참조), 창조자 브라흐마도 마찬가지이다. 이렇게 커다란 오류가 보인다; 한사-바하나(Hansa-vahana)—매개체로 스완을 사용하는 자—로 불러야 하는 것이 바로 브라흐마 (중성)이며, 진정한 칼라한사인 창조자 브라흐마가 아니다. 브라흐마 (중성)는 함사(hamsa)이고, 주석에서 설명될 것이지만, "아-함사(A-hamsa)"이다. 브라흐마와 파라브라흐맘이라는 용어가 비의적 명명법이기 때문에 사용되지 않은 것이 아니라, 단순히 그것들이 서구 학생들에게 더 익숙하기 때문이라는 것을 이해하길 바란다. 둘 다 우리의 한 모음어, 세 모음어 그리고 일곱 모음어와 완전하게 상응하며, "하나의 전체(ONE ALL)" 그리고 "만물 속에 있는 하나의 전체(ONE "All in all")"를 나타낸다.

이것들이 씨크릿 독트린이 토대로 두는 기본 개념들이다.

여기서 그 개념들에 내재적인 합리성을 옹호하거나 증명하는 것이 적절하지 않다; 또한 그것들이 이름 가치가 있는 모든 사상 체계나 철학 체계에서 사실 어떻게 포함되어 있는지—너무 자주 오해하는 가장 하에서—보여주기 위해서 잠시 멈출 수도 없다.

일단 독자가 그것들을 명확하게 이해하고 그것들이 삶의 모든 문제에 던지는 빛을 깨닫는다면, 그들은 더 심오한 타당한 이유가 필요 없을 것이다. 왜냐하면 그것의 진리가 하늘에 있는 태양처럼 그에게 분명할 것이기 때문이다. 그러므로 이제 본서에서 설명된 일반적인 개념을 몇 마디로 학생 앞에 제시함으로써, 그의 작업을 더 쉽게 하길 기대하면서, 뼈대를 덧붙여 가면서, 본서에서 주어진 스탠저들의 내용으로 넘어갈 것이다.

스탠저 I. 우주 진화의 역사는, 스탠저에서 추적되듯이, 말하자면, 그 진화의 추상적 대수학적 공식이다. 그래서 학생은 거기에서 "보편적(Universal)" 진화의 최초 시작과 현재 우리의 상태 사이에 있는 모든 단계들과 변형들에 대한 설명을 찾기를 기대해서는 안 된다. 당분간 의식이 제한되어 있는 그것 바로 다음에 있는 존재계의 성질도 이해할 수 없는 인간이 그런 설명을 이해할 수 없기 때문에, 그런 설명을 제공하는 것이 불가능할 것이다.

그러므로 스탠저에서는 *필요한 수정으로* 모든 진화에 적용될 수 있는 추상적인 공식을 제공한다: 우리의 작은 지구의 진화, 그 지구가 하나를 형성하는 행성들의 체인의 진화, 그 체인이 속하는 태양계 우주의 진화 등등, 마인드가 휘청거리고 그 노력에서 지칠 때까지 상승하는 단계로 진화에 적용될 수 있다.

본서에서 주어진 일곱 스탠저는 이 추상적 공식의 일곱 기간을 나타낸다. 그것들은 푸라나에서 "일곱 창조"로 그리고 성서에서 창조의 "낮"으로 말하는 진화 과정의 일곱 가지 거대한 단계를 말하고 설명한다.

첫 번째 스탠저는 다시 깨어나는 현현의 첫 번째 날개 짓을 하기 전, 프랄라야 동안에 하나의 전체(ONE ALL) 상태를 묘사하고 있다.

조금만 생각해보면 그런 상태는 상징적으로만 표현될 수 있다는 것을 보여준다; 그것을 묘사하는 것이 불가능하다. 또한 그것을 부정적인 언어로만 상징화할 수 있다; 왜냐하면 그것은 절대성 자체의 상태이기 때문에, 그것은 긍정적인 용어로 대상들을 묘사하는 역할을 하는 구체적인 속성 같은 것을 가지고 있지 않기 때문이다. 따라서 그 상태는 인간의 개념의 힘으로 성취할 수 있는 가장 먼 한계로써 생각하기 보다 오히려 느끼는 가장 추상적인 속성들의 부정어들로 암시만 될 수 있다.

스탠저 II 에서 그려진 단계는 서구의 마인드에게 스탠저 I 에서 언급된 것과 거의 동일해서 그 차이를 표현하기 위해서는 자체로 논문이 필요하다. 그래서 사용된 비유의 구절의 의미를 할 수 있는 만큼 최대한 이해하는 것이 독자의 직관과 상위 능력에 맡겨져야만 한다. 실제로 이 모든 스탠저가 보통 육체 두뇌에 호소하기 보다 내면의 능력에 호소한다는 것을 명심해야 한다.

스탠저 III 는 우주가 프랄라야 후에 다시 깨어나는 것을 묘사하고 있다. 그것은 하나(ONE) 속에서 흡수 상태에서 나오는 "모나드들"의 출현을 묘사하고 있다; "세계들"의 형성에서 가장 초기이자 최고 높은 단계이고, 모나드라는 용어가 광대한 태양계나 가장 작은 원자에 똑같이 적용될 수 있다.

스탠저 IV 는 우주의 "배아(Germ)"가 의식적인 신성한 권능의 칠중 하이어라키로 분화하는 것을 보여주고 있고, 이들은 하나의 지고의 에너지가 활동하는 현현이다. 그들은 모든 현현된 우주의 입안자, 형성자 그리고 궁극적으로 "창조자들"로, "창조자(Creator)"라는 이름이 이해될 수 있는 의미에서만 그렇다; 그들은 그것에 생명을 불어넣고 안내한다; 그들은 진화를 조정하고 통제하는 지성적인 대존재들로, 그들 자신 속에서 우리가 "대자연의 법칙"으로 아는 하나의 대법(ONE LAW)의 그런 현현들을 구체화한다.

총칭적으로, 그들은 디얀 초한으로 알려져 있지만, 다양한 그룹 각각은 씨크릿 독트린에서 나름대로의 명칭을 갖고 있다.

진화의 이 단계는 힌두 신화에서 신들의 "창조"로 말한다.

스탠저 V 에서는 세계 형성 과정이 묘사되고 있다: ― 첫째, 분산된 우주 물질, 그리고 성운 형성의 첫 단계인 불의 "소용돌이"이다. 그 성운이 응축하고, 여러 가지 변형을 지난 후에, 경우에 따라서, 태양계 우주, 행성 체인 혹은 하나의 행성을 형성한다.

스탠저 VI 에서는 세계의 형성에서 후속 단계들이 나타내어진다. 세계의 진화를 네 번째 거대한 시기, 즉 지금 우리가 살고 있는 시기에 상응하는 거대한 시기까지 가져온다.

스탠저 VII 은 역사가 계속되고, 생명의 하강을 인간의 출현까지 추적한다; 이렇게 씨크릿 독트린 1 권이 끝난다.

이번 라운드에 지구에서 "인간"이 처음 출현해서 우리가 그를 지금 발견하는 그 상태까지 발전하는 것이 2 권의 주제이다.

메 모

모든 부문의 논고를 구성하는 스탠저는 모두 근대어로 번역되어 제시되었다. 원전에 있는 영문 모를 스타일과 단어들이 있는 태고의 구절을 소개함으로써 주제를 한층 더 어렵게 만드는 것이 쓸모없는 것보다 더 안 좋기 때문이다. 발췌한 것들은 잔의 서에 대한 원래 센자르어 주석과 주해를 중국어, 티벳어, 산스크리트어로 번역한 것에서 받았다—이제 이것들이 처음으로 유럽 언어로 제시된다. 일곱 스탠저 일부분만이 여기서 제공되었다는 것은 거의 말할 필요도 없다. 그것 전체가 출판되었다 해도, 소수의 상위 오컬티스트들을 제외하고 모두에게 그것은 이해 불가능한 상태로 남아있을 것이다. 대부분의 보통 사람과 마찬가지로 이 필자, 아니 오히려 보잘것없는 기록자도, 그 금지된 구절을 이해하지 못한다고 독자에게 확신시킬 필요도 없을 것이다. 읽기 쉽게 하기 위해서 그리고 주석을 너무 자주 참조하는 것을 피하기 위해서, 본문과 주석을 합치는 것이 가장 좋다고 생각하였으며, 또한 고유명사를 써야만 할 때는 원전에 있는 구절 대신에 산스크리트어나 티벳어를 사용하였다. 산스크리트어나 티벳어는 모두 받아들이는 동의어이고, 원전에 나온 구절은 대스승과 그의 제자들 사이에서만 사용되기 때문이다.

이렇게 티벳어나 센자르어 버전 하나로 쓰여진 명사나 전문용어만 사용하여 스탠저 I 을 번역하면, 스탠저 1 은 다음과 같이 읽을 것이다: —

"지규(Zhi-gyu) 속에 있는 토-아그(Tho-ag)가 일곱 크호로(Khorlo) 속에서 잠자고 있었다. 모든 니유그(Nyug)는 가슴 안에 있다. 콘치-호그(Konch-hog)는 아니다; 티얀-캼(Thyan-Kam)도 아니다; 라-초한(Lha-Chohan)도 아니다; 텐브렐 츄그니(Tenbrel Chugnyi)도 아니다; 다르마카야는 멈추었다. 쓰젠창(Tgenchang)은 되지 않았다; 니고본이드지(Ngovonyidj) 안에 바르낭(Barnang)과 싸(Ssa)가 있다; 순-찬(sun-chan)과 용-그르브(Yong-grub) (파리니쉬판나) 밤에 토-오그 옌신(Tho-og Yinsin)만 있다 등등" 모두 주문 같은 소리로 들릴 것이다.

본 저작은 오컬티즘 학생들의 가르침을 위해서 쓰여진 것이며, 언어학자를 위해서 쓰여진 것이 아니기 때문에, 우리는 가능한 한 이런 이상한 용어들을 피하는 것이 나을 것이다. 번역할 수 없는 용어들, 즉 그 의미를 설명하지 않으면 이해할 수 없는 용어들은 모두 산스크리트어 형태로 남겨 두었다. 이것들은 거의 모든 경우에 후대 언어가 나중에 발전한 것이고, 다섯 번째 근원인종에 속한다고 독자를 환기시킬 필요가 없다. 현재 알려져 있는 산스크리트어는 아틀란티스인이 사용하지 않았고, 마하바라타 시대 이후 인도 철학체계에서 사용된 대부분의 철학 용어들은 베다에서는 발견되지 않고, 원전 스탠저에서도 만나지 못하며, 단지 그것들의 동의어들만이 보일 뿐이다. 신지학자가 아닌 독자는 다음에 나오는 모든 것을 동화로 간주해도 된다; 최선으로 몽상가들의 아직 입증되지 않은 추론들 중에 하나로써 간주해도 된다; 최악의 경우에, 과거, 현재, 미래의 많은 과학적 가설들에 추가적인 가설로써, 어떤 것은 조사되었고, 다른 것은 여전히 남아 있는 것으로 생각해도 좋다. 그것은 어느 모로 보나 소위 많은 과학 이론들보다는 나쁘지 않다; 그것은 모든 경우에 더 철학적이고 더 그럴듯하다.

필요한 많은 주석과 설명을 감안해서, 각주들이 보통의 방식으로 제시되었으며, 반면에 주석이 필요한 문장들은 숫자를 달아서 표시하였다. 추가로 필요한 것은 제 2 부뿐만 아니라 3 부를 구성하는 상징체계에 대한 장에서 볼 것이며, 이것에는 본문보다 더 많은 정보로 가득하다.

우주의 진화

잔(DZYAN)의 비밀의 서에서 주석과 함께 번역된 일곱 스탠저

어떤 것도 아무것도 존재하지 않았다; 저편 밝은 하늘은
없었다, 위로 펼쳐진 하늘의 폭넓은 지붕도 없었다.
무엇이 만물을 덮었는가? 무엇이 피난처를 주었는가? 무엇이
숨겼는가?
그것이 물의 헤아릴 수 없는 심연이었는가?
죽음이 없었고―그럼에도 불멸한 것도 없었다,
낮과 밤 사이의 경계가 없었다;
유일한 하나가 스스로 호흡 없이 호흡하였다,
그것(It) 이외에는 아무것도 없었다.
암흑이 거기 있었고, 만물이 처음에는 베일로 가려졌다
심오한 어둠 속에―빛이 없는 대양―
껍질 속에 덮인 채로 있던 배아가
강렬한 열에서 하나의 성질을 분출하였다.
누가 그 비밀을 아는가? 누가 그것을 여기서 선언하였는가?
어디서, 어디서 이 다양한 창조가 나왔는가?
신들 자신도 나중에 존재하였다―
이 거대한 창조가 어디서 나왔는지 누가 아는가?
그것(That), 이 모든 거대한 창조가 온 곳,
그것(It)의 의지가 창조하였는지 소리가 없다,
가장 높은 하늘에 있는 지고자(Most High Seer),
그는 그것을 안다―혹은 아마도 심지어 그도 모른다."

- pp. 563~4, 리그-베다, X, 129.
맥스 뮬러, *고대 산스크리트 문학의 역사*," 1860.

"영원 속을 응시하면서 . . .
지구의 토대가 놓이기 전에,
. . . . .
당신이 있었다. 그리고 지하의 불기둥이
그 감옥을 터뜨려서 뼈대 구조를 삼켜버릴 것이다 . . .
당신은 이전에 있던 것처럼 여전히 있을 것이다
그리고 어떤 변화도 몰랐다, 시간이 더 이상 없을 때.
오! 끝없는 생각, 신성한 영원."

                    – 존 게이, "*영원에 대한 생각,*" 시선집, 1854.

우주의 진화

잔의 서에서 번역된 일곱 스탠저 속에서

스탠저 I

---

1. 영원한 부모 (공간)가, 언제나 볼 수 없는 옷 속에 감싸인 채, 일곱 영원 동안 또다시 잠들었다.

2. 시간은 존재하지 않았다. 왜냐하면 그것이 계속기간의 무한한 품 속에서 잠자고 있기 때문이다.

3 . . . . 보편 마인드는 존재하지 않았다. 왜냐하면 그것을 포함할 (그래서 현현할) 아-히 (천상의 존재들)가 존재하지 않았기 때문이다.

4. 지복(*모크샤 혹은 니르바나*)에 이르는 일곱 가지 길이 없었다. 불행의 대원인 (*니다나 그리고 마야*)도 없었다. 왜냐하면 그것들을 만들고 그것들에 구속되는 자가 없었기 때문이다.

5. 암흑만이 무궁한 전체를 채웠다. 왜냐하면 아버지, 어머니 그리고 아들이 다시 하나였기 때문이고, 아들이 새로운 수레바퀴와 그 위에서 순례를 위하여 아직 깨어나지 않았기 때문이다.

6. 일곱 지고의 주와 일곱 진리가 존재하지 않았고, 그리고 우주, 필요성의 아들이 있으면서 있지 않는 그것에 의해서 내뿜어지기 위해서 파라니쉬판나 (절대적 완성, 파라니르바나, 용-그럽) 속에 잠겨 있었다. 아무것도 없었다.

7. 존재의 원인들이 제거되었다; 존재했던 보이는 것과 존재하는 보이지 않는 것이 영원한 비-존재, 하나의 대존재 속에서 쉬고 있다.

8. 홀로 존재의 한 형태가 무궁하고, 무한하게, 원인 없이, 꿈 없는 잠 속에 펼쳐 있다; 그리고 당마의 "열린 눈"으로 감지되는 그 전체-실재에 두루 걸쳐서, 생명이 보편적 공간 속에서 무의식적으로 고동쳤다.

9. 그러나 우주의 알라야가 (*만물의 기초로서 혼, 애니마 문디*) 파라마르타 (*절대적 대존재이자 대의식으로 절대적 비존재이자 무의식*) 속에 있을 때 그리고 거대한 수레바퀴가 아누파다카였을 때, 당마는 어디에 있었나?

스탠저 II

---

1. . . . . . 건설자들, 만반타라 새벽의 빛나는 아들들은 어디 있었나? . . . 그들의 아-히의 (*초한의, 디야니-붓다의*) 파라니쉬판나 속에 있는 미지의 암흑 속에서, 무형 (*아루파*)에서 유형 (*루파*)을 만드는 자들, 세계의 뿌리— 데바마트리 그리고 스바바바트가 비-존재의 지복 속에서 휴식하였다.

2.. . . . 침묵은 어디에 있었나? 그것을 감지할 귀가 어디에 있었나? 없었다! 침묵도 소리도 없었다. 자신을 모르는 끊임없는 영원한 숨결 (*운동*)을 제외하고 아무것도 없었다.

3. 시간이 아직 안 되었다; 광선이 아직 배아 속으로 섬광처럼 들어가지 않았다; 마트리-파드마 (*어머니 연꽃*)가 아직 부풀어 오르지 않았다.

4. 하나의 광선이 들어와서, 그래서 셋이 떨어져서 마야의 무릎 속에서 넷으로 되도록, 그녀의 가슴 (심장)이 아직 열리지 않았다.

5. 일곱 (아들들)은 빛의 그물에서 아직 태어나지 않았다. 암흑만이 아버지-어머니, 스바바바트였고, 스바바바트는 암흑 속에 있었다.

6. 이 둘은 배아이고, 그 배아가 하나이다. 우주는 여전히 신성한 생각과 신성한 가슴 속에 숨겨져 있었다.

스탠저 III

---

1. 일곱 번째 영원의 마지막 진동이 무한 내내 고동친다. 어머니가 부풀어올라, 연꽃 봉오리처럼 안에서 밖으로 확장한다.

2. 그 진동이 그것의 재빠른 날개로 (*동시에*) 전체 우주와 암흑 속에 거주하는 배아를 건드리면서 휩쓸고 간다: 잠자는 생명의 물 위에서 숨쉬는 (*움직이는*) 암흑.

3. "암흑"은 빛을 발산하고, 빛이 한줄기 광선을 물 속으로, 어머니 심연 속으로 떨어뜨린다. 그 광선은 처녀-알을 뚫고 지나간다; 그 광선이 영원한 알을 고동치게 만들고, 영원하지 않은 (*주기적인*) "배아"를 떨어뜨리게 해서, 그것이 응축되어 세계알로 된다.

4. (*그러면*) 셋(*삼각형*)이 넷(*사중체*) 속으로 떨어진다. 찬란한 본질이 안에서 일곱으로, 밖에서 일곱으로 된다. 빛나는 알 (*히란야가르바*)은 자체로 셋 (*브라흐마 혹은 비쉬누의 삼위, 세 가지 "아바스타"*)이며 응결되어 하얀 응유로 생명의 대양 속에서 자라는 뿌리, 어머니의 심연으로 두루 퍼진다.

5. 그 뿌리가 그대로 있고, 그 빛이 그대로 있으며, 그 응유가 그대로 있고 여전히 오이아오호오오는 하나이다.

6. 생명의 뿌리가 불멸 (*암리타*)의 대양의 모든 물방울 속에 있었고 대양은 찬란한 빛으로, 그것은 불과 열과 운동이었다. 암흑이 사라졌고 더 이상 존재하지 않았다. 그것은 불과 물의 체, 아버지와 어머니의 체, 자신의 본질 속으로 사라졌다.

7. 보아라, 오 라누여! 그 둘의 찬란한 아이, 견줄 데 없이 찬란히 빛나는 영광, 밝은 공간, 어두운 공간의 아들이 거대한 어두운 물에서 나타난다. 그것이 오이아오호오오, 젊은이, * * * (*그대가 이제 관-세-음으로 아는*)이다. 그는 태양으로서 빛을 발한다. 그는 활활 타오르는 지혜의 신성한 용이다. 에카는 차투르 (*넷*)이고, 차투르가 스스로 셋을 취한다. 그리고 그 합일이 그 속에서 일곱인 삽타 (*일곱*)를 만들며 그것이 트리다사 (*세 번의 10*) 무리들과 다수로 된다. 베일을 들어올리고, 그것을 동에서 서로 펼치는 그를 보아라. 그가 위를 막아 버리고 아래를 거대한 환영으로 보이게 남겨둔다. 그가 빛나는 자들 (*별들*)의 장소를 표시하고 위 (*공간*)를 끝없는 불의 바다로 바꾸며, 현현된 하나 (원소)를 거대한 물로 바꾼다.

8. 배아는 어디에 있었나, 그리고 지금 암흑은 어디에 있었나? 오 제자여, 그대의 램프 속에서 타는 그 불기둥 영은 어디에 있는가? 배아가 그것이고, 그것이 빛이다; 즉, 숨겨진 어두운 아버지의 찬란한 흰색 아들.

9. 빛은 차가운 불기둥이고, 불기둥은 불이며, 불이 열을 만들고, 이것이 물을, 즉 거대한 어머니 (*카오스*) 속에 있는 생명의 물을 낳는다.

10. 아버지-어머니가 어떤 망을 짜며, 그것의 위 끝은 영 (*푸루샤*), 하나의 암흑의 빛에 고정되고, 아래 끝은 물질 (*푸라크리티*), (*영의*) 그림자 끝에 고정시킨다; 그리고 이 망은 스바바바트인 하나로 만들어진 두 질료에서 짜여 나온 우주이다.

11. 그것(*망*)은 불(*아버지*)의 숨결이 그것 위에 닿을 때 팽창한다; 그것은 어머니(*물질의 뿌리*)의 숨결이 그것을 접촉할 때 수축한다. 그러면 아들들 (*그것들 각각의 힘, 혹은 지성을 가진 원소들*)이 분리하고 흩어져서, "위대한 날"이 끝날 무렵에 어머니 가슴 속으로 돌아가서 어머니와 다시 하나가 된다. 그 망이 서늘해질 때, 그것은 찬란하게 빛나고, 그것의 아들들이 그들 자신의 자아들과 심장들을 통해서 확장하고 수축한다; 그들은 무한을 둘러싼다.

12. 그러면 스바바바트는 원자를 단단하게 굳히기 위해서 포하트를 내보낸다. (*이 원자들*) 각각은 그 망 (*우주*)의 일부분이다. 거울처럼 "자존하는 주" (*원초의 빛*)를 반사하면서, 각자가 차례로 어떤 세계가 된다. . . .

스탠저 IV

1. 그대, 지구의 아들들이여! 그대들의 스승들——불의 아들들——에 귀 기울여라. 처음도 마지막도 없다는 것을 배워라; 왜냐하면 모두가 무수에서 나온 하나의 수이기 때문이다.

2. 원초의 일곱에서 내려온 우리, 원초의 불기둥에서 태어난 우리가 우리 아버지들로부터 배워온 것을 배워라.

3. 빛의 광채에서—언제나 암흑의 광선—다시 깨어난 에너지들 (*디얀 초한들*)이 공간에서 솟아나왔다: 알에서 나온 하나, 여섯과 다섯; 그리고 셋, 하나, 넷, 하나, 다섯—7 의 배수, 총합이다. 그리고 이것들은: 에센스, 불기둥, 원소, 건설자, 수, 아루파 (*무형*)이고, (*체를 가진*) 루파였고, 힘 혹은 신성한 인간—총합. 그리고 신성한 인간으로부터 형태, 불꽃, 신성한 동물, 그리고 신성한 넷 속에 있는 성스러운 아버지들 (*피트리*)의 메신저들이 발산되었다.

4. 이것은 목소리의 군대, 즉 신성한 칠개조였다. 일곱의 불꽃은 일곱 중 첫 번째, 두 번째, 세 번째, 네 번째, 다섯 번째, 여섯 번째, 일곱 번째에 종속되고, 하인들이다. 이것들 (*"불꽃들"*)은 구체, 삼각형, 입방체, 선, 조형자라고 불린다; 왜냐하면 이렇게 영원한 니다나—"오이-하-호우(OI-HA-HOU)" (*오이야오호오의 변형*)—가 서기 때문이다.

5.. . . . 그것은

"암흑", 무궁 혹은 무수(No-Number), 아디-니다나 스바바바트: 즉 ◯ (*x 는 미지의 양*):

I. 아디-사나트, 즉 수, 왜냐하면 그는 하나이기 때문이다.

II. 말씀의 목소리, 즉 스바바바트, 다시 말하면 수들, 왜냐하면 그는 하나이고 아홉이기 때문이다.

III. "무형의 사각형." (*아루파*).

그리고 ◯ (*무궁의 원*) 안에 둘러싸인 이 셋은 성스러운 넷이고, 열은 아루파 (*주관적, 무형의*) 우주이다; 그러면 "아들들," 일곱 전사, 하나, 여덟 째는 제외되고, 빛을 만드는 자(*바스카라*)인 그의 숨결이 온다.

6. . . . . . 그 다음으로 두 번째 일곱이 있고, 이들은 그 셋 (*말씀, 목소리, 영*)에 의해서 만들어진 리피카이다. 버림받은 아들은 하나이고, "아들 -태양들"은 무수히 많다.

스탠저 V

1. 원초의 일곱, 지혜의 용의 첫 일곱 대숨결들이 차례로 그들의 회전하는 신성한 숨결에서 불의 회오리바람을 만든다.

2. 그들은 그를 의지의 메신저로 만든다. 드지유가 포하트로 된다; 신성한 아들들의 날쌘 아들, 그들의 아들들이 리피카이며 순환하는 심부름을 수행한다. 그는 말이고, 생각이 기수이다 (*즉, 그는 그들을 안내하는 생각에 영향받는다*). 그는 번개처럼 불의 구름 (*우주 안개*)을 뚫고 지나간다; 세 걸음, 다섯 걸음, 일곱 걸음을 걸어서, 위로 7 개 영역과 아래로 7 개 영역 (*존재하게 될 세계*)을 지나간다. 그는 목소리 높여서, 무수한 불 (*원자들*)을 불러서 결합시킨다.

3. 그는 (*포하트*) 안내하는 영이고 지도자이다. 그가 일을 시작할 때, 그는 찬란하게 빛나는 거주처 (*기체 구름들*) 속에서 기쁘게 떠다니고 전율하는 하위 왕국의 불꽃들 (*광물 원자들*)을 나누어서, 그것으로 수레바퀴들의 배아를 형성한다. 그는 그것들을 공간의 여섯 방향으로 놓고, 하나는 (*중앙의 수레바퀴*) 놓는다.

4. 포하트가 여섯을 일곱 번째—왕관—와 결합시키기 위하여 나선형 선을 그린다; 빛의 아들들의 군대가 각각 모퉁이에 서고, 리피카가 중간 수레바퀴에 선다. 그들(*리피카*)이 말하길, "이것이 훌륭하다". 첫 번째 신성한 세계가 준비되었고, 첫째 (*이제 존재한다*), 두 번째 세계, 그리고 "신성한 아루파" (*생각의 무형의 우주*)가 차야로카 (*원초 형태의 그림자같은 세계 혹은 지성계*), 아누파다카의 최초 옷 속에 자신을 반사시킨다.

5. 포하트는 다섯 걸음을 걷고 (*이미 세 걸음을 내디딘 후에*), 신성한 넷의 존재들과 . . . . 그들의 군대 (*무리들*)를 위하여 정사각형 각 모서리에 날개 달린 수레바퀴를 하나씩 건설한다.

6. 리피카가 삼각형, 첫째 하나 (*수직선 혹은 숫자 1*), 입방체, 둘째 하나, 알 (원) 속에 오각별을 에워싼다. 그것은 칼파 동안 "우리와 함께 있으라"라고 부르는 위대한 날을 향하여 진보하는, 하강하고 상승하는 자들에게, "넘지 마라"라고 부르는 고리이다. . . . 이렇게 아루파와 루파 (*무형계와 형상의 세계*)가 만들어졌다; 하나의 빛에서 일곱 빛이 나온다; 일곱 빛 각각에서 일곱의 일곱 배의 빛이 나온다. "수레바퀴들"이 그 고리를 지켜본다.

스탠저 VI

1. 자비와 지식의 어머니의 힘으로, 관-음, 관-음-천에서 거주하는 관-세-음의 "삼중"의 힘으로, 포하트, 그들 자손의 숨결, 아들들의 아들은 하위 심연 (*카오스*)에서 시엔찬 (*우리 우주*)의 환영 형태들과 칠 원소를 불러냈다: –

2. 재빠르고 찬란하게 빛나는 자가 일곱 라유 센터들을 만들고, 그것들에 반해서 어느 누구도 "우리와 함께 있으라"는 위대한 날까지 우세하지 못할 것이다—그리고 시엔-챤을 엘리멘터리 씨앗들로 둘러싸면서, 우주를 이 영원한 토대 위에 자리를 만든다.

3. 일곱 (*원소들*) 중에서 첫 번째가 현현되고, 여섯이 숨겨졌다; 둘이 현현되고 다섯이 숨겨졌다; 셋이 현현되고, 넷이 숨겨졌다; 넷이 만들어졌고, 셋이 숨겨졌다; 넷과 한 쯔안 (*조각*)이 드러났고, 둘과 반이 숨겨졌다; 여섯이

현현될 것이고, 하나는 따로 놓았다. 마지막으로, 일곱 개 작은 수레바퀴가 회전한다; 하나가 다른 것을 낳으면서.

4. 그는 더 오래된 수레바퀴들 (*세계들*)과 유사하게 만들어서, 그것들을 불멸의 센터들에 놓는다. 포하트가 그것들을 어떻게 건설하는가? 그는 불의 먼지를 모은다. 그는 불의 공들을 만들고, 그것들에 생명을 불어넣으면서, 그것들을 통과하고 그것들 주위를 돈다; 그리고 나서 그것들을 움직이게 한다. 어떤 것은 이렇게, 다른 것은 다은 방식으로. 그것들은 차갑다—그가 그것들을 뜨겁게 만든다. 그것들은 건조하다—그는 그것들을 습기 있게 만든다. 그것들이 빛난다—그가 그것들을 부채질해서 시원하게 만든 이렇게 포하트가 *황혼*에서 다음 황혼까지 일곱 영원 동안 움직인다.

5. 네 번째에 (*라운드, 일곱의 작은 수레바퀴들을 도는 생명과 존재의 회전*),아들들은 그들 모습을 창조하라고 듣는다. 삼분의 일이 거부하고, 삼이는 따른다.

6. 저주가 선언된다: 그들은 제 4 근원인종에 태어날 것이고, 고통받고 고통을 일으킬 것이다. 이것이 첫 번째 전쟁이다.

6. 더 오래된 수레바퀴들이 아래로 그리고 위로 회전하였다. 어머니의 알이 전체 (*우주*)를 가득 채웠다. 창조자들과 파괴자들 사이에 전투들이 있었으며, 공간을 차지하기 위한 싸움들이 있었다; 씨앗이 계속해서 나타나고 다시 나타난다.

7. 오! 라누여, 그대가 작은 수레바퀴(*체인*)의 올바른 나이를 알고자 한다면, 계산해 보라. 그것의 네 번째 바퀴살이 우리의 어머니 (지구)이다. 니르바나에 이르는 지식의 네 번째 길의 "네 번째" 과실에 도달하라. 그러면 그대는 이해하게 될 것이다. 왜냐하면 그대가 볼 것이기 때문이다.

스탠저 VII

1. 무형의 유정의 생명의 시작을 보아라.

먼저, 신성한 (매개체), 즉 어머니-영 (*아트만*)에서 나온 하나; 다음은 영적인 것 (*아트마-붓디, 영-혼*). (다시) 하나에서 셋이, 하나에서 넷이, 그리고 다섯, 이로부터 셋, 다섯, 일곱—이것들이 삼중이고 아래로 향한 사중이다; 즉 "첫째 주 (*아발로키테쉬와라*)의 마인드에서 태어난 아들들"이고, 빛나는 일곱 (*"건설자들"*)이다. 오, 제자여, 그들이 바로 그대이고 나이며 그이다; 그대와 그대의 어머니 부후미 (지구)를 지켜보는 자가 바로 그들이다.

2. 하나의 광선이 더 작은 광선들을 증가시킨다. 생명이 형태보다 앞서고, 생명은 형태 (*형태, 스툴라-샤리라, 외부의 체*)의 마지막 원자보다 더 오래 생존한다. 무수히 많은 광선들을 통하여, 생명 광선, 즉 하나가 많은 구슬들(*진주들*)을 꿰맨 실처럼 이어진다.

3. 하나가 둘로 될 때—"삼중"이 나타난다. 셋이 (*연결되어*) 하나이다; 그리고 그것은 우리의 줄, 오! 제자여, 삽타파르나로 불린 인간-식물의 심장이다.

4. 그것은 결코 죽지 않는 뿌리, 네 개 심지의 세 개 혀를 가진 불기둥이다 . . . 그 심지들은 일곱에 의해서 밖으로 나온 세 개 혀의 불기둥 (그들의 *상위 삼중체*)에서 그들의 불기둥을 끌어당긴 불꽃들이다; 하나의 달의 빛줄기와 불꽃들이 지구 (*"부후미"* 혹은 *"프리티비"*)의 모든 강의 흐르는 파도에 반영된다.

5. 불꽃이 가장 섬세한 포하트의 실로 불기둥에 매달려 있다. 그것은 마야의 일곱 세계를 두루 여행한다. 그것이 첫 번째 왕국에서 멈추고, 광물과 돌이 된다; 그것은 두 번째 왕국으로 지나가고, 보라! 식물이다; 그 식물이 일곱 형태를 지나가면서 신성한 동물로 된다; (*육체 인간의 최초 그림자*).

이것들의 조합된 속성에서, 마누 (*인간*), 사고자가 형성된다.

누가 그를 형성하는가? 일곱 생명들; 그리고 하나의 대생명. 누가 그를 완성시키나? 5중 "라(LHA)." 그리고 누가 마지막 체를 완성시키는가? 물고기, 죄, 그리고 "소마" (*달*).

6. 최초-태어난 자 (*원시의 혹은 최초 인간*)로부터 침묵의 주시자와 그의 그림자 사이의 줄이 변화할 (*재화신*) 때마다 점점 더 강해지고 빛난다. 아침의 태양 빛이 변해서 한낮의 영광으로 바뀌었다. . . .

7. 이것이 그대의 현재 수레바퀴이다, 불기둥이 불꽃에게 말했다. 그대는 나 자신이고, 나의 이미지이며 나의 그림자이다. 나는 그대 속에 자신을 입었고, 그대는 "우리와 함께 있으라"고 말하는 날까지 나의 바한 (매개체)이다. 그날에 그대는 나 자신과 다른 존재들, 그대 자신과 나로 다시 될 것이다. 그때 건설자들은 그들의 최초 옷을 입은 채, 찬란한 지구로 내려와서, 그들 자신인 인간을 통치할 것이다.

이렇게 어둡고, 혼란스러우며, 거의 이해불가능한, 태고의 이야기의 이 부분이 끝난다. 이제 이 어둠 속으로 빛을 던지는 시도가, 겉보기에 이 말도 안 되는 것에서 의미를 찾는 시도가 이루어질 것이다.

주 석

─────────

스탠저들과 슬로카들에 있는 그것들의 수에 따른
일곱 스탠저들과 용어들.

스탠저 I - 우주의 밤

1. 영원한 부모 (공간)가, 언제나 볼 수 없는 옷 속에 감싸인 채, 일곱 영원 동안 또다시 잠들었다 (a).

"부모 공간(Parent Space)"은 영원하고, 언제나 실재하는 만물의 원인이다—이해할 수 없는 신성(Deity)이고, 그것의 "볼 수 없는 옷"은 모든 물질과 우주의 신비한 뿌리이다. 공간이란 우리가 가장 쉽게 상상할 수 있는 하나의 영원한 것(one eternal thing)으로, 그것의 추상성에서 움직일 수 없고, 객관적 우주가 그 안에 있건 없건 그것으로 영향받지 않는다. 공간은 모든 의미에서 차원이 없으며, 자존한다. 영이 그것(THAT)으로부터 최초의 분화이며, 그것은 영(Spirit)과 물질(Matter)의 원인 없는 원인(causeless cause)이다. 비의 교리문답서에서 가르치고 있듯이, 공간은 무한의 공허도 아니고, 조건화된 충만도 아니며, 둘 다이다. 공간은 존재했고, 언제나 그럴 것이다. (프로엠, p. 2 이하 참고)

그러므로, 옷(Robes)은 미분화된 우주 물질의 본체(noumenon)를 나타낸다. 이것은 우리가 알고 있는 그 물질이 아니라, 물질의 영적인 에센스이고, 추상적 의미에서 심지어 공간과 영원히 공존한다. 뿌리-성질(root-nature)은 보이는 물질 속에 있는 섬세한 보이지 않는 속성들의 근원이다. 그것은 말하자면 하나의 무한한 영(ONE infinite Spirit)의 혼이다. 힌두인은 그것을 물라푸라크리티(Mulaprakriti)라고 부르고, 이것이 원초의 질료이며, 이것은 물질적, 멘탈적, 심령적 모든 현상의 매개체 혹은 우파디이다. 그것은 아카사(Akasa)가 방사하여 나오는 원천이다.

(a) 일곱 영원이란 영겁(aeons) 혹은 대기간들을 의미한다. 기독교 신학에서 이해하는 "영원(Eternity)"이란 단어는 아시아인들에게는 하나의 존재에 적용되는 것을 제외하고 아무 의미가 없다; 또한 미래에서만 영원이라는 영구(sempiternity)도

잘못된 용어이다.[44] 이런 용어들은 철학적 형이상학에서는 존재하지 않고 존재할 수도 없으며, 기독교 제도가 출현하기 전까지는 알려지지 않았다. 일곱 영원은 일곱 기간 혹은 만반타라(Manvantara)의 일곱 기간에 대응하는 기간으로, 마하-칼파(Maha-Kalpa) 혹은 "대시대(Great Age)"—브라흐마의 100 년—동안 확장하는 총 311,040,000,000,000 년이 되는 기간이다; 브라흐마의 1 년은 360 일 "낮"과 "밤"으로 구성되어 있다 (찬드라야나 혹은 태음력으로 계산하면); 브라흐마의 낮은 4,320,000,000 년이다. 이 "영원들"은 가장 비의적 계산에 속하며, 진정한 총계에 도달하기 위해서 모든 숫자가 7^x(7 의 x 승)이어야 한다; X 는 주관적 혹은 실재 세계 주기의 성질에 따라서 다양하다; 그리고 객관 세계 혹은 비실재 세계에 있는 가장 거대한 주기부터 가장 작은 주기까지 서로 다른 주기들을 나타내거나 관련되는 모든 숫자 혹은 수는 반드시 7 의 배수임에 틀림없다. 이것에 대한 열쇠가 제시될 수 없다. 왜냐하면 여기에는 비의적 계산의 신비가 있기 때문이고, 보통 계산 목적으로써 그것은 아무런 의미도 없기 때문이다. "7 이라는 숫자는 신성한 신비의식의 위대한 수이다"라고 카발라에서 말한다; 숫자 10 은 인간의 모든 지식을 나타내는 수이다 (피타고라스의 데카드); 1,000 은 10 의 3 승으로 7,000 도 또한 상징적이다. 씨크릿 독트린에서 4 라는 숫자와 그림은 최고 추상계에서만 남성 상징이다; 물질계에서는 3 이 남성이고 4 는 여성이다: 즉 그 상징들이 물질계에서 생식력을 나타내는 상형문자가 될 때 상징의 네 번째 단계에서 수직선과 수평선이 된다.

---

2. 시간은 존재하지 않았다. 왜냐하면 그것이 계속기간의 무한한 품 속에서 잠자고 있기 때문이다 (a).

---

44 비쉬누 푸라나, 2권 8장에서 말한다: "불멸이란 칼파가 끝날 때까지의 존재를 의미한다;" 그리고 번역자 윌슨은 주석에서 말한다: "베다에 따르면, 이것이 신들의 불멸에 대하여 이해되는 전부이다; 그들은 우주 파괴 (프랄라야)가 끝날 무렵에 소멸된다." 그리고 비의 철학도 말한다: 그들은 "소멸되는" 것이 아니라, 재흡수된다.

(a) 시간이란 우리가 영원한 계속기간 속을 여행하면서 우리의 의식 상태의 연속으로 만들어진 환영에 불과하다. 그리고 그 환영이 만들어질 수 있는 의식이 존재하지 않는 곳에서 시간은 존재하지 않는다; 하지만 그것은 "잠자고 있다." 현재는 영원한 계속기간 일부를 우리가 과거라고 부르는 것과 미래라고 부르는 것을 나누는 수학적인 선에 불과하다. 지구 상의 어떤 것도 진정한 계속기간을 갖는 것은 없다. 왜냐하면 어떤 것도 10 억분의 1 초라도 변하지 않고 똑같은 것이 아무것도 없기 때문이다; 그리고 우리가 현재로 아는 "시간"의 분할에 대하여 갖는 실재감은 우리의 감각들이 제공하는 사물들이 미래라고 부르는 이상적인 영역에서 과거라고 이름 붙인 기억 영역으로 지나가면서 그 사물들을 순간적으로 힐끗 본 것 혹은 연속해서 힐끗 본 것이 흐려지는 것에서 온다. 같은 방식으로 순간적인 전기 불꽃이 일어날 경우에도 망막에 계속되는 흐려진 인상 때문에 우리가 지속하는 감흥을 경험하는 것과 같다. 진정한 인간 혹은 사물은 어느 특정한 순간에 보이는 것뿐만 아니라 그것이 물질 형태로 나타나는 것부터 지상에서 사라지는 것까지 다양하게 변하는 모든 조건의 총합이다. "미래" 속에 영원부터 존재하고 물질을 통해서 단계적으로 시나가며 "과거" 속에 영원히 존재하는 것이 바로 이 "총합(sum-totals)"이다. 바다 속으로 떨어진 금속 막대가 공중에 있을 때 존재하였다가, 물 속으로 들어갔을 때 존재하지 않는다고 누구도 말할 수 없을 것이고, 그리고 막대 자체는 주어진 어느 순간 공기와 바다를 분리하고 동시에 합치는 그 수학적 평면과 일치하는 횡단면으로만 구성되어 있다고 말할 수도 없다. 심지어 사람과 사물도 그렇다. "존재할 것(to-be)"에서 떨어져 나와서 "존재해온 것(has-been)"으로 들어갈 때, 그것이 (물질로써) 시간과 공간을 통해서 하나의 영원에서 또 다른 영원으로 가면서, 말하자면 그것 전체 자아들의 횡단면을 우리의 감각에 순간적으로 제시한다: 그리고 이 두 가지 영원이, 우리 감각이 인식할 수만 있다면, 그 속에서 어떤 것이 홀로 진정으로 존재하는 그 "계속기간(duration)"을 구성한다.

---

3 . . . . 보편 마인드는 존재하지 않았다. 왜냐하면 그것을 포함할 (그래서 현현할) 아-히 (천상의 존재들)가 존재하지 않았기 때문이다 (a).

(a) 마인드는 생각, 의지 그리고 느낌으로 그룹화된 의식 상태들의 총합에 붙여진 이름이다. 깊은 잠 동안에, 개념 작용(ideation)이 물질계에서 멈추며, 그리고 기억도 중지된다; 이렇게 잠시 동안 "마인드가 존재하지 않는다." 왜냐하면 자아가 물질계에서 개념 작용과 기억을 현현하는 그 기관이 일시적으로 기능하는 것을 멈추었기 때문이다. 본체는 어느 존재계에서 적합한 토대 혹은 매개체를 통하여 그 계에 현현함으로써만 그 존재계에서 현상으로 될 수 있다; 그리고 프랄라야(Pralaya)로 부르는 긴 휴식의 밤 동안, 모든 존재들이 와해되었을 때, "보편 마인드(UNIVERSAL MIND)"는 마인드 활동의 영원한 가능성으로서 혹은 추상적 절대 사고로서 남아 있는다. 그리고 마인드는 이 절대적 사고의 구체적이고 상대적인 현현이다. 아-히(AH-HI) (디얀-초한)는 영적 존재들의 집합적인 무리로—기독교의 천사 무리, 유대교의 엘로힘(Elohim)과 "메신저"—신성한 혹은 보편적 사고와 의지를 현현하기 위한 매개체이다. 그들은 자연계에 "법칙"을 주고 자연계 속에서 일어나게 하는 지성적인 거대한 힘들이며, 그들 자신도 한층 더 높은 힘들에 의해서 비슷한 방식으로 그들에게 부과된 법칙에 따라서 작용한다; 그러나 그들은 잘못 생각되어온 자연의 여러 힘들이 "인격화된 존재"가 아니다. 이 영적 존재들의 하이어라키를 통하여 보편 마인드가 활동하지만, 그들은 한 국가의 전투력을 나타나는 군대—진실로 어떤 무리(Host)이다—와 같으며, 전투력은 군단, 사단, 여단, 연대 등으로 구성되어 있고, 각각 분리된 개체성 혹은 삶과 제한된 행동의 자유와 책임을 갖고 있다; 각 단위는 더 거대한 개체성 속에 포함되어 있고, 자신의 이익이 그 거대한 개체성에 종속되며, 또한 각 단위는 자신 안에 더 작은 개체성을 포함하고 있다.

---

4. 지복 (*모크샤*[45] 혹은 *니르바나*)에 이르는 일곱 가지 길이 없었다 (a). 불행의 대원인 (*니다나*[46] 그리고 *마야*)도 없었다. 왜냐하면 그것들을 만들고 그것들에 구속되는 자가 없었기 때문이다 (b).

---

45 중국에서는 니빵(Nippang); 버어마에서는 네이반(Neibban); 혹은 인도에서는 모크샤.
46 12 연기(니다나) 연속적으로 만들어진 원인으로 생성된 영향, 존재의 주된 원인.

(a) 절대적 존재, 대존재 그리고 대의식인 비-존재(Non-Existence)의 지복으로 가는 일곱 가지 "길(Ways)"이 있다. 그것들은 없다. 왜냐하면 우주가 아직까지 텅 비었고, 신성한 생각(Divine Thought)에서만 존재하였기 때문이다. 왜냐하면 그것은 . . .

(b) 12 니다나(Nidana) 혹은 12 존재의 원인들이기 때문이다. 각각은 이전 원인의 결과이고, 다음에 오는 것의 원인이다; 연기의 총합은 특히 소승 체계의 특징이 되는 가르침, 네 가지 진리에 바탕을 두고 있다. [47] 그것은 공과를 만들고 결국에는 카르마가 온전하게 영향을 주는 사슬 모양으로 이어진 법칙의 연속적인 이론에 속한다. 이 세계에 존재하는 것은 고통과 비애만을 수반하기 때문에, 재화신을 두려워해야 한다는 위대한 진리에 토대를 두고 있다; 죽음 자체는 인간을 윤회에서 해방시킬 수 없다. 왜냐하면 죽음은 단순히 경계선—데바찬—에서 잠시 휴식 후에 지상에서 또 다른 삶으로 지나가는 문에 불과하기 때문이다. 히나야나 체계 혹은 "소승" 불교는 매우 고대에 자라났다; 반면에 마하야나는 붓다 죽음 이후에 기원한 최근에 나온 것이다. 하지만 마하야나 가르침은 태고 적부터 있어왔던 학파를 포함하는 오래된 가르침이고, 사실상 히나야나와 마하야나 학파 (후자는 "대승") 둘 다 같은 가르침을 가르친다. 야나 혹은 탈것 (산스크리스트어의 바한)은 신비적인 표현이며, 둘 다 환영과 무지의 열매를 떨쳐 버릴 수 있는 대지혜와 대지식을 얻음으로써 재탄생의 고통과 심지어 데바찬의 거짓 지복도 피할 수 있다고 가르친다.

마야 혹은 환영은 모든 유한한 것에 들어가는 요소이다. 왜냐하면 숨겨져 있는 본체가 어떤 관찰자에게 취하는 모습은 그의 인식력에 달려 있기 때문에, 존재하는 모든 것은 절대적 실재가 아닌 상대적 실재만 있기 때문이다. 야만인의 수련 받지 못한 눈에는 한편의 그림이 아무런 의미가 없는 색칠한 것이지만, 교육받은 눈에는 얼굴이나 경치를 즉시 보여준다. 모든 실재의 본체를 자신 속에 담고 있는 하나의 숨겨진 절대적 존재를 제외하고 아무것도 영원하지 않다. 최고의 디얀-초한에 이르기까지 모든 존재계에 속해 있는 존재들은 무색의 스크린 위에 마법 전등을 드리운 그림자의 성질이다; 하지만 모든 것이 상대적으로 실재적이다. 왜냐하면 인식자도 또한 하나의 반영이고, 인식된 사물도 그 자신처럼 그에게는 실재이기

---

47 바실리프의 불교에 대하여, pp. 97~950 참조.

때문이다. 사물이 가진 실재가 무엇이건 그것이 물질계를 섬광처럼 지나가기 전이나 후에 그것 속에서 그 실재를 찾아야만 한다; 그러나 우리가 우리 의식의 장으로 물질적 존재만 가져오는 감각-도구를 가지고 있는 한, 우리는 그런 존재를 직접 인식할 수가 없다. 우리의 의식이 어떤 계에서 활동하더라도, 그 계에 속하는 우리와 사물은 당분간 우리의 유일한 실재이다. 우리가 계발의 척도를 올라감에 따라서, 우리가 지나온 단계 동안에, 우리는 그림자를 실재로 착각했다는 것을 인식한다. 그리고 자아가 위로 발전하는 것이 일련의 점진적인 깨어남이고, 매번 앞으로 나아갈 때마다 마침내 실재에 도달했다는 생각을 하게 된다; 하지만 우리가 절대 의식에 도달해서, 우리 의식과 그것을 합쳤을 때만, 비로소 우리가 마야가 만든 망상에서 자유롭게 될 것이다.

---

5. 암흑만이 무궁한 전체를 채웠다 (a). 왜냐하면 아버지, 어머니 그리고 아들이 다시 하나였기 때문이고, 아들이 새로운 수레바퀴와 [48] 그 위에서 순례를 위하여 아직 깨어나지 않았기 때문이다 (b).

(a) "암흑(Darkness)은 부-모(Father-Mother)이고, 빛은 그들의 아들"이라고 고대 동양 격언에서 말한다. 빛은 그 원인이 되는 근원에서 오는 것을 제외하고 상상할 수가 없다; 그리고 태초 빛의 예처럼, 그 근원은 이성이나 논리가 강력하게 요구하지만 미지이며, 그래서 지성의 관점에서 그것은 "암흑"으로 불린다. 다른 데서 온 빛 혹은 이차적인 빛에 대하여, 그 근원이 무엇이건, 그것은 일시적인 환영의 성격일 수밖에 없다. 그러면 암흑은 빛의 근원이 출현하고 사라지는 영원한 모체이다. 여기 우리 세계에서 어둠을 빛으로 만들기 위하여 혹은 빛을 어둠으로 만들기 위하여 보탤

---

48 "수레바퀴(Wheel)"로 부르는 것은 세계 혹은 구체(globe)를 나타내는 상징 표현으로, 고대인들이 우리 지구가, 기독교 교부들이 가르쳤듯이, 움직이지 않는 평면이 아니라, 회전하는 구체라는 것을 인식하였다는 것을 보여준다. "거대한 수레바퀴(Great Wheel)"는 우리 존재 주기의 전체 기간, 즉 마하 칼파이다. 즉, 시작부터 끝까지, 일곱 행성 혹은 구체 체인 전체를 도는 것이다; "작은 수레바퀴"는 라운드(Round)를 의미하고, 일곱 라운드가 있다.

것이 아무것도 없다. 어둠과 빛은 상호 교체될 수 있고, 과학적으로 빛은 어둠의 한 방식이며, 그 반대이기도 하다. 어둠은 빛의 한 형태이다. 하지만 둘 다 같은 본체의 현상이다―과학적인 마인드로 그것은 절대적 어둠이고, 보통 신비가의 지각에는 회색의 여명이지만, 입문가의 영적인 눈에는 절대적 빛이다. 어둠 속에서 빛나는 빛을 어느 정도까지 구분하는 가는 우리의 시력에 달려있다. 우리에게 빛은 어떤 곤충에게는 어둠이고, 마찬가지로 보통 눈으로는 암흑만 지각하는 곳에서 투시가의 눈은 발광을 본다. 전체 우주가 잠에 빠져들었을 때―하나의 원초의 원소로 돌아갔을 때―발광의 센터도 없고 빛을 지각할 눈도 없으며, 어둠이 필연적으로 무궁한 전체를 채웠다.

(b) 아버지-어머니는 뿌리-성질에 있는 남성 원리와 여성 원리로, 모든 우주계에 있는 만물 속에서 현현하는 상반되는 양극 혹은 덜 비유적인 표현으로 영(Spirit)과 질료(Substance)이며, 이것의 결과가 우주 혹은 아들이다. "브라흐마의 밤"일 때, "다시 한번 더 하나"이고, 프랄라야 동안에, 객관 우주 속에 있는 만물이 하나의 원초의 영원한 원인으로 돌아가서, 다음 새벽에 다시 나타난다―주기적으로 그러듯이. "카라나(Karana)―영원한 원인―만 있었다. 좀 더 분명하게 표현하면, "브라흐마의 밤" 동안에 카라나 홀로 있다. 이전 객관적 우주가 하나의 원초적 영원한 원인 속으로 녹아 들어갔고, 브라흐마―우주를 상징함―의 새로운 활동 혹은 새로운 "날"의 시작인 다음 만반타라 새벽에 다시 분화하고 새롭게 결정화되어 나오기 위하여 공간 속에 용해된 채로 있다. 비의적 용어로, 브라흐마는 동시에 부-모-아들이고, 혹은 동시에 영, 혼, 체이다; 각각은 어떤 속성을 상징하고, 각 속성 또는 특질은 신성한 대숨결이 주기적 분화, 하강진화 그리고 상승진화 속에서 점진적인 유출이다. 우주의 물리적 의미에서, 그것은 우주, 행성 체인 그리고 지구이다; 순전히 영적인 의미에서, 미지의 신(Unknown Deity), 행성영 그리고 인간이다―둘의 아들, 영과 물질의 창조물, 그리고 그들이 만반타라 혹은 "수레바퀴" 동안 주기적으로 지구에서 현현하는 것이다―(2부 *브라흐마의 낮과 밤* 참조).

---

6. 일곱 지고의 주와 일곱 진리가 존재하지 않았고 (a), 그리고 우주, 필요성의 아들이 있으면서 있지 않는 그것에 의해서 내뿜어지기 위해서 파라니쉬판나 (b) (*절대적 완성, 파라니르바나, 용-그럽*) 속에 잠겨 있었다. 아무것도 없었다 (c).

(a) 일곱 지고의 주들은 일곱 창조 영들, 히브리어 엘로힘(Elohim)에 상응하는 디얀-초한들(Dhyan-Chohans)이다. 그들은 기독교 신들의 계보에서 성 미카엘, 성 가브리엘 그리고 다른 천사들이 속하는 대천사 하이어라키와 같은 것이다. 도그마적 라틴 신학에서는 성 미카엘이 모든 만과 갑을 지켜보지만, 비의 체계에서는 디야니들이 차례로 우리 행성 체인의 근원인종과 라운드중 하나를 지켜본다. 게다가 그들은 디야니-붓다들에 상응하는 인간, 그들의 보디삿트바를 매 라운드와 인종 기간에 보낸다고 말한다. 우리가 아직 4라운드에 있고 세계가 네 붓다만 가졌기 때문에, 일곱 진리와 계시에서 혹은 드러난 계시인 네 개만이 지금까지 우리에게 전해졌다. 이것은 대단히 복잡한 문제이므로, 뒤에서 충분히 다루어질 것이다.

지금까지는 "네 가지 진리 (사성제)와 네 개 베다가 있을 뿐이다"라고 힌두교도와 불교도는 말한다. 비슷한 이유로, 이레네우스는 네 개 복음서의 필요성을 주장하였다. 하지만 새로운 라운드 서두에 새 근원인종에 계시와 계시자가 있어야 함으로, 다음 라운드는 다섯 번째, 그 다음 라운드에서는 여섯 번째 등등이 있을 것이다.

(b) *"파라니쉬판나"*는 모든 존재들이 활동의 대주기 동안 혹은 마하-만반타라 끝 무렵에 성취하는 절대적 완성이며, 이어지는 휴식 기간 동안 그들이 쉰다. 티벳에서는 이것을 "용-그럽(Yong-Grub)"으로 부른다. 요가차리아 학파 시대까지는 파라니르바나의 진정한 성질에 관해서 공개적으로 가르쳤지만, 그 이후 그 가르침이 완전히 비의적으로 되어버렸다; 그래서 너무 많은 모순되는 해석들이 생긴 것이다. 그것을 이해할 수 있는 사람은 오직 진정한 이상주의자뿐이다. 그 상태를 이해하고 어떻게 비-자아(Non-Ego), 공(Voidness) 그리고 암흑(Darkness)이 하나 속에서 셋이며 자존하고 완전한가에 대한 지식을 얻고자 하는 사람은 파라니르바나를 제외하고 모든 것을 이상적으로 봐야 한다. 그러나 그것은 상대적인 의미에서만 절대적이다. 왜냐하면 그것은 다음 활동 기간에 더 높은 기준의 탁월성에 따라서, 한층 더 깊은

절대적 완성에 자리를 내주어야 하기 때문이다—아일랜드식 표현을 쓰면, 마치 완전한 과실을 성장하기 위하여 완전한 꽃이 완전한 꽃을 멈추고 죽어야 하듯이.

씨크릿 독트린은 세계뿐만 아니라 원자, 모든 것의 진보하는 계발을 가르치고 있다; 또한 이 계발은 생각할 수 없는 시작도 상상할 수 있는 끝도 없다. 우리의 "우주"는 무한한 수의 우주들 중에 하나에 불과하고, 그 무한한 우주는 모두 "필요성의 아들들"이다. 왜냐하면 거대한 우주들의 체인 속에서 우주 하나 하나가 이전 우주의 결과이고, 뒤에 오는 우주의 원인으로 연결되기 때문이다.

우주의 출현과 소멸은 "거대한 대숨결(Great Breath)"의 들이쉼과 내쉼으로 그려지며, 거대한 대숨결은 영원하고, 운동(Motion)이므로 절대자의 세 측면—절대적 공간(Abstract Space)과 계속기간(Duration)이 다른 두 가지—중에 하나이다. 거대한 대숨결이 내쉴 때, 그것을 신성한 숨결로 부르고, 불가지의 신성(Unknowable Deity)—하나의 존재—의 호흡으로 간주하며, 이 불가지의 신성은 말하자면 우주가 될 하나의 생각을 내보내는 것이다. ("아이시스 언베일스" 참조) 마찬가지로 신성한 숨결을 들이쉴 때 우주가 "거대한 어머니" 가슴 속으로 사라져 들어가며, 그러면 어머니는 "볼 수 없는 옷을 두른 채" 잠을 잔다.

(c) "존재하며 그러나 존재하지 않는 그것"은 거대한 대숨결 자체를 의미하고, 우리는 그것을 절대적 존재로만 말할 수 있을 뿐, 우리의 상상으로 비존재와 구분할 수 있는 존재 형태로써 그릴 수가 없다. 세 가지 기간—현재, 과거, 미래—은 에소테릭 철학에서 복합 시간이다; 왜냐하면 이 셋은 현상계에 관련해서만 합성수이지만, 본체 영역에서는 추상적 타당성을 갖지 못하기 때문이다. 성전에서 말하고 있듯이: "과거 시간은 현재 시간이고 미래이기도 하며, 미래가 존재하지는 않았지만, 여전히 존재한다"; 프라상가 마드야미카 가르침에 있는 계율에 따르면, 그 교의가 순수 비의 학파로부터 떨어져 나간 이후에도 계속 알려져 왔다.[49] 간단히 말해서, 계속기간과 시간에 관한 우리의 개념은 모두 연상의 법칙에 따른 우리의 감흥에서 유래된다. 그것은 인간 지식의 상대성과 풀 수 없도록 묶여 있지만,

---

49 중가리안, "마니 쿰범," "10,000 계율의 서" 참조. 또한 바실리프, "불교," pp. 327,357 참조.

그럼에도 불구하고 그것들은 개인의 자아의 경험 속을 제외하고 존재할 수 없으며, 자아의 진화가 현상적 존재의 마야를 쫓아버렸을 때 소멸한다. 예를 들면, 시간이란 우리 의식의 파노라마적 연속에 불과하지 않는가? 어느 대스승 말씀에 의하면, "이 세 가지 어설픈 단어—과거, 현재 그리고 미래—를 사용해야 할 때, 주관적 전체의 객관적인 단면을 나타내는 보잘것없는 개념으로 목적에 전혀 맞지 않아서 거슬린다. 마치 섬세한 조각을 하기 위하여 도끼를 사용하는 것처럼, 그것은 목적에 부적합하다." *삼브리티* 먹이가 쉽게 되지 않도록, *파라마르타*를 획득해야만 한다는 것이 철학 금언이다.[50]

---

7. 존재의 원인들이 제거되었다 (a); 존재했던 보이는 것과 존재하는 보이지 않는 것이 영원한 비-존재, 하나의 대존재 속에서 쉬고 있다. (b)

(a) "존재의 원인들"은 과학에서 알려진 물리적인 원인들뿐만 아니라 형이상학적 원인들을 의미하며, 그것의 주된 원인은 존재하려는 욕망으로, 니다나와 마야의 결과이다. 유정의 삶에 대한 이런 욕망은 원자부터 태양에 이르기까지 모든 것 속에서 나타나고, 우주가 존재해야 하는 하나의 법칙인, 객관적 존재 속으로 들어가게 만든 신성한 생각의 반영이다. 비의 가르침에 의하면, 그 욕망 그리고 모든 존재의 진정한 원인은 영원히 감추어져 있으며, 그것의 첫째 발산은 마인드가 인식할 수 있는 가장 완전한 추상성들이다. 이런 추상성들이 필연적으로 감각이나 지성에 나타나는 물질 우주의 원인으로 가정되어야 한다; 그리고 그것들은 자연의 이차적 그리고 종속적인 힘의 기초가 되며, 이 여러 힘이 인격화될 때 모든 시대 일반 대중이 신이나 신들로서 숭배하여 온 그것이다. 원인 없는 어떤 것을 상상하는

---

50 좀 더 명확한 말로 하면: "삼브리티 혹은 '망상의 기원'을 이해하기 위하여 진정한 자아-의식(Self-Consciousness)을 획득해야 한다." *파라마르타(Paramartha)*는 "자체를 분석하는 반영" 혹은 산스크리트어 *스바삼-베다나*와 동의어이다. 요가차리아 학파와 마디야미카 학파 사이에 *"파라마르타"* 의미에 대한 해석의 차이가 있다. 하지만 그들 모두 그 표현의 실재 그리고 진정한 비의적 의미를 설명하지 않는다. 슬로카 9 참조.

것이 불가능하다; 그렇게 하려고 시도하는 것은 마인드를 공백 상태로 만들어 버린다. 이것이 사실상 우리가 원인과 결과의 사슬을 추적해 가려고 할 때 마인드가 결국 도달하는 상태이지만, 과학과 종교가 필요 이상으로 빨리 공백 상태로 뛰어든다; 왜냐하면 그들은 물질의 구체성 상태의 원인으로 상상할 수 있는 유일한 원인인 형이상학적 추상성을 무시하기 때문이다. 이런 추상성은 우리 존재계로 접근해올수록 점점 더 구체화되고, 결국에는 물질 우주의 형태 속에서 형이상학이 물리학으로 변형되는 과정으로 현상화된다. 마치 수증기가 물로 응결될 수 있고, 물이 얼음으로 어는 것과 비슷하다.

(b) 하나의 대존재(One Being)인, 영원한 비-존재(Eternal Non-Being)의 개념이 우리가 존재 개념을 현재 존재 의식으로 한정시킨다는 것을 기억하지 못하는 사람에게는 하나의 역설로 보일 것이다; 그래서 우리의 존재를 일반적인 용어가 아닌 구체적인 용어로 만든다. 우리가 받아들이는 존재 개념으로 아직 태어나지 않은 어린 아이를 생각할 수 있다면, 어린 아기는 자신만이 아는 자궁 안에서의 삶으로 존재 개념을 필여적으로 제한해야 할 것이다; 그리고 탄생 후 삶 (그것에게는 죽음이나)에 대한 개념을 그 의식에 표현하려고 한다면, 그런 자료와 그런 자료를 이해할 수 있는 능력이 없을 때, 아마도 그런 삶을 "진정한 존재인 비-존재"로 표현할 것이다. 우리의 경우, 하나의 존재가 현상 근저에 놓여 있으며 그 현상이 가진 실재의 모든 그림자를 주는 모든 본체들의 본체이지만, 우리는 현재 그것을 인식할 감각이나 지성을 가지고 있지 않다. 금을 산출하는 많은 석영 질료에 흩어져 있는 미세한 금 원자들이 광부 육안으로 감지될 수 없지만, 그는 금이 거기에 있다는 것뿐만 아니라 그것들만이 석영에 어떤 가치를 준다는 것을 알고 있다; 금과 석영의 이런 관계는 본체와 현상의 관계를 어렴풋이 드리운다. 그러나 광부는 금이 석영에서 추출되었을 때 어떻게 보일지 알고 있다. 반면에 보통 사람은 사물의 실재를 가리고 있으며 숨겨져 있는 마야와 분리된 사물의 실재에 대한 어떤 상상도 할 수가 없다. 무수히 많은 전임자 세대가 획득한 구전지식을 풍부하게 가진 입문자만이 "당마의 눈"을 어떤 마야도 영향을 줄 수 없는 사물의 본질로 향하게 한다. 바로 여기서 니다나와 네 가지 진리에 관련되는 비의 철학의 가르침들이 가장 중요하게 된다; 그러나 그것들은 비밀이다.

8. 홀로 존재의 한 형태가 무궁하고, 무한하게, 원인 없이, 꿈 없는 잠 속에 펼쳐 있다 (a); 그리고 당마의 "열린 눈"으로[51] 감지되는 그 전체-실재에 두루 걸쳐서, 생명이 보편적 공간 속에서 무의식적으로 고동쳤다 (b).[52]

(a) 근대 사상의 경향은 겉으로 보기에 광범위하게 서로 다른 것의 동질적 기반이라는 고대 사상으로 회귀하려는 것이다─이종은 동종에서 발전하였다는 생각. 생물학자는 이제 동질의 원형질을 찾고 있고, 화학자는 원질 (프로타일)을 찾고 있으며, 한편 과학은 전기, 자성, 열 등등이 분화되어 나온 근원의 힘을 찾고 있다. 씨크릿 독트린은 이런 사상을 형이상학 영역으로 가져가서, "존재의 한 형태"를 만물의 기반이자 근원으로 상정한다. 그러나 아마도 "존재의 한 형태"라는 구절이 전혀 정확하지 않다. 산스크리트어로는 그것이 프라바바피야야(Prabhavāpyaya), 즉 어느 주석가가 말하듯, "만물이 나오고, 만물이 환원하는 장소 혹은 계"이다. 그것은 윌슨이 번역한 것처럼 "세계의 어머니"가 아니다 (비쉬누 푸라나, 1권 참고); 왜냐하면 (피츠에드워드 홀 씨가 보여주었듯이) 자가드-요니(Jagad-Yoni)는 "세계의 어머니" 혹은 "세계의 자궁"이라기 보다 "우주의 물질적 원인"이기 때문이다. 푸라나 주석가들은 그것을 카라나─"원인"─로 설명하지만, 에소테릭 철학은 *그 원인의 이상적인 영*으로 설명한다. 그것은 이차적인 단계에서 불교 철학자가 말하는 스바바바트(Svabhavat)로, 영원의 원인과 결과, 편재하지만 추상적인, 자존하는 가소성 본질이자 만물의 근원이다. 그리고 베단타 학파가 파라브라흠과 물라푸라크리티, 두 가지 측면 하에 있는 하나로 생각하듯이, 불교 철학자도 똑같이 두 가지 관점으로 본다. 베단타파와 특히 우따라-미만사파가 "불교 가르침으로 나왔다는" 가능성을 추측하는 위대한 학자들을 보고 정말 기이한 것처럼 보인다. 반면에 실제로는 불교가 (고타마 붓다의 가르침) 씨크릿 독트린 교리를 토대로

---

51 인도에서는 그것을 "시바의 눈(Eye of Siva)"으로 부른다. 그러나 거대한 산맥 너머에서 그것은 "당마의 열린 눈(Dangma's opened eye)"으로 비의적 구절에서 알려져 있다.

52 당마(Dangma)는 정화된 혼, 지반묵타(Jivanmukta), 최고의 초인 혹은 마하트마가 된 자이다. 그의 열린 눈은 내면의 영적인 눈이고, 그것을 통하여 현현하는 기능은 보통 이해하는 투시, 즉, 먼 거리에서 보는 힘이 아니라 오히려 어떤 지식을 직접 획득할 수 있는 영적인 직관의 기능이다. 이 기능은 신화 전통에서 어떤 인류 인종이 가진 것으로 돌리는 "세 번째 눈"과 긴밀하게 연관되어 있다. 더 충분한 설명을 2권에서 볼 것이다.

세워지고 "불러일으켜진" 것이다. 씨크릿 독트린에 대한 부분적인 개관만 여기서 시도하며, 또한 우파니샤드도 씨크릿 독트린에 의존한다. [53] 스리 샹카라차리야 [54] 가르침에 따르면, 위의 사실이 부정될 수 없다.

(b) 꿈 없는 잠은 동양의 비의 학파에서 알려져 있는 의식의 일곱 상태 중 하나이다. 이 상태 하나 하나에서 마인드의 다른 부분이 활동하게 된다; 혹은 베단타 학자가 말하듯이, 개인이 서로 다른 계에서 그의 존재를 의식하고 있다. 최면에 걸린 사람이 의식적인 사람이 말하고 행동하는 것처럼 말하고 행동하지만 그가 정상 상태로 돌아올 때 그 잠이 무의식적인 공백처럼 보이듯이, "꿈 없는 잠"이라는 용어가 이 경우에 깨어난 상태에서 기억하지 못하면서 하나의 공백처럼 보이는 그런 의식 상태와 유사한 조건을 표현하기 위하여 우주에 비유적으로 적용된 것이다.

---

9. 그러나 우주의 알라야가 (*만물의 기초로서 혼, 애니마 문디*) 파라마르타 (a) (*절대적 대존재이자 대의식으로 절대적 비-존재이자 무의식*) 속에 있을 때 그리고 거대한 수레바퀴가 아누파다카였을 때 (b), 당마는 어디에 있었나?

---

53 그리고 권위를 주장하는 한 사람, 즉 옥스포드 대학 산스크리트 교수인 모니에 윌리암 경은 이 사실을 부인하였다. 이것이 그가 1888년 6월 4일 영국 빅토리아 연구소에서 한 연례 연설에서 청중에게 말한 것이다: "원래 불교는 지고의 지식의 고지를 성취하기 위하여 . . . 모든 고독한 금욕주의에 단호히 반대하였다. 그것은 보통 사람에게 주지 않은 . . . 어떤 비의적 혹은 오컬트 가르침 체계가 없다." (!!) 그리고: ". . . 고타마 붓다가 수행을 시작하였을 때, 요가의 나중 형태와 하위 형태가 거의 알려지지 않은 것처럼 보인다." 그리고 스스로 모순을 보이면서, 박식한 강연자가 청중에서 알린다: "우리는 *라리타-비스타라*에서 다양한 형태의 고행, 단식 그리고 엄격한 금욕이 고타마 시대에 일반적이었다." (!!) 그러나 강연자는 이런 종류의 고행과 단식이 정확하게 하타 요가의 낮은 형태라는 것을 알지 못하는 것처럼 보인다. 그리고 하타 요가는 거의 알려지지 않았지만 고타마 시대에 "일반적"이었다.
54 모든 육파 철학이 불교나 그리스 가르침으로 붓다의 영향을 받았다는 흔적을 보여준다고 주장한다. (웨버, 맥스 뮬러 등 참조) 우리는 이 문제에 "최고의 권위자"인 콜부룩이 "힌두인들이 이 경우에 선생들이지 배우는 자가 아니다"는 것을 보여줌으로써 이 문제를 오래 전에 정리했다고 고군분투한다.

(a) 여러 세기 동안 학자들간에 논쟁의 주제가 여기 우리 앞에 있다. "알라야"와 "파라마르타" 이 두 용어가 어떤 다른 신비 용어들보다도 학파들을 분열시키고 진리를 서로 다른 측면으로 나누는 원인이 되어왔다. 알라야는 글자 그대로 "세계의 혼" 혹은 애니마 문디, 에머슨이 말한 대령(Oversoul)이고, 비의 가르침에 따르면, 그것은 주기적으로 그 성질을 바꾼다. 알라야는 인간이나 우주적 신 (디야니-붓다)들도 다다를 수 없는 계에서 내적인 본질은 영원 불변하지만, 우리 계를 포함한 하위의 계와 관련해서 활동하는 생명 기간 동안에는 변한다. 그 시간 동안, 디야니-붓다들이 혼과 본질에서 알라야와 하나일 뿐만 아니라, 심지어 요가 (신비 명상)에 강한 사람도 자신의 혼을 그것과 합칠 수 있다 (아리야상가, 부마파 학파). 이것은 열반이 아니라, 거의 열반과 비슷한 상태이다. 그러므로 여기서 의견의 차이가 생겨난 것이다. 이렇게 대승불교 요가차리야 학파는 알라야는 공(Voidness)의 구현이지만, 알라야 (티벳어로 니잉-포와 짱)는 보이는 것과 보이지 않는 것 모든 것의 기초이며, 그 본질에서는 영원 불변하더라도, 마치 "깨끗하고 고요한 수면에 비추는 달처럼", 그것은 우주의 모든 사물에 자신을 반사한다고 말한다; 다른 학파들은 이 진술에 반론한다. 파라마르타에 대해서도 마찬가지이다: 요가차리야 학파는 그것을 다른 것들에 의존하는 것으로 해석한다 (파라탄트랄); 마디야미카 학파에서는 파라마르타는 파라니쉬판나 혹은 절대적 완성에 한정된다고 말한다; 즉 (네 개 진리에서) 이 "두 개 진리"를 설명할 때, 요가차리야 학파는 (하여튼 현상계에서는) 삼브리티사티야 혹은 상대적 진리 만이 존재한다고 믿고 주장한다; 그리고 마디야미카파는 파라마르타사티야, 절대적 진리의 존재를 가르친다.[55] "오! 탁발승이여, 어떤 아라한도 파라니르바나와 하나가 되기 전에는 절대적 지식에 다다를 수 없다. *파리칼피타*와 *파라탄트라*가 그의 두 가지 거대한 적이다." (보디삿트바 금언) 파리칼피타 (티벳어로 쿤-따그)는 만물의 공과 환영적인 성질을 이해할 수 없는 사람들이 범하는 오류이다; 즉 존재하지 않는 것—예를 들면 비-자아(Non-Ego)—이 존재한다고 믿는 사람들. 그리고 파라탄트라는 그것이 무엇이건

---

55 "파라마르타"는 자의식으로 산스크리트어 스바삼베다나 혹은 "자기-분석하는 반영"이다—두 단어, 파라마(parama) (모든 것 위에)와 아르타(artha) (이해)에서 유래하고, 사티야(Satya)는 절대적 진정한 존재 혹은 에세(esse)를 의미한다. 티벳어로 파라마르타삿티야는 돈담파이댄파이다. 이 절대적 실재 혹은 실재성의 반대가 삼브리티사티야—상대적 진리—이고 "삼브리티"는 "거짓된 개념"을 의미하고 환영의 기원, 마야이다; 티벳어로 쿤자브치-댄파, "환영을 만드는 겉모습."

종속적 관계 혹은 인과 관계를 통해서만 존재해서, 그것이 나온 원인이 제거되자마자 사라지는 것이다—예를 들면, 심지에서 나오는 빛. 심지를 제거하거나 잘라버려라, 그러면 빛이 사라진다.

에소테릭 철학에서는 모든 것이 살아있고 의식이 있지만, 모든 생명과 의식이 인간 혹은 심지어 동물의 의식과 비슷하지 않다고 가르친다. 우리는 생명을 소위 물질 속에서 현현하는 "존재의 한 형태"로 본다; 혹은 그것을 잘못 분리해서, 우리는 인간 속에 있는 영, 혼 그리고 물질로 부르는 것이다. 물질은 여기 존재계에서 혼의 현현을 위한 매개체이고, 혼은 더 높은 계에서 영의 현현을 위한 매개체이며, 이 셋은 그것 모두를 침투하는 생명으로 통합된 삼위일체이다. 보편 생명이라는 개념은 인격신 신학에서 해방된 결과로서 금세기에 인류 마인드로 되돌아오고 있는 고대 개념들 중에 하나이다. 과학은 보편 생명의 표시를 추적하거나 가정하는 데 만족하고 있으며, "애니마 문디!"라고 속삭일 수 있을 만큼 아직 대담하지 않다는 것이 사실이다. "결정체 생명"이란 생각은 지금은 과학에서 모두 익숙하지만 반세기 전에는 무시되었다. 식물학자들은 요즘 식물의 신경을 탐구하고 있다; 식물이 동물처럼 느끼고 생각한다고 그들이 가정하기 때문이 아니라, 식물 생명에도 신경이 동물 생명과 갖는 같은 관계를 기능적으로 가지는 어떤 구조가 식물의 성장과 영양을 설명하는데 필요하다고 믿기 때문이다. 과학이 "힘"이나 "에너지"라는 용어를 단순하게 사용해서 생명을 가진 것, 그것이 원자이건 행성이건 살아 있는 것이라는 사실로부터 더 이상 자신을 기만하는 것이 거의 가능하지 않은 것처럼 보인다.

그러나 비의 학파 내부의 믿음은 무엇인가? 독자가 물을 수 있다. 이 주제에 관하여 비의 "불교도"들이 가르치는 가르침은 무엇인가? 그들에게 "알라야"는 이중 심지어 삼중의 의미가 있다. 대승불교 요가차리야 체계에서 알라야는 보편 혼 (애니마 문디)이자 진보한 초인의 대아이다. "요가에 강력한 사람은 명상으로 자신의 알라야를 존재의 진정한 성질 속으로 의지대로 주입할 수 있다." "알라야는 절대적으로 영원히 존재한다"고 아리아상가—나가르주나의 라이벌—가 말한다. [56]

---

56 초우마 드 쾨뢰스가 어떤 이유에서 아리아상가가 있던 시기를 기원후 7세기로 놓았지만, 아리아상가는 기독교 이전 초인이었으며 불교 비의 학파 설립자였다. 우리 시대 5세기에 살았던

어느 의미에서 그것은 *프라드하나(Pradhana)*이다; 비쉬누 푸라나에서 다음과 같이 설명되어 있다: 미전개된 원인인 그것이 가장 저명한 성자들에 의해서 정묘한 푸라크리티인 원래 토대, 프라드하나 라고 강조되어 불리며, 즉 영원한 그것. 그리고, 존재하는 것이며 동시에 존재하지 않는 것 혹은 단순한 과정인 그것이다. 그러나, 푸라크리티는 정확하지 않은 용어이고, 알라야가 그것을 더 낮게 설명한다; 왜냐하면 푸라크리티는 "인식될 수 없는 브라흐마"가 아니기 때문이다.[57] 애니마 문디, 하나의 대생명 혹은 "보편 혼"이 아낙사고라스에 의해만 혹은 그의 시대에만 알려졌다고 가르치는 것은, 인류 요람기부터 오컬트 가르침의 보편성을 아무것도 모르는 사람들 그리고 특히 "태고의 계시"라는 바로 그 개념을 부인하는 학자들의 잘못이다. 아낙사고라스는 *맹목적으로* 움직이는 원자라는 통속적 이론을 바탕으로, 데모크리투스의 우주론에 대한 너무 물질주의적 개념에 반대하기 위하여 그 가르침을 제시하였다. 클라조메네의 아낙사고라스는 플라톤처럼 그 가르침의 창시자가 아니라 보급자에 불과하였다. 그가 "세계의 지성," 누스(nous), 그의 견해에 따르면 절대적으로 물질과 분리되어 있으며 자유롭고 설계에 따라서 움직이는 그 원리라고 불렀던 그것이, 인도에서 기원전 500년 훨씬 이전에 대운동, 하나의 대생명(ONE LIFE), 지바트마(Jivatma)라고 불렸다.[58] 아리안 철학자들만이 그들에게 무한한 그 원리에 "사고하는" 유한한 "속성"을 결코 부여하지 않았다.

지적하기에 유용할 수 있는 하나의 대조로써 이것이 독자를 자연스럽게 헤겔과 독일의 초월론자들의 "지고의 영(Supreme Spirit)"으로 이끈다. 셸링과 피히테 학파는 절대적 원리(ABSOLUTE principle)라는 태초 개념에서 많이 벗어났고, 베단타 학파의 기본 개념의 한 측면만을 투영하였다. 심지어 본 하트만이 무의식자(Unconscious)의

또 다른 아리아상가가 있었고 헝가리 학자가 아마도 그 둘을 혼동한 것이다.
57 "균일하고, 원인이자 결과인 지각없는 원인(indiscreet cause) 그리고 첫 번째 원리들에 익숙한 사람들이 프라드하나와 푸라크리티로 부르는 그 원인이 만물 이전에 존재한 지각할 수 없는 브라흐마이다 (바이유 푸라나); 즉, 브라흐마는 진화 자체를 내놓거나 창조하지 않고, 단순히 그 자신의 다양한 측면들을 보여주는 것이며, 그것 중에 하나가 프라드하나의 한 측면인 푸라크리티이다.
58 유한한 자의식을 의미한다. 왜냐하면 우리에게 알려진 절대자 측면의 최고가 인간 의식인데, 절대자가 단순히 하나의 *측면(aspect)*으로써 그것을 성취하는 것 이외에 그것을 다르게 어떻게 성취할 수 있을까?

염세주의적 철학에서 넌지시 비춘 "절대 정신(Absoluter Geist)"조차도, 아마 서구인 사색으로 힌두 아드바이트 가르침에 가장 근사한 것이지만, 마찬가지로 실재와는 아주 동떨어져 있다.

헤겔에 의하면, "무의식자"가 분명한 자의식을 얻는 것을 기대하는 것 이외에, 우주를 진화시키는 광대하고 수고스러운 과업을 결코 시작하지 않았을 것이다. 이것과 관련하여, 유럽 범신론자들이 파라브라흠에 상응하는 것으로서 무의식자로 사용하는 그 영(Spirit)에서, 그들은 "영(Spirit)"이라는 표현에—심오한 신비를 상징하기 위하여 더 나은 용어가 없어서 사용된 표현—그것이 보통 갖는 그런 함축된 의미를 붙이지 않는다는 것을 명심해야 한다.

그들은 현상 "뒤에" 있는 "절대적 의식(Absolute Consciousness)"은 어떤 개성의 요소의 부재로 무의식에 불과하며 인간의 개념을 초월한다고 말한다. 인간은 경험적인 현상을 제외하고 하나의 개념도 형성할 수 없기에 절대자의 장엄함을 감싸는 그 베일을 들어올리기에는 그의 존재의 바로 그 구성요소에서 무력하다. 해방된 영들만이 그것이 어디서 생겨났고 결국에는 되돌아가야 하는 그 근원의 성질을 희미하게 인식할 수 있다. . . 심지어 최고의 디얀 초한도 절대적 존재의 경외로운 신비 앞에서 자신의 무지를 인정하며 머리를 숙일 수밖에 없다; 그래서 의식적 존재의 최고 경지에서—피히테 구절을 사용하면—"개인 의식을 보편 의식 속으로 합친 상태"—조차도, 유한자는 무한자를 결코 이해할 수 없으며, 자신의 멘탈 경험 기준을 무한자에게 적용할 수도 없다. 그러므로 "무의식자"와 절대자가 분명한 자의식을 성취하려는 기대 혹은 본능적 충동을 가지고 있다고 어떻게 말할 수 있겠는가?[59] 베단타파는 헤겔 학파의 이런 생각을 결코 받아들이지 않을 것이다; 그리고 오컬티스트는 그것은 깨어난 마하트(MAHAT), 즉 변하지 않은 절대자의 첫 번째 측면으로써 현상계에 이미 투사된 보편 마인드(Universal Mind)에 완벽하게 적용되지만, 절대자 자체는 결코 아니라고 말한다. "영과 물질, 혹은 푸루샤와 푸라크리티는 유일무이한 존재의 원초의 두 가지 측면에 불과하다"고 우리는 배웠다.

---

59 스털링이 번역한 (p. 28) 슈베글러의 "철학의 역사 핸드북" 참조.

물질을 움직이는 누우스(Nous), 생명을 불어넣는 혼은 모든 원자 속에 편재하고, 인간 속에서 현현하며, 돌 속에서는 잠재하고, 각각 서로 다른 정도의 힘을 가진다; 그리고 모든 대자연에 전반적으로 영-혼이 침투하고 있다는 범신론적 생각은 모든 철학 개념 중에서 가장 오래된 것이다. 아르케우스가 파라셀수스나 그의 제자 반 헬몬트가 발견한 것이 아니었다; 왜냐하면 그가 말하는 아르케우스는 똑같은 아르케우스 혹은 "아버지-에테르"—무수히 많은 생명 현상의 기초이자 근원—가 국부화된 것이기 때문이다. 이런 종류의 무수히 많은 일련의 추론은 모두가 이 주제의 변형에 지나지 않고, 그 주음이 바로 이 시초의 대계시 속에서 울렸다. (2부 "원초 질료" 참조)

(b) "아누파다카(Anupadaka)"라는 용어는 "부모가 없는" 혹은 선조가 없다는 의미로 철학에서는 몇 가지 의미를 가지는 신비한 지칭이다. 이 이름은 천상의 존재들, 디얀-초한 혹은 디야니-붓다를 일반적으로 의미한다. 그러나 이들은 "마누쉬 (혹은 인간) 붓다"로 알려진 인간 붓다와 보디사트바에 신비적으로 상응하기 때문에, 일단 그들 전체 개성이 여섯 번째 그리고 일곱 번째 복합 원리—아트마-붓디—속으로 섞여서, "금강혼(diamond-souled)", (바즈라-사트바)[60]으로서 완전한 마하트마가 되면, 마누쉬 붓다도 "아누파다카"라고 부른다. "숨겨진 주(Concealed Lord)" (상바이 다그-포), "절대자와 융합된 자"는 자존하고 최고 측면인 스바바바트인 보편 영(Universal Spirit) (스바얌부)과 [61] 하나이기 때문에 부모를 가지고 있지 않다. 아누파다카의 하이어라키의 신비는 위대하고, 그 정점은 보편 영-혼이며, 더 낮은 단계는 마누쉬

---

60 바즈라(Vajra)—다이아몬드 소유자. 티벳어로 *도르제셈파(Dorjesempa)*; *'셈파'*는 내세에 파괴 불가능을 말하는 견고한 특질인 혼을 의미한다. 칸주르 규(Kyu) 부문의 첫 번째인 칼라 차크라에서 주어진 "아누파다카"에 대한 설명이 반은 비의적이다. 그것은 디야니-붓다와 지상의 상응인 마누쉬 붓다들에 관하여 동양학자들이 잘못된 추론을 하게 만들었다. 진정한 가르침은 후속 책에서 ("붓다에 관한 신비" 참조) 암시되었고, 적당한 곳에서 충분하게 설명될 것이다.
61 셸링과 함께 주기적인 아바타(Avatar)에 (모든 위대한 종교 개혁자들의 경우에서 보듯이 인간 속에서 세계-영(World-Spirit)의 특별한 화신) 대한 범신론적 개념을 받아들였던 헤겔을 다시 인용하면 . . . . "인간의 본질은 영이다 . . . . 그의 유한성을 제거하고 자신을 순수 자의식에게 맡김으로써 진리를 얻는다. 신-인간의 통일성이 인간 속에서 나타난 크리스트-인간은 (베단타와 어떤 아드바이트 학파가 가르치듯이 개인 의식과 보편 의식의 동일성) 그의 죽음과 역사 속에서 영의 영원한 역사를 보여주었다—모든 인간이 영으로 존재하기 위하여 자신 속에서 성취해야 하는 역사."—시브리 번역 "역사 철학," p 340.

붓다이다; 그리고 혼이 부여된 모든 인간도 잠재 상태에서 아누파다카이다. 따라서 우주가 "건설자들(Builders)"에 의해서 형성되기 전에, 그것의 형태 없는, 영원한 혹은 절대적 상태 속에서 말할 때, "그 우주가 아누파다카였다"라는 표현을 사용한다. (2부 "원초 질료" 참조)

스탠저 II - 분화의 개념

1.. . . . 건설자들, 만반타라 새벽의 빛나는 아들들은 어디 있었나? (a) . . . 그들의 아-히의 (*초한의, 디야니-붓다의*) 파라니쉬판나 속에 있는 미지의 암흑 속에서, 무형 (*아루파*)에서 유형 (*루파*)을 만드는 자들, 세계의 뿌리— 데바마트리[62] 그리고 스바바바트가 비-존재의 지복 속에서 휴식하였다 (b).

(a) "건설자들(Builders)," "만반타라 새벽의 아들들"이 우주의 진정한 창조자들이다; 그리고 우리 행성 체계만을 다루는 이 가르침에서 그들은 행성계 건축가로서 일곱 구체, 외적으로 일곱 행성 그리고 비의적으로 우리 체인의 일곱 지구 혹은 일곱 구체들의 "감시자들(Watchers)"로 부르기도 한다. 스탠저 I 첫 문장에서 "일곱 영원"을 언급할 때 그것은 *마하-칼파* 혹은 "브라흐마의 대시대"에 해당하며 또한 태양계 *프랄라야*와 뒤 이은 상위계에서 우리 행성계의 부활에도 해당된다. 많은 종류의 *프랄라야* (눈에 보이는 것의 소멸)가 있으며 다른 곳에서 설명될 것이다.

(b) 파라니쉬판나는 *최고선 (수멈 보넘)*, 절대자이고, 따라서 파라니르바나와 똑같다. 궁극의 상태이기 때문에 그것은 자신의 계에 있는 하나의 절대적 진리 (파라-마르타사티야) 이외에는 어느 것과도 관련 없는 주관성 상태이다. 그것이 *절대적* 존재(absolute Being)로 설명된 비-존재(Non-Being)의 충분한 의미를 올바로 이해하게 이끄는 그런 상태이다. 언젠가 지금 겉으로 보기에 존재하는 모든 것은 사실상 그리고 실재로 파라니쉬판나 상태 속에 있게 될 것이다. 그러나 *의식적인* 존재와 *무의식적인* 존재 사이에는 커다란 차이가 있다. 파라마르타, 즉 자기-분석하는 의식 (스바삼베다나)이 없는 파라니쉬판나 상태는 지복이 아니라, (일곱 영원 동안) 단순한 소멸에 불과하다. 이와 같이 뜨거운 태양 광선 아래 놓인 쇠뭉치가 뜨거워지지만, 그 쇠뭉치는 열기를 느끼지도 인식하지 못하지만, 반면에

---

62 "신들의 어머니," 아디티(Aditi) 혹은 우주 공간. 조하르에서 그녀는 세피로스의 어머니 세피라(Sephira)와 *비밀 속에 있는*(in abscondito) 원초 형태의 쉐키나로 불린다.

사람은 그 열기를 느낄 것이다. 오직 "개성으로 어두워지지 않은 깨끗한 마인드와 (살아있으며 유정의 대우주) 집합 속에서 존재에 헌신한 많은 존재들의 공과를 갖고서"만 파라마르타를 온전하게 계속 소유하면서 절대자[63] 속으로 합치고 하나가 되는 개성적 존재를 끝내게 된다.

2.. . . . 침묵은 어디에 있었나? 그것을 감지할 귀가 어디에 있었나? 없었다! 침묵도 소리도 없었다 (a). 자신을 모르는 끊임없는 영원한 숨결(*운동*)을 제외하고 아무것도 없었다 (b).

(a) 사물이 존재하지 않아도 여전히 있다(BE)는 생각이 동양의 심리학에서 기본 사상 중에 하나이다. 이런 용어상 분명한 모순 하에서, 말로 논쟁하기 보다 마인드 속에서 대자연의 사실이 있다는 것을 깨닫는 것이 중요하다. 이와 같은 모순으로 잘 알려져 있는 예가 화학 결합이다. 수소와 산소가 결합하여 물이 되었을 때, 수소와 산소의 존재 여부는 아직도 논의할 여지가 있는 문제이다. 어떤 사람들은 물이 분해되면, 수소와 산소를 다시 보기 때문에 그것들은 거기에 계속 있다고 주장한다; 다른 사람들은 수소나 산소가 실제로 전혀 다른 것으로 되어 버렸기에, 일시적으로 이 둘이 없어진 것임에 틀림없다고 주장하고 있다; 그러나 어느 쪽도 어떤 다른 것이 되었지만 자체로서 계속 존재하는 것의 진정한 상태에 대하여 조금도 이해할 수가 없다. 산소나 수소가 물로서 존재하는 것이 기체로서 존재보다 "더 실재적인 존재"인 비-존재(Non-being) 상태라고 말할 수가 있다; 그래서 이것이 "브라흐마의 밤"

---

63 그러므로 비-존재(Non-Being)는 에소테릭 철학에서 "절대적 존재(Absolute Being)"이다. 에소테릭 철학의 견해에서 심지어 아디-붓다도 (첫째 혹은 태초 지혜) 현현한 동안 어떤 의미에서 환영, 마야이다. 왜냐하면 브라흐마를 포함하는 모든 신들도 "브라흐마 대시대"가 끝날 때 죽어야 하기 때문이다; 파라브라흠으로 부르는 추상상태 만이—그것을 아인-소프 혹은 허버트 스펜서의 불가지자(Unknowable)로 부르건—"하나의 절대적 실재"이다. 유일무이의 대존재(One secondless Existence)가 아드바이타(ADWAITA), "둘째가 없는"이고 나머지 모든 것이 마야라고 아드바이타 철학이 가르친다.

동안에 우주가 잠들 때 혹은 존재하기를 멈출 때를 희미하게만 상징할 수 있다—새로운 만반타라 새벽에 우주를 존재로 불러낼 때, 그것이 깨어나거나 다시 출현하게 된다.

(b) 태고의 비의 철학에서는 하나의 대존재의 "대숨결"을 우주발생론의 영적 측면에만 적용하는데 사용하였다; 그렇지 않으면 그것은 물질계에서 그것과 동등한 것인 운동(Motion)으로 대체되었다. 하나의 영원한 원소 혹은 원소를 간직하는 매개체가 모든 의미에서 차원 없는 공간이다; 그리고 공존하는 것은—끝없는 *지속기간(duration)*, 원초의 (그래서 불멸의) *물질* 그리고 *운동*—절대적 "영속 운동"으로 "하나(One)의" 대원소의 "숨결"이다. 이미 보았듯이, 이 숨결은 프랄라야 영원 동안에도 결코 멈추지 않는다. (2부 *"카오스, 테오스, 코스모스"* 참조.)

그러나 "하나의 대존재의 대숨결(Breath of the One Existence)"이 항상 하나의 원인 없는 원인(One Causeless Cause) 혹은 "전체 있음(All Be-ness)"—우주 혹은 브라흐마인 전체-존재(All-Being)와 대조하여—에 적용되지 않는다. 지구를 물에서 끌어올린 후 "창조를 성취한" 네 얼굴의 신, 브라흐마 (혹은 하리)는 수단으로서 원인일 뿐이지 이상적인 원인을 분명하게 내포하지 않는다. 지금까지 "창조"를 다루는 푸라나 구절의 진정한 의미를 완전히 이해한 동양학자는 없는 것 같다.

이 구절에서 브라흐마는 "창조" 작업을 위하여 이후에 발생되어야 하는 잠재성의 원인이다. "그리고 잠재성이 진정한 원인이 되고 난 후에, 그(Him)로부터 창조될 잠재성들이 나온다"고 번역자가 말하지만, "그리고 잠재성이 (물질계에서) 진정한 원인이 되기 때문에 그것(IT)에서 창조될 잠재성이 나온다"가 더 정확한 번역이지 않을까? 그 유일한 (원인 없는) 이상적 원인을 제외하고 우주와 관련 지을 수 있는 다른 것이 없다. "수행자들 중에서도 가장 존귀하신 분이시여! 그 잠재력을 통하여—즉 그 원인의 잠재력을 통하여—모든 창조된 사물이 내재하는 혹은 순수한 성질을 얻는다." 베단타 학파와 니야야 학파에서 *니미따(nimitta)*가 물질 원인인 *우파다나(upadana)*와 대조되는 효율적 원인이라면 (그리고 상키야 철학에서는 *프라드하나*는 둘의 기능을 내포한다); 이런 모든 체계를 조화시키는 비의 철학에서 그리고 비의 철학에 가장 가까운 옹호자인 아드바이타 베단타 학자들이 설명하는 베단타로, 우파다나를 제외하고 어떤 것도 사색될 수 없다; 바이쉬나바 학파 (비시쉬타-드바이타) 사람들 마인드 속에서 실재—혹은 파라브라흠과 이쉬바라—와 대조되는 이상으로서 존재하는 것은 출판된 추론 속에서는 여지를 찾을 수 없다. 왜냐하면 인간의 이성, 심지어 초인의 이성도 상상할 수 없는 그것에 이상을 적용할 때, 그 이상 조차도 잘못된 용어이기 때문이다.

자체 혹은 자신을 아는 것은 인식되는 지각과 의식을 (둘 다 파라브라흠을 제외한 어떤 대상과 관련하여 제한적인 기능들이다) 필요로 한다. 그래서 "자신을 모르는 영원한 숨결"이라고 하는 것이다. 무한은 유한을 이해할 수가 없다. 무궁(Boundless)은 제한된 것 그리고 조건 지워진 것과 관계를 가질 수가 없다. 오컬트 가르침에서, 미지의 불가지의 운동자(MOVER) 혹은 자존자(Self-Existing)는 절대적 신성한 본질이다. 그리고 이렇게 *절대적* 의식이고, *절대적* 운동이므로— 묘사할 수 없는 이것을 묘사하는 사람들의 제한된 감각에—그것은 무의식이며 부동성이다. 습한 특질이 물에 대하여 단정할 수 없듯이—습함이 물의 속성이자 다른 사물 속에서 습한 특질의 원인이다—구체적 의식이 추상적 의식을 단정할 수 없다. 의식은 제한과 자격 조건을 내포한다; 그것은 의식하는 어떤 것, 그리고 그것을 의식하는 누군가를 내포한다. 그러나 절대 의식은, 인식자, 인식 대상, 인식을 포함하고, 셋이 모두 자체 속에서 하나이다. 어떤 사람도 특정한 시간에 그의 마인드로 불러내는 그의 지식의 그 부분 이상을 의식하지 못한다. 그럼에도 언어의 빈약함으로 우리가 적극적으로 생각하지 않은 지식과 우리가 기억으로 불러낼 수 없는 지식을 구별할 수 있는 용어가 없다. 잊어버리는 것은 기억하지 않는 것과 동의어이다. 추상적 형이상학 사실이나 차이점을 묘사하거나 구분하는 용어들을 찾는 어려움이 얼마나 많이 더 큰지 말할 필요도 없다. 또한 우리는 사물들이 취하는 겉모습에 따라서 우리가 이름을 지어준다는 것을 잊지 말아야 한다. 우리는 절대 의식을 "무의식"으로 부른다. 왜냐하면 우리가 절대자를 "암흑"으로 부르듯이, 그것은 필연적으로 그럴 수밖에 없는 것처럼 보인다. 왜냐하면 우리의 유한한 이해력으로, 그것은 전혀 침투 불가능한 것처럼 보이며, 그럼에도 우리는 그런 것들에 대한 우리의 지각이 그것들을 제대로 다루지 못한다는 것을 충분하게 인식하기 때문이다. 예를 들면, 우리는, 우리 자신 속에서 우리가 의식으로서 아는 것과 우리 생각이 도달할 수 있는 상위계에서 부합하는 어떤 명확하지 않은 특질을 무의식의 절대적 의식(unconscious absolute consciousness)에 비밀스럽게 부여함으로써, 우리는 무의식의 절대적 의식과 무의식(unconsciousness)을 우리 마인드 속에서 자신도 모르게 구분을 하고 있다. 그러나 이것은 우리에게 무의식처럼 보이는 것과 그럭저럭 구별할 수 있는 그런 종류의 의식은 아니다.

---

3. 시간이 아직 안 되었다; 광선이 아직 배아 속으로 섬광처럼 들어가지 않았다 (a); 마트리-파드마 (*어머니 연꽃*)가 아직 부풀어 오르지 않았다 (b).[64]

(a) "언제나 암흑(Ever Darkness)"의 광선이 방사될 때 눈부신 빛 혹은 생명의 광선으로 되며, "배아(Gorm)" 속으로 번쩍이며 들어간다—추상적 의미에서 불질로 나타낸 세계 알 속에 있는 그 점이다. 그러나 "점(Point)"이라는 용어가 공간 속에 있는 어느 특정한 점에 해당되는 것으로 생각해서는 안 된다. 왜냐하면 배아는 모든 원자 중심에 존재하고, 이것들이 집합적으로 그 "배아"를 구성하기 때문이다; 혹은 어떤 원자도 우리 육안에 보이지 않으므로, 원자들 집합체가 (만약 이 용어를 무궁하고 무한한 어떤 것에 적용할 수 있다면) 영원하고 파괴 불가능한 물질의 본체를 형성한다.

(b) (물질계에서 물질과 힘) 대자연에 있는 이중의 창조력을 나타내는 상징적 형상들 중에 하나가 *파드마(Padma)*, 인도의 수련이다. 연꽃은 열 (불)과 물 (수증기 혹은 에테르)의 산물이다; 모든 철학과 종교 체계에서, 불은 신의 영을 나타내는 것으로,[65] 활동적, 남성적, 생식력의 원리를 나타낸다; 그리고 에테르 혹은 물질의 혼, 불의 빛은 이 우주 속에 있는 모든 것이 발산하여 나오는 수동적 여성 원리를 나타낸다.

---

64 시적이지 않은 용어지만, 매우 그림 같은 용어이다. (스탠저 III 각주 참조.)
65 심지어 기독교에서도 그렇다. (2부 *원초 질료와 신성한 생각* 참조.)

따라서 에테르 혹은 물은 어머니이고, 불은 아버지이다. W. 존스 경은 (그리고 그 이전에 태고의 식물학은) 연꽃의 씨앗은—심지어 발아하기 전에—완전히 형태를 갖춘 잎, 언젠가 완전한 식물로써 성장하게 될 아주 작은 형상을 품고 있다는 것을 보여주었다. 이렇게 자연은 자신의 산물을 미리 형성한 견본을 보여주고 있다. . . 고유한 꽃을 피우는 모든 현화 식물은 이미 형성되어 준비된 작은 식물의 배아를 가지고 있다.[66] (2부 "보편 상징으로서 연꽃" 참조) 이것이 "어머니가 아직 부풀어 오르지 않았다"라는 문장을 설명한다—이처럼 태고의 상징에서 형태가 보통 내적 혹은 근본 개념에 희생된다.

더구나 연꽃 혹은 파드마는 우주 자체와 인간을 상징하는 매우 오래되고 고대부터 즐겨 쓰던 상징이다. 그 주된 이유는 먼저 앞에서 말했지만, 연꽃 씨앗은 미래 연꽃의 완전한 축소판을 자신 속에 가지고 있기 때문이다. 이것은 만물의 영적인 원형들이 지상에서 물현화 되기 이전에 영적인 (비물질적) 세계에 존재한다는 사실을 전형적으로 보여준다. 두 번째는 연꽃은 물을 지나서 성장하는데, 그 뿌리는 일루수(Ilus) 혹은 흙 속에 두고, 그 꽃은 공중에서 피운다는 사실 때문이다. 이렇게 연꽃은 인간의 생명과 우주의 생명을 전형적으로 보여준다; 씨크릿 독트린은 둘의 요소가 똑같고, 둘 다 같은 방향으로 발전하고 있다고 가르친다. 흙 속에 뻗어 내린 연꽃 뿌리는 물질 생활을 나타내고, 물을 지나서 위로 솟는 줄기는 아스트랄계에서의 존재를 상징하고 있으며, 물위에 떠서 하늘을 향하여 피는 꽃은 영적인 존재를 상징하고 있다.

---

4. 하나의 광선이 들어와서, 그래서 셋이 떨어져서 마야의 무릎 속에서 넷으로 되도록, 그녀의 가슴 (심장)이 아직 열리지 않았다 (a).

---

66 그로스, "이교도 종교," p. 195.

(a) 원초의 질료가 우주창조 이전의 잠재상태에서 나와서 분화된 객관성으로 아직 넘어가지 않았다 혹은 심지어 (아직까지 인간에게) 보일 수 없는 과학의 원시물질 (프로타일)로도 아직 되지 않았다. 그러나 시간이 되어 그것이 신성한 생각 (로고스 혹은 애니마 문디의 남성 측면, 즉 알라야)의 포하트적 인상을 수용하게 되면—그것의 가슴 (심장)이 열린다. 그것은 분화하고, 셋 (부, 모, 아들)이 넷으로 변형된다. 여기에 삼위일체와 무원죄 잉태라는 이중의 신비의 기원이 있다. 오컬티즘의 첫 번째이자 근본 가르침은 세 가지 측면 하에서 보편적 통일성(Universal Unity) (혹은 동질성)이다. 이것이 신성에 대한 가능한 개념으로 이어지며, 그것은 하나의 절대적 통일성으로써 유한한 지성으로는 영원히 이해할 수 없는 상태로 남아 있어야 한다. "만약 그대가 식물의 뿌리 안에서 작용하는 그 힘을 믿는다면 혹은 흙 속에 숨겨진 뿌리를 상상한다면, 그대는 줄기나 몸통 그리고 잎이나 꽃에 대하여 생각하지 않을 수 없다. 그대는 그 힘을 이런 대상들과 독립적으로 상상할 수가 없다. 생명은 생명의 나무(Tree of Life)로만 알 수 있다…." (요가 금언) 만약 우리가 그 통일성(Unity)을 간직하는 어떤 구체적인 것을 우리 눈앞에 가지고 있지 않다면, *절대적* 통일성의 생각이 우리의 개념 속에서 완전히 부서질 것이다. 그리고 신성은 절대적이고, 편재하기 때문에, 따라서 어떤 원자라도 자체 속에 그 신성을 포함하지 않는 원자는 없다. 뿌리, 몸통, 많은 가지가 서로 구분되는 셋이지만 하나의 나무를 이룬다. 카발라 학자는 말한다: "신은 하나이다. 왜냐하면 신은 무한하기 때문이다. 신은 삼중이다. 왜냐하면 신은 늘 현현하기 때문이다." 이 현현은 그 측면에서 세 가지이다. 왜냐하면 아리스토텔레스가 말했던 것처럼, 자연의 모든 체가 객관적으로 되기 위하여 세 가지 원리가 필요하다: 즉 결여, 형태 그리고 물질.[67] 그 위대한 철학자 마인드 속에서 결여(privation)는 오컬티스트가 아스트랄 빛—애니마 문디의 가장 낮은 계—속에 새겨진 원형으로 부르는 것을 의미하였다. 이 세 가지 원리의

---

67 비시쉬트아드바이타 철학의 베단틴 학자는 유일의 독립적인 실재이지만, 파라브라흠은 삼위일체와 분리될 수 없다고 말한다. 그는 셋, "파라브라흠, 칫(Chit), 아칫(Achit)으로, 뒤에 있는 둘은 분리되어 존재할 수 없는 의존적 실재하고 말한다; 혹은 더 명확하게 말하면, 파라브라흠은 질료(SUBSTANCE)—불변의, 영원한 그리고 인식될 수 없는—이고 마치 형태와 색이 어떤 사물의 특질이듯이, 칫(아트마) 그리고 아칫(아나트마)이 그 특질이다. 그 둘은 옷 혹은 체 오히려 파라브라흠의 속성이다. 그러나 오컬티스트는 이 주장에 반대하는 말을 많이 할 것이고, 아드바이트 베단틴 학자도 마찬가지일 것이다.

합일은 네 번째 원리에 의존한다—즉 도달할 수 없는 존재(Unreachable)의 정점에서 방사하는 대생명(LIFE)으로, 현현된 존재계에서 보편적으로 퍼진 대본질로 된다. 그리고 이 사중체 (단일체로서 부, 모, 아들 그리고 살아 있는 현현으로서 사중체)는 무원죄 잉태라는 바로 그 태고의 이데아(Idea)로 이어지는 수단이었지만, 이제는 기독교 교회의 도그마로 결정화되었고, 교회는 이 형이상학적 개념을 어떤 상식을 넘어서 세속화시켜 버렸다. 왜냐하면 그 도그마의 기원을 찾기 위하여 카발라를 읽고 숫자를 활용한 해석 방법을 연구해보기만 하면 되기 때문이다. 그것은 순전히 천문학적이고, 수학적이며, 특히 형이상적이다: (남신들과 로고스들—비라즈 혹은 브라흐마; 호러스 혹은 오시리스 등으로 인격화된) 대자연 속의 남성 요소는 원죄 없는 근원이 아닌, "어머니"로 인격화된 채, 태어난다; 왜냐하면 어머니를 가진 그 남성은 "아버지"를 가질 수 없기 때문이다—즉 추상적 신은 성이 없고, 심지어 어떤 존재가 아니라 있음(BE-NESS) 혹은 생명 자체이다. 이것을 [측정의 근원]을 쓴 저자의 수학 언어로 표현해보자. "인간의 척도"와 그의 수리적 (카발라적) 값에 대하여 언급하면서, 그는 창세기 4 장, 5 장 1 절에 대하여 다음과 같이 썼다. "그것은 '인간 심지어 여호와' 척도라고 부르며, 이렇게 얻어진다. 즉, $113 \times 5 = 565$ 그리고 565 라는 수는 $56.5 \times 10 = 565$ 로 표현될 수 있다. 여기서 인간의 수 113 이 56.5×10 의 인수로 되고, 56.5×10 을 카발라적으로 읽으면 욧(Jod), 헤(He), 바(Vau), 헤(He), 즉 여호와 이다. .... 565 를 56.5×10 으로 확장한 것은 여성(Eva) 원리에서 남성(Jod) 원리가 발산하여 나오는 것을 보여주기 위해서이다; 말하자면, 순결한 근원에서 남성 원소의 탄생, 즉 무원죄 잉태를 말하는 것이다."

성자들에 따르면, 신성한 계에서 일어났던 신비가 지상에서 이렇게 반복된다. 무원죄의 천상의 동정녀 (혹은 미분화된 우주 프로타일, 무한 상태의 물질)의 "아들"이 지상의 이브(Eve)—우리의 어머니 대지—의 아들로서 지상에 다시 태어나고, 전체—과거, 현재, 미래—로 인류가 된다. 왜냐하면 여호와 혹은 욧-헤-바-헤(Jod-he-vau-he)는 양성 혹은 남성이면서 여성이기 때문이다. 위에서, 그 아들은 전체 우주이다; 아래에서, 그는 인류이다. 삼개조 혹은 삼각형이 지상에서 테트락틱스, 피타고라스의 성스러운 숫자, 완전한 사각형 그리고 육면체가 된다. 매크로프로소푸스 (거대한 얼굴:Great Face)는 이제 마이크로프로소푸스 (작은 얼굴:lesser face)가 된다; 혹은 카발리스트들이 가지고 있듯이, "옛날부터 계신 분(Ancient of Days)"이 아담 카드몬으로 하강하면서, 아담 카드몬을 통하여 현현하는 매개체로 사용하고, 테트라그라마톤으로 변형된다. 그것은 이제 "마야의 무릎," 대환영 속에 있고, 자신과 대실재 사이에 아스트랄 빛이 있다. 아스트랄 빛은 파라마르타사티야를 통한 지식이 없으면, 인간의 제한된 감각을 크게 속이는 것이다.

---

5. 일곱 (*아들들*)은 빛의 그물에서 아직 태어나지 않았다. 암흑만이 아버지-어머니, 스바바바트였고, 스바바바트는 암흑 속에 있었다 (a).

(a) 여기 주어진 스탠저에 있는 씨크릿 독트린은 전체는 아니지만 주로 우리 태양계와 특히 우리 행성 체인을 다룬다. 그러므로, "일곱 아들들"이 행성 체인의 창조자들이다. 이 가르침이 후에 충분히 설명될 것이다. (2 부 "창조신들의 신통기" 찬조.) 스바바바트, 우주를 가득 채우고 있는 "가소성 본질"이 만물의 뿌리이다. 말하자면, 스바바바트는 힌두 철학에서 물라푸라크리티 라고 말하는 그 추상 개념의 구체적인 측면을 불교적으로 말한 것이다. 그것은 혼의 체이고, 에테르와 아카샤의 관계에 상응하며, 아카샤가 에테르에게 생명을 불어넣는 원리이다. 중국 신비가들은 스바바바트를 "존재(being)"와 동의어로 보았다. 중국인들이 "이-슈-루-키아-룬"으로 부르는 용수의 에카슬로카-샤스트라에서, 원어 유(有)는 "존재" 혹은 "수바바," 즉 "스스로 질료를 주는 질료"로 설명하고, "자신의 성질이 없는 성질," "행위가 있으면서 행위가 없는" 것을 의미하는 것으로 설명한다. 스바바바트에서 수바바가 왔는데 두 단어로 구성된다: 수(Su)는 "아름다운," "훌륭한," "좋은" 이다; 스바(Sva)는 "자아(self);" 그리고 바브(bhav)는 "존재" 혹은 "존재 상태" 이다.

---

6. 이 둘은 배아이고, 그 배아가 하나이다. 우주는 여전히 신성한 생각과 신성한 가슴 속에 숨겨져 있었다.

"*신성한 생각(Divine Thought)*"은 어떤 신성한 사고자의 개념을 내포하지 않는다. 우주는 과거, 현재, 미래—유한한 생각으로 표현된 인간의 유한한 개념—뿐만 아니라, 그 전체성에서, *사트(Sat)* (번역할 수 없는 용어), 과거와 미래가 하나의 영원한 현재(Present) 속에서 결정화된 절대적 존재로 이차적인 혹은 현현한 원인에 반영된 그 생각(Thought) 자체이다. 브라흐마 (중성)는 파라셀수스의 미스테리움 매그넘으로서 인간 마인드에는 절대적 신비이다. 브라흐마는, 남성-여성, 그것의 측면이자 인격화된 반영으로, 맹목적인 믿음의 지각으로 상상할 수 있지만, 인간의 지성이 대다수가 될 때 그것을 거부한다. (2 부 "원초 질료와 신성한 생각" 참조.)

그래서 창조 드라마 서막에서 혹은 우주 진화 시초에, 우주 혹은 "아들(Son)"이 아직 "신성한 생각" 속에 숨어 있다고 말하는 것이다. 왜냐하면 신성한 생각이 아직 "신성한 가슴 속으로" 들어가지 않았기 때문이다. 이 개념이 동정녀에게서 태어난 "신의 아들들(Sons of God)"에 관한 모든 우화의 근원을 형성하고 근저에 있다는 것을 잘 주목해야 한다.

스탠저 III - 우주가 깨어남

1. 일곱 번째 영원의 마지막 진동이 무한 내내 고동친다 (a). 어머니가 부풀어올라, 연꽃 봉오리처럼 안에서 밖으로 확장한다 (b).

(a) "일곱 번째 영원"이라는 나눌 수 없는 것을 나누는, 겉으로 보기에 모순 같은 문장의 사용이 에소테릭 철학에서는 인정되고 있다. 에소테릭 철학에서는 무궁한 계속기간을 무조건의 영원한 보편적인 시간과 조건화된 시간 (칸다칼라)으로 나눈다. 전자는 무한한 시간 (칼라)의 추상성 혹은 본체이다; 후자는 *마하트*—만반타라 기간으로 제한된 보편 지성(Universal Intelligence)—의 영향으로써 주기적으로 나타나는 그것의 현상이다. 어떤 학파들에서, 마하트는 프라드하나(Pradhana) (미분화된 질료 혹은 대자연의 뿌리인 물라푸라크리티의 주기적 측면)의 "첫째로 태어난 자(first-born)"로, 그것이 (프라드하나) 마야, 대환영으로 불린다. 이런 면에서, 에소테릭 가르침이 아드바이타와 비시쉬타드바이타 학파의 베단타 가르침과 다르다고 믿는다. 왜냐하면 물라푸라크리티, 본체는 자존하고 어떤 기원이 없는 반면에—다시 말해서 (브라흐맘과 하나로써) 부모가 없는, 아누파다카이다—그것의 현상, 푸라크리티는 주기적이고 전자의 환영에 불과하다. 그래서 오컬트 학생들에게 마하트가, 냐나(Gnana) (혹은 그노시스) 지식, 지혜 혹은 로고스의 첫째로 태어난 것이다—절대적 니르구나(Absolute nirguna) (파라브라흠, "속성이나 특질이 없는" 하나의 실재; 우파니샤드 참조)에서 반사된 하나의 환영이다; 반면에 어떤 베단타 학자들에게 마하트는 물질 혹은 푸라크리티의 현현이다.

(b) 그러므로 "일곱 번째 영원의 마지막 진동"이 "예정되어 있었다"—어떤 신에 의해서가 아니라, 아주 생생하게 활동과 휴식의 거대한 기간을 일으키는 그리고 동시에 시적으로 "브라흐마의 낮과 밤"을 일으키는 영원불변의 대법(LAW)에 의해서 일어났다. 다른 곳에서 "공간의 물(Waters of Space)," "보편적인 모체(Universal Matrix)" 등으로 부른 어머니의 "안에서 밖으로" 팽창은 하나의 작은 센터나 초점에서 팽창하는 것을 암시하는 것이 아니라, 크기나 한계 혹은 영역과 관계없이, 무제한의

주관성이 무제한의 객관성으로 발전을 의미한다. "언제나 (우리에게) 보이지 않고 비물질의 질료가 영원히 실재하며 그것의 주기적인 그림자를 자신의 계에서 마야의 무릎 속으로 던졌다." 그것은 이런 팽창이 크기의 증가가 아니기 때문에—왜냐하면 무한한 확장은 어떤 확대를 허용하지 않기 때문이다—상태의 변화였다는 것을 암시한다. 그것이 "연꽃 봉우리처럼 확장하였다"; 왜냐하면 연꽃은 그 씨앗 속에 작은 배아로써 존재할 뿐만 아니라 (하나의 물질적 특이성), 그것의 원형이, 이 객관 우주 속에 있는 하나의 사실로써, 다른 모든 것처럼, 만반타라 기간 동안 "새벽"부터 "밤"까지, 아스트랄 빛 속에 있는 이상적인 형태 속에 실재하기 때문이다; 인간부터 진드기에 이르기까지, 거대한 나무부터 가장 작은 풀잎까지 모두가 그러하다.

이 모든 것은, 숨겨진 과학에서 가르치길, 신성한 생각(Divine Thought) 속에 있는 영원한 이상적인 원형의 그림자, 즉 일시적인 반사에 불과하다; 여기서 "영원한(Eternal)"이라는 단어는 "억겁(AEon)"의 의미에서만 겉보기에 끝없는, 그러나 우리가 만반타라로 부르는, 여전히 제한된 활동의 주기내내 지속하는 것을 나타낸다는 것을 다시 한번 주목해야 한다. 만반타라 오히려 마누-안타라(Manu-Antara)의 진정한 비의적인 의미는 무엇인가? 그것은 비의적으로 "두 마누 사이"를 의미한다. 모든 "브라흐마의 낮(Day of Brahma)"에는 열 넷 마누가 있고, 그런 "낮"은 네 가지 시대의 1,000 개 총합, 즉 1,000 개의 "대시대(Great Ages)," 마하유가들로 이루어져 있다. 이제 마누(Manu)라는 단어 혹은 이름을 분석해보자. 동양학자들과 그들 사전에서는 "마누"라는 용어는 "생각하다"라는 뜻의 어근 *만(Man)*에서 왔다고 말한다; 그래서 "생각하는 인간"이다. 그러나 비의적으로, 모든 마누는 자신의 특별한 주기 (혹은 라운드)의 인격화된 후원자로서 "신성한 생각"의 의인화된 개념에 불과하다 (헤르메스의 "피만더"); 그러므로 마누 각자는 특별한 신으로 자신의 존재 주기 동안에 혹은 만반타라 동안에 나타나는 만물의 창조자이자 형성자이다. 포하트가 마누들 (혹은 디야니-초한들)의 심부름을 하고, 이상적인 원형들이 안에서 밖으로 확장하게 만든다—즉, 본체에서 가장 낮은 현상계까지, 모든 계를 점차로 하강하면서 가로질러서, 결국에는 마지막 계에서 완전한 객관성—환영의 절정 혹은 가장 조밀한 물질—으로 꽃을 피운다.

---

2. 그 진동이 그것의 재빠른 날개로 (*동시에*) 전체 우주와 암흑 속에 거주하는 배아를 건드리면서 휩쓸고 간다: 잠자는 생명의 물 위에서 숨쉬는 (*움직이는*) 암흑 (a).

(a) 피타고라스의 모나드(Monad)도 "배아(germ)"처럼 암흑 속에 홀로 거주하고 있다고 말한다. 암흑의 "숨결(breath)"이 "잠자는 생명의 물" 위로 움직이는 생각은 잠재하는 영을 그 속에 갖고 있는 원초 물질로 창세기 1 장을 생각나게 한다. 그것의 원본은 브라만의 나라야나(Narayana) (물 위에서 움직이는 자)로, 그는 동양의 오컬티스트들이 말하는 무의식적 전체(All) (혹은 파라브라흠)의 영원한 대숨결의 의인화이다. 생명의 물 혹은 카오스(Chaos)—상징학에서 여성 원리—는 그 속에 잠재하는 영과 물질이 있는 (우리의 멘탈 시력에는) 진공이다. 데모크리투스가 그의 스승 레우시푸스를 따라서, 만물의 원초 원리는 원자들과 하나의 진공이라고 주장한 것이 이것이다. 여기서 진공은 팅빈 공간이 아니라, 모든 고대 철학자와 소요학파에 따르면, "대자연은 진공을 혐오한다"는 의미의 공간이다.

모든 우주발생론에서 "물"이 똑같이 중요한 역할을 한다. 그것은 물질적 존재의 기초이자 원천이다. 과학자들은 "물"이라는 단어를 산소와 수소의 화학물인 물로 이해하였고, 그래서 오컬티스트들이 일반적인 의미로 사용하고 우주발생론에서 형이상적 신비적 의미로 사용하는 "물"이라는 용어에 구체적인 의미를 부여하였다. 얼음은 물이 아니고, 수증기도 아니다. 하지만 그 셋 모두는 똑같은 화학 구조물을 가지고 있다.

———————————

3. "암흑"은 빛을 발산하고, 빛이 한줄기 광선을 물 속으로, 어머니 심연 속으로 떨어뜨린다. 그 광선은 처녀-알을 뚫고 지나간다; 그 광선이 영원한 알을 고동치게 만들고, 영원하지 않은(*주기적인*) "배아"를 떨어뜨리게 해서, 그것이 응축되어 세계 알로 된다 (a).

(a) 어머니 심연 속으로 떨어지는 한줄기 광선은 신성한 생각 혹은 신성한 대지성이 카오스를 잉태시키는 것을 의미하는 것으로 여길 수 있다. 그러나 이것이 형이상적 추상성의 계에서 일어난다, 오히려 우리가 하나의 형이상학적 추상성으로 부르는 그것이 하나의 실재인 그런 계에서 일어난다. 처녀-알(Virgin-Egg)은 한 가지 의미에서 추상적인 알-상태(Egg-ness), 혹은 잉태를 통해서 계발시키는 그 힘은 영원하고 언제나 똑같다. 그리고 알을 낳기 전에 알의 수정이 먼저 이루어지듯이, 마찬가지로 나중에 상징에서 세계 알로 되는 영원하지 않은 주기적인 배아도 그것이 말한 상징에서 나올 때 자체 속에 모든 우주의 "약속과 잠재성"을 간직하고 있다. 그 생각 자체가 당연히 추상성이고, 상징적인 표현 방식이지만, 그것은 끝없는 원으로서 무한성의 개념을 암시하기에 진실로 상징이다. 그것은 무궁한 공간 속에서 그리고 그 공간으로부터 출현하는 대우주의 그림, 그것의 객관적인 현현에서 끝없지는 않더라도 규모에서 끝없는 어떤 우주를 마인드의 눈 앞에 가져온다. 알의 비유는 또한 오컬티즘에서 가르친 사실, 즉 현현된 모든 것의 원초적 형태는 원자부터 구체에 이르기까지, 인간부터 천사에 이르기까지, 타원형이라는 것을 표현하며, 그 구체가 모든 국가에서 영원과 무한—꼬리를 물고 있는 뱀—의 상징이었다. 하지만, 그 의미를 인식하기 위해서, 그 구체를 그것의 중심에서 보는 것으로 생각해야만 한다. 시력이나 생각의 영역은 구체처럼 그 반경이 자신으로부터 사방으로 뻗어 나가고, 공간 속으로 확장하면서, 모든 주위에서 무궁한 전망을 열어준다. 그것은 파스칼과 카발리스트들의 상징적인 원으로, "그 중심이 모든 곳에 있으면서 동시에 원주가 어디에도 없다." 이것이 이런 상징의 복합적인 생각으로 들어가는 개념이다.

"세계 알(Mundane Egg)"은 아마도 영적, 생리학적 그리고 우주론적 의미에서 고도로 암시적이듯이, 가장 보편적으로 채택된 상징들 중에 하나이다. 그러므로 그것이 뱀 상징과 대체로 관련된 모든 세계-신통기에서 발견된다; 뱀 상징은 종교 상징학처럼 철학 모든 곳에 있으며, 지혜뿐만 아니라 영원, 무한, 재생과 갱생의 상징이다. (2 부 "나무, 뱀, 그리고 악어 숭배" 참조) 자신의 창조력을 통한 외관상의 자기-발생과 진화의 신비가 우주 진화의 과정을 알 속에서 축소판으로 반복하는 것으로, 둘 다 보이지 않는 창조적인 영의 유출 하에 있는 열기와 습기로 기인되기에, 이 사실적인 상징의 선택을 충분히 정당화하였다. "처녀 알(Virgin Egg)"은 대우주적 원형—

"동정녀 어머니(Virgin Mother)"—카오스 혹은 원초의 심연(Primeval Deep)의 소우주적 상징이다. 남성 창조자는 (어떤 이름이건) 동정녀 여성, 즉 그 광선으로 결실을 맺는 순결한 뿌리에서 솟아나온다. 만약 천문학과 자연 과학에 정통한 사람이라면, 누가 그것의 암시성을 보지 못할 수 있겠는가? 수용적 대자연으로써 우주는 결실을 맺은 하나의 알이다—그럼에도 순결한 상태로 남아 있다; 일단 무궁하다고 간주된다면, 그것은 타원형을 제외하고 다른 표상을 가질 수가 없다. 황금 알은 일곱의 자연적인 원소들로 (에테르, 불, 공기, 물) 둘러 쌓여 있으며, "넷이 준비되었고, 셋은 비밀"이다. 비쉬누 푸라나에서 원소들이 "덮개들(Envelopes)"로 번역되고 *비밀의* 하나, "아함-카라(Aham-kara)"가 추가되는 것으로 보일 수 있다. (윌슨의 비쉬누 푸라나, 1 권, p. 40 참조) 원문에는 "아함-카라"가 없다; 원문에서는 마지막 셋을 구체적으로 언급하지 않은 채 일곱 원소들만 말하고 있다. (2 부 "세계 알" 참조)

---

4. (*그러면*) 셋(*삼각형*)이 넷(*사중체*) 속으로 떨어진다. 찬란한 본질이 안에서 일곱으로, 밖에서 일곱으로 된다 (a). 빛나는 알 (*히란야가르바*)은 자체로 셋 (*브라흐마 혹은 비쉬누의 삼위, 세 가지 "아바스타"*)이며 응결되어 하얀 응유로 생명의 대양 속에서 자라는 뿌리, 어머니의 심연으로 두루 퍼진다 (b).

(a) 고대의 모든 성전들 속에서 (푸라나, 이집트의 파피루스, "사자의 서" 그리고 심지어 성서를 보라) 기하학 도형의 사용과 숫자가 빈번하게 언급된 것을 설명해야 한다. 카발라처럼 "잔의 서"에서, 연구되어야 하는 두 종류의 숫자들이 있다—종종 단순한 블라인드인 숫자들과 성스러운 숫자들로, 그것의 값이 입문을 통해서 오컬티스트들에게 모두 알려진다. 전자는 관습적인 그림 문자에 불과하고, 후자는 모든 것의 기본적인 상징이다. 즉, 전자는 순전히 물질적이고, 후자는 순전히 형이상학적으로, 그 둘이 서로 갖는 관계는 물질과 영의 관계와 같다—하나의 질료(ONE Substance)의 양극이다.

프랑스 문학계의 무의식적 오컬티스트인 발자크가 어디선가 말하듯이, 수(Number)와 마인드의 관계는 수와 물질의 관계와 같다: "불가해한 동인;" (아마 세속인에게는 그럴지도 모르지만, 입문한 마인드에는 결코 그렇지 않다) 그 위대한 작가가 생각했듯이, 수는 하나의 실체(Entity)이고, 동시에 그가 신이라 부른 것 그리고 우리가 전체(ALL)라고 부르는 것에서 발산하는 대숨결(Breath)이다; 그 대숨결만이 물질 우주를 유기적으로 구성할 수 있었고, "그 우주에서 모든 것은 신을 통해서만 그 형태를 얻으며, 그것은 수의 영향이다." 이 주제에 대하여 발자크의 말을 인용하는 것이 유익할 것이다: ―

"가장 광대한 창조물처럼 가장 작은 것들 모두가 그것들의 양, 특질, 차원, 힘 그리고 속성으로 서로 구별되지 않아야 하고, 모두가 수(NUMBER)에 의해서 생겨나지 않았는가? 수들의 무한성은 우리 마인드에 증명된 사실이지만, 그것에 대한 어떤 증거도 물리적으로 제시될 수가 없다. 수학자는 수의 무한성이 존재하지만 보여줄 수 없다고 우리에게 말한다. 신은 운동을 부여받은 하나의 수(Number)로, 느껴지지만 나타내 보여주지 못한다. *통일성(Unity)으로써, 그것은 숫자들(Numbers)을 시작하지만, 그것은 숫자들과 아무런 공통되는 것이 없다* . . . 수의 존재는 통일성에 달려 있고, 단 하나의 수 없이도, 모든 수를 생겨나게 한다 . . . 뭐라고! 신이 그대에게 준 최초의 추상성을 측정할 수도 그것을 이해할 수도 없으면서, 그대는 여전히 그 신으로부터 발산하여 나오는 비밀 과학들의 신비를 그대의 척도로 제한하기를 바라는가? . . . . 그리고 만약 내가 그대를 수(Number)를 조직화하는 거대한 힘(Force), 대운동(MOTION)의 심연 속으로 던진다면, 그대는 무엇을 느낄 것인가? 만약 대운동(Motion)과 수(Number)가 [68] 말씀(WORD), 고대 시대에 성서의 세상의 종말의 증인, 신의 거대한 숨결을 감지한 선지자들과 예언자들이 말하는 지고의 이성(Supreme Reason)에 의해서 태어난다고 내가 덧붙인다면, 그대는 어떻게 생각할 것인가?"

---

68 진실로 수(Number)이다; 하지만 결코 대운동(MOTION)이 아니다. 오컬티즘에서 로고스, 말씀(Word)을 낳는 것이 *운동(Motion)*이다.

(b) "빛나는 에센스가 응유로 굳어져서 공간의 심연에 두루 퍼져 나갔다." 천문학적 관점에서 보면, 이것은 설명하기가 쉽다: 그것은 "은하수," 최초 형태 속에 있는 세계-물질 혹은 원초의 물질이다. 하지만 오컬트 과학과 상징학 관점에서, 그것이 가장 복잡한 그림 문자들이기에, 그것을 몇 단어나 몇 줄로 설명하는 것이 더 어려운 일이다. 여기에는 12 개 이상의 상징이 간직되어 있다. 먼저, 신비스러운 사물들의[69] 전체 판테온, 그들 각각은 어떤 분명한 오컬트 의미를 가지고 있으며, 힌두교의 신들이 비유적으로 "대양(바다)을 휘젓는" 것에서 추출되었다. 생명 혹은 불멸의 물, *암리타* 뿐만 아니라, *수라비(Surabhi)*, 즉 "우유와 응유의 샘"으로 불린 "젖이 풍부한 암소"가 이 "우유의 대해(Sea of Milk)"에서 추출되었다. 그래서 암소와 황소를 보편적으로 숭배하는 것이며, 암소는 대자연에 있는 생산력을, 황소는 생식력이다: 이 상징들은 태양신 그리고 우주신들과 연결되어 있다. 오컬트 목적을 위해서 "열 네 가지 귀중한 것들"의 구체적인 속성이 네 번째 입문에서만 설명되기 때문에, 여기에서는 제공될 수가 없다; 하지만 다음과 같이 말할 수는 있다. "사타파타 브라흐마나"에서 "우유의 대양"을 휘젓는 것이 "대홍수" 바로 직후 첫 번째 시대, 사티야 유가에 일어났다고 말하고 있다. 하지만 리그 베다나 마누—둘 다 네 번째 근원 인종 대부분이 겪은 대홍수인 바이바스바타의 "홍수" 이전 시대—어디에서도 이 홍수를 언급하지 않기에, 여기서 의미하는 것은 대홍수도, 아틀란티스를 휩쓸어간 홍수도, 심지어 노아의 홍수도 아니라는 것이 분명하다. 이렇게 "휘젓는" 것은 지구의 형성 이전 기간을 말하고, 다른 보편적인 전설, 즉 다양하고 서로 모순되는 버전들로 기독교 도그마인 "하늘에서의 전쟁"과 천사들의 추락에서 절정을 이루는 것과 직접적인 관련이 있다. (2 권과 계시록 12 장 참조) 똑같은 주제에 관한 그들의 버전을 갖고 (종종 서로 모순되는) 동양학자들이 비난하는 브라흐마나는 탁월하게 오컬트 작품이기에, 그래서 의도적으로 블라인드가 사용되고 있다. 브라흐마나는 일반 대중이 절대로 이해할 수 없었고 현재도 이해할 수 없기 때문에 대중이 사용하고 소유한 결과로 살아남게 된 것이다. 그렇지 않았다면 그것들은 악바르 시대에 이미 사라져버렸을 것이다.

---

69 "열 네 가지 소중한 것들." 그 비유 혹은 우화는 사타파타 브라흐마나와 다른 곳에서 보인다. 일본의 불교 신비가들의 비밀 과학인 *야마부슈*는 "일곱 가지 소중한 것"을 가지고 있다. 이것들을 나중에 말할 것이다.

5. 그 뿌리가 그대로 있고, 그 빛이 그대로 있으며, 그 응유가 그대로 있고 여전히 오이아오호오오 (a)는 하나이다 (b).

(a) "오이아오호오오(OEAOHOO)"는 고대 주석서에서 *"신들의 아버지-어머니 (Father-Mother of the Gods),"* 혹은 하나 속의 여섯(SIX IN ONE), 혹은 *모든 것이 나오는 칠중 뿌리*로 표현되어 있다. 모든 것이 이 일곱 모음에 주는 엑센트에 달려있으며, 하나, 셋 혹은 심지어 "O" 글자 다음에 "e"를 붙여서 일곱 음절로 발음할 수도 있다. 삼중 발음을 완전히 통달하지 못하면 그것이 전혀 효과가 없기 때문에 이 신비한 이름을 제공하는 것이다.

(b) 이것은 활동 상태에 있건 혹은 비활동 상태에 있건, 살고 존재하는 모든 것의 비분리성을 말하는 것이다. 한 가지 의미에서 "오이아오호오오"는 만물의 뿌리 없는 "뿌리(Rootless Root od All)"이다; 따라서 파라브라흐맘(Parabrahmam)과 하나이다; 또다른 의미에서 그것은 현현한 하나의 대생명(ONE LIFE), 즉 영원히 살아 있는 통일성을 나타내는 이름이다. 이미 설명한 것처럼, 그 "뿌리"는 우리가 그것을 파라브라흐맘 혹은 물라푸라크리티로 부르건, 이미 설명되었듯이, 순수 지식 삿트바(Sattva), [70] 영원한 (니티야) 무조건적 실재 혹은 사트(SAT) (사티야)이다. 왜냐하면 그 둘은 하나(ONE)의 두 가지 측면이기 때문이다. 그 "빛"은 똑같이 편재하는 영적인 광선(Spiritual Ray)으로, "신성한 알" 속으로 들어가서 수정시키고, 우주 물질이 장구한 일련의 분화를 시작하게 한다. 응유가 최초 분화이고, 아마도 "은하수"—우리가 아는 물질—의 기원으로 추정되는 그 우주 물질을 언급하고 있다. 원초의 디야니-붓다들로부터 받은 계시에 따르면, 우주의 주기적인 수면 동안에, 완전한 보디삿트바 눈으로 인식할 수 있는 궁극의 희박한 이 "물질"—이 물질은

---

70 이해의 원천은 *사트바(Sattva)*로, 샹카라(차리아)가 안타카라나를 번역한 것이다. "희생과 다른 신성하게 만드는 작용으로 세련된다"고 그가 말한다. 카타 148페이지에서, 삿트바는 붓디(buddhi)—공통으로 사용하는 단어—를 의미하는 것으로 샹카라가 말한다. (카쉬나스 트림박 텔랑이 번역한 "아누기타와 사나츠가티야가 있는 바가바드 기타"; 맥스 뮬러 편집) 다양한 학파에서 그 용어에 어떤 의미를 제시하건, 삿트바 용어는 아리아상가 학파의 오컬트 학생들 사이에서 이중의 모나드 혹은 아트마-붓디에 주어진 명칭이고, 이 세계에 있는 아트마-붓디는 상위계에서 파라브라흠과 물라푸라크리티에 상응한다.

근원적이고 차가우며 우주 운동이 다시 깨어나면 공간에 두루 흩어진다; 지구에서 볼 때, 얇은 우유 속에 있는 응유처럼 덩어리와 무리처럼 보인다. 이것들이 미래 세계들의 씨앗, "별의 물질(Star-stuff)"이다.

---

6. 생명의 뿌리가 불멸 (*암리타*)의[71] 대양의 모든 물방울 속에 있었고 대양은 찬란한 빛으로, 그것은 불과 열과 운동이었다. 암흑이 사라졌고 더 이상 존재하지 않았다.[72] 그것은 불과 물의 체, 아버지와 어머니의 체, 자신의 본질 속으로 사라졌다 (a).

(a) 암흑의 본질이 절대적 빛이기 때문에, 암흑이 프랄라야 동안, 혹은 절대적 휴식 기간 동안, 혹은 유한한 마인드에게 보이는 비존재 기간 동안, 우주의 상태를 우화적으로 적합하게 표현한 것으로 간주된다. 여기서 말하는 "불," "열," 그리고 "운동"은 물론 물질과학에서 말하는 불과 열 그리고 운동이 아니라, 이런 물질 현현 본질의 본체 혹은 혼 혹은 근저에 놓여 있는 추상성이다—근대 과학이 인정하듯이, 실험실 도구로는 전혀 관찰하지 못하고, 이런 사물의 근저를 이루는 본질이 존재해야만 한다는 결론을 또한 피할 수 없더라도, 마인드조차 파악할 수가 없는, "사물 자체"이다. 불과 물, 혹은 아버지[73] 그리고 어머니는 여기서 신성한 광선과 카오스를 의미하는 것으로 볼 수 있다. "카오스는 감각을 얻는 영과의 이런 합일로 기쁘게 빛났고, 이렇게 (최초 태어난 빛) 프로토고노스(Protogonos)가 생겼다"고 헤르마스 단편에서 말한다. 다마스시우스는 "신통기"에서 그것을 디스(Dis)로 부른다—"만물의 처리자." (코리의 "고대의 단편," p. 314 참조.)

---

71 암리타(Amrita)는 "불멸"이다.
72 스탠저 1번 주석 참조.
73 "관-세-음(Kwan-Shai-Yin)" 참조. 원문에서 진짜 이름을 제공할 수 없다.

장미십자회 교의에 의하면, 세속인들이 부분적이나마 한번 올바르게 설명하고 다루었듯이, "빛과 암흑은 그 자체로 동일하지만, 인간의 마인드 속에서만 나누어질 뿐이다;" 그리고 로버트 플러드에 따르면, "암흑은 자신을 불 수 있도록 하기 위해서 광명(빛)을 선택하였다." (*장미십자가에 대하여*) 동양의 오컬티즘 교리에 의하면, 암흑(Darkness)이 빛의 토대이자 뿌리인 하나의 진정한 실재성으로, 그것이 없으면 빛이 결코 현현할 수 없고 심지어 존재할 수도 없다. 빛은 물질이고, 암흑은 순수 영이다. 암흑은 근본적 형이상학적 토대로 주관적 그리고 절대적 빛이다; 반면에 후자는 결코 영원할 수 없기에 하나의 환영 혹은 마야로 겉으로 보이는 광휘와 영광 속에서 단지 그림자 덩어리이다.

심지어 마인드를 혼란스럽게 만드는 그리고 과학을 괴롭히는 창세기에서 조차도, 빛이 암흑에서 창조되고 "암흑이 심연의 표면 위에 있었다" (창세기 1 장 2 절)—그 반대가 아니다. "그 속에 (암흑 속에) 생명이 있었다; 그리고 그 생명은 인간의 빛이었다." (요한복음 1:4) 인간의 눈이 열릴 날이 올 것이다; 그리고 그때 그들은 요한복음에 있는 "그리고 빛이 어둠 속에 환하게 빛나고; 그리고 어둠은 그것을 알지 못했다"라는 구절을 지금보다 더 잘 이해할 수 있을 것이다. 그때 그들은 "암흑"이라는 단어가 인간의 영적 시력에 적용되지 않고, 인간의 눈이 아무리 초월적일지라도, 일시적인 빛을 이해하지 (인식하지) 못하는 "암흑," 절대자에 적용된다는 것을 이해하게 될 것이다. *데몬은 데우스가 뒤집어진 것이다(Demon est Deus inversus).* 악마(devil)가 지금 교회에서 암흑으로 불리고, 반면에 성서에서 그가 "신의 아들(Son of God)" (욥기 1:6), 새벽의 밝은 별, 루시퍼(Lucifer)라고 불린다. (이사야 14:12) 카오스의 심연에서 나온 최초 대천사가 럭스(Lux) (루시퍼), "아침의 빛나는 아들(Luminous Son of the Morning)," 혹은 만반타라 새벽으로 불린 이유 속에는 독단적인 교활함의 전체 철학이 있다. 최초 대천사가 교회에 의해서 루시퍼 혹은 사탄으로 변형되었다. 왜냐하면 그가 여호와보다 더 높고 더 오래되었으며, 새로운 도그마에 희생되어야 했기 때문이다. (2 권 참조.)

---

7. 보아라, 오 라누여![74] 그 둘의 찬란한 아이, 견줄 데 없이 찬란히 빛나는 영광, 밝은 공간, 어두운 공간의 아들이 거대한 어두운 물에서 나타난다. 그것이 오이아오호오오, 젊은이, * * * (*그대가 이제 관-세-음으로 아는*)이다 (a). 그는 태양으로서 빛을 발한다. 그는 활활 타오르는 지혜의 신성한 용이다. 에카는 차투르 (*넷*)이고, 차투르가 스스로 셋을 취한다. 그리고 그 합일이 그 속에서 일곱인 삽타 (*일곱*)를 만들며 그것이 트리다사 [75] (세 번의 10) 무리들과 다수로 된다 (b). 베일을 들어올리고, 그것을 동에서 서로 펼치는 그를 보아라. 그가 위를 막아 버리고 아래를 거대한 환영으로 보이게 남겨둔다. 그가 빛나는 자들 (*별들*)의 장소를 표시하고 위 (*공간*)를 끝없는 불의 바다로 바꾸며, 현현된 하나 (*원소*)를 거대한 물로 바꾼다 (c).

(a) "빛나는 공간, 어두운 공간의 아들"은 새로운 "새벽" 최초 떨림에 거대한 우주 심연 속으로 떨어진 광선(Ray)에 상응한다. 그 우주 심연에서 더 어린 오이아오호오오 ("새로운 생명")로서 분화된 재 다시 출현하여, 생명 주기가 끝날 때까지 만물의 씨앗이 된다. 그는 "자신 속에 신성한 이데아(Idea)를 간직하고 있는 무형의(Incorporeal) 인간"이다—필로 유데우스의 표현을 사용하면, 빛과 생명의 생성자이다. 그는 "활활 타오르는 지혜의 용(Blazing Dragon of Wisdom)"으로 불린다. 왜냐하면 첫째 그는 그리스 철학자들이 로고스(Logos), 신성한 생각의 말씀(Verbum)으로 부른 그것이고, 둘째 에소테릭 철학에서 이 첫 번째 현현이 보편 대지혜(Universal Wisdom), 오이아오호오오, "아들의 아들(Son of the Son)"의 종합 혹은 전체로 자신 속에 일곱 창조 무리 (세피로스)를 가지고 있으며, 이렇게 현현한 지혜의 본질이기 때문이다. "오이아오호오오 빛 속에 목욕하는 자는 마야의 베일로 결코 현혹되지 않을 것이다."

---

74 라누(Lanoo)는 실천적 비의 가르침을 공부하는 학생, 제자이다.
75 트라이-다사(Tri-dasa) 혹은 10의 세 배는 대략 혹은 더 정확히 33으로—성스러운 숫자—베다의 신들을 암시한다. 그들은 12 아디티야, 8 바수, 11 루드라 그리고 태양과 하늘의 쌍둥이 아들 아스윈(Aswin)이다. 이것이 3.3억 혹은 3억이 넘는 여신과 남신들을 열거하는 힌두 신전의 기초 숫자이다.

관-세-음은 산스크리트어 *아발로키테쉬와라*와 동일하고 상응어이다. 그래서 그는 테트라그라마톤 그리고 고대의 모든 로고스들처럼,[76] 자웅동체의 신이다. 중국의 일부 종파에서만 그가 인격화되어 여성의 속성들을[77] 가진 것으로 나타내며, 그의 여성 측면 하에서, 그는 "신성한 목소리(Divine Voice)"로[78] 불리는 자비의 여신, 관-음(Kwan-Yin)으로 된다. 관음은 티벳과 중국 푸토 섬의 수호신이고, 거기에는 두 신의 많은 사원들이[79] 있다. (2 부 "관-세-음과 관-음" 참조)

(b) "지혜의 용(Dragon of Wisdom)"은 하나(One), "에카(Eka)" (산스크리트) 혹은 사카(Saka)이다. 히브리어에서 여호와 이름도 하나(One), 에코드(Echod)라는 것이 특이하다. "그의 이름은 에코드이다"라고 랍비들이 말한다. 언어학자들은 언어적으로 그리고 상징적으로 이 둘 중 어느 것이 다른 것에서 유래되었는지 결정해야 한다. 확실히 산스크리트어가 히브리어에서 나온 것은 아니다. "하나(One)"와 용은 고대인들이 그들의 로고스들과 관련해서 사용한 표현이다. 여호와—비의적으로 (엘로힘으로써)—도 이브를 유혹한 뱀 혹은 용이고, 그 "용"은 "카오스의 지혜," "아스트랄 빛" (원초의 원리)을 나타내는 고대의 그림문자이다. 태고의 철학은

---

76 그래서 고대의 모든 높은 신들은 "아버지"의 아들들로 되기 전에 "어머니의 아들들"이다. 로고스들도 "무한한 시간" (혹은 칼라), 크로노스-새턴의 아들, 주피터나 제우스처럼 그들 기원에서 남성-여성으로 나타내어진다. 제우스가 "아름다운 처녀"라고 말해지며, 비너스가 수염을 가진 모습으로 그려진다. 아폴로는 기원상 양성이고, 마누와 푸라나에 나오는 브라흐마-바크도 그렇다. 오시러스와 아이시스를 서로 바꿀 수 있고, 호루스도 양성이다. 마지막으로 성 요한의 요한계시록에서, 이제 예수와 연결된 로고스의 모습이 자웅동체이다. 왜냐하면 그가 여성의 가슴을 가진 것으로 묘사되기 때문이다. 마찬가지로 테트라그라마톤=여호와. 그러나 비의적 가르침에서 두 가지 아발로키테쉬와라가 있다: 첫째 로고스 그리고 둘째 로고스.

77 요즘 같은 과학과 정치의 시대에도 어떤 종교적 상징이건 신성 모독과 심지어 경멸을 피할 수가 없다. 남인도에서 작가는 여성 옷을 입은 채 코에 코걸이를 한 예수상 앞에서 푸자를 하는 개종한 원주민을 보았다. 그 모습(가장)의 의미를 물었을 때, 열광적 개종자가 두 개의 동상 혹은 개종하지 않은 힌두인이 부르는 "우상"을 살 돈이 없었기 때문에, 파드리 허락으로 그것이 예수-마리아가 하나로 합쳐진 것이라는 답을 들었다. 교조적인 기독교인에게 이것이 신성 모독처럼 보일 것이지만, 오컬티스트와 신지학도는 개종한 힌두인에게 논리상을 주어야 한다. *그노시스*에서 비의적 크리스토스(Christos)는 물론 성이 없지만, 대중적 신학에서 그는 남성과 여성이다.

78 그노시스의 소피아, 오그도아드(Ogdoad)의 "어머니"인 "지혜"—어떤 의미에서 여덟 아들을 가진 아디티—는 고대 체계에서처럼 성령이자 만물의 창조자이다. 아버지는 훨씬 뒤에 만들어진 것이다. 최초 현현된 로고스는 모든 곳에서 여성이다—일곱 행성 힘의 어머니.

79 결론이 종종 틀리지만, 항상 맞는 사실을 제공하는 J. C. 에드킨의 "중국 불교" 참조.

선이나 악을 근본적인 혹은 독립된 힘으로 인식하는 것이 아니라, (영원히 보편적 완성) 절대적 전체(Absolute ALL)로부터 시작하는 것으로 인식하며, 둘 다 자연의 진화 과정을 통해서 순수 빛이 점진적으로 응결하여 형태로 되고, 그래서 물질 혹은 악으로 되는 것으로 거슬러 올라갔다. 철학적이고 고도로 과학적인 이 상징(용)의 개념을 "악마(Devil)"로 부르는 터무니없는 미신으로 비하시킨 것이 초기의 무지한 기독교 교부들이었다. 그들은 그것을 후대 조로아스터교도로부터 받았고, 이들이 힌두교 데바들 속에서 악마 혹은 악으로 보았으며, 그리고 악(Evil)이라는 단어가 이렇게 이중의 변형으로 모든 언어에서 악마(D'Evil)—디아볼로스(Diabolos), 디아블(Diable), 디아볼로(Diavolo), 튜플(Teufel)—로 되었다. 그러나 이교도들은 그들의 상징들 속에서 항상 철학적인 분별력을 보여주었다. 뱀의 원시적 상징은 신성한 지혜와 완성을 상징하였고, 심령적 재생과 불사를 항상 나타내었다. 그래서 헤르메스는 뱀을 만물 중에서 가장 영적인 것이라고 불렀다; 모세는 헤르메스 지혜로 입문을 받아서 창세기에 있는 전례를 따랐다; 더욱이 머리 위에 일곱 모음이 있는 그노시스 뱀은 일곱 창조자 혹은 행성 창조자들의 일곱 하이어라키의 상징이다. 그래서 힌두교의 뱀 세샤 혹은 아난타, "무한자(Infinite)"는 비쉬누 이름 중 하나로, 원초의 물에서 비쉬누의 최초 매개체가 바로 이 뱀이다. [80] 그럼에도 그들은 모두 선한 뱀과 악한 뱀 (카발리스트들의 아스트랄 빛)으로 구분하였다—전자는 영계에 있는 신성한 지혜의 화신 그리고 후자는 물질계에 있는 악으로. [81] 예수는 뱀을 지혜의 동의어로 받아들였고, 이것이 "그대 뱀처럼 지혜로워라"라는 그의 가르침의 일부가 되었다. "태초에, 어머니가 아버지-어머니로 되기 전에, 불의 용이 무한 속에서 홀로 움직였다." (*사르파라즈니의 서*) 아이타레야 브라흐마나는 지구를

---

80 하지만 권능들의 하이어라키와 로고스들처럼, "뱀들"을 서로 구분해야 한다. "비쉬누의 긴 의자" 세샤 혹은 아난타는 비유적 추상화로, 공간 속에서 무한한 시간을 상징한다. 그 공간은 씨앗을 간직하고 있으며 주기적으로 그 씨앗을 개화시키는, 즉 현현된 우주를 만들어낸다; 반면에 그노시스 *오피스(Ophis)*도 고대 가르침의 하나(One), 셋(Three) 그리고 일곱 음절의 *오이아오호오오(Oeaohoo)*로써 일곱 모음 속에 똑같은 삼중의 상징을 간직하였다; 즉, 하나의 미현현한 로고스, 두 번째 현현한 로고스, 삼각형이 사중체 혹은 테트라그라마톤으로 구체화되고, 이것이 물질계 광선들로 된다.

81 고대 이교도들의 에테르 혹은 아스트랄빛은 (아스트랄빛이라는 이름은 근대 이름이다) 영-물질(Spirit-Matter)이다. 순수한 영계에서 시작하여, 그것이 하강하면서 마야 혹은 우리가 있는 계에서 유혹하고 기만하는 뱀으로 될 때까지 점점 더 조밀해진다.

사르파라즈니, 즉 "뱀 여왕(Serpent Queen)" 그리고 "움직이는 만물의 어머니"라고 부른다. 우리의 지구가 (그리고 우주도) 알 형태의 둥근 모습으로 되기 전에, "긴 꼬리의 우주 먼지 (혹은 불의 안개)가 공간 속에서 뱀처럼 움직이며 꿈틀거렸다." "카오스 위에서 움직이는 신의 영(Spirit of God)"은 원초의 물위로 불과 빛을 내뿜는 불의 뱀 형상으로 모든 나라에서 상징되었으며, 결국에는 그것은 우주 물질을 부화시켰고 그것이 입에 꼬리를 물고 있는 고리 모양의 뱀 형태를 가지게 되었다— 이것은 영원(Eternity)과 무한성(Infinitude)을 상징할 뿐만 아니라, 그 불의 안개로부터 우주 속에서 형성된 둥근 모든 체들의 타원형 형상을 상징한다. 우주뿐만 아니라 지구와 인간도 뱀처럼 주기적으로 오래된 껍질을 벗어버려서 잠시 휴식을 취한 후에 새로운 것을 입는다. 뱀은 확실히 인간 혼, 그리스의 프시케(Psyche)의 상징인 나비가 나오는 애벌레와 번데기 못지 않게 덜 우아하거나 더 시적이지 않은 이미지이다. "용"은 그노시스파처럼 이집트에서 로고스의 상징이었다. "헤르메스의 서"에서, 피만더, 서구 대륙의 로고스들 중에서 가장 오래되고 가장 영적인 로고스가 헤르메스에게 "빛(Light), 불(Fire) 그리고 불기둥(Flame)"의 불의 용의 모습으로 나타난다. 피만더, 인격화된 "신성한 생각(Thought Divine)"이 말한다: 그 빛이 나고, 나는 누스(Nous) (마인드 혹은 마누)이다, 나는 그대의 신이고, 나는 그림자 ("암흑" 혹은 숨겨진 신)로부터 탈출한 인간 원리보다 훨씬 더 오래되었다. 나는 생각의 씨앗, 눈부시게 빛나는 *말씀(Word)*, 신의 *아들(Son* of God)이다. 이렇게 그대 속에서 보고 듣는 모든 것이 주인(Master)의 *말씀(Verbum)*이고, 그것은 신, 아버지인 생각 (*마하트*)이다.[82]

천상의 대양, 아에테르(AEther) . . . 는 아버지의 *대숨결*, 생명을 주는 원리, *어머니*, 성령이다, . . .왜냐하면 이것들은 분리되지 않으며, 그들 합일이 대생명이기 때문이다.

지금 설명되듯이, 여기서 우리는 틀림없이 태고의 씨크릿 독트린의 메아리를 발견한다. 씨크릿 독트린만이 생명의 진화와 첫 머리에 세 번째로 오고 "어머니의

---

82 "신, 아버지"는 여기서 인간과 대우주 속에 있는 일곱 번째 원리를 분명하게 의미한다. 이 원리는 그 에세(Esse)와 성질(Nature)에서 일곱 번째 우주 원리와 분리될 수 없다. 한 가지 의미에서 그것은 그리스의 로고스이고 비의 불교도들의 아발로키테쉬와라이다.

아들(Son of the Mother)"인 "아버지(Father)"가 아니라, "만물(ALL)의 영원하고 멈춤 없는 대숨결"을 놓는다. *마하트* (이해, 보편 마인드, 생각 등)는 그것이 브라흐마 혹은 시바로써 현현하기 전에 비쉬누로 나타난다고 상기야 사라(p. 16)에서 말한다; 그래서 *마하트*는 로고스처럼, 여러 측면을 가지고 있다. *마하트*는 *1 차(Primary)* 창조에서 주(Lord)라고 불리며, 이런 의미에서 보편 인식(Universal Cognition) 혹은 *신성한 생각(Thought Divine)*이다; 하지만, "처음 만들어진 그 마하트"가 *두 번째* 창조라고 말하는 그것이 "나(I)"로서 태어날 때, *자아-상태(Ego-ism)로* (나중에) 불린다. (*아누기타*, 26 장) 그리고 (유럽의 동양학자가 아니라, 유능하고 박식한 브라만) 번역자가 각주(6)에서 다음과 같이 설명한다: "즉, 마하트가 자의식 느낌— 나(I)—으로 계발할 때, 그때 마하트는 자아상태라는 이름을 취한다." 이것은 비의 철학 용어로 번역하면, *마하트*가 인간 *마나스로* (혹은 심지어 유한한 신들의 마나스로) 변형될 때, *아함-*상태(*Aham-*ship)가 된다는 의미이다. 왜 그것을 두 번째 창조 (혹은 비쉬누 푸라나에서 *쿠마라*의 창조, *아홉 번째*의 *마하트*로 부르는지에 대해서는 SD 2 권에서 설명될 것이다. 그러면 "불의 바다(sea of Fire)"는 초-아스트랄 (즉, 본체) 빛으로, *뿌리*, 불라푸라크리티, 미분화된 우주 질료에서 나온 최초 방사이며, 이것이 *아스트랄* 물질로 된다. 그것이 위에서 묘사되었듯이 "불의 뱀(Fiery Serpent)"으로도 불린다. 만약 학생이 하나의 보편 대원소(One Universal Element)만 있고, 이것이 무한하고 불생불사이며, 나머지 모두—현상계에 있는 것처럼—가 대우주에서 소우주의 영향에 이르기까지, 초인에서 인간과 하위인간에 이르기까지, 간단히 말해서 객관적 존재의 총합이 모두 그 하나(One)의 아주 많은 다양한 분화된 측면들이자 변형들 (소위 상관관계로 부른다)에 불과하다는 것을 명심한다면, 그러면 제일 주요한 어려움이 사라질 것이고 오컬트 우주론을 숙달할 수 있을 것이다.[83] 동양과 서양 모든 카발리스트들과 오컬티스트들은 (a) "아버지-어머니"가 원초 *아에테르* 혹은 *아카샤* (아스트랄 빛)와 동일성, 그리고 (b) 우주적으로 *포하트*인 "아들"의 진화 이전의 동질성을 인정한다. 포하트는 우주적 전기이다. "포하트가 일곱 형제들을 굳게 하여 흩어지게 한다." (SD 3 권, *잔*); 이것은 원초의 전기적

---

83 인도 신통기처럼 이집트 신통기에서도 *숨겨진* 신, 하나(ONE)가 있고, 창조신은 양성의 신이다. 이렇게 *슈(Shoo)*는 창조신이고 오시리스는 원래 일차 형태에서 "그 이름이 알려지지 않은 신"이다. (마리에트의 아비도스 II, p. 63와 3군 pp. 413, 414, 1122번 참조.)

대실체—왜냐하면 동양 오컬티스트들은 전기가 하나의 실체라고 주장하기 때문이다—가 전기를 통해서 생명으로 되고, 원초의 질료 혹은 발생이전 물질을 분리시켜서 원자들로 만들며, 그것들 자체가 모든 생명과 의식의 근원이라는 것을 의미한다. "모든 형태들과 생명에 *독특한* 보편적 *인자가* 존재하며, 그것은 오드(Od), [84] 오브(Ob) 그리고 오르(Aour)로 부르며, 활동적이고 수동적이며, 낮과 밤처럼, 양성과 음성이다: 그것이 창조에서 최초 빛이다"(엘리파스 레비의 카발라): —원초의 엘로힘의 최초 빛—"남성과 여성," 아담—혹은 (과학적으로) 전기(ELECTRICITY)와 대생명(LIFE)이다.

(c) 고대인들은 그것을 뱀으로 나타냈다. 왜냐하면 "포하트가 이리저리 미끄러져 (지그재그로) 가면서 쉿 소리를 내기 때문이다." 카발라는 그것을 히브리 문자 테트(Teth) 🐍 로 그리고, 그 상징이 신비의식에서 중요한 역할을 했던 뱀이다. 테트의 보편적인 값은 9 이다. 왜냐하면 그것이 알파벳의 아홉 번째 글자이고 숨겨진 존재의 신비로 이끄는 50개 문들 중에서 아홉 번째 문이기 때문이다. 그것은 탁월한 마법 인자이며, 헤르메스 철학에서 "원초 물질 속으로 주입된 생명," 만물을 구성하는 본질 그리고 그것의 형태를 결정하는 영을 가리킨다. 그러나 두 가지 비밀스러운 헤르메스적 작용이 있으며, 하나는 영적이고, 다른 하나는 물질적-상관관계적인 것으로, 두 가지는 언제나 결합되어 있다. "불에서 땅을, 딱딱한 것에서 정묘한 것을 분리시켜라 . . . 땅에서 하늘로 상승하고 하늘에서 땅으로 다시 하강하는 그것. 그것 (정묘한 빛)은 모든 힘 중에서도 강력한 힘이다. 왜냐하면 그것이 모든 정묘한 것을 정복하고 모든 단단한 것에 침투하기 때문이다. 이렇게 세계가 형성되었다." (*헤르메스*)

---

84 오드(Od)는 순수한 생명을 주는 빛 혹은 자성액이다; 오브(Ob)는 마법사들이 사용한 죽음의 메신저, 흉악하고 사악한 유액이다; 오르(Aour)는 그 둘의 통합으로 순수한 아스트랄빛이다. 언어학자들이 왜 오드(Od)—활력 유액을 명명하는 라이헨바흐가 사용한 용어—가 티벳어로 빛, 밝음, 광휘를 의미하는지 말해줄 수 있을까? 그것은 오컬트 의미에서 "하늘(Sky)"도 의미한다. 그 단어의 뿌리가 어디서 온 것일까? 그런데 *아카샤(Akasa)*는 *에테르(Ether)*가 아니고, 그것보다 훨씬 높은 것이라는 것을 보여줄 것이다.

우주의 1 차 질료가 불의 상태에서 공기 상태로, 그리고 물 등으로 변형될 때, 우주가 진화한다고 가르친 사람은 스토아 학파의 창시자 제논 뿐만이 아니었다. 에페수스의 헤라클레이투스는 대자연 속의 모든 현상 근저에 있는 하나의 원리가 불이라고 주장하였다. 우주를 움직이는 지성은 불이고, 불은 지성이다. 그리고 한편 아낙시메네스는 공기 (바람)에 대하여 똑같이 말했고, 밀레투스의 탈레스는 (기원전 600 년) 물에 대하여 같은 말을 하였지만, 비의 가르침에서는 각자 주장이 옳더라도 어느 체계도 완전하지 않다는 것을 보여줌으로써 모든 철학자를 조화시킨다.

---

8. 배아는 어디에 있었나, 그리고 지금 암흑은 어디에 있었나? 오 제자여, 그대의 램프 속에서 타는 그 불기둥 영은 어디에 있는가? 배아가 그것이고, 그것이 빛이다; 즉, 숨겨진 어두운 아버지의 찬란한 흰색 아들 (a).

(a) 첫 번째 질문에 대한 답이 두 번째 질문으로 암시되어 있으며, 이것은 스승이 제자에게 대답한 것으로, 한 구절 속에 오컬트 철학의 가장 본질적인 진리 중에 하나를 담고 있다. 그것은 이런 육체의 감각들 자체에 호소하는 것들보다 더 실재적이고 더 영속적인, 훨씬 더 중요한 것들로 우리의 육체 감각들로 지각될 수 없는 것들의 존재를 나타내는 것이다. 제자가 첫 번째 질문에 포함된 초월적 형이상학적 문제를 이해할 수 있기 전에, 그는 두 번째 질문에 대답할 수 있어야 한다. 한편 두 번째 질문에 대한 제자의 답이 첫 번째 질문에 대한 올바른 대답의 실마리를 주게 될 것이다.

이 스탠저에 대한 산스크리트어 주석에서, 숨겨진 그리고 드러나지 않은 원리에 대하여 사용된 용어가 많이 있다. 인도 문헌의 가장 초기 사본에서, 드러나지 않은 이(Unrevealed) 추상적 신성은 이름이 없다. 그것은 일반적으로 *"그것(That)"* (산스크리트어 *Tad*)으로 불리며, 현재 존재하고, 과거에 존재하였으며, 미래에 존재할 모든 것 혹은 인간 마인드로 받아들일 수 있는 모든 것을 의미한다.

"헤아릴 수 없는 암흑(Unfathomable Darkness)," "회오리바람(Whirlwind)" 같은 에소테릭 철학에서만 주어진 그런 명칭들 중에서, 그것은 또한 "칼라한사의 그것(It of the Kalahansa), 칼라-함-사(Kala-ham-sa)," 그리고 심지어 "칼리-함사(Kali Hamsa)(검은 백조)로도 불린다. 여기서 m 과 n 은 서로 바꿀 수 있다. 그리고 둘 다 불어의 an 혹은 am 또는 en 혹은 em (*Ennui, Embarras* 등)의 비음처럼 소리 난다. 히브리어 성서처럼, 산스크리스트어로 된 많은 신비한 성스러운 이름들이 일반 사람들에게는 보통의 말이나 종종 저속한 말만 전달할 뿐이다. 왜냐하면 그 이름은 철자를 바꾼 어구 혹은 다른 방법으로 숨겨져 있기 때문이다. 한사 혹은 비의적으로는 "함사"라는 이 단어가 바로 그런 경우이다. 함사는 아-함-사(a-ham-sa)와 똑같고, 이 세 단어는 (영어로) "나는 그이다(I am he)"라는 의미이다. 반면에 다른 방식으로 나누면 그것을 "소-함(So-ham)," "그는 나다(he (is) I)"라고 읽는다—소함(Soham)은 사(Sah), "그(he)"와 같고 아함(aham), "나" 혹은 "나는 그이다(I am he)"와 같다. 이것 속에만 보편적 신비, 지혜의 언어를 이해하는 사람에게, 인간의 본질과 신의 본질의 동일성의 가르침이 간직되어 있다. 그래서 칼라한사 (혹은 함사)의 비유와 상형문자 그리고 중성 브라흐마 (후에 남성 브라흐마)에게 주어진 "한사-바하나(Hansa-Vahana)," 즉 "한사를 그의 매개체로 사용하는 자"란 이름이 주어진 것이다. 똑같은 단어를 "칼라함-사(Kalaham-sa)" 혹은 시간의 영원 속에서 "나는 나다(I am I)"로 읽을 수 있는데, 성서 또는 오히려 조로아스터교에서 말하는 "나는 나다(I am that I am)"와 일치하는 것이다. 똑같은 가르침이 카발라에서도 발견되는데, 박식한 카발리스트인 리델 맥그레고 매터스의 미출판된 원고에서 다음을 발췌한 것이다: "세 개 대명사 אוה, התא, ינא. , 호아(Hoa), 아타(Atah), 아니(Ani); 그(He), 그대(Thou), 나(I)가 유대인 카발라에서 '매크로프로소푸스'와 '마이크로프로소푸스'의 개념을 상징하기 위해서 사용된다. 호아(Hoa), "그(He)"는 숨겨지고 감춰진 매크로프로소푸스에 적용된다; 아타(Atah), "그대(Thou)"는 마이크로프로소푸스에 해당된다; 그리고 아니(Ani), "나(I)"는 그가 말하는 것으로 나타날 때 적용한다. (*작은 성총회*, p. 204 이하 참조) 이 이름들 각각은 세 글자로 구성되고, 알레프 글자 א , A 는 첫 번째 단어 호아(Hoa)의 끝맺음을 그리고 아타(Atah)와 아니(Ani)의 시작을 구성해서, 마치 그들 사이에 연결고리와 같다는 것을 주목해야 한다. 그러나 알레프 א 는 통일성의 상징이고, 따라서 이 모든 것들을 통해서 작용하는 신의 불변의 이데아(Idea)의 상징이다. 그러나 호아라는 이름에 있는 알레프 א 뒤에, י 와 ה 글자, 6 과 5, 남성과 여성, 핵사그램과 펜타그램의 상징이 있다. 그리고 이 세 단어 호아, 아타 그리고 아니의 수는 12, 406 그리고 61 이며, 테무라의 해설 규칙의 한 형태인 아홉 개 방(Nine Chambers)의 카발라에 의하면, 핵심 숫자인 3, 10 그리고 7 에서 되풀이된다."

그 신비를 충분하게 설명하려고 시도하는 것은 아무 소용이 없다. 물질주의자와 근대 과학자들은 그것을 결코 이해하지 못할 것이다. 왜냐하면 그 신비에 대하여 명확한 인식을 얻기 위해서, 그들은 먼저 대자연 속에 보편적으로 퍼져 있는, 편재하는 영원한 신성의 공리를 인정해야 하기 때문이다; 둘째로 그것의 진정한 본질에서 전기의 신비를 이해해야 하기 때문이다; 그리고 셋째로 인간이 지상에서 하나의 거대한 단위(One Great UNIT) (로고스), 자체로 일곱 모음의 기호, 말씀(WORD)으로 결정화된 대숨결(Breath)의[85] 칠중 상징이라는 것을 인정해야 하기 때문이다. 이 모든 것을 믿는 사람은 오컬티즘과 카발라의 일곱 행성과 십이궁이 복합직으로 조합된 것을 믿어야 한다; 또한 우리가 하듯이, 각각의 행성과 성좌에, (프랑스 오컬티스트) 앨리 스타의 말대로, "유익하건 혹은 해를 주건, 그것에 고유한 어떤 영향력을 부여해야 하며, 그리고 이것은 그것을 지배하는 행성영에 따라서, 행성영과 조화를 이루고 친화력을 가진 사람과 사물들에 영향을 줄 수 있다는 것을 믿어야 한다." 이런 이유 때문에 그리고 앞의 말을 믿는 사람이 거의 없기 때문에, 지금 줄 수 있는 전부는 두 경우에서 한사(Hansa)의 상징 ("나"이건, "그"이건, 거위이건 백조이건)이 중요한 상징으로, 예를 들면 신성한 지혜, 즉 인간이 도달할 수 없는 암흑 속의 대지혜를 나타낸다고 말할 뿐이다. 대중적 목적으로, 한사(Hansa)는 모든 인도인이 알듯이, 굉장한 새로, 먹이로 우유를 물과 섞어서 주면 (비유로) 그 둘을 나누어서, 물은 남기고 우유만 먹는다; 이렇게 내재하는 지혜를 보여준다—우유는 상징적으로 영을, 그리고 물은 물질을 나타낸다.

---

85 이것은 피히테 및 독일 범신론자들 가르침과 비슷하다. 피히테는 예수를 인간의 영과 신-영(God-Spirit)의 통일성을 (아드바이타 가르침) 혹은 보편 원리의 통일성을 고취시킨 위대한 교사로 존경한다. 태고의 동양 철학에서 예상되지 않은 단 하나의 추론이라도 서구 형이상학에서 찾기가 어렵다. 칸트에서 허버트 스펜서에 이르기까지, 그것은 일반적으로 드바이타, 아드바이타, 그리고 베단타 가르침이 왜곡된 메아리이다.

이 우화가 매우 오래 되었으며 아득한 고대 시대까지 거슬러 올라간다는 것이 "함사(Hamsa)" 혹은 "한사(Hansa)"로 불린 어떤 카스트에 관하여 (바가바타 푸라나에) 언급된 것으로 알 수 있으며, 그것은 탁월한 "하나의 카스트"였다; 망각된 과거의 안개 속 저 멀리 힌두인들 사이에서 "하나의 베다, 하나의 신, 하나의 카스트"만 있을 때였다. 또한 고대 문헌에서 메루 산 북쪽에 위치한 것으로 묘사된 "함사"라고 부른 그리고 종교적 비의와 입문의 역사에 속하는 일화들과 연결된 히말라야에 있는 산맥이 하나 있다. 동양학자들이 가지고 있는 대중적 문서와 번역에서, 칼라-한사의 이름을 브라흐마-프라자파티의 매개체로 추정하는 것에 대하여, 그것은 전혀 그렇지 않다. 그들은 중성 브라흐마를 칼라-한사로 부르고, 남성 브라흐마를 한사-바하나(Hansa-Vahana)로 부른다. 왜냐하면 확실히 "그의 매개체 혹은 바한(Vahan)이 백조 혹은 거위이기" 때문이다. ("힌두 고전사전" 참조) 하지만 이것은 순전히 대중적 억지 해석이다. 비의적으로 그리고 논리적으로 말하면, 브라흐마, 무한자(infinite)가 동양학자들이 묘사한 전부라면, 즉 베단타 원문과 일치하듯이, 인간의 속성들로 결코 묘사할 수 없는 추상적 신이고, 그리고 그 브라흐마가 여전히 칼라-한사라고 주장한다면, 그러면 그것이 어떻게 현현된 유한한 신, 남성 브라흐마의 바한이 될 수 있겠는가? 그것은 그 정반대이다. 그가 원초의 광선의 방사로 그 신성한 광선의 바한 혹은 매개체로써 역할을 하게 되듯이, 그 "백조 혹은 거위" (한사)가 그 남성 신 혹은 일시적인 신의 상징이다. 그렇지 않으면 하여튼 인간의 지성으로 볼 때, 역설적으로, 그 자체가 "암흑"의 방사이기 때문에, 자신을 우주 속에 현현시킬 수가 없다. 그래서 브라흐마는 칼라-한사이고, 그 광선(Ray)은 한사-바하나이다.

고대인이 선택한 그 이상한 상징도 똑같이 암시적이다; 진정한 신비적 중요성은 "심연"의 원초적 바다로 나타내어진 보편적 매트릭스 (모체)에 대한 생각 혹은 자체 속에 다른 일곱 창조 광선 혹은 힘 (로고스들 혹은 건설자들)을 간직하는 그 하나의 광선 (로고스)을 받아들이고 이후에 내보내기 위한 틈 (구멍)을 나타낸다. 그래서 장미십자회가 수생의 물새—일곱 마리 새끼를 가진 백조이건 펠리칸이건 [86] —를

---

86 그 새의 속(genus)이 *백조속(cygnus), 기러기속(anser)* 혹은 *펠리칸속(pelecanus)*이건, 그 물새가 영처럼 물 위에서 떠다니거나 움직이면서, 다른 존재들을 낳기 위하여 그 물에서 나오는 수생의 새이기 때문에, 그것은 중요한 문제가 아니다. 장미십자회의 18도 상징의 중요성이 바로

상징으로 선택하였고, 그것이 모든 나라 종교에 맞게 수정되고 조정되었다. 앤-소프(En-Soph)는 "수의 서"에서 "펠리칸의 불의 혼"으로 불린다.[87] (2 부, "숨겨진 신성: 그 상징과 그림문자" 참조) 그것은 만반타라 마다 나라얀(Narayan) 혹은 스와얌부바 (자존자)로써 나타나서, 세계 알 속으로 침투하여 들어가면서, 그것이 신성한 부화 기간이 끝날 무렵에 브라흐마 혹은 프라자파티, 그가 확장하여 들어가는 미래 우주의 창시자로써 그 알에서 다시 나타난다. 그는 푸르샤 (영)이지만, 또한 푸라크리티 (물질)이다. 그러므로 자신이 두 부분으로 나눈 후에만—브라흐마-바크 (여성)과 브라흐마-비라즈 (남성)—프라자파티가 남성 브라흐마로 된다.

---

9. 빛은 차가운 불기둥이고, 불기둥은 불이며, 불이 열을 만들고, 이것이 물을, 즉 거대한 어머니 (*카오스*) 속에 있는 생명의 물을 낳는다 (a).

(a) 스탠저에서 사용된 "빛(Light)," "불(Fire)," "불기둥(Flame)"이라는 단어는 원전에 사용된 고대 용어와 상징의 의미를 더 잘 전달하기 위하여 번역자들이 고대 "불의 철학자들"의[88] 어휘에서 선택한 것임을 명심해야 한다. 그렇지 않으면 스탠저는 서구 독자에게 전혀 이해될 없는 것으로 남아있게 되었을 것이다. 그러나 오컬트 학생들에게는 사용되는 용어들이 충분히 명확할 것이다.

이것이다. 물론 나중에 그것이 펠리칸이 자신의 가슴을 찢어서 일곱 마리 새끼에게 피와 함께 먹이로 준다는 모성애로 시화되었다.

87 모세가 깨끗하지 않은 새들 중에 두 가지로 분류한 펠리칸과 백조를 먹는 것을 금지하고, "머리가 벗겨진 메뚜기, 곤충 그리고 비슷한 종류의 메뚜기를 먹는 것을 허락한 (레위기 9장과 신명기 14장) 이유는 순전히 생리적인 이유이고, 모든 다른 단어처럼 "깨끗하지 않은(unclean)"이라는 단어를 글자 그대로 읽고 이해하지 않는 한, 신비한 상징과 관련 있다. 다른 모든 것처럼 그것은 비의적이고, 신성하지 않다기 보다 "신성한" 것으로 보는 것이 낫다. 그것은 블라인드로, 어떤 미신과 관련된 매우 암시적인 것이다—예를 들면, 러시아 사람들은 비둘기를 음식으로 먹지 않는다; 그것이 "깨끗하지" 않기 때문이 아니라, "신성한 성령"이 비둘기 형태로 나타났기 때문이다.

88 중세 연금술사들이 아니라, 마기(Magi)들과 불-철학자들로, 그들로부터 장미십자회 혹은 *불을 통한*(*per ignem*) 철학자들, 신성작업자들(theurgist)의 계승자들이 신비하고 신성한 원소로써 불에 관한 그들의 모든 생각을 차용하였다.

이 모든 것, "빛," "불기둥," "뜨거운," "차가운," "불," "열," "물," 그리고 "생명의 물(water of life)"은 모두가 우리 물질계에서 그것의 자손이다; 혹은 근대 물리학자가 말하듯이, 전기가 상호 관계이다. 굉장한 단어, 그리고 한층 더 대단한 상징이다! 다름아닌 신성한 자손 (결과)의 성스러운 발생자; 불에 대하여—창조자, 보존자, 그리고 파괴자; 빛에 대하여—우리의 신성한 선조들의 본질; 불기둥에 대하여—사물들의 혼. 전기, 존재의 상위 계단에서 하나의 대생명(ONE Life), 그리고 가장 낮은 단계에서 연금술사들의 아타노르(Athanor), 아스트랄 유액; 신(GOD) 그리고 악마(DEVIL), 선(GOOD)과 악(EVIL) . . .

이제 그러면 스탠저에서 왜 빛(Light)을 "차가운 불기둥(cold flame)"으로 부를까? 왜냐하면 (오컬티스트가 가르치듯이) 우주의 진화 순서에서, 물질을 원자로 최초 형성한 후에 물질을 활성화시키는 에너지가 우리 계에서 우주의 열에 의해서 발생되기 때문이다; 그리고 분리된 물질이라는 의미에서, 대우주는 그 기간 이전에는 존재하지 않았기 때문이다. 최초의 원초 물질은 "시작도 끝도 없는" 공간과 함께 영원하고 공존하며, "뜨겁지도 차갑지도 않고, 나름대로의 특별한 성질을 가지고 있다"고 주석에서 (2 권) 말한다. 열과 추위는 상대적인 특질이고 현현된 세계의 영역에 속하고, 모두 현현된 *하일리*에서 나오며, 이것은 절대적으로 잠재적인 측면에서 "차가운 처녀(cold Virgin)"로 불리며, 생명으로 일깨워졌을 때 "어머니"라고 불린다. 고대 서구 우주발생 신화에서 처음에 아버지인 차가운 안개만 있고, 그리고 다산하는 점액 (어머니, 일루스 혹은 하일리)이 있으며, 거기에서 세계의 뱀-물질(snake-matter)이 기어 나왔다고 말한다. (*아이시스*, I, p. 146) 그러면 원초 물질은 그것이 결코 현현하지 않는 계에서 나타나기 전에 그리고 포하트의 충동 하에서 작용의 전율에 깨어나기 전에, "무색의, 무형의, 무미의, 그리고 어떤 특질과 측면이 없는, 시원한 광휘(cool Radiance)"일뿐이다. 심지어 그녀의 첫째로 태어난, "하나(One)이고 일곱으로 되는," "네 아들들"도 그렇다—고대 동양의 오컬티스트들이 그들의 특질과 이름으로 일곱 가지 최초의 "힘 센터들" 혹은 원자들의 넷으로 부른 실체들로, 나중에 거대한 우주적 "원소들"로 발전하고, 과학계에서 알려진 70 여 가지 아원소로 나누어진다. 최초 디얀-초한들의 최초의 네 가지 성질은 소위 (더 나은 용어가 없어서) "아카샤 같은(Akasic)," "에테르

같은(Ethereal)," "물 같은(Watery)," "불 같은(Fiery)"으로, 실천적 오컬티즘 용어에서, 기체에 대한 과학의 정의에 해당된다. 이것들은 오컬티스트와 일반인에게 명확한 개념을 전달하기 위해서, 초수소적,[89] 초산소적, 산수소적, 오존적 혹은 니트로-오존적으로 정의되어야 한다; 이 힘들 혹은 기체들은 (오컬티즘에서 초감각적이지만, 원자적 질료) 더 조밀하게 분화된 물질계에서 활성화될 때 가장 효과적이고 활동적이다.[90] 이것들은 양전기와 음전기를 동시에 가진다.

---

10. 아버지-어머니가 어떤 망을 짜며, 그것의 위 끝은 영 (*푸루샤*), 하나의 암흑의 빛에 고정되고, 아래 끝은 물질 (*푸라크리티*), (*영의*) 그림자 끝에 고정시킨다; 그리고 이 망은 스바바바트인 하나로 만들어진 두 질료에서 짜여 나온 우주이다 (a).

(a) 만두키야 (문다카) 우파니샤드에 다음과 같이 쓰여 있다: "거미가 거미줄을 내보내고 그 줄을 다시 되돌리듯이, 풀이 땅에서 솟아나오듯이 . . . 그렇게 우주도 부패하지 않는 하나에서 나온다." (1 권. 1. 7) "거미줄이 거미에서 나오듯이, 거품이 물에서 나오듯이," 브라흐마가 "미지의 암흑의 배아"로써 만물이 진화하여 나오고 발전하는 그 물질이다. 만약 브라흐마 "창조자"가 용어로써 증가하거나 확장한다는 뜻의 어근 *브리흐(brih)*에서 유래된 것이라면, 이것은 사실적이고 생생하게 표현한 것이다. 브라흐마는 "확장하여" 자신의 질료에서 짜여 나온 우주가 된다.

똑같은 생각이 괴테에 의해서 아름답게 표현되어 있다. 그가 말한다:

---

89 파라(Para), "너머(beyond)," 밖에.
90 이것들과 더 많은 것들이 아마도 화학에서 잃어버린 고리이다. 그것들은 현상계의 힘 속에서 실습하는 오컬티스트들과 연금술에서 다른 이름으로 알려져 있다. 아스트랄 불로 "원소들"을 어떤 방식으로 조합하고 재조합하는 (혹은 분리하는) 것으로 가장 위대한 현상을 만든다.

"이렇게 노호하는 시간의 베틀에서, 나는 부지런히 짜고,
그대가 그(Him)를 보는 옷을 신을 위하여 짠다."

---

11. 그것 (*망*)은 불 (*아버지*)의 숨결이 그것 위에 닿을 때 팽창한다; 그것은 어머니 (*물질의 뿌리*)의 숨결이 그것을 접촉할 때 수축한다. 그러면 아들들 (*그것들 각각의 힘, 혹은 지성을 가진 원소들*)이 분리하고 흩어져서, "위대한 날"이 끝날 무렵에 어머니 가슴 속으로 돌아가서 어머니와 다시 하나가 된다 (a). 그 망이 서늘해질 때, 그것은 찬란하게 빛나고, 그것의 아들들이 그들 자신의 자아들과 심장들을 통해서 확장하고 수축한다; 그들은 무한을 둘러싼다. (b)

불(FIRE)의 숨결 아래에서 우주의 확장이 근대 과학이 그렇게 많이 말하지만, 사실상 아는 것이 거의 없는 "불 안개(Fire mist)" 기간의 관점에서 매우 암시적이다.

엄청난 열이 복합 원소들을 분해하여 천체를 태초의 한 가지 원소로 환원시킨다고 주석에서 설명한다. 공간 속에서 많은 열의 센터들이 왔다 갔다 하는데, 일단 천체가 어떤 열 (에너지)의 센터 혹은 초점의 인력과 영향력 속으로 들어감으로써 그것의 원초적 구성 요소로 분해되면, 그것이 살아있건 죽어 있건 증발되어 "어머니의 가슴" 속에서 간직될 것이며, 포하트가 몇 개 우주 물질 덩어리(성운들)들을 모아서 그것에 어떤 충동을 줌으로써 그것이 새롭게 운동을 시작하게 만들고, 필요한 열을 계발시켜서, 그것이 나름대로 새로운 성장을 하도록 놓아둘 것이다.

그 망(Web)―즉 세계 질료 혹은 원자들―의 확장과 수축이 여기서 맥박치는 운동을 표현한다; 왜냐하면 그것은 원자들의 보편적 진동을 일으키는 스바바바트에 의해서 발산된 물질의 본체라고 부를 수 있는 그것의 무한하고 끝없는 대양(Ocean)의 규칙적인 수축과 확장이기 때문이다. 그러나 그것은 또한 어떤 다른 것을 암시한다. 고대인들이 많은 과학자들과 특히 천문학자들에게 지금 수수께끼인 그것을 알고

있었다는 것을 보여준다: 물질 혹은 세계-물질의 최초 점화의 원인, 냉각시키는 수축으로 발생된 열기의 역설 그리고 다른 그런 우주의 수수께끼들. 왜냐하면 그것은 그런 현상을 고대인들이 알고 있다는 것을 분명하게 가리키기 때문이다. "모든 원자 속에는 내적인 열과 외적인 열이 있다"고 저자가 접근한 필사본 주석서에서 말한다; 즉, "아버지(혹은 영)의 숨결 그리고 어머니(물질)의 숨결 (열);" 그리고 주석서에서 방사를 통한 열의 손실로 태양 불이 소멸된다는 근대 이론이 잘못되었다는 것을 보여주는 설명을 제시한다. 심지어 그 가정이 잘못되었다고 과학자들 스스로 인정하기도 한다. 왜냐하면 뉴콤 교수가 다음과 같이 지적하듯이 (*"대중 천문학"*, pp. 506~508), "열을 잃어버림으로써, 기체로 된 어떤 체가 수축하고, 그 수축으로 발생된 열이 그 수축을 만들기 위하여 잃어버려야 하는 열을 초과하기 때문이다." 이 역설, 즉 어떤 물체가 냉각되면서 만들어진 수축이 커지면서 더 뜨거워진다는 이 역설이 오랫동안 논쟁거리였다. 잉여의 열을 방사로 잃어버렸고, 온도가 일정한 압력 하에서 부피의 감소에 균등하게 낮아지지 않는다고 가정하는 것은 찰스의 법칙을 무력화시키는 것이라고 주장하였다. (성운 이론, 윈첼) 수축이 열을 발생한다는 것은 사실이나; 하지만 (냉각에서 오는) 수축은 질량 속에 특정한 때에 존재하는 열의 전체 양을 발생시키거나 심지어 일정한 온도로 물체를 유지할 수 없다는 등으로 주장하였다. 윈첼 교수는 "열 이외 어떤 것"을 제시함으로써 그 역설—호머 레인즈가 증명하였듯이, 사실 겉보기에 역설이다—을 조정하려고 노력한다. "그것이 어떤 거리의 법칙에 따라서 다양한 분자들 사이에서 반발에 불과하지 않은가?" 라고 그가 묻는다. 그러나 이 "열 이외 어떤 것"이 "원인 없는 열(Causeless Heat)," "불의 숨결(Breath of Fire)," 그리고 물질 과학이 받아들일 것 같지 않은 모든 것을 창조하는 힘과 절대적 지성(ABSOLUTE INTELLIGENCE)이 더해진 것으로 지명되지 않는다면, 심지어 이것조차도 양립될 수 없다는 것을 발견할 것이다.

그러나 어쨌건 이 스탠저를 읽으면, 고대의 구절일지라도 근대 과학보다 더 과학적이라는 것을 보여준다.

12. 그러면 스바바바트는 원자를 단단하게 굳히기 위해서 포하트를 내보낸다. (*이 원자들*) 각각은 그 망 (*우주*)의 일부분이다. 거울처럼 "자존하는 주" (*원초의 빛*)를 반사하면서, 각자가 차례로 어떤 세계가 된다[91]. . . .

"포하트가 원자들을 굳게 만든다"; 즉, 원자들에게 에너지를 주입함으로써: 포하트가 원자들 혹은 원초의 물질을 흩어버린다. "그는 물질을 흩어지게 하여 원자로 만드는 동안, 자신을 흩어지게 한다." (사본 주석서)

보편 마인드의 이데아들이 물질 위에 새겨지는 것은 포하트를 통해서이다. 포하트의 성질에 대한 어떤 희미한 생각이 종종 그것에 붙여진 "우주 전기(Cosmic Electricity)"라는 명칭에서 얻을 수 있다; 그러나 이 경우에 보통 알려져 있는 전기의 특성들에다가 지성을 포함한 다른 특성이 추가되어야 한다. 근대 과학이 모든 두뇌 작용과 두뇌 활동에 전기적 현상이 따른다는 결론에 도달한 것이 흥미롭다. (*"포하트"에 관한 더 자세한 사항들은 스탠저 V와 주석 참조.*)

---

91 불에서 나온 불기둥이 끝이 없고, 전체 우주의 빛이 그 불기둥이 약해지지 않은 채 희미한 빛으로 밝혀질 수 있다는 의미에서 말한 것이다.

스탠저 IV – 칠중 하이어라키

1. 그대, 지구의 아들들이여! 그대들의 스승들─불의 아들들─에 귀 기울여라 (a). 처음도 마지막도 없다는 것을 배워라; 왜냐하면 모두가 무수에서 나온 하나의 수이기 때문이다 (b).

(a) "불의 아들들(Sons of the Fire)," "불-안개의 아들들(Sons of the Fire-Mist)" 등의 이 용어들은 설명이 필요하다. 그들은 위대한 원초의 보편적 신비와 연결되어 있으며, 그것을 명확하게 하는 것이 쉽지 않다. 바가바드 기타 (8 장)에서 크리슈나가 상징적이고 비의적으로 말하는 구절이 있다: "나는 (이번 생을) 떠나는 헌신자들이 결코 다시 돌아오지 않거나 (다시 태어나지 않거나), 혹은 돌아오는 (다시 화신하는) 때 (상태)를 말할 것이다. 불, 불기둥(Flame), 낮, 밝은 (행운의) 2 주일, 태양이 북쪽 위도에서 두는 6 개월, 이러한 때에 떠나면서 (죽으면서), 브라흐만을 아는 자들 (요기들)은 브라흐만에게 간다. 연기, 밤, 어두운 (불운의) 2 주일, 태양이 남쪽 위도를 도는 6 개월, 이러한 때에 떠나면서 (죽으면서), 헌신자는 달빛 (혹은 달의 저택, 아스트랄 빛)으로 가서 다시 돌아온다 (재탄생한다). 이 두 가지 길, 밝은 길과 어두운 길이 이 세계에서 영원하다고 (혹은 대칼파, 즉 "대시대") 말한다. 앞의 길로 그는 결코 돌아오지 않고, 다른 길로 그가 돌아온다." 지금 이 이름들, "불," "불기둥," "낮," "밝은 2 주일" 등과 달의 길 끝으로만 이어지는 "연기," "밤," 등은 비의 가르침에 대한 지식 없이는 이해할 수가 없다. 이것들은 우주-심령 힘들을 주재하는 *다양한 신들의 모든 이름들*이다. 우리는 "불기둥"의 하이어라키 (2 권 참조), "불의 아들들" 하이어라키 등에 대하여 자주 말한다. 상카라차리야는 인도의 비의적 대스승들 중에서 가장 위대한 분으로 *불(fire)*은 시간(칼라)을 주재하는 신을 뜻한다고 말한다. 바가바드 기타를 훌륭하게 번역한 인도 봄베이의 카쉬나스 트림바크 텔랑은 "이 구절의 의미에 대하여 명확한 이해가 없다"고 시인한다. (각주 81 페이지) 그러나 오컬트 가르침을 아는 사람에게 그것이 아주 명확한 것 같다. 태양과 달의 상징들의 신비한 의미가 이 구절들과 관계 있다: 피트리는 *달의* 신들이자 우리의 선조들이다. 왜냐하면 그들이 *육체 인간을 창조하였기* 때문이다.

아그니쉬바타, 쿠마라 (신비한 일곱 성자)도 태양의 신들이다. 하지만 전자는 또한 피트리이기도 하다; 그리고 이들이 "*내적 인간*의 형성자들"이다. (2 권 참조) 그들은:

"불의 아들들(Sons of Fire)"—왜냐하면 그들이 원초의 불에서 나온 최초의 대존재들이기 때문이다 (씨크릿 독트린에서는 그들을 "마인드들"로 부른다). "주(Lord)는 태우는 불이다" (신명기, 4:24); "주(Lord) (크리스토스)께서 타오르는 불 속에서 그의 강력한 천사들과 함께 나타날 것이다." (2 데살로니가서, I, 7, 8) 성령이 "불의 갈라진 혀들"처럼 사도들 위로 내려왔다 (사도행전, ii, v, 3); 비쉬누가 불과 불기둥 가운데서 마지막 아바타로서 백마, *칼키(Kalki)*를 타고 돌아올 것이다; 그리고 *소시오쉬(Sosiosh)*가 "불의 토네이도" 속에서 백마를 타고 마찬가지로 내려오게 될 것이다. "또 나는 하늘이 열리고 백마를 우러러보았으며, 그리고 거기 타고 있는 분을" . . . . 타오르는 불 속에서 "신의 말씀(Word of God)"으로 (요한계시록, 19:13) 부른다. 불은 가장 순수한 형태로 아에테르(AEther)이기 때문에, 그래서 물질로 간주되지 않으며, 그것은 그 보편성에서 아에테르의 통일성—두 번째 현현된 신—이다. 하지만 두 가지 불이 있으며 오컬트 가르침에서는 이것을 구분한다. 첫째 혹은 순전히 *무형의 볼 수 없는 불*로 *중심의 영적 태양(Central Spiritual Sun)* 속에 숨겨져 있으며 (형이상학적으로) 삼중으로 말한다; 반면에 현현된 대우주의 불은 우주와 우리 태양계에서 칠중이다. "불 혹은 지식이 환영의 세계에서 모든 작용을 태워 버린다"라고 주석서에서 말한다. "그러므로 그것을 얻어서 해방된 자들을 '불(Fires)'로 부른다." *호트리*, 사제들로서 상징된 *일곱* 감각에 대하여 말하면서, *아누기타*에서 브라흐마나가 말한다: "이렇게 이 일곱 (감각, 후각과 미각, 그리고 색, 그리고 소리 등등)은 해방의 원인들이다;" 그리고 주석자가 덧붙인다: "이 일곱으로부터 대아가 해방되어야 한다. '나(I)' (여기서 특질이 없다)는 말하는 브라흐마나가 아니라, 대아(Self)를 의미하는 것이 틀림없다." (*"동양의 성전들"* 맥스 뮬러 편집, 8 권 p. 278)

(b) "모두가 무수(No Number)에서 나온, 하나의 수(One Number)이다"라는 표현은 스탠저 III (주석 4)에서 방금 설명된 보편적 철학적 교의를 다시 말하고 있다. 절대적인 그것은 당연히 무수이다; 그것의 후대 의미에서 그것은 시간뿐만 아니라 공간에도 적용된다. 그것은 시간의 모든 증분이, 인간의 지성으로 상상할 수 있는

가장 무한정으로 긴 기간에 이르기까지, 더 거대한 증분의 일부분일 뿐만 아니라, 현현된 것은 어떤 것이건 더 거대한 전체의 일부분을 제외하고 생각될 수 없다는 것을 의미한다: 전체 총합이 하나의 현현된 우주로, 대존재(BEING) 혹은 "하나의 수(One Number)"와 구분하기 위해서 비-존재(Non-Being) 혹은 무수(No-Number)로 부르는 미현현자 혹은 절대자에서 나온다.

---

2. 원초의 일곱에서 내려온 우리, 원초의 불기둥에서 태어난 우리가 우리 아버지들로부터 배워온 것을 배워라 (a).

(a) 이것은 2 권에서 설명이 되어 있고, "원초의 불기둥(Primordial Flame)"이라는 이름은 이 스탠저 IV 의 앞 주석 첫 문단에서 말한 것을 확인해 주고 있다.

"원초의 일곱"과 다음 일곱 건설자들 사이의 구분은 이렇다: 전자는 최초의 "성스러운 넷(Sacred Four)," *테트락티스(Tetraktis)*, 즉 영원히 자존하는 하나(Self-Existent One)의 광선이자 직접적인 발산이다. (*본질에서* 영원하고, 현현 속이 아니며, 보편적인 하나(ONE)와 구분되는 것을 주의하라) 프랄라야 동안 잠재하고, 만반타라 동안 활동하는, 그 "원초의 일곱"이 "아버지-어머니" (영-하일리 혹은 일루스)로부터 나온다; 반면에 다른 현현된 사개조와 일곱은 어머니로부터만 나온다. 이 어머니가 바로 때묻지 않은 동정녀-어머니로, 그녀가 라야 상태 혹은 미분화 상태에서 나타나올 때, 보편적인 대신비(MYSTERY)에 의해서 잉태되는 것이 아니라, 그림자가 드리워진다. 사실상, 그들 모두는 하나이다; 하지만 존재의 다양한 계에서 그들의 측면이 서로 다르다. (2 부 "창조신들의 신통기" 참조)

최초의 "원초의 일곱"이 존재의 등급에서 가장 높은 존재들이다. 그들은 기독교의 대천사들이고, 창조하기를 혹은 증식하기를 거부하는—미카엘이 후기 체계에서 그랬듯이, 그리고 브라흐마의 "마인드에서 태어난 아들들" 중 첫째 (베다스)가 그랬듯이—존재들이다.

3. 빛의 광채에서—언제나 암흑의 광선—다시 깨어난 에너지들 (*디얀 초한들*)이 공간에서 솟아나왔다: 알에서 나온 하나, 여섯과 다섯 (a); 그리고 셋, 하나, 넷, 하나, 다섯—7의 배수, 총합이다 (b). 그리고 이것들은: 에센스, 불기둥, 원소, 건설자, 수, 아루파 (*무형*)이고, (*체를 가진*) 루파였고, 힘 혹은 신성한 인간—총합. 그리고 신성한 인간으로부터 형태, 불꽃, 신성한 동물, 그리고 신성한 넷 속에 있는 성스러운 아버지들 (*피트리*)의 메신저들이 발산되었다.[92]

(a) 이것은 성스러운 수비학과 관계가 있다: 진실로 너무 성스럽고, 오컬티즘 연구에서 너무 중요해서, 그 주제를 본서 같은 방대한 저서에서도 거의 대충 다룰 수가 없다. 매우 드문 경우를 제외하고, (우리 눈에는) 보이지 않는 이런 거대한 존재들의 정확한 수들과 하이어라키 위에 전체 우주의 신비가 세워져 있다. 예를 들면, *쿠마라들*은 사실상 그 수가 일곱이지만 "넷"으로 부른다. 왜냐하면 사나카, 사난다, 사나타나, 그리고 사나트-쿠마라(Sanat-Kumara)는 그들이 "사중의 신비"에서 나올 때 주요 바이다트라(Vaidhatra) (아버지의 이름에 접사를 붙인 이름)이기 때문이다. 전체를 더 분명하게 하기 위하여 몇몇 독자들에게 더 친숙한 교의, 즉 브라만교의 가르침에 우리의 설명을 의지해야 한다.

마누에 의하면, 힌두 고전 사전에서 말하듯이, 히란야가르바는 식별할 수 없는 원인 없는 원인(Causeless CAUSE)에 의해서 "태양처럼 찬란한 황금 알" 속에 형성된 *최초 남성* 브라흐마이다. "히란야가르바"는 황금색이라기 보다 오히려 "눈부신 자궁(Effulgent Womb)" 혹은 알을 의미한다. 그 의미가 남성의 수식어구와 어색하게 일치한다. 그 문장의 비의적 의미는 확실히 분명하다. 리그 베다에서는 다음과 같이 말한다: "그것(THAT), 만물의 하나의 주 . . . . 신들과 인간에게 생명을 불어넣는 하나의 원리"가, 태초에, 황금 자궁, 히란야가르바 속에 일어난다—히란야가르바는 "세계 알" 혹은 우리 우주의 구체이다. 그 존재는 확실히 양성이고, 브라흐마가 둘로

---

92 4는 오컬트 수비학에서 테트락티스, 성스러운 혹은 완전한 사각형으로 나타내어지며, 모든 국가와 인종의 신비가들에게 성스러운 숫자이다. 그것은 브라만교, 불교, 카발라 그리고 이집트, 칼데아와 다른 수 체계에서 똑같은 중요성을 가진다.

분리되며 그 반쪽 (여성 바크) 속에서 자신을 비라즈로서 재창조하는 비유가 그 증거이다.

"알에서 나온 하나, 여섯과 다섯"은 1065 숫자를 주며, 최초로 태어난 존재의 값 (나중에 남성과 여성 브라흐마-프라자파티)으로, 각각 숫자 7 과 14 그리고 21 과 일치한다. 프라자파티는 세피로스처럼 그들이 생겨나오는 삼개조의 통합적 세피라를 포함해서, 일곱만 있다. 이렇게 히란야가르바 혹은 프라자파티로부터, *삼위일체* (태초 베다의 삼위일체인 아그니, 바이유 그리고 수리야)가 다른 일곱을, 혹은 만약 하나 속에 존재하는 셋과 셋 속의 하나를 분리한다면, 열을 발산하고, 더구나 모두가 구히야(Guhya) 혹은 "비밀스러운"으로 불린 그 하나의 "지고의" 파라마(Parama) 속에 혹은 사르바트마(Sarvatma), "수퍼-혼(Super-Soul)" 속에 포함된다. "존재의 일곱 주들이 하나의 두뇌 속에 있는 생각들처럼 사르바트마 속에 숨겨져 있다." 세피로스도 마찬가지다. 그것은 케테르를 머리로 해서 상위 삼개조로부터 셀 때 일곱, 혹은 외적으로 열이 된다. 마하바라타에서 프라자파티는 수에서 21 혹은 10, 6, 5 (1065), 즉 7 의 3 배수이나.[93]

(b) "셋, 하나, 넷, 하나, 다섯" (총합이 7 의 2 배)—31415 를 나타낸다—은 다양한 하이어라키들과 내적인 혹은 경계선이 그어진 세계의 디얀 초한들의 숫자상의 하이어라키이다.[94] (우리의 현재 객관적 의식의 영역에 있지 않은) 본체의 대우주로부터 현상계에 울타리를 두르는 "밧줄," "천사들의 밧줄," 디야니파사(Dhyanipasa)로 부른 "넘어가지 말라(Pass not)"는 (스탠저 V) 거대한 원의 경계선에 놓여질 때; 이 수는 확장과 순열로 확대하지 않을 때 카발라적으로 그리고

---

93 카발라에서 같은 숫자들이 여호와의 값, 즉 1065 이다. 여호와 이름을 구성하는 세 글자— Jod, Vau, He 두번—의 값은 각각 10(ׁ), 6(ׁ), 5(ׁ)이다; 혹은 7의 3배, 21이다. "10은 혼의 어머니이다. 왜냐하면 생명(Life)과 빛(Light)이 그 속에서 결합되어 있기 때문이다"라고 헤르메스가 말한다. "숫자 1은 영에서 태어나고 숫자 10은 물질 (카오스, 여성)에서 태어난다; 그 통일이 10을 만들고, 10은 통일성이다." (*열쇠들의 서*) 카발라 철자 순서를 바꾸는 테무라에 의해서, 그리고 1065 (21)의 지식에 의해서, 대우주와 그 신비에 관한 보편 과학을 얻을 수 있다. (랍비 요겔) 랍비들은 숫자 10, 6 그리고 5를 모든 것 중에서 가장 신성한 것으로 여긴다.
94 독자는 미국인 카발리스트가 엘로힘에서 같은 수를 이제 발견하였다고 들을 수 있다. 그것은 칼데아인에서 유대인으로 왔다. 1885년 맥밀란 롯지 141번 메이슨 리뷰, "헤브루 도량형" 참조.

철자 순서상으로 언제나 31415 이며, 원의 수이자 신비한 스와스티카의 수이며, 다시 한번 7 의 2 배수이다; 왜냐하면 두 세트 수를 어떤 방식으로 세더라도, 별개로 숫자 하나하나를 더하거나, 엇갈리거나, 오른쪽에서 혹은 왼쪽부터 더하더라도, 항상 14 가 나올 것이기 때문이다. 수학적으로는 그것들은 잘 알려진 계산으로, 1:3.1415 의 원주율 혹은 파이(π) 값이다—이 상징(pi)은 그 값을 표현하기 위해서 수학 공식에서 항상 사용된다. 이 숫자 조합도 같은 의미를 가지는 것이 틀림없다. 왜냐하면 1:314,159 그리고 다시 1:3:1,415,927 이 "최초 태어난 자"의 다양한 주기와 시대, 혹은 대략 311,040,000,000,000 을 나타내기 위한 비밀의 계산에서 나오고, 현재 우리가 다루지 않는 어떤 과정으로 똑같은 13,415 가 나오기 때문이다. 그리고 [측정의 기원] 저자 랄스톤 스키너는 헤브르 단어 Alhim(알힘)에서 0 을 생략하고 치환함으로써 같은 값, 즉 13,514 를 읽는다는 것을 보여줄 수 있다. 왜냐하면 א (a)는 1; ל (l)는 3 (혹은 30); ה (h)는 5; י (i)는 1 (=10); 그리고 ם (m)는 4 (40)이고, 숫자 순서를 바꿈으로써, 그가 설명한 대로 31,415 가 되기 때문이다.

이렇게 형이상학 세계에서, 중심의 한 점을 가진 원은 어떤 수를 가지고 있지 않고 아누파다카라고 불리지만 (어버이가 없고 수도 없는—즉, 그것은 어떤 계산을 할 수 없다—현현된 세계에서, 세계 알 혹은 원은 선, 삼각형, 오각별, 두 번째 선 그리고 입방체 (혹은 13514)로 불리는 그룹들 안에 경계선이 그어져 있다; 그리고 그 점이 선을 발생시키면서 자웅동체의 로고스를 나타내는 직경으로 될 때, 그때 그 숫자들이 31415 혹은 삼각형, 선, 입방체, 두 번째 선 그리고 오각별로 된다. "아들이 어머니로부터 분리될 때 그가 아버지가 된다"에서 지름은 대자연 혹은 여성 원리를 나타내고 있다. 그래서 다음과 같이 말한다: "존재의 세계에서, 한 점이 선— (알 모양의 O) 대우주의 처녀-모태—을 결실 맺게 하고 때묻지 않은 어머니가 모든 형태를 결합하는 형태를 낳는다." 프라자파티는 최초 아이를 낳는 남성이며, "그의 어머니의 남편"으로 [95] 불린다. 이것이 이후의 모든 신성한 아들들이 때묻지 않은

---

95 우리는 같은 표현을 이집트에서 보게 된다. 마우트(Mout)는 먼저 "어머니"를 나타내고, 어머니에게 부여된 성격을 그 나라의 세 역할 속에서 보여준다. "그녀는 암몬의 부인이자 어머니였다. 암몬은 "그의 어머니의 남편"인 신의 주요 이름들 중에 하나였다. 여신 마우트 혹은

어머니들로부터 나오는 기조를 준다. 로마 카톨릭에서 순결한 방식으로 딸을 낳았다는 것으로 나타내어진 ("마리가 죄 없이 잉태되었다") 안나(Anna) (동정녀 마리의 어머니 이름)는 칼데아어 아나(Ana), 하늘, 혹은 아스트랄 빛, 애니마 문디에서 유래되었다는 중요한 사실로도 상당히 확인된다; 거기서 "아나이티아(Anaitia)," 시바의 아내, "데비-두르가"도 "안나푸르나" 그리고 카냐(Kanya), 처녀로 불린다; 그리고 "우마-카냐"는 그녀의 비의적 이름이고, 무수한 측면의 하나 속에 있는 아스트랄 빛, "빛의 처녀(Virgin of light)"를 의미한다.

(c) 데바, 피트리, 리쉬; 수라와 아수라; 다이티야(Daityas)와 아디티야(Adityas); 다나바(Danavas)와 간다르바(Gandharvas) 등등은 모두 씨크릿 독트린뿐만 아니라 카발라와 유대 천사학에서도 동의어를 가지고 있다; 그러나 그들의 고대 이름을 제시하는 것은 혼란만 일으킬 것이기 때문에 아무 도움이 되지 않는다. 지금도 이러한 많은 것이 천상의 신성한 힘을 가진 기독교 하이어라키에서도 찾아볼 수 있다. 좌품천사나 주천사, 역천사와 권천사, 지천사, 치천사 그리고 악마, 별들의 세계에 살고 있는 다양한 거주사들은 태고 원형들을 근대에 복사한 것이다. 그들 이름에 있는 상징을 그리스어와 라틴어로 음역하여 정리하는 것으로도 몇 가지 경우에서 증명될 수 있듯이 그것을 보여주기에 충분하다.

"성스러운 동물들"은 카발라에서 뿐만 아니라 성서에서도 발견되고, 그것들은 생명의 기원의 페이지에서 그 의미 (매우 심오한 의미)를 가지고 있다. 창조의 서 (세페르 예치라)에서 이렇게 말한다: "신은 신성한 넷 속에, 오파님 (수레바퀴들 혹은 세계-구체들), 세라핌,[96] 성스러운 동물들 그리고 구원의 천사들 속에, 그의 영광의 보좌를

무트(Mut)를 "우리의 숙녀(our lady)," "하늘의 여왕" 그리고 "땅의 여왕"으로 불렀으며, 이렇게 "이 명칭들을 다른 어머니 여신들, 아이시스, 하토르 등등과 함께 공유한다." (마르페로)

96 이것은 IX장과 X장에서 글자 그대로 번역한 것이다: "무엇이 없는 열 개 숫자? 하나: 영원 속에 사는 . . . . 살아 있는 신의 영! 목소리와 영과 말씀, 그리고 이것은 성령이다. 둘: 영에서 나온 영(Spirit out of Spirit). 그는 기반의 22개 글자, 셋 어머니 그리고 일곱 개 복음 그리고 열 두 개 단음, 그것들에서 한 개 영을 디자인하여 잘라 만들었다. 셋: 영에서 나온 물; 그는 황야와 허공, 진흙과 땅을 디자인하고 잘라 만들었다. 그는 그것들을 화단으로써 디자인하였고, 그것들을 벽으로써 잘라 만들었으며, 그것들을 포장으로써 덮었다. 넷: 물에서 나온 불. 그는 영광의 보좌와 수레바퀴들을 디자인하고 잘라 만들었고, 세라핌과 신성한 동물들과 구원하는 천사들, 그리고

새겼으며, 이 셋에서 (공기, 물 그리고 불 혹은 에테르) 그의 거처를 구성하였다."
이렇게 세계가 "셋의 세라핌―세페르(Sepher), 사파르(Saphar) 그리고 시푸르(Sipur)"
혹은 "수(Number), 숫자들(Numbers) 그리고 세어진 수(Numbered)"―를 통해서
만들어졌다. 천문학 열쇠를 사용하면, 이 "성스러운 동물들"은 황도 십이궁이 된다.

---

4. 이것은 목소리의 군대, 즉 신성한 칠개조였다. 일곱의 불꽃은 일곱 중 첫 번째, 두 번째, 세 번째, 네 번째, 다섯 번째, 여섯 번째, 일곱 번째에 종속되고, 하인들이다 (a). 이것들 (*"불꽃들"*)은 구체, 삼각형, 입방체, 선, 조형자라고 불린다; 왜냐하면 이렇게 영원한 니다나―"오이-하-호우(OI-HA-HOU)" (*오이아오호오오의 변형*)**―가 서기 때문이다 (b).**[97]

(a) 이 구절은 인도에서 데바 (신)라고 부르는 디얀-초한들 혹은 대자연 속에 있는 의식적 지성적인 권능들의 하이어라키를 간략하게 다시 분석하고 있다. 인류를 구분할 수 있는 실제 유형들이 이 하이어라키에 상응한다; 왜냐하면 인류는 전체로써 사실상 물현화된 그러나 아직까지 불완전한 그것의 표현이기 때문이다. "목소리의 군대(army of the Voice)"는 소리(Sound)와 말(Speech)의 신비와 밀접하게 연결된 용어로, 그 원인―신성한 생각(Divine Thought)―의 영향이자 당연한 귀결이다. [마법의 역사]와 [퇼르리 궁전의 붉은 사나이]의 박식한 저자 P. 크리스티안이

셋에서 말했듯이 그의 거주처를 세웠고, 그의 천사들을 영으로 그의 하인들을 불의 불기둥으로 만든다!" "그의 거주처를 만들었다"는 말들이 카발라에서처럼 인도에서도 신(Deity)이 우주로 간주되었고, 그 기원에서 지금처럼 우주 밖의 신)이 아니었다는 것을 분명하게 보여준다.

97 그 단어의 글자 그대로 의미는 북쪽의 동양 오컬티스트들 사이에서 회전하는 바람, 회오리바람이다; 그러나 여기 예에서, 그것은 끊임없이 영원한 우주의 대운동을 나타내는 용어이다; 혹은 오히려 그것을 움직이는 거대한 힘, 그 힘이 암묵적으로 신으로 받아들여지지만 결코 이름을 짓지는 않는 거대한 힘이다. 그것은 영원한 *카라나(Karana)*, 언제나 활동하는 대원인(ever-acting Cause)이다.

아름답게 표현하였듯이, 모든 개인의 이름뿐만 아니라 그가 이야기한 말은 대체적으로 그의 미래 운명을 결정한다. 그 이유는 다음과 같다 —

— "우리의 혼 (마인드)이 어떤 생각을 창조하거나 불러낼 때, 그 생각의 대표적인 표시가 아스트랄 유액에 스스로 새겨지며, 그것은 수용기로, 말하자면, 존재의 모든 현현의 거울이다."

"그 표시가 사물을 표현한다: 사물은 그 표시의 (숨겨진 혹은 오컬트적) 효력이다."

"어떤 단어를 발음하는 것은 어떤 생각을 불러일으키고, 그것이 실재하게 만드는 것이다: 인간의 말의 자성적 효능은 오컬트 세계에서 모든 현현의 시작이다. 어떤 이름을 말하는 것은 어떤 존재 (혹은 실체)를 정의할 뿐만 아니라, 그 말씀(Verbum)의 방출을 통해서 하나 혹은 더 많은 오컬트 잠재성의 영향 하에 놓는 것이다. 우리 모두에게 사물들은 그것들의 이름을 부르는 동안 그 말씀이 그것들을 만드는 그것이다. 모든 사람의 말 혹은 말씀(Verbum)은 자신에게 상당히 무의식적으로 하나의 축복이거나 저주이다; 이것이 물질(MATTER)의 속성과 특징뿐만 아니라 이데아(IDEA)의 특성 혹은 속성에 대한 현재 우리의 무지가 종종 우리에게 치명적인 이유이다."

"그렇다, 이름들 (혹은 말들)은 유익하거나 해롭다; 그것들은 지고의 지혜에 의해서 그것들 원소들에 붙여진 숨겨진 영향력에 따라서, 즉, 그것들을 구성하는 글자들(LETTERS)과 이 글자들과 상관관계에 있는 숫자들(NUMBERS)에 따라서, 어떤 의미에서 유해하거나 건강을 주는 것이다."

이것은 동양의 모든 오컬티즘 학파들이 받아들이는 비의 가르침처럼 전적으로 진실 그대로이다. 유대어와 다른 모든 알파벳처럼 산스크리트어도, 모든 글자가 그것의 오컬트 의미와 근거를 가지고 있다; 그것은 하나의 원인이고 이전 원인의 결과이며, 이것들 조합이 가장 마법 같은 결과를 만든다. 특히 모음들이 가장 오컬트적이고 엄청난 효력을 담고 있다. 만트라는 (비의적으로 종교적이라기 보다 마법적인) 브라만들이 찬송하고 베다와 다른 경전들도 마찬가지이다.

"목소리의 군대"는 "로고스의 무리(Host of the Logos)"의 원형 혹은 창조의 서에서 말하는 "말씀(WORD)"이고, 씨크릿 독트린에서 "무수에서 나온 하나의 수—하나의 영원한 원리(One Eternal Principle)—라고 부른다. 비의 신통기는 현현된 하나(One)로 시작하며, 그래서 본질에서는 영원하더라도, 그 실재와 존재에서는 영원하지 않다; 그것은 숫자들과 세어진 수들의 수(number of the numbers and numbered)이다—숫자가 세어진 수는 목소리(Voice), 여성 바크(Vach), "백 가지 형태"의 사타루파(Satarupa) 혹은 대자연에서 나온다. 전체 우주가 바로 이 숫자 10 혹은 창조적 자연, 어머니 (오컬트 O 혹은 "영(nought)"은 단위(Unit) "일(I)", 하나, 혹은 생명의 영과 합일로 언제나 낳고 증식한다)로부터 생겨나왔다.

아누기타 6 장 15 절에서, 말(Speech)과 그것의 오컬트 특성들의 기원에 대하여, 브라흐마나와 그의 부인 사이의 대화가 주어진다.[98] 부인은 말이 어떻게 존재하게 되었는지, 그리고 말과 마인드 중 어느 것이 먼저였는지 묻는다. 브라흐마나가 그녀에게 말하길, 아파나(Apana) *(들이마시는 숨결)*가 주인이 되면서 말 혹은 단어를 이해하지 못하는 그 지성을 아파나 상태로 바꾸어 마인드를 연다. 그리고 브라흐마나가 말과 마인드 사이의 대화인 어떤 이야기를 그녀에게 말한다. "둘이 존재의 자아—즉, 닐라칸타가 생각하듯이, 개인의 상위 자아, 주석가 아르주나 미스라에 따르면, 프라자파티—에게 가서, 그들의 의문을 풀어주고 어느 쪽이 먼저이며 우세한지를 결정해 달라고 요청하였다. 이것에 대하여 주(lord)가 말했다: '마인드가 우세하다.' 그러나 말이 존재의 자아에게 답했다: '나는 참으로 당신의 욕망을 이루어 준다'는 말의 의미는 그가 말로 원하는 것을 얻었다는 것이다. 또 다시 존재의 자아가 그녀에게 마인드는 '움직일 수 있는' 것과 '움직일 수 없는' 것 두 가지 마인드가 있다고 말했다. '움직일 수 없는 마인드'는 나와 함께 있고, '움직일 수 있는 마인드'는 물질계 그대의 (즉 말의) 지배 속에 있다. 그대가 그것보다는 우세하다. 그러나 오, 아름다운 이여! 그대가 (그대가 했듯이, 즉 자랑스럽게) 나에게 개인적으로 말하러 왔기 때문에, 오, 사라스바티! 그대는 (거친) 숨을 몰아 쉰 후에는

---

98 아누기타는 "마하바라타" 아스바메다 파르반의 일부분을 구성한다. 맥스 뮬러가 편집한 바가바드 기타 번역자는 그것을 바가바드 기타의 연속으로 여긴다. 그 원본은 가장 오래된 우파니샤드 중에 하나이다.

결코 말하지 못할 것이다." "말의 여신—사라스바티는 바크의 나중 형태 혹은 측면으로, 또한 비의적 지혜 혹은 비밀의 가르침의 여신—은 진실로 항상 프라나와 아파나 사이에 거주하였다. 그러나 고귀한 이여! 재촉해서 프라나 없이 (내쉬는 숨) 아파나 바람 (활력 공기)과 함께 가면서, 그녀가 프라자파티 (브라흐마)에게 달려가서, '기뻐하세요, 오 존귀한 분이여!' 라고 말했다. 그때 프라나가 말(Speech)에게 영양분을 주면서 다시 나타났다. 그래서 (거세게 숨을 내쉬거나) 숨을 몰아 쉰 뒤에, 말은 결코 말하지 못한다. 말은 항상 소리를 내던가 소리가 없다. 이 둘 중에, 소리 없는 것이, 소리 내는 것보다 우위이다 . . . . 프라나로 체 속에서 만들어진 말, 그리고 아파나 속으로 들어가고 (변형되고), 그리고 나서 우다나(Udana) (육체의 발성기관)와 함께 동화되면서 . . . 그리고 마지막으로 사마나(Samana) 속에 거주한다. (아르주나 미스라가 말하듯이, '모든 말의 물질적 원인으로써, 소리의 형태로 배꼽에 있다) 그렇게 말이 이전에 말했다. 그래서 마인드는 움직일 수 없는 것으로, 그리고 여신(말)은 움직일 수 있는 것으로 구분된다."

이 우화는 오컬트 법칙의 뿌리에 있으며, 그것은 영적인 마인드 (여섯 번째 감각)에만 지각될 수 있는 비밀의 보이지 않는 어떤 것들에 대한 지식에 침묵을 규정하는 것이고, "시끄러운" 혹은 발음된 말로 표현될 수가 없다는 것이다. 아르주나 미스라가 말하듯이, 아누기타의 이 장에서 프라나야마 혹은 요가 실천에서 호흡의 조절을 설명한다. 하지만 뒤에서 설명될 것이지만, 일곱 가지가 있는 감각들 중에서, 최소한 상위의 두 가지 감각에 대한 충분한 이해를 획득하지 못한 채, 이런 호흡 조절은 뒤에서 설명될 것이지만 오히려 낮은 수준의 요가에 속한다. 소위 하타요가를 아라한들은 반대하였고 여전히 그렇다. 그것은 건강을 해치고 그것만으로 결코 라자요가로 발전할 수 없다. 이 이야기를 인용한 것은 고대 형이상학에서 지성적인 존재들 오히려 "대지성들(Intelligences)"이 육체에서 혹은 멘탈에서 모든 기능 혹은 감각과 얼마나 분리될 수 없게 연결되어 있는지를 보여주기 위한 것이다. 일곱 가지 의식 상태가 있듯이, 자연처럼 인간 속에 일곱 감각이 있다는 오컬트 주장이 같은 문헌 프라티아하라 (감각들의 억제와 조절, 그리고 프라나야마는 "활력 공기(vital winds)" 혹은 숨결의 억제와 조절이다)에 관한 7 장에서 확인된다. 거기서 브라흐마나가 "일곱의 희생하는 사제 (호트리)들을 제정한 것"에 대하여 말한다. 그가 말한다: "코와 눈, 그리고 혀, 그리고 피부와 다섯 번째로 귀 (혹은 후각, 시각, 미각, 촉각, 청각), 마인드와 이해가 분리되어 배치된 일곱의 희생적인 사제들이다"; 그리고 "극히 작은 공간에 거주하면서 여기 감각계에서 마인드를 제외하고 어느 누구도 서로를 인식하지 못한다." 왜냐하면 마인드가 말한다: "코는 나 없이 냄새 맡을 수 없고, 눈은 색을 받아들이지 못한다 등등. 나는 모든 원소들 (즉 감각들) 가운데 영원한 우두머리이다. 나 없이, 감각들은 빈집처럼 혹은 불이 꺼진 불처럼, 결코 빛나지 않는다. 나 없이, 모든 존재는 반쯤 마르고 반쯤 젖은 장작처럼, 오감이 애를 써도 특질들이나 사물들을 이해하지 못한다."[99]

물론 이것은 *감각계에 있는 마인드*에게만 해당된다. 영적인 마인드는 (초월적 마나스(*impersonal* MANAS)의 윗부분 혹은 측면) 육체 인간 속에 있는 감각들을 인식하지 못한다. 고대인들이 여러 힘의 상관관계와 멘탈적 물리적 능력과 기능에 대한 최근에 발견된 현상, 그리고 더 많은 신비들에 얼마나 잘 정통해 있었는지, 이 가치를 매길 수 없는 작품 (철학과 신비적 배움에서) 7 장과 8 장에서 찾을 수 있다. 여러 감각들이 그들 각자의 우월성에 대하여 싸우고 모든 피조물의 주인 브라흐만을 그들의 중재자로 여기는 것을 보라. "그대들 모두 가장 위대하면서 가장 위대하지 않다" 혹은 미스라가 말하듯이, 대상들에 비해 우수하지만, 어느 누구도 독립되어 있지 않다. "그대들 모두는 서로의 특질을 소유하고 있다. 모두가 각자 영역에서 가장 위대하고 서로서로 지원한다. 움직이지 않는 하나(One)가 있다. (생명-바람 혹은 숨결, 소위 *'요가의 들이마시는 숨'*으로 소위 *하나(One)* 혹은 상위 자아(Higher SELF)의 숨결이다) 그것은 바로 나 자신의 대아(Self)이며, 수많은 형태들 속에 축적되어 있다."

이 숨결, 목소리, 자아 또는 "바람"—*뉴마(pneuma?)*—은 일곱 감각의 통합이고, *본체적으로* 모두 작은 신들이며 비의적으로 *칠중이자* "목소리의 군대"이다.

---

99 이것은 근대 형이상학자들, 과거와 현재의 모든 헤겔, 버클리, 쇼펜하우어, 하트만, 허버트 스펜서, 그리고 심지어 근대 이상주의자들 모두가 백발의 고대유물을 복사한 것에 불과하다는 것을 보여준다.

(b) 다음으로 우리는 우주 물질이 사방으로 흩어져서 스스로 원소들을 형성하는 것을 본다; 다섯 번째 원소—에테르, 아카샤의 안감, 애니마 문디 혹은 대우주의 어머니—속에서 신비적인 넷으로 그룹을 지었다. "점, 선, 삼각형, 입방체, 원" 그리고 마지막으로 "구체"—왜 혹은 어떻게? 왜냐하면 주석에서 말하듯이, 그것이 대자연의 첫 번째 법칙이고, 대자연은 모든 현현에서 보편적으로 기하학을 하기 때문이다. 내재하는 법칙—원초의 물질분만 아니라, 우리 현상계의 현현된 물질에서도—이 있고, 그것으로 대자연이 기하학 형태들을 서로 관련시키고, 나중에 복합 원소들을 서로 관련시킨다; 그리고 그 법칙에는 우연이나 운의 여지가 없다. 대자연 속에서 운동의 중단이나 어떤 정지가 없다는 것은 오컬티즘에서 하나의 근본 법칙이다.[100] 쉬는 것처럼 보이는 것도 단지 한 형태가 다른 형태로 변한 것에 불과하다; 질료의 변화가 형태의 변화와 병행하는 것을 우리는 오컬트 물리학에서 배우며, 이렇게 그것은 상당한 시간으로 "물질의 보존"의 발견을 예상한 것처럼 보인다. 스탠저 IV 고대 주석서에서[101] 다음과 같이 말한다:

"어머니는 생명의 불의 물고기(fiery Fish of Life)이다. 그녀는 그녀 알을 사방으로 흩어버리고 대숨결 (대운동)이 그것에 열을 주어 재생시킨다. 알의 낟알들이 곧 서로 끌어당기고 (공간의) 대양 속에서 응유를 형성한다. 더 큰 덩어리가 합치고 새로운 알—무르익는 불의 점들, 삼각형들, 입방체들로—을 받아들이며, 정해진 때에 덩어리 일부가 떨어져서, 타원형 형태를 취하며, 이 과정은 다른 덩어리들이 간섭하지 않을 때만 일어난다. 그 후 제 * * * 번 법칙이 작용하게 된다. 대운동 (대숨결)이 회오리바람으로 되어, 그 구체들을 회전시킨다.[102]

---

100 아라한이 그의 시디스 혹은 다양한 현상, 예를 들면 물질의 분해, 사물을 한 곳에서 다른 곳으로 이동시키는 것 같은 현상을 실행하게 도와주거나 가능하게 해주는 것이 바로 이 법칙에 대한 지식이다.

101 상징 언어로 된 주석서들도 스탠저 자체만큼 이해하기 어렵기 때문에, 이것들은 스탠저에 근대 용어들과 함께 붙어 있는 고대 주석서들이다.

102 *근대 창세기*라는 논쟁적인 과학 책에서, 저자인 W.B. 슬로터 신부는 천문학자들이 취한 입장을 비판하면서 묻는다: – "이런 성운 이론 옹호자들이 대체적으로 그것 (회전의 시작)을 논의하지 않았다는 것이 유감스럽다. 어느 누구도 그것의 이론적 근거를 설명해주지 않는다. 그 덩어리를 냉각시키고 수축시키는 과정이 어떻게 그것에게 회전운동을 주는가?" 이 질문이 부록에서 충분히 다루어진다. 그것을 풀 수 있는 것은 결코 물질주의 과학이 아니다. "운동은

5.. . . . 그것은

"암흑", 무궁 혹은 무수(No-Number), 아디-니다나 스바바바트: 즉 ⭕(*x 는 미지의 양*):

I. 아디-사나트, 즉 수, 왜냐하면 그는 하나이기 때문이다 (a).

II. 말씀의 목소리, 즉 스바바바트, 다시 말하면 수들, 왜냐하면 그는 하나이고 아홉이기 때문이다.[103]

III. "무형의 사각형." (*아루파*) (b).

그리고 ⭕ (*무궁의 원*) 안에 둘러싸인 이 셋은 성스러운 넷이고, 열은 아루파 (*주관적, 무형의*) 우주이다 (c); 그러면 "아들들," 일곱 전사, 하나, 여덟 째는 제외되고, 빛을 만드는 자(*바스카라*)인 그의 숨결이 온다 (d).

(a) "아디-사나트(Adi-Sanat)"는 글자 그대로 번역하면 최초 혹은 "원초" 고대인으로, 이 이름은 카발라의 "옛날부터 계신 분(Ancient of Days)" 그리고 "신성한 노인(Holy Aged)" (세피라와 아담 카드몬)을 창조자 브라흐마와 동일시하며, 브라흐마는 다른 이름과 타이들에서 *사나트(Sanat)*로 불린다.

미현현 존재 속에서 영원하며, 현현에서는 주기적이다"라고 오컬트 가르침은 말한다. "불기둥(FLAME)이 원초 물질 속으로 하강하면서 일으킨 열이 그 입자들을 움직이게 할 때, 비로소 운동이 회오리바람으로 된다." 액체 한 방울도 그것들의 궁극적이고 분해될 수 없는, 그리고 본체적 본질 속에서, 자신들 주위를 움직이고 있기 때문에, 타원형 형태를 취한다; 하여튼 물질 과학에서는 분해될 수 없는 것이다.

103 그것은 10 혹은 "창조자"에게 붙여진 완전수로, "엘로힘," 아담 카드몬 혹은 세피라—왕관—는 10 세피로스의 자웅동체적 통합으로, 이것은 대중화된 카발라에서 현현된 우주를 상징하기 때문에, 일신론자들이 하나(One) 속으로 섞어버린 창조자들 전체에 주어진 이름이다. 하지만 동양의 오컬티스트들을 따르는 비의 카발리스트들은 위쪽 세피로스 삼각형을 나머지에서 분리하며, (혹은 세피라, 호크마 그리고 비나) 일곱 세피로스를 남겨둔다. 스바바바트에 관하여, 동양학자들은 그 용어가 공간에 두루 확산되어 있는 보편적 가소성 물질을, 아마도 과학의 에테르를 말하는 것이 아닌가 하면서, 그것을 의미하는 것으로 설명한다. 그러나 오컬티스트들은 그것을 신비계에 있는 "아버지-어머니(FATHER-MOTHER)"와 동일시한다 (앞부분 참조).

스바바바트(Svabhavat)는 신비적 대본질 (에센스), 즉 물리적 대자연의 가소성을 가진 뿌리이다―그것이 현현되었을 때 "숫자들(Numbers)"이다; 최고의 계에서 그것의 질료의 통일성 속에서 수(Number)이다. 이 명칭은 불교에서 사용되며, 사중의 애니마 문디, 카발라의 "원형계"와 동의어이고, 거기로부터 "창조의 세계, 형상의 세계, 물질의 세계들이 나온다"; 불씨들(Scintillae) 혹은 불꽃들―다양한 다른 세계들이 후자 셋 속에 담긴다. 세계들은 모두 통치자들 혹은 섭정자들―힌두교의 리쉬들과 피트리들, 유대교와 기독교에서 천사들, 고대인들이 일반적으로 이야기했던 신들―에 지배된다.

(b) ⭕ 이것은 "무궁한 원(Boundless Circle)" (제로)이 아홉 개 숫자들 중 하나가 그것을 선행할 때만, 어떤 수 혹은 숫자로 되며, 이렇게 그것의 값과 효능을 현현한다. 말씀 혹은 로고스는 목소리(VOICE)와 영(Spirit) [104] (대의식의 표현이자 근원)과 합일 속에서 아홉 개 숫자를 나타내며, 이렇게 영(O)과 함께, 자체 속에 모든 우주를 포함하는 10 (데카드)을 형성한다. 삼개조는 원 속에서 테트라티스 혹은 성스러운 넷(Sacred Four)을 구성하며, 원 안의 정사각형은 모든 마법 도형 중에서 가장 강력하다.

(c) "버려진 하나(One Rejected)"는 우리 태양계의 태양이다. 이것에 대한 대중적 버전은 가장 오래된 산스크리트 경전에서 찾을 수 있다. 리그 베다에서, 아디티(Aditi), "무궁(Boundless)" 혹은 무한 공간이, 맥스 뮬러 번역에서는 "육안으로(!!) 볼 수 있는 무한자; 혹은 지구 넘어, 구름 넘어, 하늘 너머 끝없는 광활한 공간"으로, "암흑"과 동시대적(coeval) "어머니-공간"의 상응어이다. 그녀는 "신들의 어머니(Mother of the Gods)," 데바-마트리(DEVA-MATRI)라고 매우 시적으로 불린다. 왜냐하면 우리 태양계의 모든 천체들이, 즉 태양과 행성들이 그녀의 우주적 모체에서 태어났기 때문이다. 그래서 그녀가 비유적으로 이렇게 묘사된다: "여덟 아들이 아디티의

---

104 "영과 목소리가 합일 속에서"는 추상적 생각과 구체적 목소리, 혹은 그것의 현현, 대원인의 결과를 말한다. 아담 카드몬 혹은 테트라그라마톤은 카발라에서 로고스이다; 그러므로 이 삼개조는 로고스 속에서 케테르, 호크마와 비나 최고 삼각형과 일치한다. 비나는 여성적 잠재성이자 동시에 호크마 성질 혹은 남성 지혜를 띄기 때문에 남성 여호와이다.

체에서 태어났다; 그녀는 일곱과 함께 신들에게 가까이 갔지만, 여덟 번째, 마르딴다(Marttanda), 우리의 태양을 내쳤다." 아디티야(Aditya)로 불린 일곱 아들들은 우주적으로 혹은 천문적으로 일곱 행성이다; 그리고 태양이 그 숫자에서 제외되었기 때문에 힌두인들은 일곱 번째 행성을 알았을 것이고, 사실 그것을 천왕성으로 부르지 않은 채, 일곱 번째 행성에 대하여 알았다는 것을 분명히 보여준다. [105] 그러나 비의적으로 그리고 신학적으로 말하자면, 아디티야들은 가장 태초 고대 의미에서 여덟 그리고 힌두 신들에서 열 둘(12) 위대한 신들이다. "일곱 신들은 자신들의 거처를 인간들이 보도록 허락하지만, 아라한에게만 자신들을 보여준다"고 고대 격언에서 말하고 있다. 여기서 "그들의 거처"는 행성을 나타내는 것이다. 고대 주석서에서는 비유를 제시하고 그것을 다음과 같이 설명한다: -

"어머니가 8 개의 집을 지었다. 그녀의 신성한 여덟 아들을 위하여; 넷은 크고, 넷은 작다. 각자의 나이와 공과에 따라서, 찬란한 여덟 태양이었다. 발-일루(Bal-ilu) (마르탄다)는 자신의 집이 제일 컸지만 만족하지 않았다. 그는 거대한 코끼리처럼 일하기 시작했다. 그는 형제들 활력 공기를 그의 뱃속으로 흡입했다. 그는 그들을 탐욕스럽게 삼키려고 하였다. 더 큰 네 형제는 멀리 있었다; 그들 왕국의 가장자리에 있었다. [106] 그들은 빼앗기지 (영향받지) 않았고, 비웃었다. 마음대로 해 보시죠. 아무리 애를 써도 당신은 우리에게 미칠 수 없을 것입니다, 그들이 말했다. 그러나 더 작은 형제들은 울었다. 그들이 어머니에게 불평했다. 어머니는 발-일루를 그녀

---

105 씨크릿 독트린은 태양은 중심의 별(Star)이지 행성이 아니라고 가르친다. 그럼에도 고대인들은 태양과 지구를 제외한 일곱 위대한 신들을 알았고 숭배하였다. 그들이 따로 구분한 그 "대신비의 신"은 무엇이었나? 물론 1781 년 허셜이 발견한 천왕성은 아니다. 그러나 그것이 다른 이름으로 알려질 수 없었을까? [오컬트 메이슨리] 저자는 다음과 같이 말한다: - "오컬트 과학은 천문학적 계산을 통해서 행성의 수가 일곱 개가 틀림없다는 것을 발견한 후에, 고대인들은 천상의 조화 음계 속으로 태양을 가져와서, 그가 빈자리를 차지하게 만들었다. 이렇게 그들이 알려진 여섯 행성들에 속하지 않는 어떤 영향력을 지각할 때마다, 그들은 그것을 태양 탓으로 돌렸다. 그 오류가 중요한 것처럼 보이지만, 고대 점성학자들이 태양으로 천왕성을 바꾸어 놓았다면, 실질적인 결과에서는 그렇게 중요하지 않았다. 태양은 상대적으로 움직이지 않는 중심의 별이며, 자전만 하고 시간과 척도를 조절하며, 진정한 기능에서 비켜갈 수 없다." . . . . 한 주의 요일 명칭이 이렇게 잘못된 것이다. "태양의 날, 즉 일요일은 천왕성의 날)로 되어야 마땅하다"고 박학한 저자 라곤이 덧붙인다.
106 행성 체계.

나라 중심으로 추방하였고, 그곳에서 그는 움직일 수 없었다. (그때이후) 그는 (단지) 형제들을 바라보고 위협하기만 한다. 그(태양)가 천천히 자신 주위를 돌면서, 그들을 뒤쫓고, 그들은 잽싸게 그로부터 멀어지며, 그리고 그는 그의 형제들이 그들의 집을 둘러싸는 길을 따라서 움직이는 그 방향 멀리서 쫓아간다. [107] 그날 이후 그는 어머니의 체에서 나온 땀을 먹고 있다. 그는 자신을 어머니 숨결과 배설물로 가득 채운다. 그래서 어머니는 그를 내버렸다."

이렇게 "버림받은 아들"은 위에서 본 것처럼 우리의 태양이 분명하므로, "태양-아들들(Sun-Sons)"은 우리의 행성들뿐만 아니라 일반적인 천체를 말한다. 그 자신은 중심의 영적인 태양(Central Spiritual Sun)의 반영일 뿐이지만, *수리야(Surya)*는 그를 따라서 진화한 모든 천체의 전형이다. 베다에서 태양을 *로카-착슈(Loka-Chakshuh)*, "세계의 눈(Eye of the World)" (우리 행성계)으로 부르며, 그는 셋의 주요 신 중 하나이다. 태양은 무차별하게 *디야우스(Dyaus)*와 *아디티*의 아들로 불린다. 왜냐하면 비의적 의미와 관련하여 어떤 차이가 없거나 범위의 여지가 없기 때문이다. 이렇게 태양은 일곱 마리 말과, 일곱 개 머리를 가진 한 마리 말이 이끈다고 묘사된다; 앞의 일곱 마리 말은 일곱 행성을 말하는 것이고, 뒤의 한 마리 말은 하나의 우주 대원소에서 온 공통의 기원을 말하는 것이다. 이 "하나의 대원소"가 비유적으로 "불(FIRE)"이라 부른다. 베다에서 (하우그의 아이타레야-브라흐마나, p. i) "불이 진정으로 모든 신들이다"라고 가르친다. (아누기타에 있는 나라다)

이 우화의 의미는 분명하다. 왜냐하면 우리는 그것을 설명하는 잔(Dzyan)의 주석서와 근대 과학을 가지고 있기 때문이다. 비록 그 둘이 세부 사항에서 한 가지 이상 차이가 나더라도. 오컬트 가르침은 (일곱) 행성들이 우리 눈에 보이는 태양이 아닌, 태양의 중심 덩어리에서 진화하여 나왔다는 성운 이론에서 나온 가설을 거부한다. 우주 물질의 최초 응고는 물론 중심의 핵, 즉 부모 태양 주위에서 일어났다; 그러나 우리의 태양이 회전하는 덩어리가 수축될 때 다른 것들보다 더 먼저 자신을 분리하였고, 그래서 그들의 아버지가 아니라, 그들보다 더 오래된, 더 큰 형제라고

---

107 "태양은 행성들의 회전 궤도 방향과 같은 방향으로 자전한다고" 천문학에서 가르친다.

가르친다. 여덟 아디티야, 즉 "신들"은 모두 영원한 질료 (혜성 물질[108] —어머니) 혹은 "세계-물질(World-Stuff)"에서 형성되었다. 이 세계 물질은 다섯 번째 그리고 여섯 번째 우주 원리(COSMIC Principle), 보편 혼의 우파디 혹은 토대이다. 마치 소우주인 인간 속에서, 마나스가[109] 붓디의 우파디인 것과 같다.[110]

(d) 우주의 마지막 형성 이전에 성장하는 여러 행성들이 싸운 발생 이전의 싸움에 관한 전체 시가 있고, 이렇게 여러 행성들의 체계가 겉보기에 교란된 위치를 설명하며, 어떤 행성들의 측면이 (예를 들면, 고대인들은 아무것도 몰랐다고 말하는 해왕성과 천왕성에 대하여) 기울어져 있어서, 이렇게 역행 운동의 모습을 보인다. 이 행성들을 전사들(warriors), 건축가들(Architects)로 부르고, 로마 카톨릭교에서는 하늘의 무리들의 리더로서 받아들이면서, 똑같은 전통을 보여주고 있다. 태양이 우주 공간에서 진화한 후, 그리고 1 차 행성들의 마지막 형성과 행성 성운의 고리가 만들어지기 이전에, 태양은 가능한한 많은 우주 활력을 자신의 덩어리 심연 속으로 끌어들이면서, 이렇게 인력과 반발의 법칙이 마지막으로 조정되기 전에, 더 약한 "형제들"을 삼켜버리려고 위협하고 있었다고 배웠다; 그 법칙이 조정된 이후에, 그가 "어머니의 배설물과 땀"을 먹고 살기 시작했다; 다시 말하면, 과학이 아직은 그 존재와 구성요소에 대하여 절대적으로 모르는 에테르 ("보편 혼의 숨결") 그 부분을 먹고 살기 시작했다. 윌리엄 그로브 경이 ("물리력의 상관 관계," 1843 년 81 페이지와 "영국 협회 연설," 1866 년 참조) 이런 이론을 다음과 같이 제시하였다: "여러 행성계가 대기를 추가하거나 빼거나, 혹은 성운의 질료로부터 생기는 축적과 감소로, 점진적으로 변화하고 있다" . . . 그리고 "태양이 공간 속에서 운동하면서 기체를 압축시켜서 열이 만들어질 수도 있다."—고대의 가르침이 요즘 시대에도 충분히 과학적인 것처럼 보인다.[111] 마티유 윌리엄은 우주의 열 방사의 수용체인

---

108 오컬트 과학에서는 혜성 물질의 본질은 근대 과학에서 익숙한 화학적 혹은 물리적 특이성 어느 것과도 아주 다르다고 가르친다. 그것은 태양계 너머 원시 형태에서는 동질적이고, 그것이 우리 지구 영역의 경계선을 넘으면 완전히 분화되어, 행성들 대기와 행성간 질료의 복합 물질에 의해서 오염되어, 우리의 현현계 속에서만 이질적으로 된다.

109 마나스—마인드 원리 혹은 인간 혼.

110 붓디—신성한 혼.

111 매우 유사한 개념이 마티유 윌리엄의 *태양의 연료*와 윌리엄 씨멘 박사의 *태양 에너지 보존에 대하여* (1882년 3월 9일, 네이처, 25권, 440-444페이지); 또한 P. 마틴 던칸 박사의

에테르 혹은 분산된 물질이 그렇게 태양 질량 속으로 깊이 끌려 들어간다고 제시하였다. 이전에 응축되고 열을 소진한 에테르를 그렇게 방출하면서, 그것은 압축되어 그 열을 내놓아서 희박하고 냉각된 상태로 방출되며, 신선한 열의 공급을 흡수하게 된다. 그는 이런 방식으로 에테르에 의해서 흡수되어, 다시 우주의 태양들이 응축하고 재분배한다고 가정한다.[112]

이것이 아마도 과학이 상상한 오컬트 가르침에 가장 근접한 것이다; 왜냐하면 오컬티즘은 그것을 마르탄다가 되돌려준 "죽은 숨결"과 "어머니 공간"의 "땀과 찌꺼기"를 그가 먹고 산다고 설명하기 때문이다. 해왕성,[113] 토성 그리고 목성에는 거의 영향을 주지 않는 것이 수성, 금성 그리고 화성처럼 비교적 작은 "집"들을 죽일 수 있었을 것이다. 천왕성이 18 세기말 이전까지 알려지지 않았기 때문에, 비유에서 언급된 네 번째 행성 이름이 지금까지 우리에게 신비이다.

그 "일곱" 모두의 "대숨결"이 바스카라(Bhaskara) (빛을 만드는 것)라고 말한다. 왜냐하면 그들 (행성들)은 모두 그들의 기원에서 혜성이자 태양이었기 때문이다. 그들은 영원한 물질의 1 차 분화물의 축적과 응집으로 태고의 카오스 (지금은 분해할 수 없는 성운들의 본체)로부터 만반타라 생명 속으로 진화하여 들어오며, 주석서의 아름다운 표현에 따르면, "이렇게 빛의 아들들이 암흑의 직물을 입었다." (우리에게) 무형의 대지성들(INTELLIGENCES)이 보이지 않는 그들의 별과 행성의 집에 거주하기 때문에, 그리고 말하자면 그들의 회전 속에서 달팽이들이 그들과 같이 따라서 가듯이 그들을 데려가기 때문에, 그들이 비유적으로 "하늘의 달팽이들(Heavenly Snails)"이라고 불린다. 모든 천체들과 행성들이 공통의 기원을 가진다는 가르침을, 우리가 보듯이, 케플러, 뉴톤, 라이프니츠, 칸트, 허셜 그리고 라플라스 이전에, 고대 천문학자들이 가르쳤다. 열 (숨결), 인력과 반발—대운동의 세 가지 위대한 요인—이

1877년 5월 런던 *지질학회 회장 연설*에도 있다.

112 알렉산더 윈첼, "비교 지질학," 56페이지 참조.

113 해왕성을 말할 때, 오컬티스트가 본 해왕성이 아니라 유럽인이 본 해왕성이다. 동양의 진정한 오컬티스트들은 우리 태양계에서 아직 발견되지 않은 많은 행성들이 있지만, 해왕성이 우리 태양과 분명한 관계가 있고 태양이 해왕성에 영향을 줌에도 불구하고, 그것은 태양계에 속하지 않는다고 주장한다. 이 연결관계가 *마야*, 즉 환영이라고 그들은 말한다.

모든 원시 가족의 모든 구성원들이 태어나고 성장해서 죽고, "브라흐마의 밤" 후에, 다시 태어나는 조건이며, 그리고 브라흐마의 밤 동안, 영원한 물질은 주기적으로 그것의 원초의 미분화 상태로 돌아간다. 가장 희박한 기체 상태도 근대 물리학자에게 미분화 상태의 성질에 관한 개념을 줄 수가 없다. 처음에 힘의 센터들, 원초의 원자들의 보이지 않는 불꽃 (섬광)들이 분화되어 분자들로 되고, 태양들로 된다─점차로 기체 상태, 빛나는 상태, 그리고 우주적인 상태의 객관성으로 들어가면서, 하나의 "회오리바람 (운동)"이 결국 형태에 충동을 주며, 결코 쉬지 않는 대숨결─디얀-초한들─에 의해서 조절되고 유지된 시초 운동에 충동을 준다.

---

6. . . . . . 그 다음으로 두 번째 일곱이 있고, 이들은 그 셋 (*말씀, 목소리, 영*)에 의해서 만들어진 리피카이다. 버림받은 아들은 하나이고, "아들 -태양들"은 무수히 많다.

*리피-카(Lipi-ka)*는 "쓰기(writing)"이라는 단어 *리피(lipi)*에서 유래한 말로 글자 그대로 필경사(Scribes)를 의미한다.[114] 신비하게도, 이 신성한 존재들은 카르마, 즉 응보의 법칙과 연결되어 있다. 왜냐하면 그들이 "영원의 거대한 화랑," 아스트랄 빛의 (우리에게) 보이지 않는 명판 위에 현상의 우주 속에 있는 존재하였고, 존재하는 그리고 존재할 모든 것들에 대한, 인간의 모든 행위와 심지어 생각까지도 충실하게 기록을 새기는 기록자들(Recorders) 혹은 편찬자들(Annalists)이기 때문이다. *아이시스 언베일드* (1 권 343 페이지)에서 말한 것처럼, 이 신성하고 보이지 않는 캔버스가 생명의 서(BOOK OF LIFE)이다. "건설자들"이 매번 프랄라야 후에 대우주를 재건하는데 그 토대가 되는 우주의 이상적인 계획을 수동적인 보편 마인드에서 객관성 속으로 투사하는 것이 바로 리피카들이듯이, 기독교인이 일곱 "행성영들" 혹은 "별들의 영들(Spirits of the Stars)"로 인식하는 실재의 일곱 천사들과 나란히 서는

---

114 이들은 *아타르바 베다*에서 하늘의 네 구역 수호자 혹은 "감시자들"로서 언급된 넷의 "불멸자들(Immortals)"이다. (lxxvi장, 1-4 참고.)

것도 바로 그들이다; 왜냐하면 이렇게 영원한 개념작용(Eternal Ideation)—혹은 플라톤이 "신성한 생각(Divine Thought)"으로 부른—의 직접적인 대필자들이 바로 그들이기 때문이다. 영원한 기록은 터무니없는 공상이 아니다. 왜냐하면, 조잡한 물질 세계에서도 우리는 똑같은 기록들을 만나기 때문이다. "그림자가 벽 위에 비칠 때마다 거기에 반드시 영원한 흔적을 남기며, 적절한 과정을 거쳐서 그 영원한 흔적을 볼 수도 있다"고 드레이퍼 박사가 말한다. . . "우리 친구의 초상화나 자연의 경치가 눈에서 민감한 표면 위에 숨겨질 수 있지만, 적절한 현상액을 사용하자마자 그것들의 모습이 나타나게 된다. 유령이 은판이나 유리판 위에 숨어 있고, 강령술로 그것이 보이는 세계에 나오게 만든다. 외부 눈길이 완전히 차단되고 우리 사생활이 결코 더럽혀질 수 없는 우리의 가장 사적인 방의 벽 위에, 우리가 행했던 모든 것의 그림자, 우리의 모든 행위의 흔적들이 존재한다."[115] 제본스와 베비지 박사는 모든 생각은 두뇌의 입자들을 바꿔어 놓고 그것들을 움직이게 해서 우주에 두루 흩어지게 한다고 믿으며, 그리고 '존재하는 물질의 모든 입자가 일어난 모든 것을 기록하는 것임에 틀림없다'고 생각한다." (과학의 원리들, 2 권, p. 455.) 이렇게 고대의 가르침이 과학계의 추측 속에서 시민권을 얻기 시작하였다.

*아멘티*의 영역에서 *오시리스* 앞에 혼의 고발자로서 서 있는 40 명의 "사정관들"이 리피카와 같은 등급의 신들에 속하고, 이집트 신들을 비의적인 의미로 거의 이해하지 못했더라도, 리피카와 동등하다고 보았을 것이다. 아그라-산다니(Agra-Sandhani)로 불린 명부에서 모든 혼의 삶에 대한 설명을 읽어가는 힌두의 *치트라-굽타(Chitra-Gupta)*; 야마, 미노스, 오시리스, 또는 카르마이건, 그 앞에서는 활짝 펼쳐 놓은 책이 되는, 죽은 자의 심장으로부터 기록을 읽는 "사정관들"—모두가 리피카와 그들의 아스트랄 기록들에 대한 복사판이자 변형들이다. 그럼에도 불구하고, 리피-카는 죽음과 관련된 신이 아니라, 영원한 생명과 관련된 신들이다.

리피카가 모든 사람의 운명과 모든 아이의 탄생과 연결되어 있고, 그 사람의 삶이 이미 아스트랄 빛 속에서 추적되기에—운명론이 아니라, 단지 미래가 과거처럼 현재 속에 언제나 살아있기 때문에—그들이 점성 과학에도 영향을 미친다고 말할 수 있다.

---

115 "종교와 과학의 갈등."—드레이퍼, pp. 132, 133.

우리가 인정하건 인정하지 않건 관계없이 점성학의 진리를 인정해야만 한다. 왜냐하면 근대 점성학의 많은 대가들 중에 한 사람이 관찰하였듯이, "이제 사진촬영기법이 지금까지 가장 강력한 망원경으로 발견하려는 노력을 당황하게 만들었던 수십억 별과 행성들을 감광판 도구에 고정시킴으로써 행성계가 미치는 화학적 영향을 우리에게 보여주었기 때문에, 우리 태양계가 아이가 태어날 때 어떤 분명한 방식으로 그리고 그런 별자리나 다른 황도대 성좌의 정점의 실재에 따라서 아기의 두뇌—어떤 인상도 없는 처녀지—에 어떻게 영향을 미칠 수 있는지 더 쉽게 이해할 수 있게 된다."[116]

---

116 점성학의 신비, XI 페이지.

스탠저 V – 포하트: 칠중 하이어라키의 아이

1. 원초의 일곱, 지혜의 용의 첫 일곱 대숨결들이 차례로 그들의 회전하는 신성한 숨결에서 불의 회오리바람을 만든다 (a).

(a) 이것이 아마도 모든 스탠저들 중에서 설명하기에 가장 어려운 것이다. 그 언어는 동양의 우화와 의도적으로 애매모호한 구절에 완전히 정통한 사람만이 이해할 수 있는 것이다. 다음과 같은 질문을 확실히 물을 것이다: "오컬티스트들은 이 모든 '건설자들,' '리피카들' 그리고 '빛의 아들들'을 실체로 믿는가, 아니면 그들은 단지 상상의 산물인가?" 이 질문에 대한 대답이 명확하게 주어진다: "인격화된 힘들이 상상의 산물이라는 것을 마땅히 참작한 후, 만약 우리가 육체 인류 속에 영적인 인류의 존재를 거부하지 않는다면, 우리는 이런 실체들의 존재를 인정해야 한다. 왜냐하면 이러한 빛의 아들들(Sons of Light)과 미지의 전체(UNKNOWN ALL)의 최초 현현한 광선의 "마인드에서 태어난 아들들(Mind-born Sons)"이 바로 영적인 인간의 뿌리이기 때문이다." 인간이 태어날 때마다 특별히 창조된 혼─"아담" 이후, 매일 쏟아져 들어오는 이런 신선한 혼의 공급─이라는 비철학적 도그마를 믿고 싶지 않다면, 우리는 오컬트 가르침을 인정해야 한다. 이것이 적당한 곳에서 설명될 것이다. 그러면 이 스탠저의 오컬트 의미가 무엇인지 보자.

씨크릿 독트린에서는 신성하고 충분하게 의식적인 신이 되기 위하여─심지어 최고의 신도─태초의 영적인 대지성(INTELLIGENCES)이 인간 단계를 지나가야만 한다고 가르치고 있다. 그리고 우리가 인간을 말할 때, 이것은 지상의 인류뿐만 아니라, 다른 세계에 거주하는 인간들에게도 적용된다. 즉 네 번째 라운드의 네 번째 근원인종의 중간 지점을 지나갔기에, 우리가 지금 도달한 물질과 영 사이에 적절한 균형에 도달한 그런 지성들을 말하는 것이다. 각각의 실체는 자기-경험을 통하여 신성하게 되는 권리를 스스로 얻었어야만 한다. 독일의 위대한 사상가 헤겔은 무의식자(Unconscious)가 "명확한 자의식을 성취하려는 희망에서," 즉 인간(MAN)이 되기 위하여, 우주를 진화시켰다고 말할 때, 이 진리를 직관적으로 알았거나 감지하였음에 틀림없다; 왜냐하면 이것이 또한 브라흐마가 "창조하려는 욕망으로 꾸준히 움직였다"고 푸라나에서 보통 나오는 구절의 비밀의 의미이기 때문이다. 이것은 또한 다음 격언에 숨겨진 카발라적 의미를 설명해준다: "*대숨결(Breath)*이 돌이 된다; 돌은 식물이 된다; 식물은 동물이 된다; 동물은 인간이 된다; 인간은 영이 된다; 영은 신이 된다." 마인드에서 태어난 아들들, 리쉬들, 건설자들 등등은 다른 세계와 이전 만반타라에서 모두 인간이었다—그 형태들과 형상들이 무엇이건.

이 주제가 너무 신비한 것이므로 그 모든 세부 사항과 관계를 설명하기가 가장 어렵다; 왜냐하면 진화상의 창조의 전체 신비가 그 속에 담겨 있기 때문이다. 푸라나에 나오는 한 두 문장을 읽어보면 카발라와 시편 (civ.) 구절에 있는 유사한 구절을 생생하게 상기시켜준다. 즉 카발라와 시편에서 신에 대하여 말할 때, 신이 바람을 메신저로 삼고 그의 "사역자를 활활 타오르는 불로 삼는다"고 말하기 때문이다. 그러나 비의 가르침에서는 그것은 비유적으로 사용된다. "불의 바람"은, 마치 쇠줄 밥이 자석을 따라 가듯이, "창조적인 거대한 힘들"의 지시하는 생각을 자성석으로 따라가기만 하는 눈부신 백열광을 발하는 우주 먼지이다. 그러나 이 우주 먼지는 그 이상의 어떤 것이다; 왜냐하면 우주에 있는 모든 원자는 그 속에 자의식의 잠재력을 가지고 있으며, 라이프니츠의 모나드처럼, 그 자체로 그리고 *자체를 위한* 하나의 우주이기 때문이다. *그것은 하나의 원자이자 천사이다.*

이런 연결관계에서 근대 진화론 학파의 권위자들 중 한 사람인 A. R. 왈라스 씨는 육체적 인간의 발전에서 "자연도태"를 유일한 인자로 보는 것의 부적절성을 논의할 때, 여기서 논의된 전체 요점을 실질적으로 인정한다는 것을 주목해야 한다. 인류의 진화는 더 높은 대지성들에 의해서 안내되고 심화되며, 그들의 작용은 대자연의 계획에서 필요한 인자라고 그는 생각한다. 그러나 일단 이런 대지성들의 활동이 어느 한 곳에서 인정되면, 그것을 확장하는 것은 당연한 논리적 추론일 뿐이다. 어떤 명확한 선을 그을 수가 없다.

---

2. 그들은 그를 의지의 메신저로 만든다 (a). 드지유가 포하트로 된다; 신성한 아들들의 날쌘 아들, 그들의 아들들이 리피카이며 [117] 순환하는 심부름을 수행한다. 그는 말이고, 생각이 기수이다 (*즉, 그는 그들을 안내하는 생각에 영향받는다*). 그는 번개처럼 불의 구름 (*우주 안개*)을 뚫고 지나간다 (b); 세 걸음, 다섯 걸음, 일곱 걸음을 걸어서, 위로 7 개 영역과 아래로 7 개 영역 (*존재하게 될 세계*)을 지나간다. 그는 목소리 높여서, 무수한 불꽃들 (*원자들*)을 불러서 결합시킨다 (c).

(a) 여기서 "원초의 일곱(Primordial Seven)"이 그들의 *바한* (탈것 혹은 그것을 지시하는 힘(Power)의 상징으로 되는 현현된 주체)으로 포하트를 사용하며, 포하트가 결과적으로, "그들 의지의 메신저"—불의 회오리바람—로 불린다는 것을 보여준다.

"드지유(Dzyu)가 포하트로 된다"—이 표현 자체가 그것을 보여준다. 드지유는 하나의 실재적 (마법의) 지식 혹은 오컬트 지혜이다; 그것은 영원한 진리와 원시의(primal) 원인을 다루며 올바른 방향으로 적용될 때 거의 전능하게 된다. 그것의 정반대는 드지유-미(Dzyu-mi)로, 근대과학처럼 환영과 허상들을 다루는 것이다. 이 경우에 드지유는 디야니-붓다들의 집합적인 지혜의 표현이다.

(b) 독자가 디야니-붓다들에 대하여 잘 알지 못할 것으로 생각되기 때문에, 먼저 다음과 같이 말하는 것이 좋을 것이다. *동양학자들에 따르면*, "천상의" 붓다들인 다섯 디야니가 있으며, 인간 붓다들은 형태와 물질의 세계에서 그들의 현현이다. 하지만 비의적으로, 디야니-붓다들은 일곱이 있고, 지금까지 다섯 만이 현현하였으며, [118] 두 분의 디야니-붓다는 앞으로 여섯 번째 그리고 일고 번째 근원인종에서 나타날 것이다. 말하자면, 그들은 이 지구에 나타나는 붓다들의 영원한 원형들이고, 그들 각각은 특정의 신성한 원형을 가지고 있다. 예를 들면, 아미타바는 고타마 석가모니의 디야니-붓다이며, 이 위대한 혼이 쯔온-카-파 속에서 그랬듯이

---

117 건설자, 행성영 그리고 리피카 사이의 차이를 잊어서는 안 된다. (본 주석 5, 6번 참고)
118 A.P. 씨넷트의 "에소테릭 붓디즘," pp. 171-173 참조.

지상에 화신할 때마다 그를 통해서 현현한다.[119] 일곱 디야니-붓다의 통합으로써 아발로키테쉬바라가 최초의 붓다 (로고스)이듯이, 아미타바는 고타마의 내면의 "신(God)"으로, 중국에서는 아미타-붓다로 부른다. 리스 데이비스가 올바르게 말하듯이, 디야니 붓다들은 지상의 모든 유한한 붓다—해방된 마누쉬 붓다들은 이번 라운드에 지구를 다스리기 위하여 임명된다—의 "이런 저하시키는 물질적 삶의 조건들로부터 자유로운, 신비 세계에 있는 영광스러운, 붓다들"이다. 그들은 "선정불(Buddhas of Contemplation)"이며, 모두가 아누파다카 (어버이가 없는), 즉 신성한 에센스에서 스스로 태어난 분들이다. 모든 디야니-붓다는 마누쉬 (인간) 붓다 사후에 인간 붓다의 작업을 수행해야 하는 마찬가지의 천상의 아들—디야니-보디샷트바—을 자신으로부터 창조하는 능력을 가지고 있다는 대중적 가르침은 다음의 사실에 그 근거를 두고 있다. 즉 "붓다의 영(Spirit of Buddha)"—동양학자들이 다섯의 디야니-붓다들을 창조하였다고 하는 분—이 그림자를 드리운 하나에 의해서 수행된 최고의 입문 때문에, 지원자가 고위 입문주재자(High Initiator)가 창조한 사실상 보디사트바로 된다.

(c) 포하트는 에소테릭 우주발생론에서 가장 중요한 성격이 아니더라도 가장 중요한 것들 중 하나이기에 자세하게 설명되어야 한다. 후대 신화와는 상당한 차이가 있는, 가장 오래된 그리스 우주발생론에 나오는 것처럼, 에로스(Eros)는 태초 삼위일체의 세 번째이다: 카오스(Chaos), 가이아(Gaea), 에로스(Eros): 이 셋은 카발라 아인-소프 (왜냐하면 카오스는 공간, [카이노(χαἰνο)], "공(void)"이기 때문이다), 무궁한 전체(Boundless All), 쉐키나와 옛날부터 계신 분, 혹은 성령에 상응한다; 그래서 포하트는 아직 미현현한 우주와 현상적 우주 세계에서 서로 다른 별개의 것이다. 현상적 우주 세계에서, 포하트는 저 오컬트적, 전기적 활력으로, 창조 로고스의 대의지의 영향 아래에서, 모든 형태들을 결합시키고, 시간이 지나서 법칙으로 되는 최초의 충동을 그것들에게 준다. 그러나 미현현한 우주에서, 마치 에로스가 후세에 빛나는 날개를 가진 큐피드 혹은 사랑이 아닌 것처럼, 포하트도 이런 것이 아니다. 우주가 태어나지 않았고, 신들도 여전히 "아버지-어머니"의 가슴 속에서 잠자고

---

119 "노랑모자," 갤룩파를 창립한 최초이자 가장 위대한 개혁가. 그는 기원후 1355년에 암도에서 태어났으며, 고타마 붓다의 천상의 이름, 아미타바의 *아바타*이다.

있기 때문에, 포하트는 우주와 아무 관계가 없다. 그는 추상적 철학 개념이다. 그는 아직 스스로 아무것도 만들지 않는다; 그는 단순히 잠재적 창조력으로 그의 작용에 의해서 미래 모든 현상의 본체가 말하자면 나누어지지만, 신비적이고 초감각적 활동 속에서 재결합하여, 창조 광선을 발산한다. "신성한 아들"이 갑자기 나올 때, 그때 포하트는 추진력, 즉 하나(ONE)가 둘(TWO)과 셋(THREE)—현현의 우주계에서—으로 되게 하는 활동력으로 된다. 삼중의 하나(triple One)가 분화해서 다수로 되면, 포하트가 엘리멘탈 원자들을 함께 모아서 그것들을 합치고 조합하는 그런 힘으로 변형된다. 우리는 초기의 그리스 신화에서 이 태고의 가르침의 메아리를 발견한다. 에레보스와 넉스(Nux)는 카오스에서 태어나고, 에로스의 활동 하에서, 다음으로 그들이 각각 아에테르(AEther)와 헤메라(Hemera), 상위 영역의 빛과 하위 영역 혹은 지상계의 빛을 낳는다. 암흑이 빛을 발생한다. 푸라나에서 브라흐마의 "의지" 혹은 창조하려는 욕망을 본다; 산초니아톤이 쓴 페니키아인의 우주발생론에서 욕망(Desire), [포토스($\pi\acute{o}\theta o\varsigma$)]가 창조의 원리라는 가르침을 보라.

포하트는 "하나의 대생명(ONE LIFE)"과 긴밀하게 연결되어 있다. 미지의 하나(Unknown One), 무한한 전체성(Infinite TOTALITY)으로부터, 현현된 하나(ONE) 혹은 주기적인 만반타라 신성이 발산하여 나온다; 그리고 이것이 보편 마인드이며, 이것이 분수원(Fountain-Source)과 분리되면, 서구 카발리스트들의 창조 로고스 혹은 데미우르고스(Demiurgos) 그리고 힌두교의 네 얼굴의 브라흐마이다. 비의 가르침에서 현현된 신성한 생각의 관점에서 볼 때, 그것의 전체로 그것은 더 높은 창조적 디얀-초한들의 무리를 나타낸다. 보편 마인드의 진화와 동시에, 아디-붓다(Adi-Buddha)—지고의 영원한 하나—의 숨겨진 지혜가 아발로키테쉬와라 (혹은 현현한 이쉬바라)로써 자신을 현현하고, 이것은 이집트의 오시리스, 조로아스터교의 아후라-마즈다, 헤르메스 철학자의 천상의 인간, 플라톤 학파의 로고스, 그리고 베단타의 아트만이다.[120] 대우주 속에 있는 이런 무수히 많은 영적인 에너지 센터들로 나타낸, 마하트 혹은 현현된 대지혜의 작용으로, 우주적 개념작용(Cosmic Ideation)이고 그런 작용을 수반되는 지성적인 힘인 보편 마인드의 반영이 객관적으로 불교 비의

---

120 수바 로우 씨는 그것을 로고스와 동일하게 봐서 로고스(LOGOS)라고 부르는 것처럼 보인다. ("신지학자"에 발표된 "바가바드 기타"에 관한 네 강연 참조.)

철학자의 포하트로 된다. 포하트가 아카샤의 일곱 원리들을 따라서 흐르면서 위에서 언급했듯이 현현한 질료 혹은 하나의 대원소(One Element)에 작용하고, 그리고 그것을 다양한 에너지의 센터들로 분화시킴으로써, 우주의 진화의 법칙을 시작하게 만들며, 이것이 보편 마인드의 개념작용에 따라서 현현된 태양계에 있는 모든 다양한 존재의 상태들을 존재하게 만든다.

이런 다양한 에너지 센터들에 의해서 존재하게 된 태양계는 이 센터들 속에 있는 다른 모든 것처럼 일곱 원리들로 구성된다. 이것이 히말라야 너머 비의학파의 가르침이다. 하지만 모든 철학은 이 원리를 나누는 나름대로 방법을 가지고 있다.

그러면 포하트는 현현계나 보이지 않는 세계에서, 의인화된 전기적 활력, 모든 우주 에너지를 묶는 초월적 통일성으로, 그것의 작용—광대한 규모로—은 의지로 창조된 살아있는 힘의 작용과 닮았으며, 그런 현상들 속에서 외견상 주관적인 것이 외견상 객관적인 것에 작용해서 그것이 활동하게 몰아붙인다. 포하트는 그 힘의 살아있는 상징이자 그릇일뿐만 아니라, 오컬티스트들은 그것을 하나의 실체로 보고 있다— 그가 영향을 주는 힘은 우주 차원, 인간 차원, 그리고 지상 차원이고, 모든 계 각각에 그것들의 영향을 미친다. 지상계에서, 포하트 영향은 자성적인 사람이나 사물의 강력한 욕망으로 발생된 자기력과 활동력 속에서 느껴진다. 우주계에서, 그것은 사물들—행성 체계부터 개똥벌레와 단순한 데이지에 이르기까지—을 형성하는 데 그 특별한 사물의 계발과 성장에 관하여 신성한 생각(Divine Thought) 속에 있는 혹은 자연의 마인드 속에 있는 계획을 실행하는 건설적인 힘 속에 실재한다. 형이상학적으로, 포하트는 신들의 객관화된 생각이다; 더 낮은 단계에서, 그는 "육화된 말씀"이고, 우주적 그리고 인간적 개념작용의 메신저이다: 보편 대생명 속에 있는 활동력이다. 이차적인 측면에서 볼 때, 포하트는 태양 에너지(Solar Energy), 전기적 활력 유액(vital fluid)이고,[121] 보존하는 네 번째 원리이며, 대자연의 동물

---

121 1882년에 신지학회 회장인 올콧 대령이 그의 강연 하나에서 전기는 물질이라고 주장하였기 때문에 비난을 받았다. 그럼에도 불구하고, 그것은 오컬트 가르침이다. 유럽의 과학은 전기의 진정한 성질에 대하여 거의 모르기 때문에, "힘," "에너지"라고 말하는 것이 그것의 더 좋은 이름일지 모른다; 그럼에도 에테르가 원자로부터 몇 겹 떨어져 있지만, 원자처럼 물질인만큼, 전기도 물질이다. 어떤 사물이 과학적으로 잴 수 없기 때문에, 그것을 물질로 부를 수 없다고 주장하는

혼으로, 말하자면 전기이다. 인도에서, 포하트는 (최초) 신의 초기 성격에서 비쉬누 그리고 수리야와 연결된다; 왜냐하면 리그 베다에서 비쉬누가 높은 신이 아니기 때문이다. 비쉬누 이름은 "스며들다"라는 뜻의 어근 vish 에서 왔으며, 포하트가 "충만자(Pervader)"와 제조자로 불린다. 왜냐하면 그가 천연 그대로의 물질에서 온 원자들을 만들기 때문이다.[122] 리그 베다의 신성한 구절에서, 비쉬누는 또한 "태양 에너지의 현현"이며, 그가 우주의 일곱 영역을 세 걸음으로 지나간다고 묘사되고 있다. 베다의 신은 후세의 비쉬누와 거의 공통점이 없다. 그러므로 둘이 이 특별한 특징에서 동일하며, 하나가 다른 것의 복사판이다.

"셋과 일곱" 걸음은 지구의 일곱 영역뿐만 아니라 비의 가르침에서 말하는 인간이 거주하는 일곱 구체를 말한다. 그럼에도 불구하고 자칭 동양학자들이 빈번한 이의를 제기하지만, 우리 행성 체인의 일곱 세계 혹은 구체들이 힌두교 대중 성전에서 뚜렷하게 언급되고 있다. 그러나 이 모든 숫자들이 다른 우주발생론에 있는 비슷한 숫자들 그리고 그것의 상징과 얼마나 신기하게 연결되어 있는지는 고대 종교의 학생들이 한 비교와 병행해서 볼 수 있다. 리그 베다에서 "비쉬누의 세 걸음"으로 "우주의 일곱 영역"을 지나간다는 것이 여러 주석가들에 의해서 우주적으로, "불, 번개와 태양"을 의미하는 것으로 다양하게 해석되어 왔다; 그리고 지구, 대기와 하늘의 의미로; 또한 (비쉬누의 화신) 난쟁이의 "세 걸음"이라고 말해왔다. 하지만,

---

것은 터무니없는 것 같다. 전기의 분자들이 지각과 실험될 수도 없다는 의미로서 전기는 "비물질적"이다; 하지만, 그것은—그리고 오컬티즘에서는 그렇다고 말한다—원자적이다; 그러므로 그것은 물질이다. 그러나 심지어 전기에 대해서 그렇게 말하는 것이 비과학적이라고 가정하더라도, 일단 전기가 과학에서 에너지의 근원, 단순히 에너지, 그리고 어떤 힘이라고 불리어지면, 물질을 말하지 않은 채, 생각할 수 있는 그 에너지, 혹은 그 힘은 어디에 있는가? 수학자이며 전기와 그 현상에 대해서 대권위자인 맥스웰은 여러 해 전에, 전기는 단순히 운동이 아니라, 물질이라고 말했다. "만약 우리가 원소적 질료들이 원자들로 구성되어 있다는 가설을 받아들인다면, 전기가, 음전기뿐만 아니라 양전기가, 뚜렷한 원자적 부분으로 나누어지며, 이것들이 전기의 원자들처럼 움직인다는 결론에 이르지 않을 수 없다." (헬름홀츠, 페러데이 강의, 1881). 한걸음 더 나아가, 전기는 질료일 뿐만 아니라, 영원한 카르마의 법칙에 따라서 우리 세계를 다스리고 안내하는 무수히 많은 실체들의 하나, 즉, 신도 아니고 악마도 아닌, 어떤 실체로부터의 발산이라고 주장한다. (S.D, 1권 3부 16장 참조)

122 진동하는 금속 판 위에 모래가 놓이면, 일련의 규칙적인 다양한 모양의 곡선 형태를 띤다는 것은 일반적으로 잘 알려져 있다. 과학이 이러한 사실을 *완전하게* 설명할 수 있을까?

더 철학적으로—그리고 매우 정확하게 천문학적 의미에서—태양의 다양한 위치, 즉, 일출, 정오, 일몰로 아우르나바바가 설명한다. 비의 철학만이 그것을 분명히 설명하며, 조하르는 그것을 매우 철학적으로 그리고 포괄적으로 규정하였다. 거기에서 다음과 같이 명료하게 설명되었다: 처음에 엘로힘 혹은 엘힘(Elhim)은 에코드(Echod), "하나(one)"로 불렸고, 혹은 "신이 많은 것 속의 하나"로, 범신론적 개념에서 매우 단순한 개념이다 (물론 철학적 의미에서). 그리고 변화가 생겼다. 즉 "여호와는 엘로힘이다," 이렇게 다양성을 통일시켜서, 일신교로의 첫걸음을 내딛는다. 이제 "어떻게 여호와가 엘로힘인가?"라는 질문이 나온다. 그 대답은 아래로부터 "세 걸음으로"이다. 그 의미가 분명하다.[123] 그것들은 모두 상징이고, 상호적으로 그리고 상관 관계적으로 영, 혼 그리고 체 (인간)를 상징한다; 즉, 원이 영, 세계의 혼 그리고 그것의 체 (지구)로 변형된 것을 나타낸다. 아무도 이해하지 못하는 무한의 원(Circle of Infinity)에서 나오면서, 아인-소프 (파라브라흠, 배화교의 제로아나 아케르네, 혹은 다른 곳에서 "불가지자(UNKNOWABLE)"에 해당하는 카발라 동의어)는 "하나(One)"—에코드(Echod), 에카(Eka), 아후(Ahu)—로 된다. 그리고 그는 (혹은 그것은) 진화에 의해서 많은 것 속의 하나(One in many), 즉 디야니-붓다 혹은 엘로힘 혹은 암샤스펜드로 변형되며, 그의 세 번째 걸음이 "인간" 혹은 육체의 발생으로 바뀌는 것이다. 그래서 인간 혹은 야-호바(Jah-Hova), "남성 여성"으로부터, 내면의 신성한 실체가 형이상학 계에서 또 다시 엘로힘이 된다.

---

123 "아이시스 언베일드"에서 보여준 대로, 숫자 3, 5, 7 은 추론적인 프리메이슨에서 두드러진다. 어느 메이슨이 다음과 같이 썼다: "원의 걸음을 보여주는, 3보, 5보, 7보가 있다. 3, 3; 5, 3; 7, 3 의 세 가지 면 등등. 때로는 그것이 이런 형태로 온다—즉, 753/2=376.5 그리고 7635/2=3817.5 그리고 입방체 측정을 위한 20612/6561 피트의 비율이 이집트 대피라미드의 측정치를 준다" 등등. 3, 5, 7 은 신비한 숫자들이고, 7 과 3 은 조로아스터교도와 프리메이슨에서 대단히 소중히 여겼던 숫자들이다. 삼각형은 모든 곳에서 신의 상징이다. (메이슨 백과사전과 올리버가 지은 *피타고라스 삼각형* 참조.) 당연한 일이지만, 예를 들면 카셀 같은 교부들은 조하르가 기독교 삼위일체를 설명하고 지지하는 것을 보여준다. 하지만 기독교 삼위일체는 오히려 고대 오컬티즘과 상징학에서, 이교도 삼각형(△)에서 그 기원을 가졌다. 세 걸음은 형이상학적으로 영이 물질 속으로 하강하는 것을 말하며, 즉 로고스가 하나의 광선으로써 영 속으로, 그리고 혼 속으로, 그리고 마지막으로 인간의 육체 형태 속으로 떨어지는 것을 말한다. 그리고 인간의 육체 속에서 그것은 생명(LIFE)이 된다.

카발라의 개념은 태고 시대의 비의 가르침과 동일하다. 이 비의 가르침은 모두의 공동 재산이며, 다섯 번째 아리안 인종 것도 아니고, 그에 속한 수많은 아인종들 것도 아니다. 그것을 우랄 알타이족, 이집트인, 중국인, 칼데아인들이나 다섯 번째 근원인종의 일곱 아인종 누구도 자신들 것이라고 주장할 수 없다. 실제로 그것은 세 번째 그리고 네 번째 근원인종에 속하고, 우리는 그들의 자손들을 다섯 번째 근원인종 씨앗, 가장 초기 아리안들 속에서 발견한다. 원(Circle)은 모든 나라에서 미지자(Unknown)—"무궁한 공간," 언제나 영원히 실재하는 추상성의 추상적인 옷— 인식 불가한 신성(Incognizable Deity)의 상징이었다. 그것은 영원 속에 있는 무한한 시간을 나타낸다. 제로아나 아케르네도 "미지의 시간의 무궁한 원"이며, 그 원에서 찬란한 빛—보편 태양, 오르마즈드(Ormazd)[124]—이 나오고 오르마즈드는 아이올리안 형태, 원의 형태로 크로노스(Kronos)와 동일하다. 왜냐하면 원은 사르(Sar), 그리고 사로스(Saros) 혹은 주기이고, 바빌로니아의 신으로 그 신의 원형 수평선이 볼 수 없는 존재의 가시적인 상징이었다. 반면에 태양은 하나의 원(One Circle)으로 그것에서 우주의 구체들이 나왔으며, 그리고 그가 그것들의 지도자로 간주되었다. 제로-이나(Zero-ana)는 "차크라" 혹은 비쉬누의 원이며, 어느 신비가 정의에 따르면, "어떤 부분에 대하여, 심지어 그것의 가능한 가장 작은 부분도, 그 곡선이 어느 한 쪽으로 길게 연장된다면, 그것이 계속 나아갈 것이고 결국에는 자체로 다시 들어가서 하나의 똑같은 곡선—우리가 원이라고 부르는 것—을 형성하는 그런 성질의 곡선"이 되는 신비스러운 엠블럼이다. 신에 대한 명확한 성질이자 자연스러운 상징에 대하여 더 나은 정의를 제시할 수가 없다. 즉, 신의 원주 (둘레)는 모든 곳에 있고 (무궁하고), 그러므로 그 중심점도 또한 모든 곳에 가지고 있다; 다시 말하면, 그것이 우주 모든 지점에 있다. 따라서 보이지 않는 신은 또한 디얀 초한, 혹은 리쉬, 원초의 일곱 그리고 그것들의 통합적인 단위 없이 아홉 그리고 그것을 포함하면 열이다; 거기에서 그것(IT)이 인간 속으로 들어간다. 스탠저 IV 주석 (4)로 되돌아가면, 히말라야 너머에서 차크라는 그 안에 △□│☆(삼각형, 첫 번째 선, 입방체, 두 번째 선, 중심에 점이 있는 별 ☆ 그리고 다른 변형들)이 그려져 있지만, 엘로힘의 카발라 원은 단어 אלהים (알힘 혹은 엘로힘)의

---

124 오르마즈드는 "로고스"이며, "최초 태어난 자(First Born)"이고, "태양"이다.

글자들을 숫자로 읽을 때, 그 유명한 13514, 혹은 숫자 위치를 바꾸면 31415 를 나타내는지 이해할 것이다—이것이 천문학의 파이(π)이고, 디야니-붓다, 기버(Gebers), 지보림(Geborim), 카베리 그리고 엘로힘에 대한 숨겨진 의미이며, 모두가 "거대한 인간," "타이탄," "천상의 인간" 그리고 지상에서 "거인"을 나타낸다.

일곱(7)은 모든 국가에서 성스러운 숫자였다; 그러나 어느 누구도 유대인만큼 그것을 더 생리적으로 물질적인 용도로 적용하지 않았다. 그들에게 7 은 탁월하게 생식의 숫자였고, 9는 남성 원인의 수였으며, 카발리스트들이 보여준 것처럼, 오쯔(otz) 혹은

צ ע

—"에덴 동산의 나무," [125] 네 번째 근원인종의 "이중의 자웅동체 막대"—를 형성한다. 반면에 힌두인과 아리안들에게 일반적으로 그 의미는 여러 가지이며, 거의 순전히 형이상학적 그리고 천문학적 진리와 관계가 있다. [126] 그들의 리쉬들과 신들,

---

125 이것은 "지성소"의 상징이었으며, 성의 분리인 3 과 4 였다. 거의 모든 히브리어 22 글자는 단순한 남근 상징이다. 위에서 본 바와 같이, 두 개 글자 중 하나, *아인(ayin)*은 *음*의 여성 글자로, 상징적으로 눈(eye)이다; 다른 남성 글자 *짜(tza)는 물고기*-바늘 또는 화살을 나타낸다.

126 아직 출간되지 않았지만 카발라와 조하르를 아리안들의 비의 가르침과 대조한 한 카발리스트가 저서에서 다음과 같이 말했다. "명확하고 짧고 간결하며 정확한 히브리식 표현 방식이 아장아장 걷는 아기처럼 지향점 없이 단어를 열거하는 힌두식 표현 양식 보다는 훨씬 낫다. 시편 작가가 댓구법으로, '나의 입은 나의 혀를 가지고 말하지만, 나는 당신의 숫자들을 모릅니다' (시편 71 편 15 절)라고 말한 것처럼 … 힌두 (상형) 문자에는 부수적인 측면을 크게 혼합해서 그것의 불충분함으로 (거짓말하는) 그리스인들이 가졌던, 그리고 프리메이슨이 가진, 똑같은 빌려온 공들인 옷을 보여준다: 한편 유대인의 거친 단음절의 (겉보기에) 결핍 속에서, 다른 어떤 언어보다 훨씬 더 먼 고대로부터 전해져 왔으며, 어떤 다른 것보다 오래된 기원에 더 가깝거나 혹은 근원이었다는(!?) 것을 보여준다." 이것은 전적으로 틀린 것이다. 우리의 박식한 형제이자 통신원이 힌두교 종교체계를 그들의 샤스트라스와 푸라나로, 아마도 후자로 그리고 동양학자들에 의해서 모두 알아보지 못하게 왜곡한 근대 번역판으로 겉보기에 판단한다. 만약 비교점을 만들려면, 그들의 철학 체계에, 그들의 비의적 가르침에 의존해야 한다. 의심할 여지없이 모세 오경과 심지어 신약성서의 상징조차도 똑같은 근원에서 온 것이다. 그러나 확실히 꾸푸의 피라미나가 피아지 스미스 교수에 의해서 그것의 모든 치수들이 솔로몬이 지었다고 주장하는 신화상의 사원에서 반복되는 것이 발견되는데, 이것이 모세경보다 후대가 아닌가? 그래서 만약 주장한 것처럼 그런 어떤 유사성이 있다면, 그것은 이집트인들이 아닌, 유대인들의 독창성 없는 모방에 기인한 것이 틀림없다. 유대인의 상형문자—그리고 심지어 그들의 언어, 히브리어도— 독창적인 것이 아니다. 그것은 이집트인한테서 차용한 것이며, 모세가 그의 지혜를 그들로부터 얻었다; 옛 페니키아인의 부모는 아니지만 아마 친척인, 콥트인으로부터 그리고 그들의 조상이라는 힉소스인으로부터 빌려온 것이다. 조세프스가 그의 저서 *아피온에 반대하며,* 1 권 25 페이지에서 보여준다. 그렇다; 그러나 힉소스 유목민들은 누구인가? 그리고 누구

악마들과 영웅들은 역사적 윤리적 의미를 가지며, 아리안들은 고대 히브리인들이 했던 것처럼, 결코 그들 종교를 순전히 생리학적 상징에 토대를 두지 않았다. 힌두교 대중 성전에서 이것을 발견할 수가 있다. 이런 설명들이 블라인드라는 것은 그것들이 서로 모순되는 것으로 보이고, 서로 다른 구조가 거의 모든 푸라나와 서사시에서 발견된다는 것이다. 비의적으로 읽으면, 그것들 모두 같은 의미를 줄 것이다. 이렇게 한 가지 설명이 그 수가 역시 일곱인 지하 세계들을 배제한 일곱 세계를 열거한다; 이 14 개의 상위계와 하위계는 칠중 체인의 분류와 아무 관계가 없으며 순전히 정묘한 보이지 않는 세계에 속한다. 다른 곳에서도 이 세계들을 볼 것이다. 마치 그것들이 체인에 속하는 것처럼 의도적으로 언급되고 있다는 것을 보여주는 것으로 현재는 충분하다. "또 다른 열거법은 일곱 세계를 땅, 하늘, 천국, 중간계, 탄생 장소, 축복의 저택, 그리고 진리의 거처로 부른다; 그리고 '브라흐마의 아들들'을 여섯 번째 구분에 놓고, 다섯 번째 세계인 자나-로카를 거대한 화재에서 파괴된 동물들이 다시 태어나는 곳이라고 말한다."(힌두 고전 사전 참조) 어떤 진정한 비의 가르침이 "상징론"에서 주어진다. 그 가르침을 받아들일 준비가 되어 있는 사람은 그 숨겨진 의미를 이해할 것이다.

---

3. 그는(*포하트*) 안내하는 영이고 지도자이다. 그가 일을 시작할 때, 그는 찬란하게 빛나는 거주처 (*기체 구름들*) 속에서 기쁘게 떠다니고 전율하는 하위 왕국의 불꽃들 (*광물 원자들*)을 나누어서, 그것으로 수레바퀴들의 배아를 형성한다. 그는 그것들을 공간의 여섯 방향으로 놓고, 하나는 중심에 (*중앙의 수레바퀴*) 놓는다 (a).

이집트인들인가? 역사는 이 문제에 대해 아무것도 알지 못하며, 역사 학자 개개인의 각자 의식에서 추론하고 이론화한다. (*아이시스 언베일드*, 2 권, pp. 430~438 참조) "카미즘(Khamism) 혹은 고대 콥트인은 서아시아에서 왔고, 셈족의 씨앗을 간직하고 있으며, 이렇게 아리안들과 셈족들의 원초적 같은 조상이라는 증거이다" 라고 분센이 말한다; 그리고 그는 이집트에서의 거대한 사건을 기원전 9,000 년으로 본다. 사실은 태고의 비의 가르침과 아리안 사상에서 우리는 웅대한 철학을 발견하지만, 반면에 히브리 기록에서는 남근 숭배와 성적인 신통기를 신격화하는 가장 놀라운 창의력을 보게 된다.

(a) 앞에서 이미 설명하였듯이, "수레바퀴들(Wheels)"은 힘의 센터들로, 그 주위로 원초의 우주 물질이 팽창해서, 여섯 단계의 모든 응고 과정을 지나가면서, 타원형으로 되고, 구체들로 변형된 것으로 끝난다. 생명의 칼파 (영겁) 동안, 대운동(MOTION)은 휴식기간 동안 "잠자는 모든 원자를 관통해서 고동치고 진동하면서"[127] (잔의 서 주석) 대우주가 새로운 "날"에 처음 깨어날 때부터 점점 더 회전 운동을 하려는 성향을 취한다는 것이 바로 비의 가르침의 우주발생론의 근본 가르침들 중 하나이다. "신이 회오리바람(WHIRLWIND)으로 된다." 그 의미가 별들과 행성들에게 생명을 불어넣는 원리를 말할 때 그것들은 또한 로테(Rotae)—세계의 창조에 참여하는 천체들의 움직이는 수레바퀴들—로 불린다; 왜냐하면 카발라에서, 그들은 구체들과 별들의 천사, 오파님(Ophanim)으로 나타내고, 그들이 별에 생명을 불어넣는 혼이기 때문이다. ("*카발라 언베일드*," "*혼에 대하여*," p. 113 참조)

원초의 물질 속에서 소용돌이 운동의 이 법칙은 그리스 철학에서 가장 오래된 개념들 중에 하나이며, 그들의 역사상 최초 현자들은 거의 모두가 신비의식의 입문자들이었다. 그리스인들은 그것을 이집트인들로부터 받았고, 이집트인들은 칼데아인들로부터 받았으며, 칼데아인들은 비의 학파에 속한 브라만들의 제자였다. 레우키푸스와 아브데라의 데모크리투스—마기의 제자—는 원자와 구체의 회전 운동은 영원부터 존재하였다고 가르쳤다. [128] 히케타스, 헤라클라이데스, 엑판투스,

---

127 필자가 물었듯이, 독자도 다음과 같은 질문을 할 수도 있을 것이다: "자연의 모든 것이 원래의 본질로 돌아가서, 그것을 볼 수 있는 어느 누구도—심지어 모든 디얀 초한들도 모두 열반에 들어있다—없는데, 그 운동 속에서 차이를 누가 확인할 수가 있는가?" 이 질문에 대한 대답은 다음과 같다: "대자연 속에 있는 모든 것은 유추로 판단되어야 한다. 비록 최고의 신들 (대천사나 디야니 붓다들)도 우리 행성계와 눈에 보이는 우주 훨씬 너머의 신비까지 꿰뚫어 볼 수 없더라도, 여러 세계들의 체계가 휴식하고 그것들이 주기적인 잠 속으로 빠져들었을 때, 대숨결과 대운동의 신비를 인식할 수 있던 위대한 투시가들과 예언자들이 고대에는 있었다."
128 "지구 자전설 가르침은 일찍이 기원전 500 년경 피타고라스 학파의 히케타스가 가르쳤다. 그것은 또한 그의 제자 엑판투스와 플라톤 제자 헤라클라이데스도 가르쳤다. 기원전 281 년에 사모스의 아리스타쿠스는 태양의 부동성과 지구의 공전이 관찰의 사실들과 일치한다는 것을 보여주었다. 기원전 150 년경 티그리스 강가에 있는 셀레우시아의 셀레우쿠스는 태양중심설을 가르쳤다—이것은 기원전 500 년경 피타고라스가 가르친 것이다—H.P.B. 아르키메데스도 [새마이트]라는 저작에서 태양중심설을 가르쳤다. 아리스토텔레스는 지구의 구형성을 분명히 가르쳤다. 그는 일식, 월식에서 달 위로 드리워지는 지구의 그림자를 증거로 호소하였다. ("천계론,"

피타고라스와 그의 모든 제자들은 지구의 자전을 가르쳤다; 그리고 인도의 아리야바타, 아리스타쿠스, 셀레우쿠스, 그리고 아르키메데스는 지금의 천문학자처럼 과학적으로 지구의 공전을 계산하였다; 반면에 원소의 소용돌이 운동 이론이 아낙사고라스에게 알려졌고, 기원전 500 년에 그가 그것을 주장하였으며, 혹은 그것을 약 2000 년이 지나서 갈릴레오, 데카르트, 스웨덴 보르그가 채택하였고, 마지막으로 톰슨 경이 약간 수정하여 주장하였다. (그의 "소용돌이 원자" 참조) 그 모든 지식은 공평하게 다루어진다면 고대 가르침의 메아리로, 이제 설명하려고 시도하는 것이다. 지난 몇 세기 동안 사람들이 어떻게 몇 만년 전에 비밀의 성소에서 자명한 진리로써 가르쳤던 것과 똑같은 생각과 결론에 도달했는지는 별도로 다루어야 할 문제이다. 어떤 사람들은 물질 과학에서 자연스러운 발전과 독립적인 관찰로 그것에 이르게 되었다; 다른 사람들—코페르니쿠스, 스웨덴보르그 그리고 그 외 소수—은 그들의 위대한 학식에도 불구하고 그들의 지식을 보통의 학습 과정으로 계발된 획득한 개념이라기보다 훨씬 더 직관적 개념에 두었던 것이다.[129] ("붓다에 관한 신비" 참조)

II, 14 장) 똑같은 생각을 플리니도 옹호했다. ("박물사," II, p. 65) 이 견해들이 1,000 년 이상 동안 지식에서 사라져버린 것처럼 보인다." (*비교지질학*, 4 부, 칸트 이전 추론, p. 551, 알렉스 윈첼)
129 스웨덴보르그가 불교의 비의적 개념에 대하여 알았을 리가 거의 없지만, 그의 일반 개념에서 독자적으로 오컬트 가르침에 근접하였다는 것이 소용돌이 이론에 관한 그의 논문에서 보인다. 클리솔드가 번역하고 윈첼 교수가 인용한 것에서 다음과 같은 요약을 본다: —"제일 원인은 무한자(Infinite) 혹은 무제한자(Unlimited)이다. 이것은 최초 유한자(First Finite) 혹은 제한자(Limited)에게 존재를 부여한다." (다시 말하면 로고스가 그의 현현과 우주.) "제한을 만드는 그것은 운동과 유사하다. (첫째 스탠저 참조.) 만들어진 제한은 하나의 점이고, 그것의 본질이 운동이다; 그러나 이 본질은 부분들이 없으므로, 실제 운동이 아니라, 운동과 동시에 존재하는(connatus) 것일 뿐이다." (우리 가르침에서는 그것은 동시에 존재하는 것이 아니라, 미현현 안에 있는 영원한 진동에서, 현현된 세계 혹은 현상계의 소용돌이 운동으로 변화이다.). . . "바로 이 최초로부터 확장, 공간, 형태(Figure) 그리고 연속 혹은 시간이 나온다. 기하학에서 한 점이 선을 발생시키고, 선은 면을, 면은 입체를 생기게 하는 것처럼, 여기서 한 점과 동시에 존재하는 성질이 선, 면, 입체로 향하게 한다. 다른 말로 하면, 우주가 최초의 자연적인 점 속에 있는 알(ovo)의 형태로 간직되어 있다. . . 그 동시 존재가 향하는 운동은 원형이다. 왜냐하면 원이 모든 도형들 중에서 가장 완전하기 때문이다 . . . 어떤 운동의 가장 완전한 모양은 영원한 회전 운동임에 틀림없다. . . 즉, 그것은 중심에서 주변으로 그리고 원주에서 중심으로 진행되어야 한다." (*대자연의 원리*에서 인용.) 이것이 순수하고 간단한 오컬티즘이다.

"공간의 여섯 방향"이란 여기서는 "이중 삼각형(Double Triangle)"을 의미하였으며, 순수 영과 물질, 아루파와 루파의 결합과 융합을 나타내는 것으로 삼각형들이 그것의 상징이다. 이 이중 삼각형은 비쉬누의 기호이고, 또한 솔로몬의 봉인이며, 브라만들의 스리- 안타라(Sri-Antara)이다.

---

4. 포하트가 여섯을 일곱 번째—왕관—와 결합시키기 위하여 나선형 선을 그린다 (a); 빛의 아들들의 군대가 각각 모퉁이에 서고, 리피카가 중간 수레바퀴에 선다. 그들(*리피카*)이 말하길, "이것이 훌륭하다" (b). 첫 번째 신성한 세계가 준비되었고, 첫째 (*이제 존재한다*), 두 번째 세계, 그리고 "신성한 아루파" (*생각의 무형의 우주*)가 차야로카 (*원초 형태의 그림자같은 세계 혹은 지성계*), 아누파다카의 최초 옷 속에 자신을 반사시킨다 (c).

(a) 이렇게 "나선형의 선들"을 추적하는 가는 것은 대자연의 원리들뿐만 아니라, 인간 원리의 진화를 말한다; 자연 속에 있는 모든 것이 그러듯이, (2 권 "인종의 기원"에 대하여 보게 될 것이다) 점진적으로 일어나는 진화이다. 인간의 여섯 번째 원리 (붓디, 신성한 혼)는 우리의 개념으로 단순한 숨결이지만, 그것을 매개체로 하는 혹은 운반자로 사용하는 신성한 "영"(아트마)과 비교하면 여전히 물질인 어떤 것이다. 포하트는 친화성과 공감의 전기적 힘, 신성한 사랑(DIVINE LOVE) (*에로스*)의 역량 속에서 하나의(ONE) 절대자로부터 분리될 수 없는 광선(Ray), 순수 영(Spirit)을 혼과 합일시키려는 것으로 비유적으로 보여지고, 인간 속에서 그 둘은 모나드를 구성하며, 대자연 속에서 언제나 무조건 존재와 현현된 것 사이에 최초의 연결고리이다. "첫째가 이제 두 번째 (세계)이다"—리피카들의 세계—라는 말은 같은 것을 말하는 것이다.

(b) 각 구석에 있는 "군대"는 만반타라 시작부터 끝까지 각각의 영역을 안내하고 지켜보도록 임명된 천사 같은 대존재들 (디얀 초한들) 무리이다. 그들은 기독교

카발리스트들과 연금술사들이 말하는 "신비의 파수꾼들(Mystic Watchers)"이고, 우주발생론뿐만 아니라, 상징적으로 우주의 숫자 체계와 관련 있다. 이 천상의 존재들과 연결된 숫자들을 설명하기가 엄청 어렵다. 왜냐하면 각각의 수가 그것이 나타내려는 특정한 "천사들" 그룹에 따라서, 뚜렷한 개념의 몇 가지 그룹을 말하기 때문이다. 바로 여기에 상징학 연구의 매듭 (어려움 점)이 있다. 많은 학자들은 그 어려운 매듭을 풀 수 없기 때문에, 알렉산더가 고르디안 매듭을 잘라버렸듯이, 그 문제를 다루기를 더 좋아했다; 그래서 여러 가지 잘못된 개념과 가르침이 직접적인 결과로 생겨났다.

"첫째(First)가 둘째(Second)로 된다." 왜냐하면 "첫째"는 1 차 현현에서 본체의 영역이기 때문에 사실 첫째로서 숫자를 붙일 수 없고 간주할 수도 없기 때문이다: 그것은 진리의 세계, 즉 사트(Sat)로 넘어가는 경계선으로, 이것을 통해서 "하나의 대실재(ONE REALITY)"—이름 없는 신(Nameless Deity)—에서 방사하는 직접적인 에너지가 우리에게 도달한다. 다시 여기서 번역이 불가능한 용어인 *사트 (있음:Be-ness)*는 자칫 잘못된 개념으로 이어질 수도 있다. 왜냐하면 현현된 것은 무엇이건 사트가 아니라, 현상적이고 영원하지 않은 어떤 것, 사실 심지어 영구적이지 않은 어떤 것이기 때문이다. 그것은 "무이(Secondless)"의 하나의 대생명(One Life)과 공존하고 동시 존재하지만, 현현으로서 그것은 다른 모든 것처럼 여전히 하나의 "마야"이다. 이 "진리의 세계"가 "영원의 심장에서 떨어진 환하게 빛나는 별; 일곱 광선들이 존재의 일곱 세계를 그 위에 매달고 있는 희망의 횃불"로서 주석서에 있는 말로만 묘사될 수 있다. 진실로 그렇다; 왜냐하면 그것들이 일곱 빛(Seven Lights)이고 그 빛의 반영이 인간의 불멸의 모나드—아트마 혹은 인류 가족 모두의 빛나는 영—이기 때문이다. 최초에, 이 칠중의 빛이 있다; 다음에는: –

(c) "신성한 세계"—원초의 빛에서 밝혀진 무수히 많은 빛들—마지막 아루파 (무형의) 계의 무형의 신성한 혼들 혹은 붓디들(Buddhis); 고대 스탠저의 신비스러운 언어로 "총합(Sum Total)." 오컬트 교리 문답서에서 스승이 제자에게 다음과 같이 묻는다:

"오 제자여, 그대의 머리를 들어라; 그대는 어두운 밤 깊은 하늘에서 타고 있는, 그대 위에 있는 하나의 빛 혹은 무수히 많은 빛들을 보느냐?"

"오, 구루데바(Gurudeva)여, 저는 하나의 불기둥을 감지합니다. 저는 무수히 많은 분리되지 않은 불꽃들이 그 속에서 빛나는 것을 봅니다."

"잘 말했다. 그러면 이제 주위를 둘러보고 그대 자신 속을 보아라. 그대 안에서 타는 그 빛, 그대는 그것이 그대 형제들 속에서 빛나는 그 빛과 어떤 차이라도 느끼느냐?"

"그 빛은 결코 다르지 않습니다. 비록 갇힌 자가 카르마로 구속되어 있거나, 겉옷들이 무지한 자들을 현혹시켜서 '너의 혼'과 '나의 혼'이라고 말하지만, 전혀 다르지 않습니다."

대자연—별에서 광물 원자에 이르기까지, 최고의 디얀 초한부터 가장 작은 원생동물에 이르기까지, 그 용어의 충분한 의미 그대로, 그리고 영적 세계, 지성적 세계, 혹은 물질계에서 적용되건—속에 있는 복합물들의 구성 부분의 궁극적인 본질에서 근본적 통일성—이것이 오컬트 과학에서 하나의 근본 법칙이다. "신은 무궁하고 무한한 확장이다"라고 오컬트 금언에서 말한다; 그리고 앞에서 말한 바와 같이, 브라흐마의 이름이다.[130] 세계에서 가장 오래된 숭배, 즉 태양과 불의 숭배 근저에는 심오한 깊은 철학이 있다. 물질 과학에서 알려진 모든 원소들 중에서, 불(fire)이 지금까지 명확한 분석을 할 수 없었던 하나이다. 공기는 산소와 질소를 포함하는 어떤 혼합물이라고 자신 있게 주장한다. 우리는 우주와 지구가 분명한 화학 분자들로 구성된 물질이라고 보고 있다. 우리는 태초의 10 개 지구에 대해서 이야기하고, 각각 그리스어 혹은 라틴어로 이름을 붙이곤 한다. 또한 물이 화학적으로 산소와 수소의 화합물이라고 말한다. 그러나 불은 무엇인가? 불은 연소의 결과라고 근엄하게 대답을 듣는다. 그것은 열과 빛과 운동이며, 일반적으로 물리적 힘과 화학적 힘들의 상호관계이다. 그리고 이런 과학의 정의는 웹스터 사전에서 신학의 정의를 통해서 철학으로 보완되고 있다. 웹스터 사전에서는 불을 "죄를 뉘우치지 않은 자들을 또다른 상태에서 처벌하는 혹은 처벌의 도구"로 설명한다—그런데 그 "상태"란 영적인 상태인 것으로 여겨진다; 그러나 애석하게도

---

130 리그 베다에서 *브라흐마나스파티(Brahmanaspati)*와 *브리하스파티(Brihaspati)*라는 이름을 서로 바꾸어 쓰고 동등한 용어라는 것을 본다. 또한 "브리하드 우파니샤드"를 참조하라; 브리하스파티는 "신들의 아버지"라고 불리는 신이다.

불이 실재한다는 것은 그 불이 물질 성질을 가지고 있다는 설득력 있는 증거인 것처럼 보인다. 그러나 현상들이 우리에게 친숙하기 때문에 단순하다고 간주하는 환영에 대하여 말하면서, 베인 교수는 다음과 같이 말한다 (*논리*, 2 부): "매우 친숙한 사실들은 자체로 설명이 필요 없는 것처럼 보이고 그것들에 동화될 수 있는 것이 무엇이건 그것을 설명하는 수단처럼 보인다. 예를 들어, 액체가 끓고 증발하는 것은 더 이상 설명이 필요 없는 매우 단순한 현상이며, 더 희귀한 현상을 설명하는 만족스러운 설명으로 간주된다. 교육받지 않은 사람에게 물이 증발한다는 것은 아주 이해하기 쉬운 것이다; 그러나 물질 과학을 아는 사람에게 액체 상태란 이례적이고 설명할 수 없는 것이다. 불꽃으로 불이 붙는 현상은 과학적으로 설명하기가 상당히 어려운 문제이지만, 그렇게 생각하는 사람은 거의 없다." (p. 125)

불에 관하여 비의 가르침에서는 무엇이라 말하는가? "불은 지상에서처럼 하늘에서도 하나의 불기둥(ONE FLAME)의 가장 완전하고 순수한 반영이다. 그것은 생명이고 죽음, 모든 물질적 사물의 기원이자 끝이다. 그것은 신성한 '질료'이다." 그래서 불의 숭배자, 조로아스터교의 파시뿐만 아니라, 심지어 그들이 "물에서 태어났다"고 선언하는 미국의 방랑하는 야만족들도 현대 물리학과 학문의 모든 추론보다 그들 교리에서 과학을 그리고 그들 미신 속에서 진리를 더 많이 보여주고 있다. "신은 살아있는 불이다"라고 말하고 오순절의 "불의 혀들"과 모세의 "불타는 가시덤불"에 대하여 말하는 기독교도는 어떤 다른 "이교도들"만큼이나 불의 숭배자이다. 모든 신비가들과 카발리스트들 중에서 장미십자회가 불을 가장 정확하고 올바르게 정의했던 사람들이었다. 6 페니짜리 램프를 하나 구해서, 그것에 기름을 넣어두기만 하라. 그러면 그 불꽃이 전혀 줄어들지 않은 채 전 세계 모든 램프와 초에 불을 붙일 수 있을 것이다. 만약 신(Deity), 근본적 하나(One)가 영원하고 무한한 질료이고 ("그대의 신은 태우는 불이다") 결코 소멸되지 않는다면, 오컬트 가르침이 다음과 같이 말할 때 비철학적이라고 생각하는 것이 이치에 맞지 않는 것처럼 보인다: "이와 같이 아루파 세계와 루파 세계가 형성되었다: 하나(One)의 빛에서 일곱 개 빛이 나왔다; 그리고 일곱 개의 빛 각각에서 49 개 빛이 나왔다" 등등.

5. 포하트는 다섯 걸음을 걷고 (*이미 세 걸음을 내디딘 후에*) (a), 신성한 넷의 존재들과 . . . . 그들의 군대 (*무리들*)를 위하여 정사각형 각 모서리에 날개 달린 수레바퀴를 하나씩 건설한다 (b).

(a) 이미 설명한 대로 (스탠저 IV 주석 참조.) "걸음들"은 우주 원리와 인간 원리 둘 다를 말한다—인간 원리는 대중적으로 셋 (영, 혼, 체)이지만, 비의 계산에서 일곱 원리, 즉 대본질의 세 광선 그리고 네 측면으로 구성되어 있다.[131] 씨네트 씨의 "에소테릭 붓디즘"을 공부한 사람들은 그 분류를 쉽게 이해할 수 있을 것이다. 히말라야 너머에서는 두 개의 비의학파—오히려 한 학파에서 두 부분으로 나누어진 것이다—가 있으며, 하나는 내적인 제자(라누)들을 위한 것이고, 다른 하나는 외부 제자(첼라) 혹은 평신도들을 위한 것이다; 하나는 인간 원리의 칠중구조를 가르치고, 다른 것은 육중구조를 가르친다.

우주의 관점에서 보면, 포하트는 "다섯 걸음"을 걸으며 여기서 의식과 존재의 상위 다섯 계를 말하고, 여섯 번째와 일곱 번째 (위에서 아래로 셀 때)는 두 개 하위계인 아스트랄계와 지상계이다.

(b) "넷의 신성한 존재들과 그들의 군대(*무리들*)를 위하여 . . . 각각의 모서리에 넷의 날개 달린 수레바퀴" . . . . 이들은 "넷의 마하라자" 혹은 디얀-초한들의 위대한 왕들, 각각이 넷의 기본 방위 중에 한 곳을 주재하는 데바들이다. 그들은 동, 서, 남, 북의 우주의 힘을 지배하는 섭정자 혹은 천사들이고, 동서남북의 힘은 각각 분명한 오컬트 특성을 가지고 있다. 이 대존재들(BEINGS)은 또한 카르마와 연결되어 있으며, 카르마는 그 명령을 수행할 물리적 물질적 대리인들, 예를 들면, 네 종류의 바람들이 필요하고, 그 바람들은 인류와 살아있는 모든 것의 건강에 각각 좋은 영향과 나쁜 영향을 준다고 과학이 공공연하게 인정한다. 전쟁이나 전염병 같은 다양한 공공의 재난을 북쪽과 서쪽에서 오는 보이지 않는 "메신저들" 탓으로 추적하는 로마 카톨릭 가르침에는 오컬트 철학이 들어있다. "신의 영광은 동쪽 길에서 온다"고 에스겔이

---

131 네 측면은 체, 생명 혹은 활기, 그리고 체의 "복체", 그의 죽음으로 사라지는 삼중체, 그리고 카마-로카에서 분해되는 카마-루파이다.

말한다; 반면에 예레미아, 이사야 그리고 시편 작가는 태양 아래 모든 악은 북쪽과 서쪽에서 온다고 확신하고 있다―유대 국가에 이 명제를 적용할 때, 부인할 수 없는 예언처럼 들린다. 그리고 성 암브로시오가 정확하게 그 이유 때문에 "우리는 북풍을 저주하고, 세례식 동안 먼저 서쪽으로 향하면서 시작하는 것은 그 방향에 거주하는 자를 더 잘 거부하기 위해서이다; 그리고 나서 우리는 동쪽을 향한다"고 설명한다.

"넷의 마하라자"―동서남북 기본방위를 지배하는 섭정자들―에 대한 믿음은 보편적이었고, 지금의 기독교인들도 그렇다.[132] 그들은 성 오거스틴을 따라서 그들을 "역천사들"과 "영들"이라고 부르지만, 이교도가 부를 때는 그들을 "악마"라고 말한다. 그렇다면 이런 이유에서 이교도와 기독교의 차이점은 어디에 있는 것일까? 플라톤을 따라서, 아리스토텔레스는 이 용어 (스토이케이아:$\sigma\tau o\iota\chi\epsilon\tilde{\iota}\alpha$)는 우리의 우주의 거대한 네 구역 각각을 감독하기 위해서 그곳에 놓인 무형의 원리들을 의미하는 것으로만 이해되었다고 설명하였다. 이렇게, 기독교도들이 그랬듯이, 그들은 원소들과 기본방위 (상상의) 네 지점들, 이것들 각각을 지배한 "신들"을 *흠모하고 숭배한다*. 교회에게는 두 종류의 별의 존재들, 천사와 악마가 있다. 그러나 카발리스트와 오컬티스트에게는 하나만 있다; 그리고 카발리스트나 오컬티스트는 "빛의 섭정자"와 우주건설자(Cosmocratores) 혹은 "어둠의 섭정자(Rectores tenebrarum harum)" 사이에 어떤 차이를 두지 않지만, 로마 카톨릭 교회는 "빛의 섭정자"를 그녀가 부르는 이름과 다른 이름으로 부르자마자, "빛의 섭정자" 속에서 어둠의 섭정자를 상상하고 발견한다. "신"의 허락이나 명령이 있건 없건, 처벌하고 보상을 주는 것은 "섭정자"나 "마하라자"가 아니라, 바로 인간 자신이다―즉, 그의 행위 혹은 카르마로, 개인적으로 그리고 집단적에게 (종종 전체 국가의 경우에) 온갖 종류의 불행과 재난을 끌어당긴다. 우리는 원인들을 만들고, 이것들이 정묘한 세계에 있는 상응하는

---

132 "이교도의 신학" 1 권 VII 장에서 박학한 보시우스는 말한다: "이 세상에 눈에 보이는 모든 것에는 가까이 살피는 역천사가 있다고 성 오거스틴이 말하지만, 그것은 개개 사물이 아니라, 사물 전체로, 각각의 종에 대한 특정한 천사가 감시하고 있다는 것으로 이해해야 한다. 이점에서 그는 모든 철학자들과 일치하고 있다... 우리에게 이 천사들은 사물과 분리된 별개의 영들이다 ... 반면에 철학자들(이교도)에게 그들은 신이다." "별들의 영들(Spirits of the Stars)"을 위하여 로마 카톨릭 교회가 확립한 의식(의례)을 고려하면, 그 영들이 믿을 수 없을 정도로 "신들"처럼 보이며, 그들은 고대와 근대 이교도들이 예배하거나 기도의 대상이 아니었던 것처럼 현재 로마 교회에서 교양이 많은 카톨릭 신자들의 예배나 기도의 대상도 아니다.

힘들을 일깨운다; 그러면 그 힘들이 이 원인들을 만든 사람들에게 자성적으로 그리고 저항할 수 없게 이끌리고 반응한다; 그 사람들이 실제로 악행을 저지른 사람이거나 그저 나쁜 생각을 품었던 사람이었거나 관계없다. "생각은 물질이다"라고 [133] 근대 과학은 우리를 가르치고 있다; 그리고 제본스와 바비지 박사가 "과학의 원리"에서 "존재하는 모든 물질 입자는 일어난 모든 것을 기록하는 장부임에 틀림없다"고 일반인에게 말한다. 근대 과학이 오컬티즘의 소용돌이 속으로 점점 더 날마다 이끌려 들어가고 있다; 물론 무의식적으로 일어나지만, 의심할 여지없이 느낄 수 있다. 과학의 두 가지 주요 이론—마인드와 물질 사이 관계에 관한—은 일원론과 물질주의이다. 이 두 이론이 독일의 범신론 학파의 준 오컬트적 견해를 제외하고 부정적인 심리학의 모든 영역을 포괄한다. [134]

알렉산드리아의 클레멘스에 의하면, 이집트 사원에서는 거대한 장막이 성소를 회중이 모이는 장소와 분리시켰다. 유대인들도 마찬가지다. 둘 다 장막이 다섯 개 기둥 (오각별) 위로 드리워져 있고, 그 기둥들은 비의적으로 우리의 오감과 다섯 근원인종을 상징하며, 반면에 네 가지 색은 사방위와 사원소를 나타냈다. 그 전부가

---

133 물론 독일 유물론자 몰레스코트가 "생각은 물질의 운동이다"라고 타의 추종을 불허하는 터무니없는 진술을 확인시켜준 의미에서는 아니다. 멘탈 상태와 육체 상태가 순전히 그렇게 대조된다. 그러나 그것은 다음의 입장에 영향을 주지 못한다. 즉, 모든 생각은 그것의 육체적 수반(두뇌-변화)과 더불어 아스트랄계에서는—비록 우리에게 초감각적으로 객관적이지만—하나의 객관적 측면을 나타낸다. (씨네트, "오컬트 세계," pp. 89~90 참조)

134 마인드와 물질 사이 관계에 대한 근대 사상가들의 견해는 두 개 가설로 압축될 수 있다. 이 두 견해는 육체 두뇌를 통해서 작용하지만 두뇌와는 독립적인 혼의 가능성을 똑같이 배제한다. 그 견해들은 다음과 같다:

(1) 물질주의, 즉 멘탈 현상을 두뇌 속에 있는 분자적 변화의 산물로 간주하는 이론; 즉, 운동이 느낌으로 변형된 결과(!). 마인드를 하나의 "독특한 운동방식"과 동일시하는 더 조잡한 학파도 있지만, 이제는 대부분 과학자 자신들도 그 입장이 터무니없다고 간주한다.

(2) 일원론 혹은 단일 질료 가르침(Single Substance Doctrine)은 부정적 심리학의 더 섬세한 형태이다. 그 이론 옹호자인 베인 교수는 능숙하게 "신중한 물질주의"로 부른다. 루이스, 스펜서, 페리어와 그 외 많은 사람으로부터 폭넓은 지지를 받는 이 이론은 생각과 멘탈 현상이 일반적으로 물질과 철저히 대조적이라고 받아들이지만, 둘 다 하나의 똑같은 질료가 어떤 조건에 있는 두 가지 면 혹은 측면으로 여긴다. 생각으로서 생각은 물질 현상과 완전히 대조적이지만, 그것은 또한 "신경 운동의 주관적 측면"—박식한 사람들이 이것을 무슨 의미로 말하건—으로만 간주되어야 한다고 그들은 말한다.

비유적인 상징이었다. 우리의 오감이 대자연의 숨겨진 진리를 인식할 수 있게 되는 것이 바로 사방위와 사원소를 주재하는 넷의 고위 통치자들을 통해서이다; 클레멘스가 그랬듯이, 이교도들에게 신성한 지식 혹은 신의 지식을 제공한 것이 원소들 자체라는 것은 전혀 아니다. [135] 이집트인들의 상징이 영적인 반면에, 유대인들의 상징은 순전히 물질적이었으며, 그들은 진실로 맹목적인 사원소와 가상의 "지점들"을 숭배하였다. 왜냐하면 모세가 광야에 세웠던 정방형 성소의 의미가 똑같은 우주의 의미를 가지고 있지 않았다면, 그것이 무엇이었을까? "너희는 청색, 자색 그리고 홍색으로 . . . 성막을 만들고," 그리고 "조각목으로 성막의 다섯 기둥 . . . 네 모서리에 네 개 놋 고리 . . . 신전 동, 서, 남, 북, 사방에 좋은 재질의 널판 . . . 정교한 작업으로 케루빔을 넣은 채." (출애굽기, 26, 27 장.) 성소와 정사각형 모양의 안쪽 마당, 케루빔과 모든 것이 이집트 사원에 있는 것들과 완전히 같다. 성소의 사각형 형태는 오늘날까지 중국인과 티벳인이 숭배하는 것과 똑같은 것을 의미한다—사방위는 피라미드, 오벨리스크 그리고 다른 사각형 건조물 네 개 면이 의미하는 것을 나타낸다. 조세푸스가 전체를 신중하게 설명한다. 성소 네 기둥들은 사원소에게 받치기 위해서 티레에 세웠던 기둥들과 같고, 사원소들은 네 모서리가 사방위로 향해 있는 받침대들 위에 놓여 있었다고 단언한다: 그리고 "그 받침대들의 모서리도 그 위에 12 궁 그림의 네 개가 있었으며," 이것이 똑같은 방향을 나타냈다. (고대사, I., 8 권, 22 장.)

그 개념이 오늘날까지 남아 있는 고대 모든 성스러운 사각형 건축물에서처럼 마찬가지로 바위를 잘라내 만든 인도 성전에서, 조로아스터교인들의 동굴 속에서도 확인될 수 있다. 레이야드는 이것을 분명하게 보여준다. 그는 사방위(점)와 사원소가 모든 나라 종교에서 사각형 오벨리스크와 피라미드의 네 면, 등등으로 있다는 것을 발견하였다. 이 원소들과 점들의 통치자이자 감독자가 넷의 마하자라이다.

---

135 이와 같이, "그들이 자연의 원소로부터 신의 계시를 얻는다"라는 문장이 (클레멘스의 잡록(Stromata), 4 장, 6 문단) 기독교와 이교도 둘 다에 적용될 수 있거나 둘 다 적용될 수 없다. 젠드(Zends) 2 권 228 페이지와 플루타르크의 "아이시스와 오시리스에 대하여"와 그것을 비교하는 레이야드의 *비문 학술원,* 1854, 15 권 참조.

학생이 그들에 대하여 더 알고자 한다면, 그는 에스겔서 (1 장)의 비전과 (심지어 대중을 위한 가르침에서도) 중국 불교에 대하여 알려진 것을 비교해 보고, 이 "위대한 왕들 (4 천왕)"의 외적인 형상을 조사하기만 하면 된다. 조셉 에드킨스 신부 의견에 의하면, 그들은 "힌두인들이 세계를 4 개 대륙으로 나누는 그 대륙의 각각을 주재하는 데바들"이다.[136] 그들 각각은 인류와 불교를 지키기 위하여 영적인 존재로 구성된 군대를 이끈다. 불교에 대한 편애를 제외하고 보면, 이것이 바로 넷의 천상의 존재에 대한 정확한 묘사이다. 그들은 인류의 수호자이고 지상에서 카르마의 대리인이지만, 리피카들은 인간의 내세와 관계가 있다. 동시에 그들은 에스겔의 비전에 나오는, 성서 번역자들이 "케루빔," "세라핌" 등으로 부른, "사람의 모습을 한" 네 가지 살아있는 피조물이다; 그리고 오컬티스트는 "날개 달린 구체들(winged Globes)," "불의 수레바퀴들"로 부르며, 힌두교 판테온에서는 많은 다른 이름으로 불린다. 이 모든 간다르바, "달콤한 가수들(Sweet Songsters)," 아수라들, 킨나라들, 그리고 나가들(Nagas) 모두가 "넷의 마하라자"를 우화적으로 묘사한 것이다. 세라핌은 하늘에 있는 거대한 불의 뱀들이며, 메루 산을 묘사하는 한 구절에 다음과 같이 나와있는 것을 본다: "고귀한 영광의 무리, 신들과 천상의 성가대가 즐겨 찾는 곳 . . . 거대한 뱀들이 지키고 있기 때문에 죄 지은 인간이 도달하지 못한다." 그들은 보복자들(Avengers)이고, "날개 달린 수레바퀴들(Winged Wheels)"로 불린다.

그들의 사명과 성격을 설명하고 있으므로, 기독교 성서 해설가들이 케루빔에 대하여 뭐라고 말하는지 보자: - "케루빔(Cherubim)이라는 단어는 히브리어로 지식의 풍부함을 나타낸다; 이 천사들은 그들의 정교한 지식 때문에 그렇게 불리며, 그래서 신성한 지식을 침범한 인간을 처벌하는데 사용되었다." (크루덴은 그의 용어 색인에서 창세기 3 장 24 절을 이처럼 해석하였다.) 아주 훌륭하다; 그리고 그 정보가 애매모호하긴 하지만, "추락(Fall)" 후에 에덴 동산의 문에 놓인 케룹(Cherub)이 존경받는 해석자들에게 금지된 과학 혹은 신성한 지식과 연결된 처벌의 개념을 암시하였다는 것을 보여준다—이 신성한 지식은 일반적으로 또다른 "추락," 인간의 생각으로 신들 혹은 "신"의 추락으로 이어진다. 그러나 옛적의 크루덴은 카르마에

---

136 힌두인들은 통속적으로 비의적으로 세계를 일곱 대륙으로 나눈다; 그리고 그들의 네 분의 우주 데바들은 여덟이며, 대륙이 아닌 여덟 개 방위를 주재한다. ("중국 불교," p. 216와 비교해보라.)

관하여 전혀 알지 못했기 때문에, 관대하게 봐줄 수 있다. 그러나 그 비유는 암시적이다. 신들의 거주처인 메루에서 에덴 동산까지, 그 거리가 매주 적고, 힌두교의 거대한 뱀들과 오파이트의 케루빔, 일곱 중 세 번째가 용으로, 그 차이가 더더욱 적다. 왜냐하면 둘 다 비밀 지식의 영역으로 들어가는 입구를 지키고 있었기 때문이다. 그러나 에스겔은 넷의 우주 천사를 분명하게 묘사한다: "내가 보고 있노라니, 보라, 회오리바람, 그것을 감싸는 구름과 불 . . . 그 중간에서 네 가지 살아 있는 피조물들과 비슷한 것이 나왔다 . . . 그들은 인간의 모습을 지녔다. 그리고 그들 각각은 네 얼굴과, 네 날개를 가졌다 . . . 인간의 얼굴, 사자의 얼굴 . . . 소의 얼굴. . . 독수리 얼굴 . . ." (여기서 "용"이 "인간"으로 대체되었다. *오파이트의 영들*"과[137] 비교해 보라.). . . . "내가 살아있는 그것들을 보고 있으면, 살아있는 것들 네 얼굴이 있는 땅 위에 수레바퀴를 보고 있었다 . . . 즉 바퀴 가운데 바퀴가 있다 . . . 살아있는 것의 영이 바퀴 속에 있기 때문이다. 그들 모습은 석탄 불 같다 . . ." (에스겔 1 장.)

세 가지 주요 그룹의 건설자들이 있고 행성영과 리피카도 같은 수의 그룹이 있으며, 각각의 그룹이 일곱 가지 하위 그룹으로 나누어진다. 본서처럼 방대한 저작에서조차도 세 가지 주요 그룹만이라도 자세히 조사하는 것이 거의 불가능하다. 그렇게 하려면 또다른 한 권 분량이 필요하기 때문이다. "건설자들"은 최초 "마인드에서 태어난" 실체들의 대표자들이며, 따라서 태초의 리쉬-프라자파티의 대표자들이다; 또한 오시리스가 우두머리인 이집트의 일곱 위대한 신들의 대표자이다; 그리고 오르마즈드가 우두머리인 조로아스터교의 일곱 암샤스펜드의 대표자들이다; 혹은 "얼굴의 일곱 영들(Seven Spirits of the Face)"; 최초 삼개조에서 분리된 일곱 세피로스 등등의 대표자이다.[138]

---

137 이 "얼굴들(Faces)"에 상응하는 로마 카톨릭이 인정한 천사들은 오파이트파의 가르침이다: 용-라파엘; 사자-미카엘; 소-우리엘(Uriel); 독수리-가브리엘(Gabriel). 넷은 4 명의 복음전도자와 같으며, 복음서들의 단서가 된다.

138 카발리스트들을 제외한 유대인들은 동서남북을 나타내는 명칭이 없으므로, 그 개념을 앞, 뒤, 좌, 우를 나타내는 단어로 표현하였고, 대중적으로 그 용어들을 매우 자주 혼동하였다. 그래서 성경에서 블라인드를 만들게 되었으며, 이렇게 성경을 해석하기가 더욱 어렵고 혼란스럽고 만들었다. 이것에다 영국 성경의 킹 제임스 번역자 47 명 중에서 "세 명만이 히브리어를 이해하였고, 이 중에 두 명은 시편 번역이 끝나기도 전에 죽었다"는 사실이다. (왕립 메이슨

그들은 "밤"이 지난 후에 모든 "태양계"를 건설 혹은 재건한다. 두 번째 그룹의 건설자들은 우리 행성 체인의 독점적 건축가들이다; 세 번째 그룹은 우리 인류의 선조이다──즉 소우주의 대우주적 원형이다.

행성영들은 일반적으로 별(Stars)들에 생명을 불어넣는 영이며, 특히 행성들에 생명을 불어넣는 영이다. 그들은 그들 성좌의 어느 하나 아래에서 태어나는 모든 사람들의 운명을 지배한다; 다른 태양계에 속하는 두 번째 그룹과 세 번째 그룹도 같은 기능을 가지고, 모두가 대자연 속에 있는 다양한 부문을 통치한다. 힌두교 대중적 판테온에서, 그들은 나침반의 여덟 방향──네 가지 기본 방위와 그 중간 지점들──을 관장하는 수호신들이며, (눈에 보이는 우주에서) "세계 지지자들 혹은 수호자들," *로카-팔라로* 불린다. 그들 중에서 인드라 (동), 야마 (남), 바루나 (서) 그리고 쿠베라(Kuvera) (북)가 주된 수호자이다; 그리고 그들의 코끼리와 배우자는 물론 공상과 나중에 생각한 것이지만, 모두가 각각 오컬트 의미를 지니고 있다.

리피카(Lipika)는 (이에 대한 설명은 스탠저 IV 주석 6 에 있다) 우주의 영들(Spirits of the Universe)이며, 반면에 건설자들은 단지 우리 행성의 신들이다. 리피카는 여기서 제시할 수 없는 우주발생론의 가장 오컬트 부분에 속한다. 초인들이 (심지어 최고의 초인들조차도) 삼중 등급으로 이루어지는 이 천사단을 아는지 혹은 낮은 등급이 우리 세계에 대한 기록과 관련되어 있는지, 필자 자신도 잘 모르지만, 아마도 후자가 아닐까 생각한다. 최고 등급에 관해서는 한 가지만 가르치고 있다: 리피카는 카르마와 연결되어 있으며, 그것의 직접적인 기록자들(Recorders)이다.[139]

백과사전) 그러므로 영어로 된 성서를 어느 정도 신뢰할 수 있는가를 쉽게 알 수 있다. 본서에서는 일반적으로 두에 로마 카톨릭 버전을 따랐다.
139 고대에는 성스러운 비밀 지식의 상징이 보편적으로 나무였으며, 그것은 경전 혹은 어떤 기록을 의미하였다. 그래서 리피카 단어가 "작가들(writers)" 혹은 "서기들(scribes)"이다; 그리고 지혜의 상징, "용들"이 지식의 나무를 수호한다; 헤스페리데스의 "황금" 사과나무; 그리고 거대한 뱀이 수호하는 메루 산의 초목과 "무성한 나무들"; 주노가 주피터와 결혼할 때 황금 열매가 달린 나무를 주는 것이 지식의 나무로부터 사과를 따서 아담에게 주는 이브의 또 다른 모습이다.

6. 리피카가 삼각형, 첫째 하나 (*수직선 혹은 숫자 1*), 입방체, 둘째 하나, 알 (원) 속에 오각별을 에워싼다 (a). 그것은 칼파 동안 "우리와 함께 있으라"라고 부르는 위대한 날을 향하여 진보하는, 하강하고 상승하는 자들에게, "넘지 마라"라고 부르는 고리이다 (b). . . . 이렇게 아루파와 루파 (*무형계와 형상의 세계*)가 만들어졌다; 하나의 빛에서 일곱 빛이 나온다; 일곱 빛 각각에서 일곱의 일곱 배의 빛이 나온다. "수레바퀴들"이 그 고리를 지켜본다.

이 스탠저는 천사 하이어라키 등급에 대한 자세한 분류로 시작된다. 넷과 일곱의 그룹에서 열, 열 둘, 스물 하나 등등의 "마인드에서 태어난" 그룹이 나오며, 이 모든 것들이 다시 7 중, 9 중, 12 중 등등의 하위 그룹들로 나누어져서, 마인드가 천상의 무리들과 존재들의 끊임없는 열거 속에서 길을 잃어버린다. 각각은 그것의 존재 동안 보이는 대우주를 통치하는데 명확한 과업을 가지고 있다.

(a) 이 구절 첫 문장의 비의적 의미는 카르마 장부 기록자들인 리피카로 불려온 존재들이 개인의 자아(Ego)와 이 개인의 자아의 본체이자 어버이-근원(Parent-Source)인 초월적 대아(Self) 사이에 넘을 수 없는 하나의 장벽을 만든다는 것이다. 그래서 비유로 표현되었다. 그들은 현현된 물질 세계를 "넘지 마라(Pass-Not)"라는 고리 안에 에워싼다. 이 세계는 하나(ONE)가 환영의 계에서 많은 것으로 나누어진 것의 상징, 즉 "아디(Adi)" ("첫째") 혹은 "에카(Eka) (하나)"가 많은 것으로 나누어진 것의 (객관적) 상징이다; 그리고 이 하나(One)는 보이는 우주의 주요한 창조자들 혹은 건축가들의 집합적 총계 혹은 전체이다. 유대인의 오컬티즘에서 그들 이름은 여성 "아케이스(Achath)," "하나" 그리고 남성 "아코드(Achod)," "하나"이다. 일신론자들은 그 이름을 적용하는데 카발라의 심오한 비의를 이용하였으며 (지금도 이용하고 있다) 그것으로 하나의 지고한 대본질이 그것의 현현인 세피로스-엘로힘에 알려지고 그것을 여호와라고 부른다. 그러나 이것은 완전히 자의적이고 모든 이성과 논리에 반하는 것이다. 왜냐하면 엘로힘은 복수 명사로, 복수 단어인 "카임(Chiim)"과

동일하고, 종종 복합 명사인 엘로힘으로 합쳐지기 때문이다. [140] 게다가 정확하게 말하면 오컬트 형이상학에는 두 개의 "하나들(ONES)"이 있다—그 어떤 추론이 불가능한, 절대성과 무한성의 도달할 수 없는 계에 있는 "하나" 그리고 발산의 계에 있는 두 번째 "하나"이다. 전자는 영원하고 절대적이며 불변하기 때문에, 발산할 수도 나누어질 수도 없다. 두 번째 하나는 말하자면 첫 번째 하나의 반영으로 (왜냐하면 그것은 환영의 우주 속에 있는 로고스 혹은 이쉬와라이기 때문이다), 이 모든 것을 할 수 있다. [141] 그것은 자체로부터—상위 세피로스 삼개조가 하위 일곱 세피로스를 발산하듯이—일곱 광선 혹은 디얀 초한을 발산한다; 바꾸어 말하면, 동질이 이질로 되고, "프로타일(원시물질)"이 원소들로 분화한다. 그러나 이것들은 원시 원소로 돌아가지 않는 한 "라야" 혹은 "영점"을 결코 넘어갈 수가 없다.

그래서 비유를 쓰는 것이다. 리피카는 순수 영의 세계 (혹은 계)와 물질계를 분리시킨다. "하강하고 상승하는" 자들—화신하는 모나드들과 정화를 향해서 고군분투하며 "올라가는," 그러나 아직 목표에 도달하지 못한 인간들—은 "우리와 함께 하라(Be-With-Us)"고 말하는 날에만 비로소 "넘지 마라의 원(circle of Pass-Not)"을 넘어갈 수 있을 것이다; 그날에 인간이 자신을 무지의 구속에서 해방시켜서—자기자신으로 잘못 간주하였던—그의 개성 안에 있는 자아(Ego)와 보편

---

140 세페르 예치라와 다른 곳에 나오는 문장은 다음과 같다: "아케이스-루아흐-엘로힘-카임"은 잘해야 양성의 엘로힘을 나타내며, 다음과 같이 읽을 때 여성적인 요소가 거의 지배적인 것으로 표시된다: "하나는 그녀, 생명의 엘로힘의 영이다." 위에서 말한 대로 에케이스(Echath) 혹은 아케이스는 여성이며, 에코드 혹은 아코드는 남성으로, 둘 다 하나(ONE)를 의미한다.
141 이 형이상학 가르침에 대한 설명으로 수바 로우 씨가 바가바드 기타 강연에서 묘사한 설명보다 더 나은 것이 거의 없다: "물라푸라크리티 (파라브라흐맘의 베일)는 로고스 (혹은 '이스와라')를 통해서 하나의 에너지로써 작용한다. 여기서 파라브라흠은 내가 현재 로고스(Logos)라고 부르는 하나의 에너지 센터를 존재하게 만드는 하나의 본질이다. 기독교인들은 그것을 말씀(Verbum)으로 부르며, 아버지 가슴 속에서 영원한 신성한 크리스토스(Christos)이다. 불교도들은 그것을 아발로키테쉬와라라고 부른다. . . . 거의 모든 가르침 속에서, 프랄라야 동안 파라브라흐맘 가슴 속에 존재하다가 우주 활동이 시작할 때 하나의 의식적 에너지 센터로서 시작하는, 그리고 태어나지 않고 영원한 영적 에너지 센터의 존재를 형성하였다. . ." 강연자가 파라브라흐맘에 대하여 전제하듯이, 그것은 이것도 저것도 아니고, 그것은 물질이나 조건화된 어떤 것과도 관계를 맺을 수가 없기 때문에, 그것은 심지어 의식도 아니다. 그것은 자아(Ego)도 아니고 비-자아(Non-ego)도 아니며, 심지어 아트마도 아니고, 그렇지만 진실로 모든 현현과 존재 방식의 하나의 원천이다.

자아(UNIVERSAL EGO) (애니마 수프라-문디)와 비분리성을 충분히 인식한 채, 하나의 본질 속으로 융합되어 "우리와 함께" ("하나의" 생명인 현현된 보편 생명들) 하나가 될 뿐만 아니라, 바로 그 생명 자체가 된다.

천문학적으로, 리피카가 삼각형, 첫 번째 하나, 입방체, 두 번째 하나 그리고 오각별을 주위로 에워싸기 위하여 둘레에 선을 긋는 "넘지-마라 고리(Ring Pass-Not)"는 이렇게 다시 31415, 혹은 수학 계산표에 꾸준히 사용되는 계수 (파이π 값)를 포함하는 것을 보여주고 있다. 여기에서 기하학 도형들은 숫자를 나타낸다. 일반적인 철학 가르침에 따르면, 이 고리는 천문학에서 소위 성운 영역 너머에 있다. 그러나 이 개념은 푸라나와 다른 대중적 성전에서 주어진 1008 개 데바로카 세계와 하늘에 대한 지형과 묘사에 대한 개념과 똑같이 잘못된 것이다. 물론 과학 가르침에서처럼 비의 가르침에서도 계산할 수 없이 먼 거리에 떨어져 있는 세계들이 있다. 너무 멀리 떨어져 있어 근대 천문학자 (점성가)에게 도달한 가장 가까운 세계의 빛이 "빛이 있으라"라고 선언하기 오래 전에 그 세계 (별)를 떠났던 빛이다; 그러나 이것들은 데바로카 계에 있는 세계늘이 아니고, 우리의 우주에 있는 것이다.

화학자는 그가 다루는 물질계의 *라야* 혹은 영점까지 가서 더 이상 나가지 못한다. 물리학자나 천문학자는 성운 저편까지 수십 억 마일 단위로 계산하지만, 그리고 나서 그들도 더 이상 나아가지 못한다; 반정도 입문한 오컬티스트는 이 라야-점이 물질계는 아니더라도 인간의 지성으로 여전히 상상할 수 있는 어떤 계에 존재하는 것으로 나타낼 것이다. 하지만 온전한 입문자는 이 "넘지 마라" 고리가 어떤 장소가 아니며 거리로 측정될 수 있는 것도 아니라, 무한성의 절대성 속에 존재한다고 *알고 있다.* 온전한 입문자의 이 "무한성" 속에는 높이나 폭, 두께가 없고, 모든 것을 헤아릴 수 없는 심오함이며, 물질계부터 "초(para)-초(para)-형이상학계"까지 아래에 도달한다. "아래로(down)"는 단어를 사용할 때, 물질의 깊이를 의미하는 것이 아니라―"어디에도 없고 동시에 모든 곳에 있는"―본질적 깊이를 의미한다.

만약 대중적 종교들의 통속적이고 조잡한 의인화된 우화들을 주의 깊게 찾아본다면, 심지어 이것들 속에서도 리피카가 수호하는 "넘지-마라"는 원으로 구체화된 가르침이 어렴풋하게 지각될 수 있다. 심지어 인도에서 가장 완고하게 의인화된 비시쉬타드바이타 베단타 학파 가르침에서도 이것을 보게 된다. 왜냐하면 우리는 해방된 혼에 대하여 다음과 같이 말하는 것을 보게 된다: ―

모크샤―"반다(Bandha) 혹은 구속으로부터 자유"를 의미하는 지복 상태―에 도달한 후에, 파라마파다로 부르는 곳에서 지복을 누리며, 그곳은 물질적이 아니라, 수다사트와 (이쉬와라―"주"―의 체를 형성하는 본질)로 이루어져 있다. 거기서, 묵타 혹은 모크샤를 성취한 지바트마들 (모나드들)은 결코 물질이나 카르마의 특질에 다시 종속되지 않는다. "그러나 만약 그들이 *세계에 이익을 주기기 위해서* 선택한다면, 그들은 지구 상에 화신할 수 있다."[142] 이 세계로부터 비물질적 세계들 혹은 파라마파다에 이르는 길을 데바야나(Devayana)라고 부른다. 어떤 사람이 모크샤를 성취하고 체가 죽을 때: ―

"지바 (혼)는 숙쉬마-사리라를[143] 입고 체의 심장에서, 정수리의 브라흐마란드라로, 심장과 브라흐마란드라를 연결하는 신경, 수슘나를 가로지른다. 지바가 브라흐마란드라를 뚫고 나와서, 태양 광선을 통해서 태양의 영역 (수리야만달라)으로 간다. 그리고 태양 흑점을 지나서, 파라마파다로 간다. 지바는 요가로 획득한 지고의 지혜로 길에서 안내받는다. [144] 지바는 이렇게 아르치-아하스 . . 아디티야, 프라자파티 등등의 이름으로 알려진 아티바히카 (수송중인 운반인)의 도움으로 파라마파다로 나아간다. 여기서 언급된 아르치들(Archis)은 어떤 순수 혼들이다 등등." (신지학회 회원인 석학 바쉬야차리야의 비시쉬타드바이타 철학문답서)

"기록자들" (리피카)을 제외하고는 어떤 영도 그 금지된 선을 넘은 적이 결코 없으며, 다음 프랄라야 날까지 어느 누구도 넘지 못할 것이다. 왜냐하면 그것은 유한한 것―

---

142 이런 자발적 재화신을 우리 가르침에서 니르마나카야 (인간의 살아남는 영적 원리)로 부른다.
143 숙쉬마-사리라는 천상 하이어라키의 하위 디야니들이 입는 "꿈같은" 환영체이다.
144 이 비의 교리와 "피스티스-소피아" (지식=지혜)에서 발견된 그노시스파 가르침을 비교해 보라. 이 소론에서 지고의 빛으로 가는 도중에 소피아 아카모스가 카오스(물질)의 바다에서 길을 잃어서, "크리스토스"가 그녀를 올바른 길로 가도록 도와주는 것으로 나온다. 주의해야 할 것은, 그노시스에서의 "크리스토스"는 초월적 원리, 우주의 아트만, 그리고 모든 인간의 혼 속에 있는 아트마를 의미하는 것이지, 예수를 의미하는 것이 아니다. 대영 박물관에 있는 고대 콥트 사본에는 거의 대부분 "크리스토스"가 "예수"로 바뀌어 있다.

인간의 시야가 아무리 무한하더라도—과 진정으로 무한한 것을 나누는 경계선이기 때문이다. 그러므로 "올라가고 내려가는" 존재들로 언급된 영들은 우리가 "천상의 대존재들(celestial Beings)"이라고 느슨하게 부르는 "무리들"이다. 그러나 사실 그들은 그런 부류가 전혀 아니다.

그들은 존재 하이어라키에서 더 높은 세계에 있는 실체들이며, 우리가 보기에 너무 헤아릴 수 없을 정도로 높기 때문에, 그들이 신들처럼 그리고 집단적으로 신(God)처럼 보이는 것이다. 그러나 유한한 우리 인간도 개미가 그의 고유한 역량의 척도로 추론하면 그의 눈에는 신처럼 보일 것이다. 장난기가 발동한 개구쟁이가 많은 주—곤충 관점에서 보면 수 년에 걸친 역사—에 걸친 고된 작업의 결과인 개미집을 한 순간에 파괴할 때, 개미는 그 개구쟁이가 손에서 어떤 인격신의 보복하는 손가락으로 볼 수도 있다. 개미는 심한 고통을 느끼고, 그 부당한 불행을 신의 섭리와 죄악의 탓으로 돌리면서, 인간처럼 그것 속에서 최초 개미의 원죄 결과를 볼 수도 있다. 누가 알고 누가 단언하거나 부정할 수 있겠는가? 전체 태양계 속에서 인간을 제외한 인간계에서 이성과 지성을 갖춘 어떤 다른 존재들을 받아들이길 거부하는 것이 우리 시대 가장 큰 오만이다. 과학이 단언할 수 있는 전부는 눈에 보이지 않는 어떤 지성적 존재들도 우리처럼 똑같은 조건하에 살고 있지 않다는 것이다. 과학은 우리가 살고 있는 세계와 완전히 다른 조건 하에 있는 세계들 속에 세계들이 있을 가능성을 딱 잘라 부정할 수 없다; 또한 그 세계들 중 어느 세계와 우리 세계 사이에 어떤 제한된 소통[145] 가능성을 부정할 수도 없다. 그 최고 세계에는 순전히 신성한 영들의 일곱 등급이 속한다고 우리는 배운다; 하위 여섯 계에는 인간이 종종 보거나 들을 수 있고, 그리고 지상에 있는 그들의 자손과 소통하는 하이어라키들이 속한다고 한다; 그들의 자손은 그들과 끊을 수 없도록 연결되어 있고, 인간 속에 있는 각각의 원리는 그 위대한 존재들의 성질 속에

---

145 유럽 태생의 최고의 철학자, 임마누엘 칸트는 그런 소통이 결코 불가능한 것만이 아니라고 우리에게 확신한다. "나는 이 세계에 비물질적 성질의 존재를 주장하고, 내 자신의 혼을 이런 존재들 부류에 놓고 싶다는 것을 고백한다. 언제 어디서인지는 몰라도, 인간 혼이 심지어 이 삶 속에 있을 때조차도 영의 세계에 있는 모든 비물질적 성질들과 끊을 수 없게 연결되어 있고, 인간 혼이 그런 존재들과 상호작용하며 그들로부터 인상을 받는다는 것이 차후에 증명될 것이다." (영-투시자의 꿈, 본 하트만의 "스피리티스무스" 서문에서 C.C 메시가 인용함.)

직접적인 근원을 가지고 있으며, 그들이 우리 속에 있는 각각의 보이지 않는 원소들을 제공한다. 물질 과학이 생물의 생리적 메커니즘에 대하여 추론해서, 우리의 느낌, 멘탈적 영적 감흥들을 무기질 매개체의 기능으로 귀착시키려는 헛된 노력을 계속하는 것을 환영한다. 그럼에도 불구하고, 이런 방향으로 과학이 성취할 수 있는 모든 것은 이미 다 했으며, 과학은 이제 더 이상 나아가지 못할 것이다.

과학은 막다른 벽에 직면하고 있으며, 과학이 상상하듯이, 그 벽 위에다 위대한 생리학적 심령적 발견들을 그리고 있지만, 그 모든 것이 나중에 과학의 공상과 환영들로 짜인 거미집에 불과하다는 것을 발견하게 될 것이다. 우리의 객관적 틀의 조직들이 생리학 과학의 분석과 연구 대상이 된다.[146] 그것들 속에 있는 더 높은 여섯 개 원리들은 오컬트 과학을 고의로 무시하고 거부하는 적의를 품은 사람에 의해서 안내되는 손을 영원히 피해갈 것이다.

(b) "우리와 함께 하라는 위대한 날(Great Day of BE-WITH-US)"은 그것을 글자 그대로 번역해서 그 의미가 제대로 전달되는 표현이다. 그것의 중요성은 오컬티즘 혹은 오히려 에소테릭 지혜 또는 "부디즘"의 신비한 가르침에 익숙하지 않은 일반 대중에게는 쉽게 드러나지 않는다. 그것은 비의 지혜에 독특한 표현으로, 똑같은 것을 "우리에게 오는 날(Day of Come-to-Us)"로[147] 부른 이집트인들의 표현처럼 일반

---

146 예를 들면, 심리학적 문제들과 관련된 근대 생리학 연구가 지금까지 보여주었고, 그리고 사물의 성질 때문에 보여줄 수 있었던 모든 것은, 모든 생각, 감흥, 그리고 감정이 어떤 신경 세포 분자들의 재배열로 수반된다는 것에 불과하다. 뷰캐너, 포크트와 같은 다른 과학자들이 도출한 추론은 '생각은 분자의 움직임이다'라는 것으로, 우리의 주관적 의식이 존재한다는 사실을 완전히 추상화시키는 것이 필요하다.
147 폴 피에르의 "사자의 서"를 보라; "'우리에게 오라고 말하는 날', 이 날 오시리스는 태양을 향하여 말할 것이다: '원컨대, 아멘티에서 태양을 다시 만나게 되길.'" (17 장, p. 61.) 여기서 태양은 통합적으로 중심의 대본질로써, 그리고 질료에서는 다르지만 본질에서는 동일한, 방사된 대실체들의 분산된 하나의 본질로써, 로고스(Logos) (혹은 크리스토스 혹은 호루스)를 나타낸다. "바가바드 기타" 강연자가 표현했듯이, "로고스가 파라브라흐맘에서 현현된 단 하나의 에너지 센터라고 생각해서는 안 된다; 무수히 많은 다른 에너지 센터들이 있으며, . . . 그들의 수는 파라브라흐맘 가슴 속에서는 거의 무한이다." 그래서 "우리에게 오는 날(Day of Come to us)"과 "우리와 함께 하는 날(Day of Be with us)," 등등의 표현이 있는 것이다. 마치 사각형(□)이 네 개의 성스러운 힘 혹은 권능—테트락티스—의 상징이듯이, 원(○)도 어떤 인간이, 심지어 영으로도, 데바도, 혹은 디얀 초한도 건널 수 없는, 무한성 속에 있는 경계선이라는 것을

대중에게 그 의미가 명확하지 않다. 이 표현은 앞의 표현과 동일하지만, 동사 "있다(be)"를 이런 의미에서 "머무르다(Remain)" 혹은 "쉬다"로 바꾸어 "우리와 함께 머물러라(Remain-with-Us)" 혹은 "우리와 함께 쉬라(Rest-with-Us)"로 말하는 것이 더 나을 수 있을 것이다. 왜냐하면 그것은 '파라니르바나'라는 긴 휴식기를 말하기 때문이다. 씨크릿 독트린에서는 각각의 모나드가 3,000 번 존재 주기 후에야 비로소 진짜 오시리스화 되는 것이 운명이라고 항상 가르쳤지만, 이집트 의식을 통속적으로 해석하면, 모든 사자의 혼—신비의식의 사제부터 신성한 암소 아피스(Apis)에 이르기까지—은 오시리스가 되어, 오시리스화 된다고 했듯이, 현재도 그렇다. "일곱"—그 최고 원리가 일곱 번째 우주 원소 속에서 즉각 안치되는—의 성질과 바로 그 대본질(Essence)에서 태어난 "모나드(Monad)"는 가장 높은 데부터 가장 낮은 데에 이르기까지, 그리고 다시 인간부터 신에 이르기까지, 형태와 존재 주기 동안 내내 칠중 선회운동을 해야 한다. 파라니르바나 문턱에서 모나드는 원초의 본질을 다시 취하여 절대자와 다시 하나가 된다.

보여준다. 주기적 진화 과정 동안에 "하강하고 상승하는" 존재들의 영들은 파라니르바나 문턱에 가까이 가는 날에만 비로소 "철갑으로 둘러싸인 세계"를 건너갈 수 있을 것이다. 그들이 거기에 도달하면, 그들은 파라브라흐맘 혹은 그들 모두에게 그때 빛이 될 "미지의 어둠(Unknown Darkness)" 가슴 속에서 마하 프랄라야 혹은 "거대한 밤" 동안, 즉, 311,040,000,000,000 년 동안 브라흠 속에서 흡수되어 쉬게 될 것이다. "우리와 함께 하자"는 날은 이런 휴식기간 혹은 파라니르바나 기간이다. "우리에게로 오라"는 날의 독특한 표현에 대하여 다른 곳에서 참고하고자 하면, 루즈 자작의 *이집트인들의 장례 의식*"을 보라. 그날은 기독교의 "최후의 심판 날"에 상응한다. 하지만 이 심판 날은 그들 종교에 의해서 심하게 물질적으로 전락해버렸다.

스탠저 VI - 우리 세계의 성장과 발달

1. 자비와 지식의 어머니의 힘으로 (a), 관-음,[148] 관-음-천에서 거주하는 관-세-음의 "삼중"의 힘으로 (b), 포하트, 그들 자손의 숨결, 아들들의 아들은 하위 심연 *(카오스)*에서 시엔찬 *(우리 우주)*의 환영 형태들과 칠 원소를 불러냈다: -

(a) 자비와 지식의 어머니가 관-세-음(Kwan-Shai-Yin)의 "삼중(Triple)"으로 불린다. 왜냐하면 그녀의 형이상적 우주적 상관관계에서, 그녀가 *로고스*의 "어머니, 부인 그리고 딸"이기 때문이다. 마치 후대 신학 번역에서 그녀가 "성부(Father), 성자(Son) 그리고 (여성) 성령(Holy Ghost)"—*샥크티(Sakti)* 혹은 에너지—셋의 에센스로 되었듯이. 이렇게 베단타 에소테릭 가르침에서, *다이비푸라크리티(Daiviprakriti)*, 로고스(Logos),[149] 이쉬바라(Eswara)를 통해서 현현된 빛(Light)은 어머니와 하나이자 동시에 파라브라흐맘의 말씀(Verbum) 혹은 로고스의 딸이다; 반면에 히말라야 너머 가르침에서 그것은—비유적 형이상학적 신통기의 하이어라키에서—"어머니" 혹은 추상적 이상적 물질, 물라푸라크리티, 대자연의 뿌리이다; 형이상학 관점에서, 로고스, 아발로키테쉬바라 속에서 현현된 아디-부타(Adi-Bhuta)의 상관관계이다;

---

148 이 스탠저는 중국어 본문을 번역한 것으로, 중국어 원어에 해당하는 이름들을 보존하였다. 진정한 비의적 명명은 오히려 독자를 혼란스럽게 만들 것이기에 주어질 수 없다. 브라만 가르침에는 이것들에 상응하는 것을 가지고 있지 않다. 바크(Vach)가 여러 면에서 중국인의 관-음에 근접하는 것처럼 보이지만, 중국에서 관-음을 경배하듯이, 인도에서 바크라는 이름으로 정규적인 숭배는 없다. 대중적 종교체계는 어떤 것도 여성 창조자를 채택하지 않았으며, 이렇게 대중 종교가 첫 발을 내딛는 여명의 순간부터 여성은 남성보다 열등한 것으로 간주되었고 다루어졌다. 중국과 이집트에서만 관-음과 아이시스가 남성 신들과 동등한 위치에 놓였다. 비의 가르침은 두 가지 성을 무시한다. 최고의 신은 무형이듯이 무성이고, 아버지도 어머니도 아니다; 그리고 최초 현현된 존재들은 천상의 존재이건 지상의 존재이건 점진적으로 양성적으로 되고 결국에는 뚜렷한 성으로 분리된다.

149 1887년 2월호 [신지학자], 바가바드 기타에 관한 첫 번째 강연, p. 305.

그리고 순수한 오컬트 그리고 우주적 입장에서, 그것은 포하트,[150] "아들의 아들(Son of the Son)," 이 "로고스의 빛(Light of the Logos)"에서 결과로 생겨나는 양성의 에너지이고, 객관적 우주의 계에서 드러난 전기만큼—이것이 생명(LIFE)이다—숨겨진 것으로 현현한다.

(b) *관-음-찬*은 "선율적인 소리(Sound)의 천국," 글자 그대로 *"신성한 목소리(Divine Voice),"* 혹은 관-음의 거주처이다. 이 "목소리"는 말씀(Verbum) 혹은 말씀(Word)과 동의어이다: 생각의 표현으로서 "말 혹은 발언(speech)"이다. 이렇게 "신성한 목소리의 딸," 혹은 *말씀* 혹은 남성-여성 로고스, "천상의 인간" 혹은 동시에 세피라인 아담 카드몬과의 연결관계, 그리고 심지어 유대의 *바스-콜(Bath-Kol)*의 기원이 거슬러 추적될 수 있다. 세피라는 말씀 혹은 말(Speech)의 여신, 힌두의 바크(Vach)로 확실히 예상되었다. 왜냐하면 바크—언급했듯이 브라흐마의 딸이자 여성 부분으로, "신들에 의해서 발생된" 하나—는 관-음과 함께, 아이시스 (오시리스의 *딸*, 부인 그리고 *누이*), 그리고 다른 여신들, 말하자면 여성 로고스, 말하자면 대자연 속에서 *활동하는* 힘의 여신들, 말씀, 목소리 혹은 소리 그리고 말과 함께 있기 때문이다. 관-음이 "선율적인 목소리"라면, 바크도 그렇다; "우유를 짜서 자양분과 물을 주는 선율적인 젖소" (여성 원리)—어머니-대자연으로서 우리에게 자양분과 영양을 낳는 젖소. 그녀는 창조 작업에서 프라자파티(Prajapati)와 연계된다. 그녀는 이브가 아담과 갖는 관계처럼 *마음먹기에 따라* 남성이고 여성이다. 그리고 그녀는 대자연 속에 있는 모든 힘들의 총합, 아카샤 속에 있는 아디티(Aditi)— *에테르*보다 더 높은 원리—의 형태이다; 이렇게 바크와 관-음은 둘 다 대자연과 에테르 속에 있는 오컬트 소리의 마법 효력이다—그 "목소리"가 시엔-찬, 카오스에서 우주의 환영 형태와 칠원소를 불러낸다.

---

150 강연자는 306 페이지에서 말한다: "진화는 *물라푸라크리티* 속에 갇혀 있는 잠재성 때문뿐만 아니라, *로고스*의 지성적 에너지에 의하여 시작한다. 로고스의 이 빛은 객관적 물질과 이쉬와라 (혹은 로고스)의 주관적 생각 사이의 연결고리이다. 몇몇 불교서적에서 그것을 *포하트*라고 부른다. 그것은 로고스가 가지고 일하는 하나의 도구이다."

이렇게 마누에서 브라흐마 (*로고스이기도 하다*)가 그의 체를 여성과 남성, 두 부분으로 나누는 것을 보여주고, 바크인 여성 부분 속에서, 비라즈(Viraj), 자기자신 혹은 다시 브라흐마를 창조하는 것으로 보여준다. 어느 박식한 베단타 오컬티스트가 이쉬바라 (혹은 브라흐마)가 왜 *말씀* 혹은 *로고스(Logos)*로 불리는지, 사실 그것이 왜 사브다 브라흐맘(Sabda Brahmam)으로 불리는지 설명하면서, 그 "여신"에 대하여 다음과 같이 말한다: ─

"지금부터 내가 제시하는 설명이 철저하게 신비적으로 보일 것이다; 그러나 그것이 신비적이라 할지라도, 제대로 이해될 때 엄청난 중요성을 가진다. 우리의 고전 작가들에 의하면, *바크*에는 4 종류가 있다고 한다. (리그 베다와 우파니샤드 참조) *바이카리-바크(Vaikhari-Vach)*가 우리가 말하는 것이다. 모든 종류의 바이카리-바크는 그것의 *마디야마(Madhyama)* 속에 존재하고, 더 깊게 *파시얀티(Pasyanti)* 안에 그리고 궁극적으로 *파라(Para)* 형태 속에 존재한다.[151] 이 프라나바(Pranava)가 바크로 불리는 이유는 이것이다. 즉, 대우주의 네 가지 원리가 네 가지 형태의 *바크*와 상응하기 때문이다. 이제 현현된 전체 태양계는 *로고스*의 에너지 혹은 빛 속에 있는 *숙쉬마(Sukshma)* 형태 속에 존재하고 있다. 왜냐하면 그것의 에너지가 잡혀서 우주 물질로 이동되기 때문이다 . . . 전체 우주는 객관적 형태 속에서 *바이카리-바크*이고, *로고스*의 빛은 *마디야마* 형태이며, 로고스 자체는 *파시얀티* 형태이고, 파라브라흠은 *파라* 형태 혹은 바크의 파라 측면이다. 현현된 우주가 우주로써 현현된 *말씀*이라는 취지로 다양한 철학자들이 언급한 진술을 이런 설명의 빛으로 이해하려고 노력해야 한다. (위에 언급된 바가바드 기타에 대한 강연 참조)

───────────────

---

151 *마디야(Madhya)*는 그 시작과 끝이 알려지지 않는 어떤 것에 대하여 말하고, *파라(Para)*는 무한하다는 의미이다. 이 표현들은 모두 시간의 구분과 무한성을 말하는 것이다.

2. 재빠르고 찬란하게 빛나는 자가 일곱 라유 [152] (a) 센터들을 만들고, 그것들에 반해서 어느 누구도 "우리와 함께 있으라"는 위대한 날까지 우세하지 못할 것이다—그리고 시엔-챤을 엘리멘터리 씨앗들로 둘러싸면서, 우주를 이 영원한 토대 위에 자리를 만든다 (b).

(a) 일곱 *라유(Layu)* 센터는 일곱 영점(Zero point)으로, 비의 가르침에서 분화의 시작을 나타내는 어떤 지점을 나타내기 위하여, 영(Zero)이라는 용어를 화학자들이 사용하는 것과 같은 의미로 사용하는 것이다. 그 센터들로부터—그 센터들 너머로 에소테릭 철학이 우리가 생명과 빛의 "일곱 아들들," 헤르메스 학파와 다른 모든 철학자들의 일곱 로고스의 희미한 형이상학적 윤곽을 지각할 수 있도록 해준다— 우리 태양계의 구성요소로 들어가는 원소들의 분화가 시작된다. 포하트가 대중 종교에서 이해되듯이, 인격신의 힘과 기능을 사용하는 것처럼 보여서, 포하트의 정확한 정의와 그 힘 그리고 기능이 무엇인지 자주 질문을 받았다. 그 대답을 스탠저 V 주석에서 제공되었다. "바가바드 기타" 강의에서 잘 설명되었듯이, "전체 우주는 필연적으로 이 빛 (*포하트*)이 발산하여 나오는 하나의 에너지 근원(One Source of energy) 속에 존재해야만 한다." 우리가 우주와 인간의 원리를 일곱 가지 혹은 네 가지로 부르건, 물리적인 대자연 속에 있는 그리고 대자연의 힘은 일곱 가지이다; 그리고 마찬가지로, "*프라그나(Pragna)* 혹은 지각의 역량은 물질의 일곱 상태에 상응하는 일곱 가지 다른 측면 속에 존재한다"고 수바 로우 씨가 말한다. (*"인격신과 비인격신"*) 왜냐하면 "인간이 일곱 원리들로 구성되어 있듯이, 태양계 속에 있는 분화된 물질도 일곱 가지 서로 다른 상태 속에 존재하기 때문이다." (위 문헌 참조) 그래서 포하트도 마찬가지이다. [153] 포하트는 하나이면서 일곱이고, 그리고 우주계에서 빛, 열, 소리, 접착력 등등 같은 그런 현현 뒤에 있으며, 전기(ELECTRICITY)의 "영"이다. 이것이 우주의 대생명(LIFE)이다. 추상성으로써, 우리는 그것을 하나의 대생명(ONE LIFE)이라고 부른다; 하나의 객관적 분명한 실재로써, 우리는 현현의 일곱 등급으로 말하며, 이것은 사다리 위 계단에서 하나의

---

152 모든 분화가 멈춘 물질의 지점, 산스크리트어 *라야*에서 옴.
153 "포하트"는 여러 가지 의미를 가지고 있다. (스탠저 V 주석 참조). 그는 "건설자들의 건설자 (Builder of the Builders)," 우리 칠중 체인을 형성하는 의인화된 힘으로 불린다.

불가해한 원인(One Unknowable CAUSALITY)으로 시작해서, 모든 물질 원자 속에 내재하는 대생명(Life)이자 편재하는 마인드(Omnipresent Mind)로 끝난다. 이렇게 과학이 지성 없는 물질, 맹목적인 힘 그리고 무감각한 운동을 통해서 진화를 말하지만, 오컬티스트는 *지성적인* 법칙(Law)과 *지각 있는* 생명(LIFE)을 가리키며, 포하트가 이 모든 것을 안내하는 영이라고 덧붙인다. 하지만 포하트는 결코 인격신이 아니며, 그 배후에는 기독교인들이 그들 신의 "메신저"(사실상 엘로힘 혹은 오히려 엘로힘으로 불리는 일곱 창조자들 중 하나)라고 부르는 그리고 우리는 "생명과 빛의 원초의 아들들의 메신저"라고 부르는 그 힘의 발산이다.

(b) 그가 티엔-신(Tien-Sin) (글자 그대로 "마인드의 하늘(Heaven of Mind)" 혹은 절대적인 그것)에서 시엔-찬 ("우주")을 가득 채우는 "엘리멘터리 씨앗들"은 과학의 원자들이며 라이프니츠의 모나드들이다.

---

3. 일곱 (*원소들*) 중에서 첫 번째가 현현되고, 여섯이 숨겨졌다; 둘이 현현되고 다섯이 숨겨졌다; 셋이 현현되고, 넷이 숨겨졌다; 넷이 만들어졌고, 셋이 숨겨졌다; 넷과 한 쯔안 (*조각*)이 드러났고, 둘과 반이 숨겨졌다; 여섯이 현현될 것이고, 하나는 따로 놓았다 (a). 마지막으로, 일곱 개 작은 수레바퀴가 회전한다; 하나가 다른 것을 낳으면서 (b).

(a) 이 스탠저들이 마하-프랄라야 (우주 붕괴) 후 전체 우주를 말하는 것이지만, 오컬티즘의 학생이라면 누구라도 이해할 수 있듯이, 이 문장은 유추에 의해서 우리 지구에서 원시적 (하지만 복합의) 일곱 원소들의 진화와 마지막 형성을 말하고 있다. 이것들 중에, 네 개가 이제 온전하게 현현되었으며, 반면에 다섯 번째—에테르—가 부분적으로 현현되었다. 우리가 네 번째 라운드 후반기에 겨우 들어서고 있기 때문에, 결과적으로 다섯 번째 원소는 다섯 번째 라운드에 완전히 현현될 것이다. 우리 세계를 포함한 여러 세계들은 배아로써 두 번째 단계에서 ("아버지-어머니,"

분화된 세계의 혼, 에머슨이 대령(Over-Soul)으로 부른 것이 아니다) 한 원소(One Element)에서 1 차로 진화되어 나온다. 근대 과학에서 그것을 우주 먼지와 불의 안개라고 부르건, 혹은 오컬티즘에서 아카샤(Akasa), 지바트마(Jivatma), 신성한 아스트랄 빛, 혹은 "세계의 혼(Soul of the World)"으로 부르건 같은 것이다. 하지만 진화의 첫 단계는 시간이 가면서 다음 단계가 따라온다. 원소들이 *라야* 속에서 휴식하는, 태초의 *일루스(Ilus)*에서 충분히 분화되지 않았다면, 어느 세계도 어떤 천체처럼 객관적 세계에서 건설될 수 없을 것이다. 라야는 니르바나와 동의어이다. 그것은 사실 어떤 생명 주기 후에 그것의 1 차 상태의 잠재성 속으로 융합된, 모든 질료들의 니르바나적 해리(dissociation)이다. 라야는 *존재했던* 물질의 빛나는 그러나 체가 없는 그림자로, 부정성(negativeness) 영역이며, 그곳에서 우주의 활동적인 힘들이 휴식기 동안 잠재하고 있다. 이제 원소에 대하여 말하면, 고대인들은 "그들의 원소들을 단순하며 분해할 수 없는 것으로 가정하였다"고 지속적인 비난을 받았다.[154] 이것 역시 근거 없는 진술이다; 하여튼 처음부터 비유들과 종교적 신화를

---

154 화학에서 새로운 발견으로 크룩스 씨가 과학은 아직도 가장 간단한 분자의 복합 성질에 대한 지식에서 멀리 떨어져 있다는 것을 인정하도록 이끌었기에, 유사 이전 우리의 선조들의 망령이 근대 물리학자들에게 찬사를 줄지도 모른다. 크룩크 씨로부터 우리는 아주 단순한 분자 같은 것이 화학에서는 미지의 영역이라고 배운다. "우리가 어디서 선을 그으면 좋을 것인가? 이 혼란에서 나오는 길이 없는가? 60이나 70 정도의 후보자들만 통과할 수 있도록 원소의 시험을 아주 엄격하게 해야 하는가, 아니면 입학자의 수가 신청자의 수로만 제한되도록 시험의 문을 열어야 하는가?" 그리고 그 박식한 신사가 다음과 같은 두드러진 예를 든다. 그가 묻는다: "이트륨을 보자. 그것은 분명한 원자량을 가지고 있고, 여러 점에서 단일체, 즉 우리가 그 원소에 추가할 수는 있으나, 그것에서 아무것도 가져갈 수 없는 원소처럼 움직였다. 그러나 이 이트륨이 동질적인 전체로 추정되었는데 어떤 분해 방법에 처하게 하니 자체 속에서 절대적으로 동질적이지 않은 부분들로 분해되어 점진적인 등급의 속성들을 보여준다. 혹은 디디뮴의 경우를 보자. 여기서 어떤 원소에 대하여 인식된 모든 것을 저버리는 어떤 체가 있다. 많은 어려움 끝에 그것의 성질에서 밀접하게 유사한 다른 것에서 분리되었으며, 이 결정적인 과정 동안에 그것은 매우 엄격한 취급과 매우 긴밀한 조사를 받았다. 그러나 그 후 또다른 화학자가 와서, 독특한 분해 과정으로 동질로 가정된 것을 프라세오디뮴과 네오디뮴으로 분해하였다. 그리고 그 둘 사이에서 어떤 차이를 지각할 수 있다. 우리는 심지어 지금도 프라세오디뮴과 네오디뮴이 단일체라는 어떤 확신도 없다. 오히려 그것들도 나누어질 수 있는 성질을 보여준다. 이제 적합한 취급으로 원소라고 가정되는 것이 비슷하지 않은 분자들로 구성되었다는 것을 발견한다면, 우리는 확실히 다른 원소들에서, 아마도 모든 원소들에서, 올바른 방법으로 다루어진다면, 비슷한 결과를 얻을 수 있지 않을까 묻는 것이 확실히 정당화된다. 우리는 심지어 그 분류 과정, 즉 각각의 개별 분자들 사이에서 변동을 전제로 하는 과정이 어디까지 끝나는지 물어볼 수 있다. 그리고 이 연속적인 분해에서 우리는 서로서로 더 밀접하게

만들어 낸 것이 바로 입문한 철학자들이었기 때문에, 그들이 그런 비난을 거의 받지 않을 수가 없다. 그들이 원소들의 이질성을 몰랐다면, 그들은 화, 풍, 수, 지 그리고 에테르를 의인화하지 않았을 것이다; 그들의 우주적 남신들이나 여신들이 *각각의 원소로부터 그리고 그 속에서* 태어난 원소들, 그렇게 수많은 아들들과 딸들을 가진, 그런 후손으로 축복받지 못했을 것이다. 만약 고대인들이 풍, 수, 지 그리고 *화의* 구성요소로 들어가는 각 원소의 잠재성과 상관관계적 기능 그리고 속성을 몰랐다면, 연금술이나 오컬트 현상이 심지어 이론이라도 환영이고 덫이었을 것이다. 불은 오늘날까지 근대 과학의 미지 영역으로, 그것을 대운동, 빛과 열기의 전개, 점화 상태로 부른다―간단히 말해서 그것을 외적인 측면으로 정의하고, 그것의 성질에 대해서는 무지한 채 그대로 남아있다. 그러나 근대 과학이 인식하지 못하는 것처럼 보이는 그것은 그 단순한 화학 원자들이 분화되어 왔듯이―태고 철학에서는 "그들 각자의 부모들의 창조자들," 아버지들, 형제들, 그들 어머니의 남편들, 그리고 어머니들은 예를 들면 아디티와 다크샤처럼 그들 자신의 아들들의 딸들로 불렸다―이 원소들이 시초에 여러 원소들로 분화되었더라도, 그것들은 지금 과학에서 아는 그런 혼합물이 아니었다는 것이다. 수, 풍, 지 (일반적으로 고체와 동의어)는 과학에서만 인정된 물질의 세 가지 상태를 대표하는 현재 형태로 존재하지 않았다; 왜냐하면 이 모두 것은 완전히 형성된 구체들의 대기에 의해서 이미 다시 조합된 산물들이어서―심지어 불까지―그래서 지구의 형성 초기에 그것들은 완전히 다른 *독특한* 것들이었다. 이제 우리 태양계를 지배하는 조건들과 법칙들이 충분하게 계발되었다; 그리고 다른 모든 행성 대기처럼, 지구의 대기도 말하자면 자신의 용광로가 되었기 때문에, 공간 속에서 분자들 혹은 원자들의 끊임없는 교환이 일어나고 있으며, 오히려 상관관계가 일어나고 있고, 이렇게 모든 행성에서 그것들의 등가물을 변화시키고 있다고 오컬트 과학에서 가르친다. 과학계의 어떤 사람 그리고 가장 위대한 물리학자나 화학자 중에서 어떤 과학자들은 오래 세월 동안 오컬티스트들에게 알려져 온 이런 사실을 의심하기 시작한다. 분광기는 지상의 질료와 별의 질료가 (외적 증거를 토대로) 아마도 유사하다는 것을 보여주는 것에 불과하다; 그러나 그것은 더 이상 깊게 나아갈 수 없거나, 혹은 원자들이 지구상에서 물리적으로 화학적으로 하듯이, 똑같은 조건 하에서 그리고 똑같은 방식으로

다가오는 체들을 자연스럽게 발견한다." (영국화학협회 회장연설. "원소와 메타 원소," 1883년 3월)

서로에게 이끌리는지 보여줄 수가 없다. 온도계 눈금도 생각할 수 있는 최고 온도부터 최저 온도까지 전체 우주 어디서나 똑같다고 상상할 수도 있다; 그럼에도 불구하고, 분열과 재결합의 특성들을 제외하고, 물질의 특성들이 행성마다 서로 다르다; 그래서 원자들이 물질 과학에서는 상상조차 할 수 없고, 인식할 수도 없는, 새로운 존재의 형태로 들어간다. [5 년간의 신지학]에서 이미 말한 바 있듯이, 예를 들면 혜성 물질의 본질은 "지구의 가장 위대한 화학자들과 물리학자들이 잘 알고 있는 화학적 혹은 물리적 특이성 어떤 것과도 아주 다르다." (p. 242) 그리고 심지어 그 물질도 우리 지구의 대기를 빠르게 지나가는 동안에 그것의 성질에서 어떤 변화를 겪는다. 이렇게 우리 행성의 원소들뿐만 아니라, 태양계에 있는 다른 자매 행성들의 원소들 조차도 태양계 경계선 너머에 있는 우주 원소들과 그들 조합에서 폭넓게 다르다. [155] 그러므로 그것들이 다른 세계에 있는 여러 원소들과 비교하는 기준으로써 될 수가 없다. [156] 영원한 어머니 가슴 속에 순수한 처녀 상태로 소중히 간직된 채, 그녀의 경계선 너머에서 태어난 모든 원자는 끊임없는 분화를 할 운명이다. "어머니가 잠자고 있으나, 언제나 호흡하고 있다." 그리고 내뱉는 모든 숨결이 그녀의 변화무쌍한 산물들을 현현계 속으로 내보내며, 그러면 그것은 유출의 파도를 타고 운반되면서, 포하트에 의해서 사방으로 흩어져서, 어느 행성의 대기로

---

155 이것이 다시 똑같은 강연에서 "원소들은 절대적으로 동질이 아니다"라고 말한 클럭 맥스웰을 인용한 똑같은 사람에 의해서 확인된다. 그가 쓰길, "중간 단계의 다양성을 선택하고 제거하는 것을 상상하는 것이 어렵다. 왜냐하면 믿을 만한 이유가 있듯이, 만약 항성의 수소 등이 모든 면에서 우리 별과 동일한 분자들로 구성되어 있다면, 이렇게 제거된 이 분자들이 어디로 갈 수 있을까?" 그리고 그가 부언한다: "우리는 지금까지 분광기가 제공한 수단을 제외하고 결론에 이르는 다른 수단을 갖지 못했기 때문에, 먼저 이 절대적 분자의 동일성에 의문을 제기할 수 있다. 한편 두 개의 체의 스펙트럼을 정확하게 비교하고 구분하기 위해서, 그것들이 똑같은 상태의 온도, 압력 그리고 다른 모든 물리적 조건 하에서 조사되어야 한다는 것이 우선 인정되었다. 우리는 확실히 태양의 스펙트럼안에서 우리가 아직 확인할 수 없던 광선들을 보았다."

156 각각이 세계는 자신의 활동 영역에서 편재하는 포하트를 가지고 있다. 그러나 세계만큼이나 많은 포하트가 있으며, 각각이 힘과 현현의 정도에서 다양하다. 개별 포하트가 하나의 보편적 집단적 포하트를 만든다—하나의 절대적 비-실체(Non-Entity), 즉 절대적 있음(Be-Ness), '사트(SAT)'의 측면의 실체. "수 백만 개의 세계들이 매번 만반타라 때마다 만들어진다"고 말한다. 그러므로 우리가 의식적 *지성적* 힘으로 생각하는 많은 포하트들이 있어야만 한다. 이것은 틀림없이 과학계 사람에게는 혐오일 것이다. 그럼에도 오컬티스트들은 상당한 이유를 가지고 대자연의 모든 힘을 초감각적이지만 진정한 물질의 상태로 여긴다; 그리고 필요한 감각들을 부여받은 존재들에게 인식의 가능한 대상으로 여긴다.

혹은 그 너머로 몰려간다. 일단 행성의 대기에 잡히게 되면, 원자는 잃어버린 것이다; 만약 운명으로 원자를 "유출(EFFLUX)의 흐름" (오컬트 용어로 보통의 용어가 암시하는 그것과 아주 많이 다른 과정이 있다)으로 이끌어서 그것을 분리시키지 않는다면, 원자의 원래의 순수성이 영원히 사라지고 만다; 그것이 사라졌던 그 경계선으로 다시 한번 운반되어, *위의* 공간 속이 아닌, *내면의* 공간 속으로 비상할 때, 그것은 미분적 균형(differential equilibrium) 상태 하에 와서 행복하게 다시 흡수될 것이다. 만약 진실로 박식한 오컬티스트-연금술사가 "원자의 삶과 모험"에 대하여 책을 쓴다면, 근대 화학자로부터 영원한 경멸을 받겠지만, 다행스럽게 잘 되면, 후에 감사를 받을지도 모를 것이다.[157] 어찌 되었건, *"아버지-어머니의 숨결이 차갑고 반짝이게 내보내서 뜨겁게 오염되어, 다시 한번 차가워져서, 내부 공간의 영원한 품 속에서 정화된다"*고 주석서에서는 말한다. 인간은 산 정상에서 차갑고 순수한 공기를 마시고, 그것을 불결하며 뜨겁게 변형된 상태로 내뱉는다. 이렇게—모든 행성에서 더 높은 대기는 입이고, 더 낮은 것은 폐를 가리킨다—지구의 인간은 "어머니"의 쓰레기만을 마시고 있는 것이다; 그러므로 "그가 그것으로 죽어야 하는 운명이다."[158]

(b) "작은 수레바퀴들이 하나가 다른 것을 낳는다"고 언급된 과정이 위에서부터 여섯 번째 영역 그리고 현현한 대우주의 가장 물질적인 세계, 즉 우리의 지상계에서 일어난다. 이 "일곱 수레바퀴들"은 우리의 행성 체인이다. (주석 5 번과 6 번 참조). "수레바퀴들(Wheels)"은 다양한 구체들과 힘의 센터들을 일반적으로 의미한다; 그러나 이 경우 우리의 칠중 체인을 말한다.

---

157 진실로 그런 가상의 화학자가 직관적이고, 고대의 연금술사들처럼, 잠시라도 엄격한 "정밀 과학"의 습관적인 틀에서 나온다면, 그의 대담성에 대한 보상을 받을 수 있을 것이다.
158 느린 산소를 어느 정도의 연금술 활동으로 오존 속으로 동소체화시켜서, 그것을 순수한 본질로 만들 수 있는 (그런 방법이 있다) 사람은 "생명의 영약"의 대체물을 발견하여 그것을 실제적으로 사용할 것이다.

4. 그는 더 오래된 수레바퀴들 (*세계들*)과 유사하게 만들어서, 그것들을 불멸의 센터들에 놓는다 (a). 포하트가 그것들을 어떻게 건설하는가? 그는 불의 먼지를 모은다. 그는 불의 공들을 만들고, 그것들에 생명을 불어넣으면서, 그것들을 통과하고 그것들 주위를 돈다; 그리고 나서 그것들을 움직이게 한다. 어떤 것은 이렇게, 다른 것은 다른 방식으로. 그것들은 차갑다—그가 그것들을 뜨겁게 만든다. 그것들은 건조하다—그는 그것들을 습기 있게 만든다. 그것들이 빛난다—그가 그것들을 부채질해서 시원하게 만든다 (b). 이렇게 포하트가 **황혼**에서 다음 황혼까지 일곱 영원 동안[159] 움직인다.

(a) 세계들은 "더 오래된 수레바퀴들과 유사하게" 건설되었다—즉, 이전의 만반타라에서 존재하였다가 프랄라야로 들어간 세계들과 유사하게 만들어졌다. 왜냐하면 태양부터 잔디 속에 있는 풀벌레에 이르기까지, 대우주 속에서 모든 것의 탄생, 성장 그리고 쇠퇴의 법칙은 하나(ONE)이기 때문이다. 그것은 매번 새롭게 출현하면서 끝없는 완성의 작업이지만, 질료-물질과 힘은 모두 똑같은 것이다. 그러나 이 대법은 모든 행성에서 더 작고 다양한 법칙을 통해서 작용한다. "불멸의 라야 센터"는 대단히 중요하고, 그 이론이 이제는 오컬티즘으로 전해지는 태고의 우주발생론에 대한 명확한 이해를 가지려면 그것의 의미를 충분히 이해해야 한다. 현재는 한 가지를 말할 수 있다. 즉, 그 세계들이 *라야 센터 위, 안 혹은 너머에* 만들어지는 것이 아니다. 영점은 어떤 상태이지, 어떤 수학적인 점이 아니다.

(b) 포하트, 즉 우주 전기의 건설력이 브라흐마에서 나온 루드라처럼 "아버지의 두뇌와 어머니의 가슴에서" 솟아나왔으며, 그리고 자신을 남성과 여성으로, 즉, 양전기와 음전기로 변형시켰다고 은유적으로 말하는 것을 명심해야 한다. 포하트는 *그의 형제들*인 *일곱 아들들*을 가진다; 그리고 그의 아들-형제들 중에 어느 둘이 포옹이나 싸움을 하건 *너무 가깝게 접촉할* 때마다 반복해서 다시 태어나야 한다. 이것을 피하기 위해서, 포하트는 이질적인 성질의 것들을 묶어서 결합시키고 비슷한

---

159 브라만 계산에 의하면, 311,040,000,000,000년.

기질의 것들을 분리시킨다. 이것은 당연히 마찰로 발생된 전기와 서로 다른 극성의 두 사물 사이에 인력과 유사한 극성의 사물 사이의 반발의 법칙을 말한다. 그러나 일곱 "아들들-형제들"은 실천적 오컬티즘에서 "일곱 과격자들(Seven Radicals)"로 불린 우주적 자성의 일곱 형태를 나타내고 의인화한다. 그들의 협조적이고 활동적인 자손은 다른 에너지들 중에서 전기, 자성, 소리, 빛, 열, 응집력 등이다. 오컬트 과학은 이 모든 것을 그것들의 숨겨진 행위 속에 있는 초감각적 영향들로 그리고 감각의 세계에 있는 객관적 현상들로 정의한다; 전자를 지각하기 위해서는 비범한 능력을 요구하고, 후자는 우리의 일상의 육체적 감각으로 충분하다. 그것들 모두 한층 더 초감각적인 영적인 특질에 속하고 발산들이며, 실재의 의식적 원인들(CAUSES)에 속하는 것으로, 의인화되지 않는다. 그런 대실체들(ENTITIES)에 대한 묘사를 시도하는 것이 백해무익하다. 이 현상적 우주를 거대한 *환영*으로 간주하는 우리의 가르침에 따르면, 어떤 체가 미지의 질료(UNKNOWN SUBSTANCE)에 가까우면 가까울수록, 그것은 *마야*의 이 세계로부터 더 멀어지듯이 *실재*에 더 다가간다는 것을 명심해야 한다. 그러므로 그들의 여러 체의 분자 구조가 여기 의식계에서 그것들의 현현에서 추론될 수 없지만, 그럼에도 불구하고 그것들은 (초인의 오컬티스트 관점에서) 상대적으로 본체의 우주—현상적 우주와 반대되는—에서 물질적 구조는 아니더라도, 구분되는 객관적인 구조를 가지고 있다. 과학자들은 그것들을 물질에 의해서 발생된 "힘" 혹은 "힘들," 혹은 "그것의 운동 방식"으로 부를 수 있다; 오컬티즘은 영향 속에서 "엘리멘탈" (힘들)을 보며, 그것들을 만드는 직접적인 원인들 속에서, 지성적인 신성한 일꾼(DIVINE Workmen)을 본다. (한 치의 오차도 없는 통치자들의 손에 안내되는) 그 엘리멘탈들과 순수 물질의 여러 원소들과의 긴밀한 관계—그것을 상관관계로 부를 수 있다—가 빛, 열, 자성 등등 우리의 지상의 현상으로 된다. 물론 우리는 모든 힘과 에너지—그것이 빛, 열, 전기 혹은 응집력이건—를 어떤 "실체"라고 부르는 미국의 실체론자들에[160] 결코 동의할 수 없다; 왜냐하면 이것은 수레바퀴가 굴러가면서 만들어진 소음을 하나의 *"실체"*라고 부르는 것과 같기 때문이다—이렇게 그 소음과 바깥에 있는 마부를 그리고 그 매개체 *안에서* 안내하는 "주인인 지성"과 혼동하는 것이기 때문이다.

---

160 최신의 철학적 가르침과 시대의 종교적 사상에 미친 영향에 전념하는 월간지, "과학의 무대" 참조. 뉴욕: 윌포드 홀 박사. (1886, 7월, 8월 그리고 9월.)

그러나 우리는 그 "마부들"과 "안내하는 대지성들"—지배하는 디얀-초한들—에게 그 이름을 붙인다. "엘리멘탈," 자연력은 보이지 않거나 오히려 지각될 수 없더라도 활동하는 이차적인 원인이고, 그것들 자체는 지상의 모든 현상의 베일 뒤에 있는 일차적 원인들의 결과들이다. 전기, 빛, 열 등등이 "운동 중에 있는 물질의 그림자 혹은 유령"이라고 적절하게 불러왔다. 즉, 우리가 그 영향만 인식할 수 있는 초감각적 물질 상태이다. 그러면 위의 비유를 좀더 확장해보자. 빛의 감흥은 굴러가는 수레바퀴의 소리 같은 것이다—순전히 현상적 영향으로, 관찰자 외부에는 어떤 존재가 없다; 그 감흥을 일으키는 근접한 원인이 "마부"에 비유될 수 있다— 그것은 운동 중인 물질의 초감각적 상태, 자연력, 혹은 엘리멘탈이다. 그러나 심지어 이것 뒤에도—마치 마차의 주인이 안에서 마부에게 지시하듯이—그 본질이 *"어머니"*의 여러 상태들을 발산하는 *"대지성들,"* 상위의 *본체적* 원인들이 있다. 마치 모든 물방울이 무한히 많은 적충류를 만들어내듯이, 무수히 많은 엘리멘탈 혹은 심령적 자연력을 만들어낸다. (3 부, "신, 모나드 그리고 원자" 참조) 하나의 행성에서 다른 행성으로, 하나의 별에서 다른 별—아이-별(child-star)—로 원리들의 이동을 안내하는 것이 바로 포하트이다. 행성이 죽을 때, 그것에 형태를 만드는 여러 원리들이 그 속에 잠재적 상태의 에너지를 가진 *라야* 센터 혹은 잠자는 센터로 옮겨진다. 그리고 그 에너지는 다시 깨어나서 새로운 천체를 형성하기 시작한다. (아래를 보라, "몇 가지 신지학 오해 등등")

물리학자들이 심지어 지상의 물질—원초의 질료가 냉정한 실재라기 보다 하나의 꿈으로 간주되면서—의 진정한 성질에 대하여 그들의 완전한 무지를 정직하게 시인하면서, 그럼에도 불구하고 그들은 그 물질의 심판자로서 자칭하며, 그것의 다양한 조합으로 무엇을 할 수 있고 무엇을 할 수 없는지 안다고 주장한다는 것이 놀라울 따름이다. 과학자들은 물질을 거의 피상적으로 알면서, 독단적인 주장을 한다. 물질은 "운동의 방식"에 불과하고 아무것도 아니다. 하지만 책상에서 먼지를 불어 버릴 때, 살아 있는 사람의 호흡 속에 내재하는 그 *힘*도 또한 부인할 수 없게 "하나의 운동의 방식"이다; 그리고 그것은 부인할 수 없게 물질의 특질도 아니고 그 먼지의 입자도 아니며, 그 충동이 의식적으로 혹은 무의식적으로 시작되었건, 그것은 살아 있는 사고하는 호흡한 실체로부터 발산된다. 진실로 물질—지금까지 그것에 대하여 알려진 것이 아무것도 없다―이 한층 덜 알려진 성질인 힘(Force)이라고 부르는 내재하는 특질을 가지고 있다는 것은 모든 자연 현상에서 "자연령"의 개입을 수용하는 것보다 훨씬 더 심각한 어려움을 만드는 것이다.

오컬티스트는 *물질(matter)*, 아니 물질의 *본질* 혹은 *질료(substance)*만이 파괴될 수 없고 영원하다고 (즉, 만물의 뿌리, *물라푸라크리티*) 말하지 않고 이렇게 주장한다: 소위 대자연의 힘, 전기, 자성, 빛, 열 등등은 물질 입자들의 운동 방식과는 아주 멀고 *실재한다*, 즉 그것의 궁극적 구성요소에서 본서 첫 페이지에서 논의되고 설명된 보편적인 대운동(Universal Motion)의 분화된 측면들이라고 주장한다. (*프로엠* 참조) 포하트가 "일곱 라야 센터"를 만든다고 말할 때, 그것은 형성의 목적 혹은 창조적 목적을 위해서, 대법(GREAT LAW) (유신론자들은 그것을 신이라고 부를 수 있다)이 현현된 우주의 영역 안에 있는 일곱 가지 보이지 않는 지점에서 그것의 영원한 운동을 멈추고, 혹은 오히려 수정한다는 것을 의미이다. *"거대한 대숨결이 공간을 통해서 일곱 개 구멍을 라야 속에 파서 그것들이 만반타라 동안 회전하게 만든다"* (오컬트 교리문답서). 라야는 과학에서 영점 또는 선이라고 부를 수 있는 것이라고 말했다; 그것은 절대적 부정성(negativeness)의 영역, 혹은 하나의 실재의 절대적 힘, 우리가 무지하게 "힘"으로 부르고 인식하는 그것의 일곱 번째 상태의 본체(NOUMENON)이다; 혹은 유한한 지각으로는 도달할 수도 알 수도 없는 미분화된 우주 질료의 본체이다; 객관성과 주관성의 모든 상태들의 뿌리이자 토대이다; 또한 많은 측면 중의 하나가 아니라, 그것의 중심, 중성의 축이다. 영구적인 운동을 발견하려는 사람들의 꿈, "중성 센터"를 상상하려고 노력한다면 그것이 그 의미를 명확하게 하는 역할을 할 것이다. 한 측면에서 "중성 센터"는 어떤 주어진 감각들의 조합을 제한하는 점이다. 이렇게, 이미 형성된 두 개의 연속하는 물질계를 상상해 보라; 이것들 각각이 지각 기관의 적합한 조합에 상응한다. 이 두 가지 물질계 사이에 끊임없는 순환이 일어난다는 것을 인정하지 않을 수 없다; 그리고 우리가 낮은 계의 분자들과 원자들이 변형되어 위로 올라가는 것을 따라간다면, 이것들이 우리가 하위계에서 사용하는 기능의 범위를 완전히 넘어서는 그런 지점에 도달하게 될 것이다. 사실 우리가 보기에 하위계 물질이 우리의 지각에서 사라져서 무로 되고, 혹은 오히려 상위계로 넘어가고, 그리고 그런 과도기 지점에 상응하는 물질의 상태는 확실히 특별한 그리고 쉽게 발견할 수 없는 속성들을 가지고 있어야만 한다. 따라서 그런 "일곱 중성 센터"가 [161] 포하트에 의해서 만들어지고, 밀턴이 말한 것처럼 ─ "아름다운 터전이 그 위에 건설하기 위하여 놓인다 . . ." 물질의 활동과 진화를 촉진시킨다.

"원초의 원자(Primordial Atom)" (아누)는 탄생 이전 상태와 최초 상태에서도 증식될 수 없다; 그러므로 그것을 비유적으로 "총합(SUM TOTAL)"이라고 부른다. 물론 그 "총합"은 무궁하다. (1 권 3 부 참조) 볼 수 있는 원인과 결과의 세계만을 아는 물리학자에게 무(nothingness)의 심연인 그것은 오컬티스트들에게는 신성한 충만(Plenum)의 무궁한 공간이다. "대우주"의 끝없는 진화와 재흡수의 가르침에 반대하는 많은 반대들 중에서, "근대 과학 철학의 모든 입장으로, 대자연이 황폐해지는 것이 필연"이기 때문에, 브라만 가르침과 비의 가르침에서 시작도 없고 끝도 없는 어떤 과정이 있을 리가 없다고 오컬티스트는 듣는다. 만약 대자연의 "황폐해지는" 성향이 오컬트 우주발생론을 반대하는 강력한 이론으로 간주된다면, "실증론자와 자유사상가 그리고 과학자들은 우리 주위에 무수한 항성계의 밀집을 어떻게 설명할 것인가?"라고 우리는 물을 것이다. 그것들이 황폐해지는데 영원이 걸린다; 그러면 광대한 비활성 덩어리인 대우주는 왜 아니겠는가? 심지어 달이 "황폐한" 죽은 행성이라고 가설로만 믿고 있으며, 천문학에서는 그런 많은 죽은 행성을 알지 못하는 것처럼 보인다. [162] 그 질문에 답할 수 없다. 그러나 이것과는 별개로, 우리의 작은 태양계 속에서 "변형시킬 수가 있는 에너지"의 양이 끝나간다는 생각은 "백열의 눈부신 태양"이 보상 없이 공간 속으로 자신의 열을 영구적으로 발산한다는 순전히 잘못된 개념에 근거하고 있다는 것을 주목해야 한다. 그것에 대하여 자연은 황폐해서 객관계로부터 사라지고 나서, 휴식 기간 후에 주관계에서 다시 나타나서 다시 한번 상승한다고 우리는 답한다. 우리의 대우주와 대자연은 황폐하고 사라진 후에 매번 프랄라야 후에 한층 더 완전한 계에서 다시 나타날

---

161 그것이 유명한 "모터(Motor)"─그의 숭배자들이 바랬듯이, 세계의 모터의 힘을 혁신시킬 운명인─의 발명가인 필라델피아의 킬리 씨가 "에텔 센터"에 적용한 이름이다.
162 달은 그녀의 *내적* "원리"와 관련해서 죽은 것이다─즉, 이 진술이 터무니없어 보일지라도, *심령적으로* 그리고 *영적으로* 죽은 것이다. 물리적으로 달은 반쯤 마비된 체와 같다. 달은 오컬티즘에서 거대한 *미치광이* 별, 즉 "미친 엄마(insane mother)"라고 적절하게 말한다.

것이다. 동양 철학자들의 *"물질(matter)"*은 서구 형이상학자들이 말하는 "물질"과 대자연이 아니다. 그럼 물질은 무엇인가? 그리고 무엇보다도, 우리의 과학 철학은 칸트가 아주 합당하게 그리고 친절하게 "우리 지식의 한계에 대한 과학"으로 정의한 그것이 아니고 무엇인가? 과학이 유기적 생명의 모든 현상을 단순히 물질적 화학적 현현으로 묶고 연결하고 정의하려는 많은 시도는 그것을 어디로 가져갔는가? 일반적으로 추측으로 갔다—그것은 과학자들이 실재 사실들을 발견하도록 허락되기 전에 하나 둘씩 터진 단순한 비누거품에 불과하다. 만약 과학과 그 철학이 그들이 말하는 *물질*에 대한 단순한 일방적 지식에 근거를 둔 가설을 받아들이는 것을 자제하였다면, 이 모든 것을 피할 수 있었을 것이고, 지식의 발전이 장족의 진보를 이루었을 것이다.[163]

만약 어떤 물리적 지성도 여러 마일에 걸쳐서 해변을 덮고 있는 모래알의 수를 헤아릴 수 없다면; 혹은 박물학자의 손바닥에서 느낄 수 있고 볼 수 있는 그 모래알의 궁극적인 성질과 본질을 이해할 수 없다면, 물질주의자가 원초의 카오스 속에 있던 원자들의 존재와 상태를 바꾸는 법칙들을 어떻게 제한할 수 있는가, 혹은 원자가 세계들로 형성된 이후와 이전에 원자들과 분자들의 역량들과 잠재력에 대하여 확신하는 어떤 것을 어떻게 알 수 있을까? 혼-질료가 그것의 매개체인 체와 서로 다르듯이, 이 불변의 영원한 분자들—해변의 모래알보다 공간 속에서 훨씬 더

---

163 천왕성과 해왕성 위성이 각각 4개와 1개 있고, 궤도가 동쪽에서 서쪽으로 회전하는 반면에, 다른 모든 위성들은 서쪽에서 동쪽으로 회전한다는 것이 매우 좋은 예로, 모든 선험적 추론이 심지어 가장 엄격한 수학적 분석에 토대를 둔 것이라도 얼마나 신뢰할 수 없는지 보여준다. 칸트와 라플라스가 제시한, 우리 태양계가 성운 고리에서 나와서 형성되었다는 유명한 가설은 모든 행성들이 같은 방향으로 회전했다는 위의 사실에 주로 근거하고 있다. 라플라스 시대에 수학적으로 입증된 바로 이런 사실에 근거해서, 이 위대한 천문학자가 확률이론에 기초해서 계산하면서 다음에 발견될 행성도 똑같이 서에서 동으로 운동할 확률이 30억대 1에 단언한다고 제시하였다. 과학적 수학의 불변의 법칙은 "더 많은 실험과 관찰에 의해서" 악화되었다고 말한다. 라플라스가 착각한 이런 생각이 일반적으로 지금까지 우세하다; 그러나 어떤 천문학자들은 라플라스 주장을 실수로 받아들인 것이 잘못이었고, 무지에 따른 오류에 일반적인 관심을 끌지 않은 채 그것을 바로잡는 조치들이 이제 취해지고 있다는 것을 결국 입증하는데(?) 성공하였다; 그런 불쾌한 많은 놀라움이 심지어 순전히 물리적인 성격의 가설들을 기다리고 있다. 그러면 초월적 오컬트 대자연의 문제로 더 나아간 환멸이 없겠는가? 하여튼 오컬티즘은 "역회전"이 사실이라고 가르친다.

두꺼운—은 그것들의 존재계를 따라서 그것들의 구성요소에서 서로 다르다. 각각의 원자는 일곱 개의 존재계를 가지고 있다고 배웠다; 그리고 각각의 계는 진화와 흡수의 구체적인 법칙에 지배된다고 한다. 우리 지구의 나이나 태양계의 기원을 결정하려는 시도에서 출발점이 되는 심지어 근접한 연대기 자료를 모르기 때문에, 천문학자, 지질학자, 그리고 물리학자가 각자의 새로운 가설을 가지고 사실의 해변에서 점점 더 멀어져서 헤아릴 수 없는 추론적 존재론의 심연 속으로 표류하고 있다. 164 태양계 너머 있는 여러 태양계들과 태양계 안에 있는 행성들 사이의 구조의 계획에서 유추의 법칙이 이 존재계에 눈으로 볼 수 있는 모든 체가 종속되는 유한한 조건과 반드시 관련있다고 할 수 없다. 오컬트 과학에서 이 법칙이 우주 물리학에 첫째이자 가장 중요한 열쇠이다; 그러나 그것은 아주 상세한 세부사항까지 연구되어야 하며, 그 열쇠를 "일곱 번 돌렸을 때" 비로소 그것을 이해하게 될 것이다. 오컬트 철학이 그것을 가르칠 수 있는 유일한 과학이다. 그러면 어느 누가 "대우주는 무조건의 집합체 속에서 영원하고, 조건화된 현현 속에서만 유한하다"는 오컬티스트의 명제의 진위를 "대자연이 황폐해가는 것이 필연이다"라는 일방적인 물질적 선언에 매달 수 있겠는가?

스탠저 VI, 4 절로 마지막 마하 프랄라야 (보편적 붕괴) 이후의 보편적 우주발생론과 관련되는 스탠저 부분이 끝난다. 마하 프랄라야가 올 때, 신이건 원자이건, 분화된 모든 것이 말라 죽은 나뭇잎처럼 공간에서 휩쓸려 나간다. 이 구절 이후부터, 스탠저는 일반적인 우리 태양계와 그 속에 있는 행성 체인들 그리고 특히 우리의 구체 (네 번째와 그 체인)의 역사만 다루게 된다. 본서에서 이후에 나오는 모든 스탠저들과 구절들은 지구의 진화와 지상에서의 진화만을 말한다. 지구에 관해서 특이한 가르침—물론 근대과학 관점에서만 그렇다—을 고수하며 그것을 소개한다.

---

164 오컬티스트들은 그들의 천문학과 수학 기록에 대한 가장 완전한 믿음 갖고 있기에, 인류의 나이를 계산하며, 브라만 가르침과 인도의 어느 달력에서도 선언하듯이, (남성과 여성으로 분리된) 인류가 이번 라운드에 18,618,727년 존재해왔다고 주장한다.

그러나 독자들에게 아주 새롭고 오히려 놀라운 이론들을 제시하기 전에, 약간의 설명으로 서두를 시작해야만 한다. 이것이 절대로 필요하다. 왜냐하면 이 이론들이 근대 과학과 충돌할 뿐만 아니라, 다른 신지학자들이 가르침의 설명과 해석이 우리와 똑같은 권위에 근거를 두고 있다고 주장하는 이전의 진술과 어떤 점에서 모순되기 때문이다.[165]

이것이 똑같은 가르침의 해설자들 사이에 확실한 모순이 있다는 인상을 줄지도 모른다; 반면에 사실상 그 차이는 이전 작가들에게 주어진 정보의 불충분함 때문에 기인한 것이다. 그들은 이렇게 대중에게 완전한 체계를 제시하려는 노력에서 어떤 잘못된 결론을 내리고 시기상조의 추론에 몰입하였다. 그래서 이미 신지학을 공부하는 학생인 독자는 이전 다른 신지학 문헌에서 진술한 것을 여기에서 수정하는 것을 보고 그리고 여전히 어떤 것은 불완전한 상태로 남겨두어야 하기 때문에, 일정 부분을 애매하게 남겨둔 채 어떤 점을 설명하는 것을 보고 놀라지 말아야 한다. (신지학 저작 중에서 가장 훌륭하고 정확한) [에소테릭 붓디즘] 저자조차도 다루지 않은 많은 질문들이 있다. 반면에 그 저자도 몇 가지 잘못된 개념을 소개하였고 이제 저자가 할 수 있는 한 그것을 진정한 신비적 관점에서 제시할 것이다.

지금까지 설명한 구절과 다음에 오는 구절 사이에 짧은 휴식을 갖자. 왜냐하면 그것들을 분리시키는 우주의 기간이 엄청난 기간이기 때문이다. 이것이 지금까지 대중에게 다소 불확실하게 그리고 종종 잘못된 빛으로 제시되었던 씨크릿 독트린에 속하는 몇 가지 요점들을 조망할 수 있는 충분한 시간을 줄 것이다.

---

165 "에소테릭 붓디즘"과 "인간".

행성, 라운드 그리고 인간에 관한 초기 신지학적 오해

생략된 11 개 스탠저 중에서[166] 원시 무우주론에서 최초의 우주적 그리고 원자적 분화를 시작한 후에, 행성 체인들이 하나 둘 형성되는 것에 대한 충분한 설명을 제시하는 스탠저가 있다. "신이 창조를 준비할 때 법칙들이 생긴다"라고 말하는 것은 무의미한 것이다. 왜냐하면 (가) 법칙들 혹은 대법은 영원하고 창조되지 않기 때문이다; 그리고 (나) 신(Deity)이 바로 그 법이고 그 반대이기도 하기 때문이다. 더구나, 하나의 영원한 대법은 칠중 원리를 바탕으로 현현된 대자연 속에 모든 것을 펼친다; 나머지 중에서, 일곱 구체로 구성된 무수히 많은 순환하는 세계들의 체인들이 형상의 세계 하위 네 가지 계로 단계적으로 내려온다 (다른 셋은 원형의 우주에 속한다). 이 일곱 구체 중에서, *단 하나, 가장 낮고 가장 물질적인 구체가* 우리가 지각하는 범위 안에 있으며, 다른 여섯 개는 그 인식 범위 밖에 있기 때문에 지상의 눈에는 보이지 않는다. 그런 모든 세계들의 체인은 다른 체인, *낮고 죽은* 체인의 자손이자 창조물이다—말하자면 그것의 *재화신*이다. 그것을 더 분명하게 해보자: 우리는 행성들에 대하여 들었다—최고의 섭정자 혹은 신이 통치하고 있는 *일곱 행성만이* 신성하다고 생각되며, 고대인들이 다른 행성들에 대해서 알지 못했기 때문에 결코 그런 것이 아니다[167]—지구가 속해 있는 체인처럼, 이 행성들 각각이 알려져 있건 그렇지 않건 칠중이라고 들었다. ("에소테릭 붓디즘" 참조) 예를 들면, 수성, 금성, 화성, 목성, 토성 등등 또는 우리 지구 같은 모든 행성들은 눈에 보이고, 아마도 다른 행성 거주자들에게도 그들이 있다면 지구가 보일 것이다. 왜냐하면 그것들 모두가 똑같은 계에 있기 때문이다; 한편 이 행성들의 상위 동료 구체들은 우리의 지상의 감각 밖에 있는 다른 계에 있다. 그것들의 상대적 위치에 대하여 더 깊게 주어질 것이고, 또 스탠저 VI, 7 절 주석에 첨부된 그림이 있기에, 여기서는 몇 마디 설명이 필요한 전부이다. 보이지 않는 이 동반 구체들은 기묘하게도 우리가 "인간의 원리"라고 부르는 것과 상응한다. 일곱 구체는 세 가지 물질계와 하나의 영적인 계에 있으며, 인간의 구분에서 일곱 가지 원리 중에 세 가지 *우파디* (물질 토대)와 하나의 *바한* (매개체)에 상응한다. 더 분명한 멘탈 개념을 위하여, 인간

---

166 이전 페이지 주석에 있는 각주와 22페이지 프로엠에 있는 스탠저 요약을 참조하라.
167 근대 천문학 작업에 있는 것보다 더 많은 행성들이 "비밀의 문헌"에서 나열된다.

원리가 다음과 같이 배열되어 있다고 상상하면, 상응을 나타낸 다음 그림을 얻게 될 것이다: ㅡ

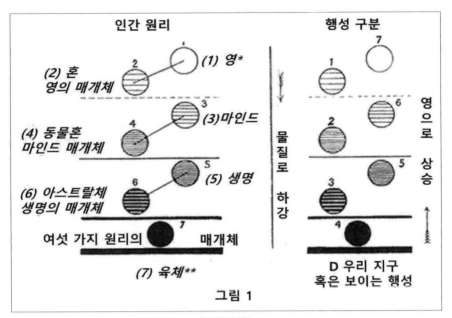

168, 169

하위 계의 검은 수평선은 한 가지 경우에 우파디이고, 행성 체인의 경우에는 계들을 나타낸다. 물론 인간 원리들에 관하여, 그림에서는 순서대로 배치하지 않았지만, 그럼에도 그것은 지금 관심을 끄는 상응과 유추를 보여주고 있다. 독자가 보겠지만, 그것은 물질 속으로 하강하는 것이고, 둘 사이의 조정—신비적, 물질적 의미에서— 그리고 두 *실체*를 기다리는 다가올 거대한 "생명의 투쟁"을 위해서 상호 혼합하는 경우이다. "*실체*"라는 용어를 구체의 경우에 사용하는 것이 이상하다고 생각될 수도 있다; 그러나 고대 철학자들은 지구를 거대한 "동물"로 보았으며, 근대 지질학자들보다 그 세대가 더 현명하였다; 그리고 플리니는 지구를 인간에게 해를

---

168 여기서는 아리스토텔레스 방법 혹은 귀납법을 사용하는 대신에, 보편적인 것에서 특수한 것으로 나아가기에, 그 숫자들이 뒤집어졌다. 영은 보통 하듯이 일곱 번째 대신에 첫 번째로 열거된다. 그러나 사실 *그렇게 하지 말아야 한다.*
169 에소테릭 붓디즘과 다른 것들의 방식을 따라서: 1, 아트마; 2, 붓디 (혹은 영적 혼); 3, 마나스 (인간 혼); 4, 카마 루파 (욕망과 격정의 매개체); 5, 링가 샤리라; 6, 프라나; 7, 스툴라 샤리라.

주지 않는 유일한 요소, 우리의 친절한 유모이자 어머니라고 불렀는데, 지구를 신의 발판이라고 상상했던 왓츠보다 더 진실되게 말했다. 왜냐하면 지구는 인간이 상위 영역으로 상승하는데 인간의 발판에 지나지 않기 때문이다; 그 현관은 —

> ". . . . . 영광스러운 저택으로 가는 길,
> 그것을 지나서 움직이는 대중이 영원히 밀어붙인다."

그러나 이것은 오컬트 철학이 대자연 속에 있는 모든 것과 얼마나 훌륭하게 들어맞는지, 그리고 그 가르침이 생명 없는 물질 과학의 가설적 추론보다 얼마나 논리적인지 보여주기만 한다.

근대 과학의 모든 정규 학생은 오컬트 가르침을 터무니없는 헛소리로 생각할 지 모르지만 그리고 아마도 그렇게 생각할 것이지만, 지금까지 이렇게 많이 배웠기 때문에, 신비가는 이제 오컬트 가르침을 더 잘 이해할 준비가 되었다. 하지만 오컬티즘의 학생은 현재 논의 중인 이 이론이 다른 어떤 이론보다 훨씬 더 철학적이고 근거가 있다는 것을 견지한다. 하여튼 지구가 융합되는 구체, 즉 용해된 가소성 덩어리일 때 우리 지구의 일부분의 투사가 달을 형성하였다고 최근에 내놓은 이론보다 오컬트 가르침이 더 논리적이다.[170]

행성 체인도 낮과 밤이 있고—말하자면 생명의 기간 혹은 활동기와 비활동기 혹은 죽음의 기간—그리고 인간이 지상에서 하듯이 하늘에서 똑같이 움직인다고 말한다: 행성 체인도 그들과 닮은 것을 낳고, 나이를 먹으며, 개별적으로 소멸하지만, 그들의 영적 원리가 그들의 자손 속에서 살아 남아서 살고 있는 것이다.

---

170 [근대 과학과 근대 사상]의 저자인 사무엘 라잉이 말한다: "천문학의 결론은 너무 불확실한 자료에 근거한 이론으로, 어떤 경우에는 태양계 형성의 전체 과정에 불과 1,500 만년 밖에 안 된다는 엄청나게 짧은 기간을 제시하며, 또 다른 경우에는 믿을 수 없을 정도의 긴 시간을 제시한다. 즉, 달은 지구가 세 시간에 자전할 때 떨어져 나왔다고 가정하는데, 관찰로 얻은 실제 감속하는 경우조차도 24 시간 대신에 23 시간으로 자전하게 만들려면 6 억년이 필요하다." (48 페이지) 만약 물리학자들이 고집한다면, 왜 힌두인의 연대기가 지나치다고 비웃을까?

216

전체 과정에 대한 모든 우주적 세부사항을 제시하는 어려운 작업을 시도하지 않고, 그것에 대한 개략적인 개념을 충분히 말할 수 있을 것이다. 행성 체인이 마지막 라운드에 있게 될 때, 구체 1 또는 A 가 마지막으로 *죽기 전에* 그것의 모든 에너지와 "원리들"을 "라야 센터"라는 잠재적인 힘의 중립 센터로 보낸다. 그리고 그것으로 미분화된 질료 혹은 물질의 새로운 핵에 생명을 불어넣는다, 즉 그것을 활동하게 만들거나 그것에 생명을 준다. 그런 과정이 달의 "행성" 체인에서 일어났다고 가정해보자; 또한 (아래에서 인용된 다윈 이론이 수학 계산으로 아직 사실로 확인되지 않았다 하더라도 최근에 뒤집어졌지만) 논의를 위해서 달이 지구보다도 훨씬 더 오래되었다고 가정해보자. 달과 여섯 동료 구체들이 있다고 상상하자—우리 지구의 일곱 중 첫 번째 구체가 진화되기 억겁 이전이다. 그리고 우리 체인의 동료 구체들이 지금 지구와 같이 차지하듯이 달과 여섯 동료 구체들도 서로 똑같은 위치를 차지하고 있다고 상상해 보자. ("에소테릭 붓디즘," "인간의 구성 요소" 그리고 "행성 체인" 참고) 그러면 이제 달 체인의 A 구체가 지구 체인 A 구체에게 생명을 불어넣고 죽는다는 것을 쉽게 상상할 수 있을 것이다; 이전 체인의 B 구체가 새 체인의 B 구체로 그의 에너지를 보낸다; 그리고 달 체인의 C 구체가 그 자손인 지구 체인의 C 구체를 만든다; 그러면 달 (우리의 위성[171])은 지구 행성 체인의 가장 낮은 구체, 즉 D 구체, 우리 지구에 그의 모든 생명, 에너지, 힘을 쏟아 붓는다; 그리고 그것들을 새로운 센터로 옮겨 놓은 후에, 사실상 *죽은 행성으로* 되며, 그것의 자전이 우리 구체의 탄생 이후 거의 멈췄다. 달은 지금은

---

171 달은 틀림없이 위성이지만, 그렇다고 이것으로 달이 지구에게 그녀의 시체를 제외한 모든 것을 주었다는 이론을 무효화시키지 못한다. 다윈 이론이 유효하기 위해서, 뒤집어진 가설 이외에도, 여러 가지 어울리지 않는 다른 추론을 발명해야만 했다. 달은 지구보다 거의 6 배 속도로 냉각되었다고 한다 (윈첼의 "세계-생명"): "만약 지구가 지각화 이후 14,000,000 년이 되었다면, 달은 그 상태이후 11,660,000 년 밖에 되지 않는다..." 등등. 그리고 만약 달이 우리 지구에서 튕겨 나온 것에 불과한 것이라면, 왜 다른 행성의 달에 대해서도 똑같은 추론을 세울 수 없는가? 천문학자들은 "모른다." 왜 금성과 수성은 위성이 없는가, 그리고 그것들이 존재할 경우, 무엇으로 만들어졌을까? 왜냐하면 과학은 자연의 신비를 여는 단 하나의 열쇠—물질의 열쇠—만 가지고 있기 때문이며, 반면에 오컬트 철학은 과학이 이해하지 못하는 것을 설명하는 일곱 개의 열쇠를 가졌기 때문이다. 수성과 금성은 위성을 가지고 있지 않지만, 그들은 지구처럼 "부모"를 가지고 있다. 둘 다 지구 보다 훨씬 오래되었고, 지구가 제 7 라운드에 이르기 전에, 지구의 어머니인 달은 다른 행성들의 "달"처럼 혹은 여러 개의 달을 가진 경우에는 아니지만—천문학의 오이디푸스도 풀지 못한 신비—공기로 분해될 것이다.

차가운 찌꺼기 분량이고, 그녀의 살아있는 힘과 "원리"가 주입된 그 새로운 구체에 끌려 가는 그림자이다. 달은 이제 오랜 세월 동안 지구를 쫓아다니는, 그녀의 자손에게 이끌리고 끌어당기는 운명이다. 그녀의 자식에 의해서 지속적으로 *흡혈되었기* 때문에, 달의 성질의 오컬트 측면에서 발산하여 나오는 보이지 않는 사악하고 유독한 영향력으로 지구에 스며들어 복수한다. 달은 죽었지만, *살아있는 체*이다. 부패하는 그녀의 시체의 입자들이 구성했던 그 체가 혼과 생명이 없더라도, 그것들은 활동적이고 파괴적인 생명으로 가득하다. 그러므로 그것에서 나오는 발산은 유익하면서 해롭다―풀과 식물이 묘지보다 더 번성하고 더 생기 있는 곳이 없다는 사실에서 이 상황의 유사성을 지상에서 볼 수 있다; 한편 동시에 죽이는 것도 묘지 혹은 시체의 발산물이기도 하다. 그리고 모든 귀신이나 흡혈귀처럼, 달은 마법사들의 친구이고 부주의한 자들의 적이다. 태고의 억겁 그리고 테살리아의 마녀들의 나중 시대부터, 현재 시대의 벵갈의 탄트리카 수행자들에 이르기까지, 달의 성질과 속성은 모든 오컬티스트에게 알려졌지만, 물리학자에게는 여전히 닫혀 있는 책으로 남아 있다.

그것이 천문학, 지질학, 물리학 관점에서 보는 달이다. 달의 형이상학과 심령적 성질에 대하여, "에소테릭 붓디즘"에서 "여덟 번째 영역의 수수께끼에 대하여 이제 남아 있는 신비가 그렇게 많지 않다"는 약간의 다혈질적인 진술을 하였음에도 불구하고, 본 문헌에서는 그것이 오컬트 비밀로 남겨져야만 한다. 이것들은 "초인들이 입문하지 않은 제자들에게 소통하기를 보류하는" 주제들이고, 게다가 그분들이 그것에 대한 어떤 출판된 추론도 결코 허락하거나 승인하지 않았기 때문에, 더 적게 말할수록 더 낫다.

그러나 "여덟 번째 영역"이라는 금지된 땅에 발을 들여놓지 않은 채, 달 체인의 모나드들―"달의 선조들"―에 관한 몇 가지 추가적인 사실들을 말하는 것이 도움이 될 수도 있다. 왜냐하면 그들이 앞으로 다가올 *인류발생론*의 주도적인 역할을 할 것이기 때문이다. 이것이 우리를 인간의 칠중구조로 바로 데려간다; 그리고 최근에 소우주 실체의 구분으로 채택될 가장 좋은 분류에 대하여 어떤 논의가 생겼기에, 비교를 용이하게 하기 위해서 두 가지 체계가 첨부되었다. 추가한 짧은 논문은 박식한 베단타 학자인 수바 로우의 펜에서 나온 것이다. 그는 라자 요가의 브라만 구분을 선호하고, 형이상학 관점에서 그가 상당히 맞다. 그러나 이것은 단순한 선택과 편의상의 문제이기에, 이 저작에서는 히말라야 너머 "아라한 비의학파"의 "유서 깊은" 분류법을 고수할 것이다. 다음 표와 그 설명은 마드라스에서 발간된 [신지학자]에서 발췌한 것이며, [5년간의 신지학]에도 포함되어 있다: ─

인도의 여러 체계에서 보이는 칠중 분류

"우리는 인간의 원리들에 대한 불교와 베단타 학파 교사들이 채택한 분류를 표 형태로 아래에 제시한다: ─

[에소테릭 붓디즘]	베단타 학파	타라카 라자 요가
1. 스툴라 샤리라	안나마야 코샤[172]	
2. 프라나 (생명)		
3. 프라나의 매개체 (링가 샤리라)	프라나마야 코샤	스툴로파디[173]
4. 카마 루파		
5. 마인드 (1) 의지작용과 감정 등	마노마야 코샤	석쉬모파디
(2) 비그나남	비그나나마야 코샤	
6. 영적 혼 (붓디)	아난다마야 코샤	카라노파디
7. 아트마	아트마	아트마

앞의 표로부터, 불교 구분법에서 세 번째 원리가 단순히 프라나의 매개체이기 때문에, 베단타 학파에서는 별개로 언급하지 않았다는 것을 알 수 있다. 또한 네 번째 원리가 마인드 에너지인 의지력의 매개체이기 때문에, 세 번째 코샤에 포함되어 있는 것을 볼 수 있을 것이다. 또한 비그나나마야 코샤는 마노마야 코샤와 구분되는 것으로 간주되어야 한다. 왜냐하면 마인드의 하위 부분이 여섯 번째 원리보다 네 번째 원리와 더 밀접한 친화력을 가지기 때문에 사후에 마인드 하위

---

172 코샤(Kosha)는 글자 그대로 외피(sheath), 모든 원리의 외피이다.
173 원리의 토대.

부분 사이에서 분리된다; 그것의 상위 부분은 영적 혼에 붙고, 그것은 사실상 인간의 상위 영적 개체성의 토대이다.

여기서 마지막 칼럼에서 언급된 분류는 모든 실천적 목적으로 가장 단순하고 좋은 라자 요가와 연결되어 있다는 것을 독자들에게 지적할 수 있다. 인간에게는 일곱 개 원리가 있지만, 세 가지 구분되는 우파디 (토대)가 있으며, 아트마가 각각의 우파디에 다른 것들과 독립적으로 작용할 수 있다. 초인은 자신을 죽이지 않은 채 이 세 가지 우파디를 분리시킬 수 있다. 그러나 구성요소를 파괴하지 않은 채 일곱 원리를 서로 분리시킬 수는 없다."

이제 학생은 라자 요가의 세 가지 우파디와 아트마 사이의 그것, 그리고 우리의 세 가지 우파디, 아트마 그리고 세 가지 추가적인 구분 사이에 있는 것을 더 잘 볼 수 있을 것이기에, 사실상 이런 구분에는 거의 차이가 없다. 더구나, 히말라야 너머에 있는 모든 초인은 파탄잘리 학파, 아리아상가 학파, 혹은 대승학파이건 모두 라자 요기가 되어야 하기 때문에, 그가 실천적 오컬트 목적을 위해서 어떤 분류법을 따르건 타라카 라자 구분법을 원칙적으로 이론적으로 받아들여야만 한다. 이렇게 어떤 사람이 *세 가지 측면을 가진 세 가지 우파디*와 영원 불멸의 통합인 아트마라고 말하건, 그것을 "일곱 원리"라고 부르건 중요하지 않다.

신지학 문헌에서, 태양 우주에 있는 세계들의 칠중 체인의 가르침을 읽어보지 못했거나, 읽어보았더라도 명확하게 이해하지 못한 사람들에게 도움이 되도록, 그 가르침이 간략하게 다음과 같다: —

1. 물질 우주에서처럼 형이상학 (초물질) 우주에 있는 모든 것이 칠중이다. 그래서 보이거나 보이지 않는, 모든 천체, 행성은 여섯 개의 동료 구체를 가지고 있다고 생각된다. (본 주석 6 번 구절 후 그림 3 참조) 생명의 진화는 일곱 라운드 또는 일곱 주기 속에 있는 첫 번째 라운드에서 일곱 번째 라운드까지 진행된다.

2. 이 구체들은 오컬티스트가 "행성 체인의 재탄생"이라고 부르는 과정에 의해서 형성된다. 행성 체인들 중 하나가 일곱 번째 라운드, 즉 마지막 라운드로

들어갔을 때, 첫째 구체 또는 가장 높은 구체 A 가 다른 모든 구체들을 따라서 어떤 휴식기—혹은 이전 라운드처럼 "엄폐기"—로 들어가는 대신에, 죽어가기 시작한다. 행성 붕괴 (프랄라야)가 다가왔고, 그 시간이 다되었다; 각 구체는 그것의 생명과 에너지를 다른 행성으로 옮겨야 한다. ("달과 지구" 그림 참조)

3. 우리의 지구는 볼 수 없는 상위 동료 구체들, 즉 지구의 "주들(lords)" 또는 "원리들"의 (그림 1 참조) 보이는 대표자로써 다른 여섯 구체들처럼 일곱 라운드를 거쳐가면서 살아야 한다. 처음 세 라운드 동안에, 지구가 형성되어 굳어진다; 네 번째 라운드 동안에 지구가 안정되고 견고해진다; 남은 세 라운드 동안에 지구가 점차로 처음의 에텔 형태로 되돌아간다: 즉 그것이 영성화된다.

4. 인류가 네 번째 라운드, 즉 우리의 현재 라운드에 이르러서야 비로소 충분히 발달한다. 이 네 번째 생명 주기까지, 더 적합한 용어가 없기 때문에, 그것이 "인류"라고 언급된다. 번데기에서 나비가 될 애벌레처럼, 인간도 오히려 인간이 되는 그것도 첫 번째 라운드 동안에 자연의 모든 형태들과 왕국들을 경험하고 다음 두 번째 세 번째 라운드 동안에는 모든 인간 형태를 경험한다. 일련의 현재 주기와 인종에서 네 번째 라운드 초기에 우리 지구에 도달한 후에, 인류가 지구상에 출현하는 최초 형태이며, 광물계와 식물계만 선행하였다—심지어 식물계도 *인간을 통해서 그것의 깊은 진화를 계발하고 계속해야만 한다*. 이것이 2 권에서 설명될 것이다. 다음 세 라운드 동안에, 인류는 자신이 살아가는 구체처럼 점점 더 원래의 형태, 디얀 초한 무리의 형태를 다시 취할 것이다. 우주에 존재하는 모든 원자처럼, 인간은 하나의 신(a God)으로 향하고 그리고 신(God)이 된다.

"2 라운드 초반을 시작하면서, 진화가 이미 상당히 다른 계획으로 진행되었다. (천상의) 인간이 A 구체에서 인간이 되었다가, B 구체와 C 구체 등등에서 광물, 식물, 동물로 되는 것은 제 1 라운드 동안만이다. 2 라운드에 그 과정이 완전히 바뀐다; 그대는 신중함을 배웠을 것이다. . . . 그리고 *그것을 말할 때가 오기 전까지 아무것도 말하지* 말 것을 충고한다. . ." (다양한 주제에 대한 대스승의 편지에서 발췌.)

5. D 구체 (우리의 지구)에서의[174] 모든 생명 주기는 일곱 근원인종으로 구성되어 있다. 근원인종은 물리적 그리고 윤리적 진화의 이중 선상에서 정묘한 체로 시작하여 영적인 체로 끝난다—지상에서의 라운드 시작부터 끝날 때까지. (하나는 구체 A 부터 일곱 번째 구체 G 까지 "행성 라운드"이다; 다른 하나는 "구체 라운드" 또는 지상 라운드이다).

"에소테릭 붓디즘"에서 이것이 잘 설명되어서, 지금은 더 설명할 필요가 없다.

6. 첫 번째 근원인종, 즉 (형태와 관계없이) 지상의 최초 "인간"은 "천상의 인간"의 자손으로, 인도 철학에서 "달의 선조들" 또는 피트리(Pitris)라고 맞게 불린다. 달의 선조들은 일곱 부류 또는 일곱 하이어라키가 있다. 이 모든 것이 다음 절과 2 권에서 충분하게 설명될 것이므로 여기서는 그것을 더 이상 언급할 필요가 없다.

그러나 앞에서 언급된 두 저작은 모두 오컬트 가르침의 대한 주제를 다루기에 특별한 주목이 필요하다. "에소테릭 붓디즘"은 신지학 써클이나 심지어 외부 세계에서 잘 알려져 있으므로, 여기서는 그 가치에 대하여 더 자세히 들어갈 필요가 없다. 그것은 훌륭한 책이고, 훨씬 더 대단한 일을 했다. 그러나 이 책이 몇 가지 잘못된 개념을 포함하고 있어서, 많은 신지학을 공부하는 학생들과 일반 독자들이 동양의 씨크릿 독트린에 대하여 잘못된 개념을 형성하게 만들었다는 사실은 변하지 않는다. 게다가 그것은 아마도 약간 물질적인 것처럼 보인다.

뒤에 출판된 "인간"은 보다 이상적인 관점에서 고대의 가르침을 제시하고, 아스트랄 빛 속에서 그리고 아스트랄 빛으로부터 온 어떤 비전을 번역하여, 어느 대스승의 생각에서 부분적으로 모은 가르침을 나타내고자 한 시도였지만, 불행하게도 오해를 낳았다. 이 저작은 지구상 초기 인종 진화에 대하여 말하며, 철학적 성격의 훌륭한 페이지들을 가지고 있다. 그러나 그것은 단지 흥미롭고 약간 신비적인 로맨스에 불과하다. 그것은 그 임무에서 실패하였다. 왜냐하면 이 비전을 올바르게 번역하는데

---

174 우리는 이 작업에서 부차적인 것을 제외하고 다른 구체들과 관계가 없다.

필요한 조건이 구비되지 않았기 때문이다. 그래서 독자는 이 문헌이 초기에 나온 책들에 있는 몇 가지 설명과 모순된다 해도 그다지 놀라지 말아야 한다.

일반적으로 비의적 "우주발생론"과 특히 인간 모나드의 진화는 앞서 말한 두 권과 초심자들이 독자적으로 쓴 다른 신지학 저작에서 본질적으로 다르기에 특히 이 두 권에 대하여 특별히 언급하지 않은 채 씨크릿 독트린을 나아가는 것이 불가능하게 되었다. 왜냐하면 두 권 다 많은 독자들이 있고, 특히 "에소테릭 붓디즘"이 그렇기 때문이다. 이런 방향에서 어떤 문제들을 설명할 때가 되었다. 이제는 원래 가르침으로 실수를 고쳐야만 한다. 에소테릭 붓디즘이 물질 과학으로 너무 기울어져 있다면, 다른 책은 너무 이상적이고, 종종 공상적이기까지 하다.

순환하는 체인을 따라서 구체들의 연속적인 "라운드"와 주기적인 "엄폐"를 다루는 가르침—서구 마인드로는 다소 이해할 수 없는 가르침—에서, 처음의 혼란과 오해가 생겨났다. 그런 오해들 중에 하나는 "5 라운드 인간"과 심지어 "6 라운드 인간"을 말하는 것이다. 하나의 라운드는 새로운 생명 주기가 올 때까지 누 라운드 사이에 넘을 수 없는 간격을 만든 휴식기인 긴 프랄라야 앞 뒤에 온다는 것을 아는 사람들은 현재 *4* 라운드에서 *"5 라운드 인간과 6 라운드 인간*"에 대하여 말하는 "오류"를 이해할 수가 없다. 고타마 붓다가 6 라운드 인간이고, 플라톤과 다른 위대한 철학자들이 "5 라운드 인간"이라고 주장하였다. 어떻게 그럴 수 있을까? 한 대스승이 심지어 지구상에 지금 이런 "다섯 번째 라운드인"이 있다고 가르쳤고 단언하였다; 그리고 인류가 아직 "제 4 라운드"에 있다고 *말하는 것을 이해하였더라도*, 다른 곳에서 우리가 제 5 라운드에 있다고 말한 *것 같다*. 이것에 대해서 다른 대스승으로부터 "계시 같은 대답"이 돌아왔다: "몇 방울의 비가 전조는 되지만, 몬순을 만들지 못한다." . . . "아니다. 우리는 5 라운드에 있지 않지만, 지난 몇 천년 동안 5 라운드 인간들이 오고 있었다." 이것은 스핑크스 수수께끼보다도 더 어려운 것이다! 오컬트 학생들은 그들 두뇌가 너무 빗나간 추론을 하게 만들었다. 상당한 시간 동안, 그들은 오이디푸스를 이기려고 노력하였고 두 분의 대스승의 진술을 일치시켜 보려고 노력하였다. 그리고 대스승들은 돌로 만든 스핑크스처럼 침묵을 지켰기에, 그분들이 일관성이 없다거나 "모순"과 "불일치"를 말한 것이라고 비난받았다. 그러나 그분들은 서구 마인드에 몹시 필요한 *교훈을 가르치기 위하여*

추론을 계속하도록 놓아둔 것이다. 동양의 은유나 비유에 대한 여유를 남겨두지 않은 채 모든 형이상학 개념과 용어를 물질화시키는 습관처럼, 그들의 자만과 오만에서, 동양학자들은 힌두의 대중적 철학을 엉망으로 만들어 버렸고, 신지학 학생들도 비의 가르침에 대하여 지금 똑같이 하고 있다. 오늘에 이르기까지, 신지학 학생들은 "다섯 번째 라운드 인간과 여섯 번째 라운드 인간"의 의미를 완전히 이해하지 못하였다. 그러나 그 뜻은 단순히 이렇다: 각 "라운드"마다 인간의 멘탈적, 사이킥적, 영적 그리고 육체적 구성요소에서 새로운 계발과 심지어 완전한 변화를 가져오며, 이 모든 원리들이 언제나 상승하는 단계로 진화해 간다. 따라서 심령적으로, 멘탈적으로, 영적으로 진화의 더 높은 계에 속했던 공자나 플라톤 같은 사람들은 5 라운드에 보통 사람이듯이 지금 4 라운드에 있었다는 것이다. 5 라운드 인류는 현재 우리 인류보다 엄청나게 더 높은 진화 상에서 보게 될 것이다. 마찬가지로 지혜의 화신인 고타마 붓다는 우리가 언급했던 5 라운드 인간으로 부른 모든 사람들보다도 훨씬 더 높고 위대하였다. 한편 붓다와 샹카라차리아를 비유적으로 6 라운드 인간으로 불렀다. 그래서 다시 "몇 방울의 비가 *전조는 되지만* 몬순을 만들지 못한다"고 당시 "피하듯이" 선언한 말씀에 숨겨진 지혜가 있는 것이다.

그리고 이제 에소테릭 붓디즘에서 저자가 말한 진리가 충분히 분명해질 것이다:

"전혀 익숙하지 않은 과학의 복잡한 사실들이 훈련되지 않은 사람들에게 처음으로 제시될 때, 모든 적합한 자격조건들 . . . 그리고 비정상적인 계발을 가진 것으로 그들에게 제시하는 것이 불가능하다. 처음에는 전반적인 규칙들을 다루고 나중에 예외들을 다루는 것으로 만족해야만 하며, 특히 이것이 학습의 경우에 그렇다. 그런 학습과 관련하여 *일반적으로 따르는 전통적인 학습 방법은 당혹감을 유발시킴으로써 기억에 새로운 신선한 생각을 각인시켜서 나중에 그것을 완화시키는 것이다."*

그 말의 저자 자신이, 말하듯이, 오컬티즘에서 "훈련받지 않은 마인드"이기 때문에, 그 자신의 추론 그리고 고대 가르침보다 근대 천문학적 추론에 관한 더 나은 지식으로 인해서 그가 자연스럽게 그리고 무의식적으로 어떤 "폭넓은 규칙" 보다 몇 가지 세부 사항에서 오류를 범하게 되었다. 이제 그것을 주목할 것이다. 이것은 사소한 것이지만, 여전히 많은 초심자를 잘못된 개념으로 이끌었다고 추정된다. 잘못된 개념이 제5판 주석에서 개정되었듯이, 제6판에서는 개정되어 보다 완벽해질 것으로 안다. 그런 실수에는 몇 가지 이유가 있다. (1) 스승들께서 "피하는 대답"으로써 간주되는 것을 제공해야 하는 필요성 때문이다: 질문을 너무 끈질기게 요구해서 그대로 놓아둘 수 없지만, 한편 *스승들께서는 부분적으로만 답할 수밖에 없었다.* (2) 그럼에도 불구하고 이런 입장, "반 조각의 빵이 없는 것 보다 낫다"는 이 고백이 너무 자주 오해를 받았고 당연히 그랬어야 할 진정한 의미가 거의 이해되지 못하였다. 그 결과 유럽의 초보 제자들이 근거 없는 추론에 몰두하게 되었다. 그런 것들 중에 (가) 달과 관계에서 "여덟 번째 영역의 신비"; 그리고 (나) 지구 체인의 2개의 상위 구체는 우리에게 잘 알려진 행성이라는 잘못된 진술이었다: "지구 이외에 . . . *볼 수 있는 우리 체인의 다른 두 개 세계가 있다* . . . 화성과 수성이다. . ." (에소테릭 붓디즘, p. 136.)

이것은 커다란 잘못이었다. 그러나 그것에 대한 책임은 배우는 사람의 애매하고 불완전한 질문에 스승의 대답 역시 막연하게 분명하지 않았다는 것으로 생각해야 할 것이다.

이렇게 물었다: "일반 과학에 알려진 행성들에서, 수성 이외에, 세계들의 시스템(system of worlds)에 속하는 행성들은 무엇입니까?" 여기서 질문자의 마인드 속에서 "세계들의 시스템"이라는 말을 "여러 세계들의 태양계" 대신에 우리의 *지구 체인*을 뜻하는 것으로 의도하였다면, 당연히 오해를 불러일으켰을 것이다. 답은 다음과 같았다: "화성 등등 그리고 천문학에서는 아무것도 모르는 다른 네 개의 행성이다. A, B도 Y, Z에 대해서도 알려지지 않았고 아무리 완전하다 해도 물리적 수단으로는 그것들을 볼 수가 없다." 이것은 분명하다: (가) 천문학은 여러 행성에 대하여 사실 아는 것이 없다. 옛날에 발견된 것이나 근대에 발견된 것에 대해서도. (나) A부터 Z의 어느 *동료* 행성들, 즉 태양계의 어느 체인에 있는 상위 구체들도 보일 수가 없다.[175] 화성, 수성과 "다른 네 개 행성"에 대하여, 그들은 지구와 특별한

---

175 우리의 지구나 달처럼, 네 번째로 오는 행성을 제외하고는 당연히 보이지 않는다. "가르침이 있지 않다"라는 사적인 편지 몇 통을 제외하고, 보내고 받은 모든 편지 사본들을 저자가 가지고 있다. 처음부터 다루지 않았던 어떤 점들에 답을 하고 설명하는 것이 그녀의 의무이기에, 이 사본

관계가 있다. 그것에 관해서는 어떤 대스승이나 고위의 오컬티스트도 절대로 말하지 않을 것이며, 게다가 그 성질을 설명하지도 않을 것이다.[176]

근대 천문학에서 제공한 부가적인 증거가 있건 없건 밖으로 나온 그 이론을 입증하는 것이 가능하지 않다는 것을 분명히 말해 둔다. 물질 과학은 우리의 객관적 우주처럼 같은 물질계에 있는 천체들에 대해서만 여전히 불확실하지만 뒷받침하는 증거를 제시할 수 있다. 화성과 수성, 금성과 목성, 지금까지 발견되었던 모든 행성은 (또 앞으로 발견될 행성) 본질적으로 그 행성 체인에서 우리와 같은 물질계에 있는 대표 행성들이다. 씨네트 씨가 대스승으로부터 받은 여러 편지 중에서 분명하게 언급되었듯이, "우리의 태양계 안과 밖에는 지성적인 대존재들을 가진 셀 수 없이 많은 만반타라의 구체들의 체인이 있다." 그러나 *화성이나 수성은 우리의 지구 체인에 속하지 않는다.* 그것들은 다른 행성들과 함께, 우리의 태양계의 "체인들"의 거대한 무리 속에 있는 칠중 *단위*들이고, 그것들 모두가 *상위* 구체들이 보이지 않는 것처럼 마찬가지로 모두가 눈에 보인다. 만약 대스승의 편지들 속에 있는 어떤 표현 때문에 오해하게 되었다고 여전히 주장한다면, 그 대답은 이렇다: 아멘; 그렇다. 에소테릭 붓디즘 저자는 그런 것이 "당혹감을 유발시킴으로써 . . . 가르치는 전통적인 방식"이고, 상황에 따라서 그분들이 완화하거나 그렇지 않다고 썼을 때 그것을 잘 이해하였다. 어쨌건, 이것이 이전에 설명될 수 있었고, 지금 여기서 주어지는 행성들의 진정한 성질에 대하여 설명될 수 있었을 것이라고 주장한다면, 그 대답은 이렇다: "그것이 당시에는 *그것들의 비의적 성질 때문에 결코 대답할 수 없는* 그래서 더 당혹하게 될 그런 일련의 추가적인 질문을 하는 길을 열 수 있었기에, 그 당시에는 그렇게 하는 것이 시기 적절하지 않았다." 처음부터 다음과 같이 선언되어 왔으며 반복해서 단언해왔다. 첫째, 어떠한 신지학 학생도,

---

에 있는 많은 주석들에도 불구하고, 본인이 영어에 무지하고 너무 많은 것을 말할까 두려워서 주어진 정보를 어설프게 만들었을 것이다. *어떠한 경우라도 그녀에게 전체 책임이 있다.* 하지만 그녀는 학생들이 잘못된 인상을 가진 채 그대로 내버려둘 수가 없고, 또한 비의 체계에도 오류가 있다고 믿게 놓아둘 수도 없었다.

176 같은 편지에서 그것이 불가능한 것을 분명하게 밝히고 있다: . . . "최고 입문에 속하는 질문을 그대가 나에게 하고 있다는 것을 알아야 한다; 나로서는 일반적인 관점만 줄 수 있고, *자세한 사항에 대해서는 말하지 않을 것이며 감히 말할 수도 없다.* . ." 이것은 에소테릭 붓디즘 저자에게 한 분의 대스승께서 쓴 편지에 있었다.

그리고—평범한 학생은 말할 필요도 없이—심지어 *받아들여진 제자까지도* 그가 형제단에 번복할 수 없는 맹세를 하고 최소한 한 번 이상 입문을 지나가기 전까지, 비밀의 가르침을 완전하게 그리고 철저하게 설명 받기를 기대할 수 없다. 왜냐하면 그림과 숫자는 비의적 체계의 열쇠이기 때문에, 그것들이 일반 대중에게 주어질 수가 없다. 둘째, 드러난 것은 세계 종교들의 거의 모든 대중적인 성전들— 압도적으로 브라흐마나, 베다의 우파니샤드 그리고 심지어 푸라나에서—에 간직된 것의 비의적 윤곽에 불과하다는 것이다. 그것은 본서에서 이제 훨씬 더 충분하게 공표하려는 것의 작은 부분에 지나지 않는다; 그리고 심지어 이것도 매우 단편적이고 불완전하다.

본서를 시작하였을 때, 저자는 화성과 수성에 관한 추론이 잘못되었다고 확신하면서, 이에 대한 설명과 권위 있는 해석을 *편지로* 스승들께 요청하였다. 머지않아서 둘 다 왔고, 그것들에서 글자 그대로 발췌한 것을 여기에 옮긴다.

" . . . . 화성이 현재 엄폐 상태에 있고, 수성은 그 상태에서 막 니오기 시작하고 있다는 것이 매우 맞다. 금성은 마지막 라운드에 있다고 덧붙일 수 있을 것이다. . . 만약 수성이나 금성이 위성을 갖고 있지 않다면, 다음과 같은 이유 때문이다. . . (그 이유가 주어진 위의 주석 참조) 그리고 화성이 가져야 할 권리가 없는 두 개 위성을 가지고 있는 이유도 있다. . . 포보스(Phobos)는 화성 내부 위성으로 생각되지만 위성이 아니다. 훨씬 오래 전에 라플라스가 언급하였고 이제는 페이예가 (조사보고서, Tome XC, 569 참고) 말하듯이, 포보스는 너무 짧은 주기 시간을 유지해서, '포보스가 화성의 위성이라는 이론의 모태 개념에 결함이 있음에 틀림없다'라고 합당하게 관찰하였다. . . 또한 화성과 수성은 지구의 정묘한 주들(lords) 및 상위 구체들과 독립적인 칠중 체인이다. 그대가 다움링 (엄지손가락 톰)의 '원리들'과 독립적이듯이—그의 형제들이 취침 모자를 썼거나 그렇지 않았거나. . . . '어떤 사람들에게 호기심의 충족이 지식의 목적이다'라고 베이컨이 말했듯이, 자명한 이치를 상정하는 데 베이컨이 옳았다. . . . 자기 앞에 있는 것을 잘 아는 사람들이 지식으로 지혜(WISDOM)를 울타리 치며, 한꺼번에 주어지는 그것의 한계를 추적하는 것이 옳듯이, 다음을 기억하라:

'. . . . 지식은 거주한다
다른 사람들의 생각으로 가득 찬 머리 속에서,
지혜는 자기 자신의 생각에 귀 기울이는 마인드 속에. . . .'

그대가 비의 가르침의 어떤 부분을 제공하는 사람들 마인드에 그것을 심오하게 각인시킬수록 좋다."

같은 분이 쓴 또 다른 편지에서 추가로 발췌한 것이 여기 있다. 이번에는 대스승들에 대한 어떤 반론에 답한 것이다. 그것들은 비의적 이론과 근대 과학의 추론을 조화시켜 보려고 시도하는 타당성에 대한 상당히 과학적이었지만 소용없는 추리를 토대로 두고 있다. 그리고 그것은 씨크릿 독트린에 관하여 그리고 씨크릿 독트린에 대한 경고로써 어느 젊은 신지학 학생이 쓴 것이다. 만약 그런 지구의 동료 구체들이 있다면, "그것들은 우리 지구보다 아주 조금 덜 물질적일 것이다"라고 그는 단정하였다. 그렇다면 어떻게 그것들이 보이지 않는가? 대답은 이렇다:

". . . 심령적 영적 가르침이 더 충분히 이해되었다면, 심지어 그런 부조화를 상상하는 것이 불가능하였을 것이다. 조화시킬 수 없는 것을 조화시키기 위해서 수고를 덜 들이지 않는다면—즉, 형이상학과 영적인 과학을 물리적 또는 자연적 철학과 조화시키려는 것으로, '자연적(natural)'은 그들에게 육체적 감각들로 지각되는 그 물질과 동의어일 것이다—진실로 어떤 진보도 성취될 수 없을 것이다. 처음부터 가르치고 있듯이, 우리 지구는 하강 주기 제일 아래에 있으며, 거기서 우리가 지각하는 물질이 가장 조잡한 형태로 드러난다. . .그래서 우리 지구에 그림자를 드리우는 구체들이 다른 상위 계에 있어야 한다는 것이 당연하다. 다시 말하면, 구체들로서, 그것들은 우리 지구와 동일 질료(CONSUBSTANTIALITY)가 아니라, 같이 결합되어(CO-ADUNITION) 있다는 것이다. 그러므로 그것들은 아주 다른 의식상태에 속한다. (우리가 보는 모든 행성들처럼) 우리의 지구도 거기에 거주하는 인류의 독특한 상태에 적합한 것이다. 마치 목성과 화성, 그리고 다른 행성 거주자들도 우리의 작은 세계를 지각할 수 있듯이, 우리의 지상계 및 질료와 본질적으로 같은 행성체들을 우리 육안으로 볼 수 있도록 해주는 그런 상태에 적합하다: 왜냐하면 우리의 의식의 계가 그들과 정도에서 다르지만 종류에서는 같기에 분화된 물질의 똑같은 층 위에 있기 때문이다 . . . '작은 프랄라야가 우리의 작은 구체들의 체인과만 관련 있다'고 내가 썼다. (그 당시 용어상 혼란이 있어서, 체인(chain)을 줄(String)로 불렀다) . . . '그런 줄에 우리 지구가 속한다.' 이것이 다른 행성도 고리 또는 체인이라는 것을 명확하게 보여주었을 것이다 . . . 만약 어떤 사람이 (반대하는 사람을 말함) 상위계에서 그런 '행성들' 중에 하나의 희미한 윤곽을 지각하였다면, 그는 먼저 그와 다음 계 사이에 있는 엷은 구름의 아스트랄 물질을 제거해야 할 것이다. . . ."

심지어 가장 좋은 지상의 망원경으로도 우리의 물질 세계 밖에 있는 것을 왜 지각할 수 없는지 명백해진다. 초인으로 부르는 분들은 그들의 멘탈 비전을 다른 존재계로 향하게 하는 방법과 그들 의식—육체 의식 및 심령 의식 둘 다—을 이동하는 방법을 알고 있어서 그런 주제에 대하여 권위를 가지고 있다고 말할 수 있다. 그리하여 그들은 분명하게 말한다:

"그런 지식과 힘을 획득하는데 필요한 삶을 살아라. 그러면 지혜가 자연스럽게 그대에게 올 것이다. 그대가 그대 의식을 '보편 대의식'의 일곱 코드 중 어느 하나와 조율시킬 수 있을 때마다, 즉 하나의 영원에서 다음 영원으로 진동하면서 대우주의 음향판을 따라서 울리는 그 코드들에 조율시킬 수 있을 때마다; 그대가 '구체들의 음악'을 완전히 터득하였을 때, 그때 비로소 그대는 그대의 지식을 안전하게 나눌 수 있는 사람들과 자유롭게 나누게 될 것이다. 한편 신중하라. 미래 인류의 유산인 위대한 진리를 지금 세대에게 나누어 주지 마라. 존재와 비존재의 비밀을 아폴로의 7 현의 숨겨진 의미를 이해할 수 없는 사람들에게 드러내려고 하지 마라—그 악기는 찬란한 신의 현악기로, 7 현의 한 줄 한 줄 속에 대우주의 영, 혼 그리고 아스트랄체가 거주하며, 이제 근대과학의 수중에는 그 껍질만 있다. . . . 신중하고 현명하라. 그리고 무엇보다도 그대로부터 배우는 사람들이 믿는 것에 유의하라; 그들이 그들 자신을 기만함으로써 다른 사람들을 속이지 않도록 . . . 왜냐하면 그것이 인간이 아직 알지 못하는 모든 진리의 운명이기 때문이다 . . . 오히려 행성 체인과 그 밖의 초우주적 그리고 아우주적 신비를 볼 수 없고, 다른 사람이 볼 수 있는 것을 믿을 수 없는 사람들이 꿈의 나라에 있게 놓아 두어라."

소수의 사람만이 현명한 충고를 따랐다는 것이 유감스럽다; 또한 값을 매길 수 없는 많은 진주, 많은 지혜의 보석이 그 가치를 이해할 수 없는 적에게 던져져서 그들이 우리를 향해서 잡아 찢었다는 것도 유감이다.

같은 대스승께서 그분의 두 명의 일반 제자―에소테릭 붓디즘의 저자와 잠시 동안 그의 동료 학생이었던 사람을 지칭해 일반 제자로 불렀다―에게 다음과 같이 썼다:

"'*우리 지구가 일곱 개 행성들의 그룹의 하나 또는 인간이 사는 세계들 중 하나라고 상상해 보자...(일곱 행성은 고대 시대의 일곱의 성스러운 행성이고, 모두 칠중이다) 이제 생명-충동이 구체 A 에 도달하고 혹은 오히려 지금까지 우주 먼지 ("라야 센터")에 불과한 그리고 구체 A 가 될 운명인 그것에 도달한다...*"

이 초기 편지들에서, 용어들이 만들어지고 단어들이 주조되었다. "고리(ring)"가 "라운드"로 되었고, "라운드"는 "생명-주기(life-cycle)"로 되며 그 반대도 마찬가지이다. "라운드"를 "세계-고리"라고 부른 편지에 대해 대스승께서 말씀하셨다: "이것이 더욱 혼란을 일으킬 것으로 생각한다. 라운드는 구체 A 부터 Z 또는 G 까지 모나드가 지나가는 것으로 하자...'세계-고리'가 올바르다... 더 이상 혼란이 가중되기 전에 용어를 일치시키게 하라..."

이런 동의에도 불구하고, 이런 혼란 때문에, 많은 실수들이 초기 가르침에 스며들었다. 심지어 인종이 "라운드"와 "고리"로 섞였고, "인류―잃어버린 역사의 단편"의 경우에서도 비슷한 실수로 이어졌다. 대스승께서 처음부터 다음과 같이 쓰고 있다:

"그대에게 전체 *진리*를 주는 것 혹은 흩어진 많은 단편들을 알려주는 것이 허락되지 않기 때문에, 나는 그대를 만족시킬 수 없다."

이것은 다음 질문에 대한 대답이었다:

"만약 우리가 옳다면, 인간 기간 이전의 존재의 총합은 637 이다, . . ." 등등. 숫자에 관한 모든 질문들에 대하여, 그 대답은, "777 화신의 문제를 풀어 보려고 노력하라 . . . *나는 정보를 유보할 수밖에 없지만. . . 하지만 그대가 스스로 그 문제를 풀어낸다면, 그대에게 대답을 주는 것이 나의 의무가 될 것이다.*"

그러나 그것들은 결코 풀리지 않았고, 그 결과 끝없는 혼란과 오류였다.

심지어 천체들과 대우주의 칠중 구조에 관한 가르침—그것에서 소우주, 즉 인간의 칠중 구조가 유래한다—은 지금까지 가장 비의적 가르침에 속한 것이다. 고대 시대에 그것은 가장 신성한 주기의 숫자와 입문에서만 알려주었다. 어느 신지학 저널에서 [177] 말하듯이, 우주발생론 전체 체계의 계시가 숙고되지 않았고, 많은 질문을 제시한 에소테릭 붓디즘의 저자가 쓴 편지들에 대한 대답으로 약간의 정보가 주어졌을 때에도, 한 순간이라도 가능할 것이라고 생각하지 않았다. 이 질문들 중에는, *대스승이 아무리 높고 독립적일지라도, 그분이 대답할 수 있는 권리를 갖고 있지 않아서, 고대의 대학-사원의 신비들 중에서 가장 유서 깊고 태고의 신비를 세계에 누설하지 못하는,* 그런 문제들에 대한 질문들이 있었다. 그래서 그 가르침들의 일부가 폭넓은 개요로 드러났고, 반면에 세부사항들은 계속 보류되었다. 그리고 그것들에 대한 더 많은 정보를 이끌어내려는 모든 노력이 처음부터 체계적으로 회피되어 왔다. 이것은 아주 당연한 것이다. 푸라나에서 언급된 일곱 가지 지식의 갈래에서 나온 네 개 비디야는 다음과 같다: "야그냐-비디야," 어떤 결과를 만들기 위해서 종교적 의식을 실행하는 것; "마하-비디야," 위대한 (마법) 지식으로, 지금은 탄트리카 숭배로 타락된 지식; "구이야-비디야," 만트라와 그것의 리듬의 과학 혹은 신비적인 주문의 외침 등; 마지막인 "아트마-비디야" 혹은 진정한 *영적 신성한 지혜만이* 위에 언급된 세 가지 가르침에 절대적이며 마지막 빛을 비출 수 있다. 아트마-비디야가 없다면, 다른 세 가지는 평면 과학으로 남아 있어서, 기하학적 중요성이 길이와 폭만 있고, 두께가 없게 된다. 그것들은 잠자는 사람의 혼, 팔다리 그리고 마인드와 같다: 즉, 기계적인 움직임을 할 수 있고, 혼란스러운 꿈 그리고 심지어 자면서 걸어 다닐 수 있으며, 눈에 보이는 영향들을 만들 수 있지만,

---

177 "루시퍼(Lucifer)," 1888년 5월.

그것은 지성적인 원인이 아닌 본능적인 원인들로 자극받으며, 특히 온전하게 의식하는 영적인 충동들로는 더더욱 자극받지 않는다. 처음에 말했던 세 개 비디야에서 많은 것을 제공할 수 있고 설명할 수 있다. 그러나 그 가르침의 열쇠를 아트마-비디야가 제공해주지 않는다면, 그것들은 엉망으로 만들어진 교과서의 여러 조각들처럼, 가장 영적인 사람이 희미하게 지각하지만, 모든 그림자를 벽에 못질하는 사람들에 의해서 균형 잡히지 않은 채 왜곡시켜버린, 위대한 진리의 어렴풋한 윤곽처럼, 영원히 그렇게 남아 있게 될 것이다.

그리고 또한 모나드의 진화에 대한 가르침에 대한 불완전한 설명으로 학생들 마인드 속에서 또 다른 큰 혼란이 만들어졌다. 충분히 이해하기 위해서, 모나드의 진화 과정과 구체들의 탄생 과정을 폭넓게 사용되는 것이 거의 허락되지 않은 숫자들과 그림들이 수반되는 통계적 관점보다는 훨씬 더 형이상학적 관점에서 조사되어야 한다. 유감스럽게도, 이 가르침을 형이상학적으로만 다루어 보려고 하는 사람이 거의 없다. 심지어 우리 가르침에 대하여 쓴 가장 뛰어난 서구인들조차도 그들 책에서 이렇게 선언한다: 모나드의 진화에 대하여 말할 때, "우리는 그런 부류의 순수한 형이상학에 관하여 몰두하지 않는다." (에소테릭 붓디즘, p. 46) 그리고 그런 경우에 대스승께서 그에게 쓴 편지에서 언급하듯이, "왜 우리의 가르침을 가파른 언덕을 오르고 강물을 *역으로 헤엄치듯이* 힘들게 전하는 것인가? 왜 서구는 . . . 심미적인 특별한 취향의 필요조건을 결코 맞출 수 없는 그것을 . . . 동양으로부터 . . . 배워야 하는가?" 그리고 "우리의 형이상학을 서구인 마인드에게 설명하려는 모든 시도에서 우리 (초인들)가 맞닥뜨리는 엄청난 어려움으로" 편지의 수신자의 주의를 끈다.

형이상학 밖에서, 어떤 오컬트 철학이나 비의 가르침이 가능할 수 없다고 그가 말할 것이다. 그것은 마치 열망과 애정, 사랑과 미움, 살아 있는 사람의 혼과 마인드 속에 있는 가장 사적이고 성스러운 작용을, 그의 죽은 육체의 가슴과 두뇌의 해부학적 묘사로 설명하려는 것과 같은 것이다.

그러면 에소테릭 붓디즘에서는 거의 암시되지 않는 구체와 모나드의 가르침을 조사해보고 우리 힘이 닿는 한 그것들을 보완해 보자.

구체와 모나드에 관한 추가적인 사실과 설명

에소테릭 붓디즘에서 제시된 두 가지 진술을 주목해야 하고 저자의 의견을 인용하겠다. 저자는 47 페이지에서 다음과 같이 말하고 있다:

". . . 영적인 모나드는 . . . 구체 A 에서 그들의 광물적 존재를 충분히 완성하지 못하고, 구체 B 에서 그것을 완성하며, 등등. 그들은 광물로써 전체 원을 여러 번 돌고, 그리고 나서 식물로써 여러 번 돌고, 그리고 동물로써 여러 번 돈다. 우리는 현재 숫자로 말하는 것을 의도적으로 자제한다. . ." 등등.

이것이 숫자들과 상징들에 관하여 유지된 거대한 비밀을 감안하여 취하는 현명한 방향이었다. 이 침묵이 이제는 부분적으로 거두어진다; 그러나 라운드와 진화상 회전에 관한 진짜 숫자들을 당시에 모두 알려주었거나 아예 보류하였다면 아마도 더 낫지 않았을까 한다. 씨네트 씨는 다음과 같이 말할 때 이 어려운 점을 잘 이해하였다 (p. 140): "문외한이 추측하기 쉽지 않은 이유들 때문에, 오컬트 지식의 소유자들은 우주발생론에 관한 사실들을 제공하는데 특히 꺼린다. 비입문자가 왜 그것들이 보류되어야 하는지 이해하기에는 어려울지라도."

그런 이유들이 있다는 것은 분명하다. 그럼에도 불구하고, 서구 제자와 동양 제자 대부분의 혼란된 생각이 이런 침묵에 기인한 것이다. 특히 검토중인 두 가지 독특한 가르침을 받아들이는데 어떤 자료가 없기 때문에 어려움이 대단히 큰 것처럼 보였다. 그러나 거기에 그것이 있었다. 왜냐하면 오컬트 계산에 속하는 숫자들은—대스승께서 여러 번 선언하셨듯이—서약을 한 제자들 이외에는 제공할 수가 없기 때문이고, 그리고 심지어 그 제자들도 그 규칙을 어길 수가 없기 때문이다.

그것들을 좀더 명확하게 하기 위해서, 그 가르침의 수학적인 측면들을 건드리지 않은 채, 주어진 가르침을 확장할 수 있고 애매한 어떤 점들을 풀 수 있다. 구체의 진화와 모나드의 진화가 아주 밀접하게 서로 엮여 있어서, 두 가르침을 하나로 만들 것이다. 모나드에 관하여, 동양 철학은 태어난 모든 아기를 위해서 새롭게 창조된 혼에 대한 서구의 신학적 도그마를 거부한다는 것을 독자들은 기억하길 바란다. 그것은 대자연의 경제에서 불가능하고 철학적이지 않기 때문이다. 매번 새로운 만반타라에서 연속적인 많은 개성들을 흡수해가면서 진화하고 점점 더 완전하게 되어가는 제한된 수의 모나드들이 있음에 틀림없다. 이것이 재탄생, 카르마 그리고 인간 모나드의 그 근원—*절대적* 신성—으로 점진적인 귀환의 가르침 측면에서 절대적으로 필요하다. 이렇게 더 혹은 덜 진화한 모나드들의 무리가 거의 셀 수 없을 정도로 많지만, 그들은 분화와 유한성의 이 우주 속에 있는 만물처럼 여전히 유한하다.

인간의 "원리들"과 세계 체인의 상승하는 구체들의 이중 그림에서 보여주었듯이, 원인과 결과의 영원한 연결이 있으며, 진화의 모든 선들을 관통하며 함께 연결하는 완전한 유추가 있다. 개성으로써 구체들도 하나가 다른 것을 낳는다. 그러나 이제 처음부터 시작해보자.

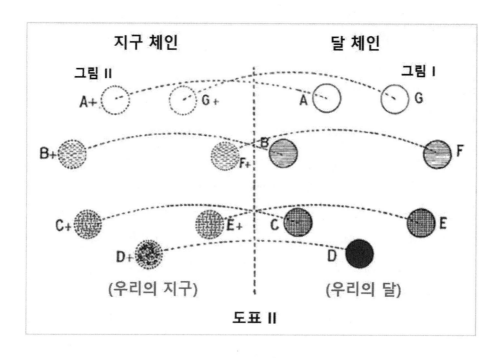

도표 II

234

연속하는 행성 체인이 형성되는 과정에 대한 일반적인 개요가 방금 제시되었다. 미래의 오해를 방지하기 위하여, 달 체인의 자손인, 우리 자신의 체인에서 인류의 역사를 밝히는데 도움이 될 몇 가지 더 많은 세부사항들이 제시될 수 있다.

그림 I 은 마지막 라운드 또는 일곱 번째 라운드 초기의 일곱 구체들의 "달 체인"을 나타낸다; 반면에 그림 II 는 아직 존재하지 않지만 존재할 "지구 체인"을 나타낸 것이다. 각 체인의 일곱 구체는 주기적 순서에 따라서 A 부터 G 로 구분하였다. 그리고 지구 체인의 구체는 지구를 상징하는 십자가―†―를 표시하였다.

이제 칠중 체인을 순환하는 모나드들이 진화, 의식, 그리고 각자의 공과의 단계에 따라서 일곱 등급 혹은 일곱 하이어라키로 나누어진다는 것을 기억해야 한다. 그러면 첫 번째 라운드에 그것들이 A 구체에 출현하는 순서를 따라 가보자. 어느 구체에서건 이 하이어라키들의 출현 사이의 시간 간격이 조정되어서 마지막 등급, 일곱 번째 등급이 A구체에 출현할 때, 첫 번째 등급이 B구체로 넘어갔으며, 이렇게, 한 단계씩, 모두가 체인을 순환한다.

또한 달 체인 7 라운드에, 일곱 번째 등급이 A 구체를 떠날 때, 그 A 구체는 이전 라운드에서처럼 잠드는 대신에 죽어가기 (행성 프랄라야로 들어가기) 시작한다;[178] 그리고 죽어갈 때, 말한 것처럼, 그것은 순서대로 그것의 "원리들" 또는 생명 원소들과 에너지 등을 하나씩 새로운 "라야 센터"로 이동시키고, 그 라야 센터는 지구 체인의 A 구체를 형성하기 시작한다. 비슷한 과정이 "달 체인"의 구체 각각에서 하나씩 일어나서, 각각의 "지구 체인"의 새로운 구체를 형성하게 된다. 우리의 달은 달 체인의 네 번째 구체였고, 우리 지구와 같은 지각계에 있다. 그러나 첫 번째 등급의 최초 모나드들이 "달 체인"의 마지막 구체 G 를 지나가서, 달 체인과 지구

---

178 오컬티즘은 휴식기 (프랄라야)를 몇 가지 종류로 나눈다; 인류와 생명이 다음 구체로 넘어 감에 따라서, 각 구체의 개별적 프랄라야가 있다; 각 라운드에는 일곱 개의 작은 프랄라야가 있다; 일곱 *라운드*가 끝날 때 *행성* 프랄라야가 있다; 태양계 전체가 끝날 때, *태양의* 프랄라야가 있다; 마지막으로 "브라흐마의 시대"가 끝날 때, 우주의 마하-프랄라야, 즉 브라흐마 프랄라야가 있다. 이것들이 세 가지 주요 프랄라야 또는 "소멸기"이다. 다른 많은 작은 프랄라야가 있지만, 현재 우리와는 관계가 없다.

체인 사이에 그들을 기다리는 니르바나 속으로 들어갈 때까지, 달 체인의 A 구체는 완전히 죽지 않는다; 비슷하게 다른 모든 구체도 이미 말한 것처럼 "지구 체인"의 상응하는 구체를 태어나게 한다.

더 나아가서, 새로운 체인의 A 구체가 준비될 때, 달 체인에서 온 첫 번째 등급의 모나드, 즉 첫 번째 하이어라키가 A 구체 가장 낮은 왕국에 화신하고, 그렇게 연속적으로 이어진다. 이 결과로 제 1 라운드 동안에 인간 상태를 성취하는 것은 첫 번째 등급의 모나드들 뿐이다. 왜냐하면 두 번째 등급은 각 구체에 나중에 도착하기 때문에 인간 단계에 도달할 시간이 없다. 이렇게 두 번째 등급의 모나드들은 2 라운드에서야 초기 인간 단계에 도달하게 되며, 그렇게 4 라운드의 중간 지점까지 계속된다. 그러나 이 시점에서—그리고 이 네 번째 라운드에서 인간 단계가 *충분히* 계발될 것이다—인간계로 들어오는 "문"이 닫힌다; 그리고 그 후부터 "인간" 모나드의 수, 즉 계발 단계에서 인간 속에 있는 모나드들이 끝난다. 왜냐하면 이 지점까지 인간 단계에 도달하지 못한 모나드들은 인류 자체의 진화 때문에 아주 멀리 뒤에 있을 것이며 그래서 그들은 일곱 번째 라운드, 즉 마지막 라운드가 끝날 무렵에 비로소 인간 단계에 도달할 것이기 때문이다. 그러므로 그들은 이번 체인에서 인간이 되지 못할 것이며, 미래 만반타라의 인류를 구성할 것이며 더 높은 체인에서 모두 "인간"이 됨으로써 보상받을 것이고, 이렇게 그들의 카르마 보상을 받을 것이다. 이것에 대하여 나중에 더 말하게 될 *한 가지 예외*가 있지만, 이것이 인류의 차이를 설명한다.

이렇게 대우주와 개인 속에서 대자연의 과정들 사이의 유추가 얼마나 완전한지 분명해진다. 개인은 그의 생명주기를 살고 그리고 죽는다. 그의 "상위 원리들"은 행성 체인의 계발 속에서 순환하는 모나드들에 상응하고 데바찬으로 들어가며, 데바찬은 두 체인 사이의 휴식의 상태이자 "니르바나"에 상응한다. 인간의 하위 "원리들"은 시간이 지나면서 붕괴되어 자연이 새로운 인간 원리를 형성하는데 다시 사용한다. 그리고 똑같은 과정이 세계들의 붕괴와 형성에서 일어난다. 이렇게 유추가 오컬트 가르침을 이해하는 가장 확실한 안내자이다.

이것이 달에 관한 일곱 신비 중에 하나이고 이제 공개되는 것이다. 이 일곱 신비는 일본의 야마부시, 노자파의 신비가들이자 고행 승려들에 의해서 "일곱 보석"으로 불린다. 일본과 중국 불교의 고행 승려들과 입문자들만이 그들 지식을 주는 데 힌두교 승려보다 말을 더 삼가 하는 경향이 있다.

그러나 독자가 모나드들을 잊어서는 안 되며, 최고의 신비를 침범하지 않은 채, 허락되는 만큼 최대한, 모나드의 성질에 대하여 깨달아야 한다. 필자는 그 최고의 신비의 마지막 말을 결코 아는 척하지 않는다.

모나드 무리는 대략 세 가지 거대한 등급으로 나누어진다:

1. 가장 발달된 모나드들은 (달의 신 또는 "영"으로, 인도에서는 피트리(Pitris)로 불렀다) 새롭게 형성된 체인의 성질을 입고 동화하기 위해서, 가장 정묘하고 희박한 근본적 형태로, 광물계, 식물계, 동물계 전체 삼중 주기를 첫 번째 라운드에 지나가는 것이 그들의 기능이다. 그들이 1 라운드의 A 구체에서 인간 형태에 (거의 주관적 영역에서 형태라는 것이 있을 수 있다면) 제일 먼저 도달하는 모나드들이다. 그러므로 2 라운드와 3 라운드 동안에 인간 요소를 이끌고 나타내는 것이 바로 그들이며, 4 라운드 초기에 두 번째 등급 또는 그 뒤에 다가오는 모나드를 위해서 그들의 그림자를 진화시키는 것도 바로 그들이다.

2. 세 번째 그리고 반 라운드 동안에 인간 단계에 처음으로 도달해서 인간이 되는 모나드들.[179]

---

179 여기서 우리는 "인간(Men)"이라는 오해를 불러일으키는 단어를 사용할 수밖에 없다. 그리고 이것이 이런 미묘한 차이를 표현하기 위해서 채택된 언어가 얼마나 빈약한지 명백히 보여준다. 여기서 말하는 "인간"은 오늘날 우리가 아는 인간과 형태나 성질에서 전혀 닮지 않았다는 것은 당연하다. 그러면 도대체 왜 "인간"이라고 부르는 것일까? 왜냐하면 서구 언어에는 의도된 생각을 전달하는 어떤 다른 용어가 없기 때문이다. "인간"이라는 단어는 이런 존재들이 형태나 지성에서 아무리 다르더라도 사고하는 실체들, 즉 "마누들(MANUS)"이라는 것을 최소한 나타낸다. 그러나 사실상 영성 및 지성과 관련하여 그들은 "인간"이라기보다 오히려 "신"이었다.
   모나드가 지나가는 "단계"를 묘사할 때도 똑같은 언어의 어려움에 부딪친다. 형이상학적으로 말하면, 그것이 "인간"이 된다고 말하거나, 어떤 모나드의 "계발"에 대하여 말하는 것이

3. 느린 자들; 지체되어서, 이미 다른 곳에서 말한 한 가지 예외를 제외하고, 카르마적인 장애로 이번 주기 또는 라운드 동안에 인간 단계에 도달하지 못할 모나드들.

이제 하위 왕국의 경우처럼, *아스트랄* 형태 둘레에 *외적인* 형태 혹은 체의 진화가 지상의 힘들로 만들어진다; 하지만 내적인 인간 혹은 진정한 인간의 진화는 순전히 영적인 것이다. 그것은 외적인 진화의 경우처럼 초개성적 모나드가 많은 다양한 물질의 형태—아주 다른 계에서 기껏해야 본능과 의식을 받은—를 지나가는 것이 아니라, "순례자 혼(pilgrim-soul)"이 *물질뿐만 아니라* 자의식과 자기-지각의 다양한 상태들 혹은 통각(apperception)에서 오는 *지각(perception)*의 다양한 상태들을 지나가는 여행이다. ("신, 모나드 그리고 원자" 참조)

모나드는 영적 지성적 무의식 상태에서 나온다; 그리고 그것은 처음 두 계를 건너뛰면서—절대자(ABSOLUTE)와 너무 가까워서 하위계의 어떤 것과도 상호관계의 여지가 없다—그것이 멘탈계로 곧바로 들어간다. 그런데 전체 우주에서 이 멘탈계보다 지각과 통각의 특질의 거의 무수한 등급에서 더 넓은 활동 영역 혹은 더 넓은 범위를 가진 계가 없다. 이 계는 "광물" 모나드부터 그 모나드가 진화로 활짝 꽃을 피우는 신성한 모나드(DIVINE MONAD)에 이르기까지, 모든 "형태"를 위한 적합한 더 작은 계를 가지고 있다. 하지만 그것은 언제나 하나의 똑같은 모나드로, 그것이 멘탈 영성의 영역으로 상승하거나, 혹은 물질성의 심연 속으로 하강하면서, 언제나 계속되는 영의 부분적 혹은 전체 엄폐 주기 내내, 또는 물질의 부분적 혹은 전체 엄폐 주기 내내—두 가지 양극—그것의 화신 속에서만 다르다.

터무니없는 것이다. 그러나 영어 같은 언어를 사용해서 언어의 형이상학적 정확성을 유지하기 위해서는 적어도 3 권 분량이 더 필요할 것이며, 극도로 피곤할 정도로 말의 반복이 수반될 것이다. 모나드는 진보나 발달할 수 없고, 혹은 심지어 모나드가 지나가는 여러 상태의 변화로 영향을 받지 않는다는 것이 이치에 맞다. *모나드는 이 세계 혹은 계에 속하지 않는다.* 모나드는 그것이 내재하는 개성을 위한 구원의 판자로써 우리 지구로 비춰진 파괴될 수 없는 신성한 빛과 불의 별에만 비유될 수 있다. 개성이 모나드에 붙어있는 것이다; 그리고 이렇게 모나드의 신성한 성질을 띠게 되어, 불멸을 얻는다. 모나드를 자체로 내버려 두면, 어느 것에도 달라붙지 않는다; 그러나 "판자"처럼, 쉬지 않는 진화 흐름에 의해서 다른 화신으로 밀려간다.

다시 에소테릭 붓디즘으로 돌아가 보자. A 구체에서 광물기와 인간기[180] 사이의 광대한 기간에 대하여 거기서 언급되었다: "A 구체에서 광물기의 충분한 계발이 식물 계발을 위한 길을 준비한다. 그리고 이것이 시작되자마자, 광물의 생명-충동이 B 구체로 넘쳐 흘러 들어간다. 그러면 A 구체에서 식물 계발이 완성될 때, 동물 계발이 시작되고, 식물의 생명-충동은 B 구체로, 광물 충동은 C 구체로 옮겨 간다. 그러면 마지막으로 A 구체에서 인간의 생명-충동이 오게 된다." (p. 49.)

그리고 이렇게 세 번의 라운드가 계속되며, 속도가 줄어들 때, 마침내 네 번째 라운드에, 우리의 구체 경계선에서 멈춘다; 왜냐하면 이제 일곱 번째 인간의 기간 (진정한 육체 인간)에 도달하였기 때문이다. 이것은 명백하다. 왜냐하면 말했듯이, ". . . 광물계보다 선행하는 진화 과정들이 있고, 이렇게 진화의 파도, 진실로 진화의 여러 파도가 구체를 돌면서 진보하는 광물의 파도보다 선행하기 때문이다."(같은 책)

이제 *5 년간의 신지학* 273 페이지에 있는 "광물 모나드"라는 글에서 인용해 보자.

"일곱 개 왕국이 있다. 첫 번째 그룹은 세 등급의 엘리멘탈 또는 힘들의 초기 센터로 이루어진다―그것은 물라푸라크리티 (또는 프라드하나, 원초의 동질적 물질)의 시초 분화에서 세 단계까지―말하자면 온전한 무의식에서 반-지각 상태까지; 두 번째 그룹 또는 상위 그룹은 식물계에서 인간까지 포함한다; 따라서 광물계가 진화하는 에너지로써 간주될 때 "모나드 에센스"의 여러 단계에서 중심점 또는 전환점을 형성한다. 즉 엘리멘탈 면에서 (물질 아래) 세 단계; 광물계; 그리고 객관적 물질 측면에[181] 있는 세 단계가 있다―이것이 진화 체인의 (첫 번째 또는 예비의) 일곱 연결고리이다."

---

180 "인간기(Man epoch)"라는 용어가 여기서는 동물계 다음에 따라오는 네 번째 왕국의 이름을 지을 필요성 때문에 사용된다. 그러나 사실 첫 번째 라운드 동안 A구체에서 "인간"은 인간이 아니고, 아스트랄 영역에 있는 그의 원형 또는 차원 없는 이미지에 불과하다.

181 여기서 "물리적(Physical)"은 우주의 목적과 작업을 위해서 분화된 것을 의미한다; 그럼에도 불구하고, 그 "물리적 측면"은 다른 여러 계에 있는 존재들의 통각(apperception)에 객관적일지라도 우리 계에 있는 우리에게는 완전히 주관적인 것이다.

그것들이 준비하고 있기 때문에 "예비 단계"이고, 사실 자연의 단계에 속하지만, 그것들은 더 정확하게 하위-자연의 진화로써 묘사될 것이다. 이 과정은 세 번째 단계에서 멈추며, 네 번째 단계의 경계선에서, 그것이 자연의 진화 계에서 진실로 인간을 향한 첫 번째 단계가 될 때, 이렇게 세 가지 엘리멘탈 왕국과 함께 10 개, 즉 세피로스의 수를 형성하게 된다. 그리고 이 시점에서 다음과 같이 시작한다: —

"물질 속으로 영의 하강은 물리적 진화에서 상승에 해당된다; 물질성의 가장 깊은 심연 (광물)에서, 구체적인 유기체의 상응하는 분해와 함께, 그것의 *원래 상태로의 재상승*—분화된 물질이 사라지는 지점, 니르바나까지." (5 년간의 신지학, p. 276)

그러므로 에소테릭 붓디즘에서, "진화의 파도"로 적절하게 부른 그것, 그리고 광물의, 식물의, 동물의 그리고 인간의 "충동(impulse)"이 네 번째 라운드에서 우리의 구체 입구에서 멈추는지 이유가 분명해진다. 바로 이 지점에서 우주 모나드 (붓디)가 아트마 광선의 매개체와 결합하여 그 매개체로 된다, 즉, 그것 (붓디)은 그것 (아트마)의 의식적 통각에 깨어날 것이다; 그래서 진화의 새로운 일곱 사다리의 첫 계단으로 올라가며, 결국에는 그것을 세피로스 나무의 열 번째 (가장 낮은 곳에서 위로 셀 때), 즉 "왕관(Crown)"으로 이끌 것이다.

우주에 있는 만물은 유추를 따른다. "위에서처럼 아래에서도"; 인간은 대우주의 소우주이다. 영적인 계에서 일어나는 그것이 우주계에서 반복된다. 구체성은 추상성의 선을 따른다; 최고에 상응하는 것은 최저임에 틀림없다; 물질은 영적인 것에 상응한다. 이렇게 세피로스 왕관 (또는 상위 삼개조)에 상응하는, 세 개의 엘리멘탈계가 있고, 이것은 광물계를 앞서가며 (5 년간의 신지학, p. 277 그림 참조), 그리고 카발리스트의 말을 사용하면, 엘리멘탈계는 우주 분화에서 초-영적인 계부터 원형계까지의 형태와 물질의 세계에 상응한다.

이제 "모나드"란 무엇인가? 그리고 그것은 원자(Atom)와 어떤 관계가 있는가? 다음 답은 저자가 쓴 "광물 모나드"에 이 질문에 대한 대답으로 제시된 설명에 기초를 두고 있다.

두 번째 질문에 다음과 같이 답하고 있다. "모나드는 현재 과학 개념에 존재하는 원자나 분자와는 아무 관계가 없다. 그것은 한때 적충으로 분류되었다가 지금은 식물로 간주되어 해조류에 들어가 있는 미생물과도 비교될 수 없다; 또한 그것은 소요학파의 모나스(Monas)도 아니다. 광물 모나드는 물질적으로 또는 구성요소에서 당연히 인간 모나드와 다르며, 인간 모나드는 물질적이지도 않고 그 구성요소도 화학의 상징과 원소들로 표현될 수가 없다." 간단히 말해서, 영적인 모나드는 보편적(Universal), 무궁한(Boundless), 그리고 나눌 수 없는(Impartite) 하나(One)로, 그 광선은 우리의 무지로 인간의 "개별 모나드"라고 부르는 것을 형성한다. 그래서 광물 모나드—원의 반대점에 있는—도 역시 하나이고 그것에서 무수히 많은 물질 원자가 나오는 것이며, 과학에서는 그것을 개체화된 것으로 여기기 시작하고 있다.

그렇지 않다면 네 왕국의 진화상의 나선형의 전개를 어떻게 수학적으로 설명할 수 있을 것인가? "모나드"는 인간 속에 있는 마지막 원리, 여섯 번째와 일곱 번째의 조합이다. 제대로 말하면, "인간 모나드"라는 용어는 이중의 혼 (아트마-붓디)에게만 석용되는 것이지, 그것의 최고의 영적 활력을 불어넣는 원리, 아트마에는 해당되지 않는다. 그러나 그 영적 혼이 후자 (아트마)로부터 떨어진다면, 어떤 존재를 할 수 없기 때문에, 이렇게 불려온 것이다. . . . 이제 광물, 식물, 동물 속에 있는 모나드 에센스, 오히려 우주 에센스(이런 용어가 허락된다면)는 가장 낮은 엘리멘탈부터 데바계에 이르기까지 일련의 주기 내내 똑같지만, 그럼에도 진보의 정도에서 차이가 있다. 어떤 모나드가 분리된 실체로써 하위의 자연계를 지나서 구분되는 길에서 천천히 따라가면서 셀 수 없는 일련의 변형 후에 인간으로 꽃을 활짝 피운다고 상상하는 것은 매우 잘못된 것이다; 간단히 말하면, 훔볼트의 모나드는 각섬석 원자의 모나드로 거슬러 올라간다는 것이다. "광물 모나드"라고 말하는 대신에, 모든 원자를 구분하는 물리 과학에서 더 올바른 용어는 그것을 "광물계라로 부르는 푸라크리티의 형태 속에 현현하는 모나드"라고 불렀어야 할 것이다. 보통의 과학 가설에서 나타낸 원자는 장구한 세월 후에 인간으로 꽃피울 운명인, 심령적인 어떤 것으로 활기가 불어넣어진, 어떤 입자가 아니다. 그러나 그것은 아직 개체화 되지 않은 보편 에너지의 구체적인 현현이다; 그것은 하나의 보편 모나드의 순차적인 현현이다. (물질의) 대양은 생명-충동의 흐름이 인간 탄생의 진화 단계에 도달할 때까지 그것의 잠재적인 구성요소의 물방울들로 나누어지지 않는다. 개별 모나드로 나눠지는 성향은 점진적이고, 상위 동물에서 그 지점에 이른다. 소요학파는 모나스(Monas) 단어를 범신론적인 의미에서 전체 우주에 적용하였다; 그리고 오컬티스트들은 편리성 때문에 이 사상을 받아들이지만, 추상성에서 구체성으로 진화하는 점진적인 단계들을 "광물, 식물, 동물 등의 모나드" 용어로 구분한다. 그 용어는 영적 진화의 거대한 파도가 그것의 회로의 곡선 부분을 지나가는 것을 단순히 의미한다. "모나드 에센스"가 식물계에서 개별 의식을 향해서 감지할 수 없을 정도로 분화하기 시작한다. 모나드는 합성된 사물들이 아니기 때문에, 라이프니츠가 올바르게 정의한 것처럼, 모나드를 적합하게 구성하는 것은 여러 정도의 분화 속에서 그것들에 활기를 불어넣는 영적인 에센스이다. 모나드는 원자의 집합이 아니며, 이 원자의 집합은 하위 그리고 상위 정도의 지성을 고동치게 하는 매개체이자 질료에 불과하다.

라이프니츠는 모나드를 다른 단위들에 대하여 *주고 그리고 받는* 그래서 모든 영적인 물질적 현상을 결정하는 힘을 부여받은, 파괴될 수 없는 단일의 단위로 생각하였다. 통각(apperception)이라는 용어를 발명한 것이 바로 그였으며, 그것은 신경-(지각이 아닌 오히려)-감흥과 함께, 인간에 이르기까지 모든 자연 왕국에 두루 걸쳐서 모나드 의식의 상태를 표현하는 것이다.

그러므로 엄밀한 형이상학 선상에서 아트마-붓디(Atma-Buddhi)를 모나드라고 부르는 것은 틀릴 수 있다. 왜냐하면 물질적 관점에서 아트마-붓디는 이중이고 그러므로 합성이기 때문이다. 그러나 물질은 영이고, 그 반대도 맞는 말이다; 그리고 우주와 우주에 활기를 불어넣는 신이 서로 떨어진 것으로 생각될 수 없기 때문이다; 아트마-붓디의 경우도 마찬가지이다. 붓디는 아트마의 매개체로, 붓디와 아트마 관계는 카발라 로고스인 아담 카드몬과 아인-소프, 그리고 물라푸라크리티와 파라브라흠의 관계와 같은 것이다.

달에 대하여 몇 마디 말해보자. 방금 말한 "달의 모나드들(Lunar Monads)"은 무엇인가 라고 물을 수 있다. 일곱 등급의 피트리에 대한 설명은 나중에 나올 것이지만, 지금은 일반적인 설명이 제시될 수 있다. 그들은 모나드들로, 지구 체인보다는 낮은 달 체인에서 그들의 생명 주기를 끝냈으며, 여기 지구 체인에 화신하였다는 것이 모두에게 분명할 것이다. 그러나 덧붙여야 할 몇 가지 세부 사항들이 있지만, 그것들은 금지된 영역에 너무 근접하기 때문에 충분하게 다루어질 수가 없다. 그 신비의 마지막 말이 초인들에게만 알려지지만, 우리의 위성은 그것의 보이지 않는 원리의 조밀체에 불과하다고 말할 수 있다. 일곱 개 지구가 있는 것처럼, 달도 역시 일곱 개가 있으며, 마지막 것만이 보이는 것이다; 태양 역시 마찬가지이며, 볼 수 있는 체는 인간의 체와 마찬가지로 마야(Maya), 하나의 반영으로 불린다. "진정한 태양과 진정한 달은 진정한 인간처럼 볼 수 없다"고 오컬트 격언에서 말한다.

그리고 "일곱 개의 달"의 개념을 처음 시작한 고대인들이 결국에는 그렇게 어리석지 않았다는 것을 *덧붙여* 말하지 않을 수 없다. 왜냐하면 오늘날 이 개념이 매우 물질화된 형태로 천문학적 시간 척도로만 여겨지지만, 그 껍질 근저에 놓여 있는 심오한 철학적 사상의 흔적이 인식될 수가 있기 때문이다.

사실상 달은 한 측면에서 지구의 위성에 불과하다. 즉, 물리적으로 달은 지구 둘레를 돌고 있다. 그러나 모든 다른 면에서 달의 위성이 바로 지구이며, 그 반대는 아니다. 이 진술이 놀라울 수 있지만, 과학 지식의 확인 없이 말한 것은 아니다. 조수 간만이나 달 모양의 단계와 일치하는 많은 형태의 질병에서 주기적인 변화가 그 증거가 된다; 식물의 성장에서도 추적될 수 있고, 인간의 잉태와 임신 현상에서도 매우 뚜렷하게 나타난다. 달의 중요성과 지구에 미치는 영향은 모든 고대 종교, 특히 유대교에서 잘 인식되어 왔으며, 심령적 물리적 현상을 관찰하는 많은 사람들도 언급하여 왔다. 그러나 과학이 알고 있는 한에서, 지구가 달에 미치는 작용은 달이 궤도를 돌게 하는 물리적 인력으로 제한된다. 그리고 이 사실만으로도 달이 다른 활동 계에서 지구의 진정한 위성이라는 충분한 증거라고 반론을 고집한다면, 아이를 보살피면서 아기 요람 주위를 맴도는 어머니가 아이에게 종속되는지 혹은 아이가 의존하는 것인지 묻는 것으로 답을 할 수 있다. 어떤 의미에서 어머니는 아이의 위성이지만, 그럼에도 그녀가 돌보고 있는 아이보다는 확실히 더 오래 되었고 더 충분히 계발되었다.

그러면 지구 자체를 형성하는데 뿐만 아니라 그곳을 인류로 채우는 데도 가장 크게 중요한 역할을 한 것이 바로 달이다. "달의 모나드들" 또는 달의 피트리는 인간의 선조로 사실상 인간 자신이 되었다. 그들은 A 구체에서 진화 주기로 들어간 "모나드들"이고, 행성 체인을 돌아서 지금까지 보여준 것처럼 인간 형태를 진화시킨 존재들이다. 이 구체에서 네 번째 라운드의 인간 단계의 시초에, 그들은 세 번째 라운드에서 진화시켰던 "원숭이-같은" 형태부터 그들의 아스트랄 복체를 "스며 나오게 한다." 그리고 대자연이 육체 인간을 세우는 모형으로써 역할을 하는 것이 바로 이 정묘하고 섬세한 형태이다. 이렇게 이 "모나드들" 또는 "신성한 불꽃들"이 "달의" 선조들이고, 피트리 자신이다. 왜냐하면 이 "달의 영들"은 그들의 "모나드들"이 활동과 자의식의 더 높은 계, 즉 마나사-푸트라의 계에 도달할 수 있도록 "인간"이 되어야만 하기 때문이다. 마나사-푸트라들은 세 번째 근원 인종 후반부에 피트리스가 창조해서 형태에 생명을 불어넣은 "지각없는(senseless)" 껍질에 "마인드"를 부여한 존재들이다.

똑같은 방식으로 우리 지구의 일곱 번째 라운드의 인간의 "모나드들" 또는 자아들(Egos)이 A, B, C, D 이하 순서로 그들의 생명-에너지를 떠나서, 한층 더 높은 존재계에 살고 활동하도록 운명지어진 다른 라야 센터들에 생명을 불어넣어서 살아나게 할 것이다—지상의 "선조들"이 그들보다 더 우수한 존재가 될 존재들을 창조하는 것과 같은 방식으로.

이제 대자연 속에 세 개의 *주기적 우파디*의 형성을 위한 삼중의 진화 계획, 혹은 오히려 세 가지 별개의 진화 계획이 존재한다는 것이 분명해진다. 이것들은 우리 태양계 모든 지점에서 풀 수 없게 서로 엮이고 상호 섞인다. 그것들은 모나드의 (또는 영적) 진화, 지성적 진화, 그리고 물리적 진화이다. 이 셋은 하나의 대실재(ONE REALITY), 일곱 번째, 아트마(ATMA)의 우주 환영의 장 위로 비추어진 유한한 측면들 혹은 반영들이다.

1. 모나드의 진화는, 이름이 암시하듯이, 지성과 함께 모나드의 한층 더 높은 활동 국면으로 성장 및 계발과 관련 있다.

2. 지성적 진화는 인간에게 "지성과 의식을 준 자들," [182] 마나사-디야니들 (태양의 데바들, 또는 아그니쉬와타(Agnishwata) 피트리)로 나타내어진다. 그리고 —

3. 물리적 진화는 달의 피트리들의 차야(Chhayas)로 나타내어지며, 그 주위로 대자연이 현재의 육체를 구체화시켰다. 이 체는 마나스를 통해서 변형시키고 그리고—경험의 축적 때문에—유한한 것을 무한한 것으로, 일시적인 것을 영원하고 절대적인 것으로 변형시키고 (오해하는 말을 사용하면) "성장"하기 위한 매개체 역할을 한다.

이 세 가지 체계 각각은 나름대로 법칙을 가지고 있으며, 서로 다른 최고의 디야니들 또는 "로고스들"에 의해서 지배되고 안내된다. 각각이 거대한 대우주의 소우주인 인간의 구성 요소 속에서 나타내어진다; 그리고 현재의 복잡한 존재로 만드는 것은 바로 그 속에 있는 이 세 가지 흐름의 합일 때문이다.

"대자연(Nature)," 물리적인 신화의 거대한 힘(Power)은 도움 없이 결코 지성을 진화시킬 수가 없다—씨크릿 독트린 "인류발생론"에서 볼 수 있듯이, 대자연은 "지각없는 형태들"을 창조만 할 수 있다. "달의 모나드들"은 진보할 수가 없다. 왜냐하면 그들은 형태를 통한 경험을 축적할 만큼 대자연이 창조한 형태들과 충분한 접촉을 하지 않았기 때문이다. 그 틈을 채워주는 것이 바로 마나사-디야니들이고, 그들은 이번 라운드에서 "영"과 "물질" 사이의 연결고리, 지성(Intelligence)과 마인드(Mind)의 진화상의 힘을 나타낸다.

첫 번째 라운드에, A 구체에서 진화의 주기로 들어가는 모나드들은 아주 다른 계발의 단계에 있다는 것을 명심해야 한다. 그래서 그 문제가 어느 정도 복잡하게 된다. . . 개략적으로 요약해 보자.

가장 발달된 (달의) 모나드들은 첫 번째 라운드에 인간의 씨앗-단계에 이른다; 세 번째 라운드가 끝날 즈음에 지상의 인간이지만 매우 정묘한 인간으로 되며, 네 번째

---

182 본서 2부 결론 참조.

라운드에 미래 인류의 씨앗으로써 "엄폐기" 동안 내내 구체에 그대로 남아 있으며, 이렇게 네 번째 라운드 초기에 인류의 선구자가 된다. 다른 모나드들은 나중 라운드 동안에, 즉 두 번째, 세 번째 라운드, 혹은 네 번째 라운드 전반부에 인간 단계에 도달한다. 그리고 마지막으로 가장 느린 모나드들, 즉 네 번째 라운드의 중간의 전환점 후에도 동물 형태를 여전히 차지하고 있는 모나드들은, 이번 만반타라 동안에 인간이 될 수 없다. 그들은 일곱 번째 라운드가 끝날 즈음에만 비로소 인류의 가장자리에 이르게 될 것이어서, 그들은 *프랄라야* 후에—더 나이든 선구자들, 즉 인류의 선조들 또는 씨앗-인류 *(시/쉬타)*, 말하자면 이런 라운드들이 끝날 무렵에 만물의 선두에 있을 인간들에 의해서, 새로운 체인으로 인도될 것이다.

학생들에게 진화 체계에서 네 번째 구체와 네 번째 라운드가 하는 역할에 대하여 더 깊은 설명이 거의 필요가 없다.

필요한 변경을 가해서, 라운드, 구체, 또는 인종에 적용될 수 있는 앞의 그림에서, 일련의 네 번째 것이 독특한 위치를 차지한다는 것을 알 수 있을 것이다. 다른 것들과는 다르게, 네 번째 구체는 같은 계에 "자매" 구체가 없으며, 그것은 전체 체인의 "균형"의 받침점을 형성한다. 네 번째 구체는 마지막 진화상의 조정의 구체, 카르마 저울의 세계, 정의의 전당으로, 거기서 주기에서 여러 화신의 남은 기간 동안에 모나드의 미래 코스를 결정하는 균형이 맞추어진다. 그러므로 대주기에서 이 중심의 전환점을 지난 후에—즉, 우리 구체의 네 번째 라운드에 네 번째 근원인종의 중심점 후에—모나드들이 더 이상 인간계로 들어올 수 없다. 이번 주기에는 그 문이 닫혔고 균형이 맞추어졌다. 만약 그렇지 않다면—죽은 수많은 인간들 각자를 위해서 새로운 혼이 창조되었다면, 그리고 재화신이 없었다면—육체를 벗은 "영들"을 위한 여지를 제공하는 것이 어려웠을 것이고, 고통의 원인과 기원이 설명될 수 없었을 것이다. 강력하게 주장된 사물의 신성한 질서에 반하는 반대로써 유물주의와 무신론이 만들어낸 것이 바로 오컬트 가르침에 대한 무지와 종교적 교육의 가면 하에서 잘못된 개념의 강요 때문이다.

방금 말한 규칙의 유일한 예외는 "바보 인종"이다. 이 "동물들"이 인간보다 뒤에 있고, 심지어 인간으로부터 반 정도 물려받았다는 사실로, 그들의 모나드가 이미 인간 단계에 있으며, 그들의 마지막 자손이 유인원과 원숭이이다. 이런 "인간의 연출들"은 사실 초기 인류의 왜곡된 복사판에 불과하다. 그러나 2 권에서 이것이 충분히 설명될 것이다.

주석서에서 대략 다음과 같이 말한다:

1. *"지구상의 모든 형태와 공간 속에 있는 모든 미세한 점 (원자)은 '천상의 인간' 속에 놓인 그 모형을 따르려는 자기 형성을 향한 노력에서 정진한다 . . . 그것 (원자)의 하강 진화와 상승 진화, 그것의 외적 성장 그리고 내적 성장과 발달은 모두 하나의 똑같은 목적을 가지고 있다—인간; 인간, 이 지구에서 최고의 물리적 궁극의 형태로서; 그리고 모나드, 지상에서 신성한 여러 화신의 정점으로서 절대적 총합이자 깨어난 상태 속에서."*

2. *"디야니 (피트리)는 자신으로부터 그들의 부타 (복체)를 진화시킨 존재들이고, 그 루파 (형태)가 이전 셋 칼파 (라운드)에서 이주의 주기를 완성했던 모나드들 (일곱 번째 여섯 번째 원리)의 매개체로 되었다. 그리고 나서 그들 (아스트랄 복체)이 그 라운드의 최초 인류의 인간이 되었다. 그러나 그들은 완전하지 않았고, 지각이 없었다."*

이것은 다음 권에서 설명될 것이다. 한편 인간—오히려 그의 모나드—은 이번 라운드 바로 초기부터 지구상에 존재해 왔다. 그러나 우리 자신인 다섯 번째 인종까지, 그 신성한 아스트랄 복체로 덮은 외적인 형상은 매 아인종 마다 변했고 굳어졌다; 지구 형성 주기의 지질 기간 동안에 이 구체 위에서 언제나 변하는 생명의 조건에 적응해야 했기에, 동물상의 형태와 육체적 구조가 동시에 변했다. 이렇게 그것들은 모든 근원인종과 *모든 주된 아인종과* 함께 이번 라운드의 일곱 번째 근원인종의 마지막 아인종까지 계속 변해갈 것이다.

3. "지금은 숨겨진 내면의 인간이 (초기에는) 외적인 인간이었다. 디야니 (피트리)의 자손은 '그의 아버지를 닮은 아들'이었다. 연꽃처럼, 외형이 점진적으로 자신 속에 있는 모형의 형태를 취하듯이, 인간의 형태도 초기에는 내부에서 외부로 진화하였다. 인간이 현재의 동물계 방식을 쫓아서 그의 종을 생산하기 시작한 주기 이후에, 인간의 형태의 진화가 외부에서 내부로 반대로 되었다. 인간의 태아는 이제 그 변형에서 인간의 육체 구조가 세 번의 칼파 (라운드)에 걸쳐서, 모나드 주위에, 맹목적인 방황 속에서, 불완전하기 때문에, 지각없는, 물질로 가소성의 형상을 만드는 잠정적인 노력의 동안에, 취했던 모든 형태들을 따른다. 현재 시대에는, 육체의 태아가, 자신 속에서 자신의 정묘한 대응체를 진화시키면서, 마지막으로 인간이 되기 전에, 그것은 식물, 파충류, 동물이 된다. 초기에는 그것이 지각이 없어서, 물질의 그물 속에 얽혀 들어간 것이 바로 그 대응체 (아스트랄 인간) 였다."

그러나 이 "인간"은 네 번째 라운드에 속한다. 이미 보여주었듯이, 모나드는 이전 세 번의 라운드 동안에 자연의 모든 왕국을 지나가면서 내내 일시적인 형태를 지나갔고, 여행하였으며 그 속에 갇혀 있었다. 그러나 인간이 되는 모나드는 *"인간(Man)"이 아니다.* 이번 라운드에―우리 인종에서 죽을 운명인 유인원들, 그들의 모나드가 해방되어 여섯 번째[183] 그리고 일곱 번째 근원인종의 아스트랄 형태들 (혹은 최고의 엘리멘탈들) 속으로 넘어갈 것이고, 그러면 다섯 번째 라운드의 가장 낮은 인간 형태 속으로 들어가는, 인간 다음의 최고의 포유류를 제외하고―식물계나 동물계에 있는 어떤 단위도 다음 단계에서 인간이 될 운명인 모나드들에 의해서 더 이상 활기를 받지 않고, 그들 각각의 영역의 하위 엘리멘탈에 의해서만 활기를 받게 된다.[184]

---

183 자연은 결코 반복하지 않는다. 따라서 우리 시대의 유인원들은 중신세 중반 이후에는 전혀 존재하지 않았다; 모든 교잡종처럼, 그들은 시간이 지나가면서 점점 더 그들 시초의 부모였던 검은 황색의 거대한 레무로-아틀란티스인의 유형으로 돌아가려는 경향을 보이기 시작하였다. "잃어버린 고리"를 찾는 것은 소용없는 일이다. 지금부터 수 천만 년 후가 될 여섯 번째 근원인종 말기의 과학자들에게, 우리의 근대 인종, 오히려 근대 인종의 화석이 이미 멸종된 호모 인간 종처럼 작고 보잘것없는 원숭이의 화석처럼 보일 것이다.
184 이 "엘리멘탈들"은 다음 차례로 다음 행성 만반타라에서만 인간 모나드로 될 것이다.

마지막 인간 모나드는 다섯 번째 근원인종의 시작 전에 화신하였다. [185] 인간 모나드의 *이주(metempsychosis)*의 주기가 닫혔다. 왜냐하면 우리는 지금 네 번째 라운드와 다섯 번째 근원인종에 있기 때문이다. 독자들—혹은 에소테릭 붓디즘에 익숙한 사람들—은 씨크릿 독트린 1 권과 2 권에 나오는 스탠저들은 네 번째 라운드에서의 진화에 대해서만 말한다는 것을 명심해야 할 것이다. 네 번째 라운드는 전환점의 주기이며, 물질의 가장 낮은 심연에 도달하였으므로, 그 이후에는 모든 새로운 인종과 새로운 주기마다 앞으로 계속 나아가면서 영성화되기 시작한다. 그러므로 학생은 에소테릭 붓디즘에서 라운드를 일반적으로 말하고 있고, 여기서는

---

185 그런 유인원들은 예외를 구성한다. 왜냐하면 그들은 대자연이 의도한 것이 아니라, "지각없는" 인간에 의한 직접적인 창조이자 산물이기 때문이다. 힌두인은 원숭이와 유인원의 기원이 신성하다고 한다. 왜냐하면 세 번째 근원인종의 인간은 다른 계에서 온 신들이었으며 "지각없는" 인간으로 되었기 때문이다. 이 주제가 12년 전에 "아이시스 언베일드"에서 당시 가능한 한 분명하게 이미 다루어졌다. 278-279페이지에서, 독자가 "브라만들에게, 그들이 원숭이에 대하여 관심을 가지는 이유를 아는지 말하고 있다. 그때 독자는 아마도—만약 브라만이 독자에게 설명해 줄 가치가 있다고 판단하였다면—힌두인은 마누가 원했던 것을 원숭이 속에서 본다고 배울 것이다: 인류의 마지막 완성 전에 그들 자신의 종에 접붙여진 가지, 즉 인류 종과 가장 직접적으로 연결된 종의 변형이다. 더욱이 독자는 교육받은 '이교도'의 눈으로 영적 인간 또는 내면의 인간과 그의 지상의 육체와는 별개라는 것을 배울 것이다. 완성을 향해서 언제나 서서히 나아가는 여러 힘의 물리적 상호관계의 거대한 조합인 저 물질적 자연은 수중에 있는 물질을 이용해야만 한다는 것을 배울 것이다; 그녀는 나아가면서 형태를 만들고 다시 만들어서, 인간 속에서 그녀의 최고의 작업을 마치면서, 신성한 영이 그림자를 드리우기에 적합한 거주처를 인간에게만 제공한다."

더구나, 어느 독일인의 과학적인 작업이 같은 책에 있는 각주에서 언급되어 있다. 그 무렵에 어느 하노버 과학자가 "자연도태를 통한 해결"(1872년)이라는 제목의 저서를 출판하였으며, 거기서 그는 대단한 독창성으로, 다윈이 인간을 유인원으로 거슬러 추적하는 것이 완전히 착각이었다는 것을 보여준다. 반대로, 그는 인간에서 진화된 것이 바로 유인원이라고 주장하고 있다. 처음에, 인류는 그 형태의 아름다움, 용모의 단정, 두개골의 발달, 감정의 고상함, 영웅적 충동, 그리고 이상적인 개념의 웅대함으로, 도덕적으로 육체적으로 우리의 현재 인종의 그리고 우리의 인간의 존엄성의 원형이자 유형이라고 그가 보여준다. 이것은 순전히 브라만, 불교, 그리고 카발라적 철학이다. 그 책은 그림, 표 등등으로 풍부하게 설명하고 있다. 인간의 점진적 타락과 붕괴가 도덕적으로 육체적으로 우리의 시대까지 내려온 민족학적 변형을 거쳐서 쉽게 추적될 수 있다고 그는 주장한다. 그리고 인류의 한 부분이 이미 유인원으로 타락하였고, 마찬가지로 현재 시대의 문명화된 인간도 결국에는 피할 수 없는 필연의 법칙의 작용 하에서 똑같은 자손에게 승계될 것이다. 만약 지금의 현재로 우리의 미래를 판단할 수 있다면, 영성이 없고 물질적인 체가 천사들(Seraphs)이 아니라 시미아(Simia)로 끝난다는 것이 확실히 가능한 것처럼 보인다. 그러나 유인원들이 인간으로부터 내려오더라도, 일단 인류의 수준에 도달한 인간 모나드가 다시 동물의 형태로 화신하는 것은 결코 사실이 아니다.

현재 라운드 또는 네 번째 라운드만을 의미하는 것이기 때문에, 서로 모순되는 것이 없다는 것을 이해해야만 한다. 지금까지 라운드는 형성의 작업이었다; 이제 그것은 재형성과 진화의 완성의 작업이다.

마지막으로, 다양하지만 피할 수 없는 오해에 대한 이 장을 마치면서, 우리는 많은 신지학 학생들 마인드에 매우 치명적인 인상을 만들었던 "에소테릭 붓디즘"에 있는 진술을 언급해야만 한다. 방금 언급된 책에서 가져온 불운한 한 문장이 이 가르침의 물질주의를 입증하기 위해서 지속적으로 나오고 있다. 5 판, 48 페이지에서, 저자가 구체들 위에서 유기체들의 진보에 대하여 언급하면서 이렇게 말한다: "지구가 어떤 충동을 받을 때까지, 지구가 인간을 원숭이로부터 진화시킬 수 없듯이. . . 광물계도 더 이상 식물계를 계발시키지 않을 것이다."

이 문장이 글자 그대로 저자의 생각인지 혹은 단순한 *실언*인지 (우리는 그렇다고 생각하지만) 분명치 않다.

에소테릭 붓디즘이 다윈의 진화론을 철저히 지지하였고, 그리고 특히 인간이 유인원 조상으로부터 내려왔다는 이론을 지지하였다는 믿음을 갖게 했을 정도로, 어떤 신지학 학생들은 그 책을 거의 이해하지 못했다는 사실을 놀랍게도 확인하였다. 한 회원이 다음과 같이 쓰고 있다: "신지학 학생들의 4 분의 3 과 심지어 외부인들도 인간의 진화에 관한 한, 진화론과 신지학이 일치한다고 생각한다는 것을 인식할 것입니다." 우리가 아는 한, 에소테릭 붓디즘에서는, 그런 종류의 어떤 것도 인정하지 않았고, 그것을 정당화하는 것이 어디에도 없다. 마누와 카필라가 가르친 진화가 근대 가르침의 기초였으나, 오컬티즘이나 신지학은 현재 다윈 학자들의 엉뚱한 이론을, 특히 인간이 유인원에서 내려왔다는 것을 지지한 적이 없다는 것을 반복해서 언급해왔다. 이것에 대하여 뒤에서 더 설명될 것이다. 에소테릭 붓디즘, 5 판, 47 페이지를 보면, "인간은 동물계와는 뚜렷하게 분리된 어떤 왕국에 속한다"는 진술을 발견할 것이다. 그런 명백하고 모호하지 않은 진술이 있음에도 불구하고, 신중한 학생이 그렇게 잘못된 판단으로 이끌렸다는 것은 그 책에 지나친 모순이 있다고 저자를 비난할 준비가 되어 있지 않다면 참으로 이상한 일이다.

매 라운드는 이전 라운드의 진화 작업을 더 높은 영역에서 반복한다. 방금 언급된 어떤 상위 유인원의 예외와 함께, 모나드의 유입 또는 내적인 진화가 다음 만반타라까지 끝났다. 새로운 인간 후보자들의 무리가 다음 주기의 시작에 이 구체에서 나타나기 전에, 온전하게 개화된 인간 모나드들을 먼저 처리해야 한다는 것을 아무리 반복해도 지나치지 않을 것이다. 이렇게 소강 상태가 있는 것이다; 그리고 이것이 네 번째 라운드 동안에, 설명될 것이지만, 인간이 어떠한 동물 창조보다도 더 일찍 출현한 이유이다.

그러나 여전히 에소테릭 붓디즘 저자가 "다윈의 진화설을 설명한다"고 주장하고 있다. 어떤 구절들은 확실히 이런 추론을 지지하는 것처럼 보인다. 그것과는 별개로, 오컬티스트들은 *부분적인* 정확성을 다윈의 가설에, 나중의 세부 사항, 진화의 부차적인 법칙들, 그리고 네 번째 근원인종의 중반 지점 이후에 있던 것에는 인정할 준비가 되어 있다. 일어났던 일에 대하여, 물질 과학은 진실로 아무것도 알 수가 없다. 왜냐하면 그런 문제들은 전적으로 물질 과학의 조사 범위 밖에 있기 때문이다. 그러나 오컬티스트가 결코 인정하지 않았고, 앞으로도 인정하지 않을 것은, 인간이 *이번 라운드나 어떤 다른 라운드에서* 원숭이였다는 것이다; 또는 인간이 아무리 "원숭이처럼" 닮았더라도, 결코 원숭이가 될 수 없다는 것이다. 이것은 에소테릭 붓디즘 저자에게 정보를 주었던 권위 있는 분이 보증을 한 것이다.

이렇게 위에서 말한 책에서 인용한 다음 문장들을 가지고 오컬티스트들에게 대항하는 사람도 있을 것이다: "우리가 합리적으로 광물 형태를 낳는 어떤 생명 충동을 상상할 수 있듯이, *원숭이들의 종을 초기의 인류로 상승시키는데* 관련된 똑같은 부류의 생명 충동에 대하여 생각할 수 있다는—이 문제들에 대하여 말하고자 한다면, 우리는 그렇게 생각해야만 한다—것을 보여주는 것으로 충분하다." "다윈의 결정론적 진화설"을 보여주는 것으로 이 구절을 제시하는 사람들에게, 오컬티스트들은 이 문장이 그런 의미로 쓰였다면, 그 문장을 반박하는 대스승 (씨네트 씨의 스승)의 설명을 가리키는 것으로 대답할 것이다. 이 편지 사본들이 2 년 전에 (1886 년) "씨크릿 독트린"에서 인용하라는 추가적인 말을 덧붙여서, 다른 편지들과 함께 필자에게 보내졌다. 그 편지는 이전에 제공된 몇 가지 사실들과 동물에서 인간으로의 진화, 즉, 광물계, 식물계, 그리고 동물계로부터 진화를 조화시키려고 할 때, 서구 학생이 경험하는 어려움을 고려하는 것으로 시작하고, 학생에게 유추와 상응의 가르침을 충실히 고수할 것을 충고한다. 그리고 그것은 데바의 신비 그리고 심지어 신들이 "광물화(Inmetallization), 식물화(Inherbation), 동물화(Inzoonization), 마지막으로 화신(Incarnation)"으로 언급하는 것에 동의한 상태들을 지나가야 하는 신비를 다루면서, 심지어 디얀-초한의 에텔 인종들에서도 실패의 필연성을 암시하면서 이것을 설명한다. 이에 관하여 이 편지에서 다음과 같이 쓰고 있다:

"여전히, 이 '실패자들'이 너무 멀리 진보하였고 영성화되어서 디얀-초한 상태에서 하위 왕국을 지난 새로운 원초의 진화 소용돌이 속으로 강제로 뒤로 던져질 수 없으므로. . . ." 그 다음에 추락한 아수라들의 비유 속에 포함되어 있는 신비에 대한 어떤 힌트만 주신다. 이것은 2 권에서 확장되어 설명될 것이다. 카르마가 인간 진화 단계에 있는 그들에게 도달하였을 때, "그들은 응보의 쓰디쓴 잔 마지막 한 방울까지 다 마셔야만 할 것이다. 그러면 그들은 활동적인 힘이 되어 엘리멘탈, 순수한 동물계의 진보한 실체들과 함께 서서히 완전한 유형의 인간을 계발하게 된다."

이것으로 알 수 있듯이, 이 디얀-초한들은 하위 피트리들처럼 세 가지 왕국을 지나가지 않는다; 또한 그들은 세 번째 근원인종 때까지 인간 속으로 화신하지도 않는다. 이렇게 가르침은 다음과 같다:

"인간은 첫 번째 라운드에서 그리고 우리 지구 D 구체에서 첫 번째 근원인종에서 정묘한 존재였고 (인간으로서 달의 디야니), 비지성적이지만 초-영적이었다; 그리고 상응으로, 유추의 법칙에 따라서, 네 번째 라운드의 첫 번째 근원인종에서도 그러하였다. 이어지는 여러 인종들과 아인종들 각각 속에서. . . 그는 점점 더 둘러싸인 존재 또는 육화된 존재로 되어 가지만, 여전히 압도적으로 에텔적이다. . . . 그는 성별 구분이 없고, 그는 동물이나 식물처럼 더 조악한 환경에 상응하는 괴물 같은 체들을 계발시킨다.

"두 번째 라운드. 그는 여전히 거대하고 에텔적이지만 체가 점점 더 단단해지고 굳어가고 있으며, 더 육체 인간으로 되어간다. 그럼에도 여전히 영적이라기보다 오히려 덜 지성적이다 (1). 왜냐하면 마인드는 육체의 틀보다 진화가 더 느리고 더 어려운 진화이기 때문이다. . .

"세 번째 라운드. 이제 그는 완전하게 구체적인 체 또는 단단한 체를 가지며, 처음에는 거대한 원숭이 형태이고, 이제 영적이라기보다 더 지성적인, 오히려 교활하게 된다. 왜냐하면 하강 진화에서, 그가 이제 그의 원초의 영성이 초기의 마인드로 가려지고 그림자가 드리워지는 지점에 도달하였기 때문이다 (2). 세 번째 라운드 후반에서 그의 거대한 신장이 감소하고, 그의 체가 감촉에서 개선되며, 그가 데바라기보다 여전히 원숭이 같지만, 더 이성적인 존재로 된다. . . . (이 모든 것이 네 번째 라운드의 세 번째 근원인종에서 거의 그대로 반복된다.)

"네 번째 라운드. 지성이 이번 라운드에서 엄청 계발된다. 지금까지 멍청했던 인류가 현재 구체에서 현재의 인간 언어를 획득하며, 네 번째 근원인종부터, 언어가 완전해지고 지식이 증가한다. 네 번째 라운드 중간 시점에서 (네 번째 근원인종 혹은 아틀란티안 인종처럼) 인류는 작은 만반타라 주기의 축이 되는 시점을 지나간다. . . . 세계가 지성적 활동과 영성의 감소로 인한 결과로서 가득 채워진다."

이것은 진짜 편지를 인용한 것이다; 다음에 오는 것은 각주 형태로 부연된 설명과 견해이다.

(1) ". . . 원본 편지에서는 일반적인 가르침을 간직하였고―조망하는 관점―아무것도 면밀히 다루지 않았다. . . 그 진술을 초기 라운드들로 제한하면서 "육체 인간"에 대하여 말하는 것은 기적 같은 즉각적인 "피부 코트(coat of skin)"로 떠밀려 되돌아가는 것이 될 것이다. 첫 번째 라운드에 있는 첫 번째 구체에서 첫 번째 지각계에서 최초의 '대자연,' 최초의 '체,' 최초의 '마인드'를 의미하는 것이었다. 왜냐하면 카르마와 진화가 ―

'. . . . 그렇게도 우리 구조 속에 그런 이상한 극단들을 집중시켰다.
놀랍게 뒤섞여 있는 서로 다른 대자연으로부터. . .'

(2) "정정: 그는 이제 그의 ("천사"-인간의) 원초의 영성이 초기의 인간 마인드로 가려지고 그림자가 드리워지는 지점 (유추에 의해서, 그리고 네 번째 라운드에 세 번째 근원인종으로써)에 도달하였고, 그러면 그대는 아주 작은 올바른 버전을 갖는 것이다. . . ."

이것이 대스승의 말씀이다—괄호 안에 있는 단어와 문장 그리고 설명하는 각주. "객관성"과 "주관성," "물질성"과 "영성"이라는 용어들이 다른 존재와 인식의 계에 적용될 때 엄청난 차이가 있다는 것은 당연하다. 이 모든 것이 상대적인 의미로 받아들여져야 한다. 그러므로 저자가 아무리 열심히 배우고 싶어도, 이 심오한 가르침에서 상당한 경험 없이, 자신의 추론에 맡겨 둔다면, 잘못 생각하게 된다는 것이 조금도 이상하지 않다. 받은 편지에서는 "라운드"와 "인종" 사이의 차이가 충분히 정의되지 않았으며, 보통의 동양의 제자였다면 한 순간에 그 차이를 발견하였을 것이기에, 이전에 이런 종류의 어떤 것이 요구되지도 않았다. 게다가, 대스승의 (188-) 편지에서 인용하면, "그 가르침이 마지못해 주어졌다 . . . 그것들은 말하자면 밀수품이다. . . 그리고 내가 단 한 사람과 마주보고 그대로 있을 때, 다른 사람 . . . 씨가 지금까지 모든 카드를 뒤죽박죽으로 만들어 버렸고, 법칙을 침해하지 않고는 말할 것이 거의 남아 있지 않게 되어버렸다." 관련된 신지학 학생들은 무슨 말인지 알 것이다.

이 모든 것의 결과는 인간이 원숭이—비유적이 아니라면 실제 동물 종류의 유인원—와 공통의 조상에서 내려왔다는 터무니없는 근대 이론을 오컬트 가르침이 언제나 가르쳐왔다는 혹은 어떤 초인이 믿었다는 확신을 보증하는 것을 "편지들"에서 말한 적이 아무것도 없다는 것이다. 오늘날에도 숲에 "인간처럼 생긴 원숭이"들로 가득 찬 것보다 세계에 "원숭이 같은 인간"으로 더 가득 차 있다. 인도에서 원숭이는 성스럽다. 왜냐하면 그 기원이 우화라는 두터운 베일로서 가려져 있지만 입문자들에게는 잘 알려져 있기 때문이다. 하누만은, 그의 혈통이 다양하지만,

케사리(Kesari)라고 불린 괴물, 안자나(Anjana)와 파바나(Pavana) ("바람의 신," 바유)의 아들이다; 이것을 명심하는 독자는 2 권에서 이런 교묘한 우화에 대한 전체 설명을 여기저기서 발견할 것이다. 세 번째 근원인종의 (양성으로 분리된) "인간"은 지각없고 인간으로서 아직 마인드가 없지만 그들의 영성과 순수성에서는 "신들"이었다.

세 번째 근원인종의 "인간들"—아틀란티안의 선조들—은 세 번째 라운드 동안에 인류를 대표했던 그 존재들처럼 원숭이 같고 지성적으로 지각이 없는 거인들이었다. 도덕적으로는 무책임해서, 바로 이 세 번째 인종의 "인간들"이 그들 자신보다 더 낮은 동물과의 난교로, 많은 세월 뒤에 (제 3 기에만) 우리가 지금 유인원과에서 보는 실제 유인원의 먼 옛 선조가 된 그 잃어버린 연결고리를 만들었다.[186]

이렇게 초기 가르침이 아무리 만족스럽지 않고, 애매하며 단편적일지라도, "인간"이 "원숭이"로부터 진화하였다는 가르침을 가르치지 않았다. 또한 에소테릭 붓디즘의 저자는 자신의 저작 어디에서도 그것을 많은 말로 주장하지도 않았다; 그러나 그의 근대 과학을 향한 성향 때문에, 그가 아마도 그런 추론을 정당화시킬 수 있는 언어를 사용한 것이다. 네 번째 근원인종인 아틀란티스 인종을 선행한 인간이 육체적으로 "거대한 원숭이"—"인간의 삶을 갖지 않은 인간의 대응체"—처럼 보일지라도 여전히 사고하고 이미 말하는 인간이었다. "레무로-아틀란티안"은 고도로 문명화된 인종이었다. 그리고 우리가 역사라는 이름으로 통하는 추론적 소설보다 더 나은 역사인 전통을 받아들인다면, 그는 오늘날 우리가 여러 과학과 타락된 문명을 가진 것보다 더 높이 있었다: 어쨌건 세 번째 근원인종의 끝 무렵에 있던 레무로-아틀란티스인은 그런 사람들이었다.

그러면 이제 스탠저로 돌아가자.

---

186 그리고 이것이 동물이 인간 보다 뒤에 온다는 다른 진술과 모순되는 것으로 보인다면, 그러면 독자가 동물이란 *태반이 있는 포유류*만을 의미한다는 것을 명심하길 바란다. 당시는 지금 동물학에서는 꿈도 꾸지 못하는 동물들이 있었다; 그리고 *재생산의 방식이* 근대 생리학에서 그 주제에 대하여 가진 개념과 *동일하지 않다.* 그런 질문들을 공공연하게 다루는 것이 전혀 편리하지 않지만, 어쨌건 불가능이나 모순이 없다.

5. 네 번째에 (*라운드, 일곱의 작은 수레바퀴들을 도는 생명과 존재의 회전*) (a), 아들들은 그들 모습을 창조하라고 듣는다. 삼분의 일이 거부하고, 삼분의 이는 따른다.

이 구절의 온전한 의미는 씨크릿 독트린 2 권, 인류발생론에 있는 자세한 추가적인 설명과 그것의 주석을 읽은 후에 충분하게 이해될 수 있다. 이 구절과 똑같은 스탠저에 있는 구절 4 사이에는, 오랜 세월이 펼쳐진다; 그리고 또 다른 대시대의 새벽과 일출이 희미하게 빛난다. 우리 행성에서 연출된 드라마가 제 4 막이 시작하는 순간에 있다. 하지만 연극 전체를 더 명확하게 이해하기 위해서, 독자는 앞으로 나가기 전에 먼저 뒤를 돌아봐야 할 것이다. 왜냐하면 이 구절은 태고의 문헌에서 주어진 일반적인 우주발생론에 속하기 때문이고, 반면에 2 권은 최초 인간의 "창조" 오히려 형성, 두 번째 인류, 그리고 세 번째 인류의 형성에 대한 자세히 설명을 제시할 것이기 때문이다; 혹은 그들이 "첫 번째 근원인종, 두 번째 그리고 세 번째 근원인종"으로 불린다. 굳어진 지구가 액체 불의 구체, 불타는 먼지의 구체 그리고 프로토플라즈마 환영의 구체로 시작하였듯이, 인간도 그랬다.

(a) "네 번째"라고 말하는 조건이 의미하는 것은 주석의 권위에서만 "네 번째 라운드"로써 설명된다. 그것은 "네 번째 라운드"로써 네 번째 "영원(Eternity)"을 의미하고 심지어 네 번째 구체를 의미하기도 한다. 왜냐하면 반복해서 보여주었듯이, 그것은 가장 낮은 물질 생명의 계 혹은 네 번째 계에 있는 네 번째 구체이기 때문이다. 그리고 우리가 지금 네 번째 라운드에 있으며, 그것의 중간 지점에서 영과 물질 사이의 완전한 균형이 이루어져야만 했다.[187] 이 구절을 설명해주는 주석서에서 말한다:

---

187 볼 것이지만, 이 시기에—제 4 인종, 네 번째 인종, 아틀란티스 인종의 인간적 지성처럼, 문명과 지식의 최고점 동안에—인종들의 생리학적-영적 조정의 마지막 위기 때문에, 인류가 두

"신성한 젊은이들(신들)은 그들을 닮은 종을 증식시키고 창조하길 거부하였다. 그들은 우리에게 적합한 형태 (루파)가 아니다. 그들은 성장해야만 한다. 그들은 자신보다 낮은 차야 (그림자 혹은 이미지)로 들어가는 것을 거부한다. 이렇게 처음부터, 심지어 신들 사이에서조차 이기적인 느낌이 우세하였다. 그리고 그들은 카르마의 리피카들 눈에 들어왔다."

그들은 훗날 탄생에서 그것 때문에 고통받아야만 한다. 그 처벌이 신들에게 어떻게 도달하였는지는 제 2 권에서 보여줄 것이다.

------

6. 저주가 선언된다 (a): 그들은 제 4 근원인종에 태어날 것이고, 고통받고 고통을 일으킬 것이다 (b). 이것이 첫 번째 전쟁이다 (c).

(a) 생리적 "추락(Fall)" 이전에, 인간이건 동물이건 같은 종류의 증식이 창조자들의 의지 혹은 그들 자손의 의지를 통해서 일어났다는 보편적인 전통이 있다. 여기서 말하는 추락은 유한한 인간의 추락이 아니라, 영이 출산 속으로 추락하는 것이다. 자의식적인 영이 되기 위해서, 영은 모든 존재의 주기를 지나서, 지상에서 가장 높은 지점인 인간 속에서 절정을 이룬다는 것을 이미 언급하였다.

영 *자체*는 무의식적 부정적 추상성(ABSTRACTION)이다. 그것의 순수성은 내재되어 있는 것이지, 공과로 획득되는 것이 아니다; 그래서 이미 보여주었듯이, 최고의 디얀-초한이 되기 위해서 자아 각자는 인간, 즉, 인간 속에서 통합되는 의식적 존재로서 온전한 자의식을 성취하는 것이 필요하다. 유대인의 카발리스트들이 루아흐(Ruach) (영)가 네페쉬(Nephesh) (살아있는 혼)와 결합되지 않는다면, 어떤

가지 정반대의 길로 나누어졌다: 즉, 지식, 비디야(Vidya)의 왼쪽 길과 오른쪽 길. *"이렇게 그 당시에 화이트 매직과 블랙 매직의 씨앗이 뿌려졌다. 그 씨앗은 일정 기간 동안 잠재하다가, (우리 인종) 다섯 번째 근원인종 초기 동안에만 싹이 나올 것이다."* (주석서)

영(Spirit)도 신성한 하이어라키에 속할 수 없다고 주장하는 것은 동양의 비의 가르침을 반복하는 것에 불과하다. "디야니(Dhyani)는 아트마-붓디가 되어야 한다; 붓디가 아트마의 매개체인데 일단 붓디-마나스가 불멸의 아트마로부터 떨어져 나오면, 아트마는 절대적 존재, 비-존재(NON-BEING) 속으로 들어가 버린다." 순전한 니르바나 상태는 우리의 우주가 그것의 주기를 성취하는 계와 전혀 관계없는 있음(Be-ness)의 이상적 추상성으로 영이 되돌아가는 통로라는 것을 의미한다.

(b) "저주(curse)가 선언된다"는 이 경우에 어떤 인격적 존재, 신, 혹은 상위의 영이 그것을 선언하였다는 것이 아니라, 단순히 나쁜 결과를 일으킬 수 있는 원인이 발생되었다는 것이며, 그래서 카르마 원인의 영향이 대자연의 법칙을 거슬러서, 그녀의 합당한 진보를 방해한 "존재들"을 좋지 않은 화신으로, 그래서 고통으로 이끌 수 있다는 것이다.

(c) "많은 전쟁들이 있었다"는 것은 영적, 우주적, 천문상의 조정의 몇 가지 다툼으로, 지금 상태의 인간의 진화의 신비를 주로 말하는 것이다. "창조하라고 들었다"는 거대한 여러 권능들(Powers)—순수 본질들(Essences)—은 이미 다른 곳에서 설명된 신비와 관련되는 문장이다. 그것은 대자연의 가장 숨겨진 비밀들 중에 하나일 뿐만 아니라—발생의 비밀, 발생학자들이 헛되게 그들의 머리를 맞대는 해결책에 대한— 마찬가지로 다른 종교적 오히려 도그마적 신비, 소위 천사들의 "추락(Fall)"과 관련 있는 신성한 기능이다. "사탄"과 그의 반항하는 무리는, 그 우화의 의미가 설명될 때, *"신성한 인간(divine Man)"*의 직접적인 구제주들(Saviours)이자 창조자들(Creators)로 되기 위해서 육체적 인간의 창조를 거부했다는 것이 이렇게 증명될 것이다. 이 상징적 가르침은 신비적 종교적 가르침 이상으로, 나중에 볼 것이지만, 순전히 과학적이다. 왜냐하면 헤아릴 수 없는 대법칙에 의해서 안내되고 재촉된, 단순히 맹목적으로 기능하는 매개체로 남아 있는 대신에 인간과 천사가 모두 카르마의 법칙 하에 있기 때문에, "반항하는" 천사는 그의 독립적인 판단과 의지의 권리, 그의 자유로운 대리인과 책임의 권리를 요구하였고 강력히 주장하였다. 인간과 천사 모두

카르마의 법칙 하에 있기 때문에, 그의 책임과 자유로운 대리인의 권리를 주장하였다.[188]

"그리고 하늘에서 전쟁이 있었다. . . . 미카엘과 그의 천사들이 용에 대항하여 싸웠다; 그리고 용도 싸웠지만 그의 천사들이 이기지 못하였다; 이제 더 이상 그들의 위치가 하늘에서 보이지 않았다. 그리고 그 용, 전체 세계를 속이는 악마와 사탄으로 불린 그 오래된 뱀이 내던져졌다."

카발라 버전의 똑같은 이야기가 크리스토스(Christos)의 입문자들이자 세례자 요한의 진정한 신비적 기독교들, 나사렛 사람들의 성전인 코덱스 나자레우스에서 주어진다. "지니들의 아버지(Father of the Genii)," 바하크-지보(Bahak-Zivo)가 피조물을 건설하라고 (창조하라고) 명령받는다. 그러나 그는 "오르크스(Orcus)에 대하여 무지"하기 때문에 그가 그렇게 하는 것을 실패하고, 한층 더 순수한 영, 페타힐(Fetahil)에게 도움을 요청하지만, 그가 더 비참하게 실패하고 만다. 이것이 차례로 실패를 거듭하는 빛의 주들, "아버시늘"의 실패의 반복이다. (2 권, 17 절.)

다음은 아이시스 언베일드에서 인용한 것이다:

---

188 카발라적 관점을 설명하면서, "생명의 새로운 측면"의 저자는 추락한 천사들에 대하여 말한다: "상징적 가르침에 의하면, 영(Spirit)은 단순히 신의 기능적 대리인이지만, 그의 계발된 그리고 계발하는 행동 속에서 점점 의지적으로 되었다; 그리고 그 점에서 자신의 의지를 신의 욕망으로 대체하였기 때문에, 추락하였다. 그래서 영들의 왕국과 통치 그리고 영적인 행동이 영-의지의 산물이자 영-의지에서 흘러나오는데 혼들의 왕국과 신성한 행동 바깥에 있고, 대조되며 모순된다." 여기까지는 좋았다; 그러나 다음 문장에서 저자는 무엇을 말하는 것일까? "인간이 창조되었을 때, 인간은 그 구성요소에서 인간적이며, 인간적 애정, 인간적 희망과 열망을 가지고 있었다. 이 상태에서 그가 추락하였다—야만적 상태로." 이것은 우리의 동양 가르침과 정반대이고, 심지어 우리가 이해하는 카발라 사상과 성서에도 배치되는 것이다. 이것은 실증주의 철학을 각색하는 유형론과 실체론처럼 보이지만, 오히려 저자의 의미를 확실히 이해하지 못하겠다 (p. 235 참조). 하지만 추락(FALL), "자연 상태에서 초자연 상태 그리고 동물 상태"로 추락—이 경우 초자연이란 순수하게 영적인 것을 의미한다—이 우리가 나타내는 것이다.

"그러면 영(spirit),[189] (소위 지구의 영, 혹은 성 제임스(야고보)가 '악마 같은'으로 부른 혼(Soul), 푸시케(Psyche)), *애니마 문디*의 낮은 부분 혹은 아스트랄 빛이 창조 단계를 밟는다. (이 절 끝부분 참조) 나사렛파와 그노시스파에게 이 영은 *여성*이었다. 이렇게 지구의 영이 페타힐,[190] *가장 새로운 인간* (가장 *최근 인간*)에게서, 그 광휘가 '바뀌었고', 그리고 존재한 그 광휘가 '감소와 훼손'되는 것을 인식하면서, 그녀가 '미쳤고 *지각과 판단력이 없는*' 카랍타노스(Karabtanos)를[191] 일깨우며, 그에게 말한다: — '일어나서, 보아라, 가장 *새로운(newest)* 인간 (페타힐)의 광휘 (빛)가 (인간을 창조하는데) 실패하였고, 이 광휘의 감소를 볼 수 있다. 일어나서, 그대의 어머니(Spiritus)와 함께 와서 그대를 잡고 있는 한계들로부터 그리고 전체 세계보다 더 풍부한 한계들로부터 그대를 자유롭게 하라.' 그 후, 그 영의 (*신성한 숨결이 아니라 아스트랄* 영으로, 그것의 이중 본질로 이미 물질로 오염되었다) 교묘한 주입으로 안내된, 광란의 맹목적인 물질의 합일을 따른다; 그리고 어머니의 제안이 받아들여지고, 스피리투스는 "일곱 형상(Seven Figures)"과 일곱 *스텔라* (행성)를 잉태한다. 이것들은 또한 *일곱 대죄(capital sins)*를 나타내고, 신성한 근원(영)과 *물질*에서 분리된 아스트랄 혼과 물질, 욕정의 맹목적 악마의 자손이다. 이것을 보고, 페타힐은 그의 손을 물질의 심연으로 뻗으며 말한다: '힘의 거주처가 존재하듯이, 지구를 존재하게 하라.' 그의 손을 혼돈에 담그면서, 그가 그것을 압축하여, 우리의 행성을 창조한다.[192]"

"그리고 나서 코덱스는 바하크-지보가 스피리투스로부터 어떻게 분리되었는지 그리고 지니 혹은 천사들이 반항자들로부터[193] 어떻게 분리되었는지 계속 이야기한다.

---

189 이레니우스, 저스틴 마터 그리고 "코덱스" 자체의 권위를 바탕으로, 던롭은 나사렛파가 우리 지구와의 관계에서 "영(Spirit)"을 여성의 *악한 힘*으로 여겼다는 것을 보여준다. (던롭의 "소드 *(Sod), 인간의 아들*, p. 52 참조)."
190 페타힐은 "껍질"로서만 "인간을 창조한" 피트리 무리와 동일하다. 나사렛파에서 그는 빛의 왕이자 창조자였다; 그러나 이 경우에 그는 불운한 프로메데우스로, 그가 신성한 혼의 형성을 위해서 필요한 살아있는 불(Living Fire)을 손에 넣는 데 실패한다. 왜냐하면 그는 카발리스트들의 표현할 수 없는 혹은 전달할 수 없는 그 비밀의 이름을 알지 못하기 때문이다.
191 물질(Matter)과 욕정(Concupiscence)의 영; "카마루파"에서 "마나스" 마인드를 뺀 것.
192 프랭크의 "코덱스 나자레우스"와 던롭의 *"소드, 인간의 아들"* 참조.
193 *코덱스 나사레우스*, ii, 233.

그리고 마노(가장 위대한)가 [194] 가장 위대한 페르호(FERHO)와 함께 거주면서 케바르-지보(Kebar-Zivo) (네밧-라와르(Nebat-lavar) 바르 이루핀 이파핀(bar lufin Ifafin) 이름으로도 알려진), 생명의 음식의 조타(Helm)과 포도나무(Vine)를 [195] 부른다. 그가 세 번째 생명이기 때문이고, 거대한 야망 때문에 반항하는 어리석은 지니들에게 동정을 느끼면서 다음과 같이 말한다: '지니들[196] (영겁)의 주여, 지니들, 즉 반항하는 천사들이 무엇을 했는지 그리고 그들이 무엇에 대하여 논의하는지 보아라![197] 그들이 말한다. 우리가 세계를 불러내어 그 '여러 힘들(POWERS)'을 존재하게 만들자." 지니들은 *프린셉스(Principes)*, "빛의 아들"이지만, 그대는 *"생명의 메신저"* 이다."[198]

그리고 "나쁜 성향의" 일곱 원리의 영향을 상쇄시키기 위해서, 스피리투스의 자손, 카바르-지오(CABAR-ZIO), 광휘의 웅대한 주가 "높은 곳에서" [199] 그들 자신의 형태와 빛 속에서 빛나는 *일곱의 다른 생명* (기본 덕목)을 만들어서 이렇게 선과 악, 빛과 어둠 사이에 균형을 다시 세운다.

여기서 조로아스디교처럼 초기의 *비유적인* 이원석 체계를 반복하는 것을 보고, 그리고 미래의 독단적 이원적 종교의 씨앗을 감지하며, 이것이 기독교 교회에서 매우 풍성한 나무로 자라난다. 그것은 이미 둘의 "지고자들(Supremes)"—신과 사탄—의 윤곽이다. 그러나 스탠저에는 그런 사상이 전혀 존재하지 않는다.

대부분의 서구 기독교 카발리스트—특히 엘리파스 레비—는 오컬트 과학과 교회 도그마를 조화시키고자 아스트랄 빛을 그리고 탁월하게 초기 교부들이 말한 *플레로마*를 추락 천사들 무리, "아르콘(Archons)"과 "권능(Powers)"의 거주처로 만드는 데 최선을 다하였다. 그러나 아스트랄 빛은 절대자의 하위 측면에

---

194 나사렛파의 이 마노는 힌두의 마누, "리그 베다"의 천상의 인간과 이상하게 닮았다.
195 "나는 진정한 *포도나무(Vine)*이고, 나의 아버지는 농부이다." (요한복음 15장 1절.)
196 그노시스파에서, 크리스트(Christ) 뿐만 아니라 어떤 측면에서 그와 동일한 미카엘은 "영겁의 우두머리(Chief of the AEons)" 였다.
197 *코덱스 나사레우스*, i, 135.
198 *코덱스 나사레우스*, i, 135.
199 페레치데스의 우주론 참조.

불과하지만 이중이다. 그것은 *애니마 문다*이고, 카발라 목적으로 제외하면, 결코 다르게 보지 말아야 한다. 그것의 "빛"과 "살아있는 불" 사이에 존재하는 차이가 투시자나 "사이킥" 마인드 속에서 언제나 실재해야 한다. 상위 측면은 살아있는 불이고, 일곱 번째 원리이다. 상위 측면이 없다면 그 아스트랄 빛으로부터 물질로 만들어진 피조물들만 만들어질 수 있다. "아이시스 언베일드"에서 그것을 자세히 묘사하였다: ―

"아스트랄 빛 혹은 *애니마 문다*는 이중이고 양성이다. 그것의 (이상적인) 남성 부분은 순전히 신성하며 영적이고, 그것은 *지혜*, 그것은 영 혹은 푸루샤이다; 반면에 그것의 여성 부분 (나사렛파의 스피리투스)은 어떤 의미에서 물질로 더럽혀졌고, 진실로 물질이며, 그래서 이미 악이 있다. 그것은 모든 살아 있는 피조물의 생명-원리이며, 인간, 동물, 새 그리고 살아 있는 만물에 아스트랄 혼, 즉 유동적 *영체(perisprit)*를 제공한다. 동물들은 최고의 불멸의 혼의 잠재하는 씨앗만을 가지고 있다. . . .이 불멸의 혼은 무수히 많은 일련의 진화를 통해서만 계발될 것이다; 그 진화의 가르침이 카발라 금언에 간직되어 있다: '돌이 식물로 된다; 식물이 동물로; 동물이 인간으로; 인간이 영으로; 그리고 영이 신으로 된다.'" (1 권, p. 301, 주석)

아이시스 언베일드가 쓰였을 때, 동양의 입문자들의 일곱 원리가 설명되지 않았고, 거의 대중화된 카발라에서 말하는 세 가지 *카발라 얼굴들*만 설명되었다.[200] 그러나 이것들은 *불의 영역(regimen ignis)* 혹은 "불의 통치"와 영역 속에 있는 디얀-초한들의 첫 번째 그룹의 신비한 성질에 대한 묘사를 포함하고 있다. 그 그룹은 세 가지로 나누어지며, 첫 번째가 통합하며, 그래서 넷 혹은 "테트락티스"를 만든다. (1 권, 스탠저 7 주석 참조) 주석을 신중하게 연구하면 천사의 성질 속에서도 똑같은 진행 과정을 발견할 것이다. 즉, 수동성에서 능동성으로 내려가는 것으로, 이 존재들의 첫 번째가 미분화된 본질에 가깝듯이 이 존재들의 마지막은 *아함카라* 요소 (즉, *자아상태(Egoship)*) 혹은 "나는-있음(I-am-ness)"의 느낌이 정의될 수 있는 영역 또한 계)에 가까운 것이다. 전자는 아루파이고, 후자는 루파이다.

---

200 그런데 그것이 칼데아인의 "수의 서"에서 보인다.

아이시스 언베일드 2 권에서 (p. 183) 그노시스파와 초기 유대인의 기독교, 나사렛파와 에비온파의 철학 체계가 충분히 검토되었다. 그 체계들은 그 당시—모세 율법을 고수하는 써클 외부—여호와에 대하여 가졌던 견해를 보여준다. 모든 그노시스파 사람들은 여호와를 선(good)의 원리보다 악과 동일시하였다. 그들에게, 그는 *일다-바오스*, *"어둠의 아들"*이었다; 그의 어머니, 소피아-아카모스는 신성한 지혜 (초기 기독교인의 여성 성령), 소피아의 딸이다—아카샤이다;[201] 반면에 소피아-아카모스는 하위 아스트랄 빛 혹은 에테르의 의인화이다. 일다-바오스[202] 혹은 여호와는 단순히 엘로힘, 일곱 창조영들 중에 하나이고, 하위 세피로스의 하나에 불과하다. 그는 자신으로부터 다른 일곱 신들, "별의 영들" (혹은 달의 선조들[203])을 만든다. 왜냐하면 그들은 모두 똑같기 때문이다.[204] 그것들은 모두가 *자신의 이미지* ("얼굴의 영")이고, 서로의 반영이며, 그들이 그들의 기원자로부터 멀어지면서 점점 더 어두워지고 물질적으로 되었다. 그들은 또한 사다리처럼 배치된 일곱 영역에 거주하며, 그 계단은 영과 물질의 등급 위아래로 경사져 있다.[205] 기독교도와 이교도, 힌두인과 칼데아인, 그리스인과 로마 카톨릭에서—그들의 번역에서 약간의 변형이 있시만—그들은 모두 칠중 체인의 일곱 행성 영역의 주처럼, 일곱 행성의 지니이며, 우리 지구가 칠중 체인에서 가장 낮은 것이다. (아이시스 2 권, p. 186 참조) 이것은 "스텔라(Stellar)"와 "달"의 영들을 상위의 행성 천사들과 힌두교의 *삽타리쉬* (별들의 일곱 리쉬들)와 연결시킨다—즉 하강하는 단계에서

---

201 사탄과 신이 갖는 관계처럼, 아스트랄 빛은 아카샤 그리고 *애니마 문디*와 같은 관계를 갖는다. 그것들은 *두 가지 측면에서 본* 똑같은 것이다: 영적 그리고 심령적—물질과 순수영 사이에 연결하는 혹은 초 에테르 연결고리, 그리고 물질적 연결고리. *누스(nous)*, 상위의 신성한 지혜와 *푸쉬케*, 하위의 지상계 사이의 차이를 참고하라. (성 제임스, 3장, p. 15~17) "악마는 신이 뒤집어진 것이다" 본서 2부 참조.

202 일다-바오스는 *일다(Ilda)* יִלְ, "아이(child)"와 바오스(Baoth)로 이루어진 복합 이름이다; 둘 다 알(egg) בוהו 와 בהו 바오스, "카오스", 공허, 허공, 혹은 황야에서 왔다; 혹은 브라흐마처럼, 카오스의 알에서 태어난 아이.

203 카발라에서 달과 여호와의 연결고리가 학생들에게 잘 알려져 있다.

204 나사렛파에 대하여 아이시스 언베일드 2권 131-132페이지 참조; 진정한 크리스토스를 따르는 사람들은 모두 나사렛파이자 원시 기독교도였고, 후대 기독교도들의 반대자였다.

205 일곱 세계의 달 체인 그림 참조. 우리 체인이건 다른 어느 체인이건, 상위 세계는 영적인 계이며, 달이건 지구이건 혹은 다른 어느 행성이건, 가장 낮은 계는 물질로 어두운 계이다.

리쉬들의 발산, 이 리쉬들에 종속된 천사들로써 연결시킨다. 그것이 철학적 그노시스파의 의견으로 기독교인들이 현재 숭배하는 신과 대천사들이었다! "추락 천사들"과 "하늘에서의 전쟁"의 전설은 이렇게 기원하고 순전히 이교적이며 페르시아와 칼데아를 거쳐서 인도로부터 온 것이다. 기독교 성서에서 그것에 관한 유일한 언급은 몇 페이지 뒤에서 인용된 요한계시록 12 장에서 보인다.

이렇게 "사탄(SATAN)"은 교회의 미신적이고 독단적이며 비철학적인 정신으로 보기를 멈추게 되면 *지상*에서 *신성한 인간*을 만드는 하나의 웅대한 이미지로 나타난다; 마하칼파의 오랜 주기에 걸쳐서 인간에게 생명의 영의 법칙을 주었고, 그를 무지의 죄로부터, 그래서 죽음으로부터 자유롭게 만든 존재이다. (2 권, 2 부, *사탄*에 대한 부분 참조.)

---

6. 더 오래된 수레바퀴들이 아래로 그리고 위로 회전하였다 (a). 어머니의 알이 전체 (*우주*)를 가득 채웠다.[206] **창조자들과 파괴자들 사이에 전투들이 있었으며, 공간을 차지하기 위한 싸움들이 있었다; 씨앗이 계속해서 나타나고 다시 나타난다 (b).**[207]

(a) 여기서 당분간 부차적인 문제들을 끝내고—그것들이 이야기의 흐름을 끊어지게 할 수 있더라도, 전체 스킴을 명확히 하는데 필요하다—독자가 다시 우주발생론으로 돌아가야만 한다. "오래된 수레바퀴들"이라는 구절은 "이전 라운드" 동안에 있었던 우리 체인의 구체들 혹은 세계들을 말한다. 현재 스탠저를 비의적으로 설명할 때 카발라의 여러 문헌 속에서 전적으로 구체화되어 있는 것을 보게 된다. 거기서 주기적인 프랄라야 후에 오래된 물질에서 새로운 형태들을 재건하면서 진화하는 무수히 많은 구체들의 진화의 역사가 보일 것이다. 이전 구체들이 분해되어 새로운

---

206 우리 스탠저에서 대우주(Kosmos)는 무한한 우주가 아니라 우리의 태양계만을 의미한다는 것을 독자는 기억할 것이다.
207 이것은 순전히 천문학적이다.

생명의 단계를 위하여 변형된 채 그리고 완전하게 다시 나타난다. 카발라에서, 여러 세계들이 위대한 건축가—모든 작은 창조자들을 지배하는 대법(LAW)—의 망치로 내리칠 때 나오는 불꽃들로 비유된다.

다음의 비교 그림은 카발라 체계와 동양 가르침 체계 사이에 같다는 것을 보여준다. 세 가지 상위계는 두 학파에서 입문자들에게만 설명되고 드러낸 의식의 세 가지 상위계이다. 하위계들은 하위 네 가지 계를 나타낸다—가장 낮은 계가 우리의 세계 혹은 눈에 보이는 우주이다.

이 일곱 *계*는 인간 속에 있는 일곱 가지 의식 *상태*에 상응한다. 그가 자신 속에 있는 세 가지 상위 상태들과 대우주에 있는 세 가지 상위계와 동조시키는 것이 남아 있다. 그러나 그가 동조하는 것을 시도하기 전에, 그는 세 개의 "자리(seats)"가 살아나서 활동하도록 일깨워야만 한다. 얼마나 많은 사람들이 심지어 피상적이라도 *아트마-비디야* (영-지식) 혹은 수피들이 *로하니(Lohanee)*로 부른 것을 이해할 수 있는가! 본서의 VII 스탠저, (3)의 *삽타파르나*—인간-식물(man-plant)—에 관한 주석에서 위에 대한 더 명확한 설명을 발견할 것이다. 또한 2 권 2 부의 그 부분을 참조하라.

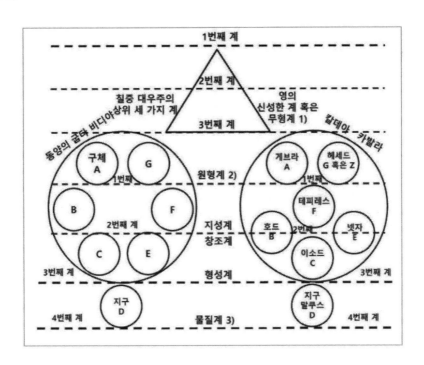

265

1) *아루파* 혹은 "무형계"는 형태가 객관계에서 존재하길 멈춘다.

2) "원형계"라는 단어를 플라톤 학파가 제시한 의미로, 즉 신의 *마인드* 속에 존재한 세계로 받아들이지 말아야 한다; 오히려 최초의 모형으로써 만들어진 세계로, 순수성에서는 떨어지더라도, 물리적에서 따라오는 여러 세계들이 따라오고 개선되는 세계이다.

3) 이것들은 우주 의식의 하위 네 가지 계이며, 상위 세 가지 계는 현재 계발된 인간의 지성으로 접근할 수 없는 계이다. 인간의 일곱 의식 상태는 아주 다른 문제에 속한다.

(b) "씨앗이 계속해서 나타나고 사라진다." 여기서 "씨앗"은 "세계-배아(World-germ)"를 나타내며, 과학에서는 고도로 희박한 상태 속에 있는 물질 입자들로 보지만, 오컬트 물리학에서는 "영적인 입자," 즉 태초의 분화 상태 속에 존재하는 초감각적 물질로 본다.[208] 신통기에서 모든 씨앗은 정묘한 유기체이고, 거기에서 나중에 천상의 존재, 신이 진화하여 나온다.

"태초(beginning)"에, 신비가 구절에서 *"우주적 욕망(Cosmic Desire)"*으로 불리는 그것이 진화하여 절대적 빛으로 된다. 이제 물질 과학이 증명하려고 하듯이, 어떤 그림자가 없는 빛이 절대적 빛—다른 말로, 절대적 어둠—이다. 그 그림자가 창조적 불의 영 혹은 열의 형상으로 비유된, 원초의 물질 형태로 나타난다. 시적인 비유와 형태를 거부하기 때문에, 과학이 이것 속에서 원초의 불-안개(Fire-Mist)를 보기로 선택하더라도, 그렇게 하는 것을 환영한다. 과학에서 자주 언급되는 유명한 "힘"이건

---

208 그 차이를 보고 이해하기 위하여—지상계 물질과 더 섬세한 초감각적 물질을 분리시키는 광대한 간격—모든 천문학자, 화학자 그리고 물리학자가 적어도 *싸이코미터*가 되어야 한다; 그는 지금 믿기를 거부하는 그 차이를 스스로 감지할 수 있어야만 한다. 엘리자베스 덴톤 여사는 가장 박식한 사람 중에 한 명이자, 그녀 시대에 가장 물질적이고 회의적인 여성들 중에 한 명— "사물들의 혼(The Soul of Things)"의 저자이자 미국의 유명한 지질학자인 덴톤 교수의 아내— 이지만, 몇 해 전에 가장 놀라운 싸이코미터들 중에 한 사람이다. 이것은 그녀 실험 중 하나에서 그녀가 묘사한 것이다; 봉투 속에 있는 유성 조각을 그녀의 이마에 댔을 때, 그것이 무엇인지 모르는 그녀가 말했다:

"우리가 여기서 물질로 인식하는 것과 거기서 물질처럼 보이는 것과의 차이가 얼마나 큰가! 하나 속에서, *원소들은 너무 거칠고 모가 있어서*, 우리가 그것을 견딜 수 있을까, 더구나 그것과 현재의 관계를 그것과 계속 하길 원할 수 있을까 의아해한다; 그러나 다른 것에서, 모든 원소들이 너무 정묘하고, 그것들이 여기 있는 원소들을 특징짓는 거칠고 모난 것에서 너무 자유로워서, 그것을 이것보다 훨씬 더, 진실한 존재라고 간주하지 않을 수 없다." ("사물들의 혼," 3 권, pp. 345~346.)

포하트이건, 우리의 포하트처럼 이름없고 정의하기 어렵지만, 플라톤이 말하듯이, 어떤 것(Something)이 "우주가 원형 운동으로 움직이게 만들었다"는 것이다; 혹은 오컬트 가르침에서 그것을 표현하면 다음과 같다:

"중심의 태양(Central Sun)이 포하트로 하여금 원초의 먼지를 공의 형태로 모으게 해서, 그것들을 수렴하는 선으로 움직이도록 추진시키며 결국에는 서로 다가가서 모이게 만든다." ("잔의 서") . . . . . "질서나 체계 없이 공간 속에서 흩어져 있는 세계의 배아들이 그것들의 마지막 집합체가 될 때까지 종종 서로 충돌한다. 그후 그것들은 방랑자 (혜성)가 된다. 그러면 싸움과 다툼이 시작된다. 오래된 체들이 어린 것들을 끌어당기고, 반면에 다른 것들은 그것들을 밀쳐낸다. 많은 것이 더 강한 동료들에 의해서 잡아 먹히면서, 사라진다. 그것들을 피하는 것들이 세계가 된다."[209]

항성의 하늘에서 생존 경쟁에 대한 추론적인 공상의 몇몇 근대 저작이 존재하며, 특히 독일어로 된 몇 권이 있다고 확인하였다. 그것을 듣고 기뻤다. 왜냐하면 우리의 가르침은 고대 시대의 어둠 속에서 사라진 오컬트 가르침이기 때문이다. 우리는 그것을 *"아이시스 언베일드"*에서 충분히 다루었고, 다윈 같은 진화 사상, 생존과 우위의 투쟁, 그리고 아래 있는 무리들처럼 위에 있는 무리들의 "적자생존"의 개념이 1876 년에 쓰여진 이전의 두 권을 통해서 관통하여 흐른다. (아이시스 언베일드에서 *"진화," "다윈," "카필라," "생명의 싸움"* 등등의 단어를 보라) 그러나 그 개념은 우리의 것이 아니고, 고대의 것이다. 심지어 푸라나 작가들도 그 비유를 우주적 사실들과 인간의 사건들로 아주 교묘하게 서로 엮어 놓았다. 상징학 연구자라면 그 전체 의미를 이해할 수 없더라도 천문학적-우주적 암시를 구분할 수 있을 것이다. 푸라나에 있는 거대한 "하늘에서의 전쟁"; 헤시오도스와 다른 고전 작가들이 쓴 타이탄의 전쟁; 오시리스와 타이폰 사이의 이집트 전설 속의 "싸움" 그리고 스칸디나비아 전설 속에 있는 싸움, 모두가 똑같은 주제를 말한다. 북유럽 신화에서는 그것을 위그리드 전쟁터에서 싸운 무스펠의 아들들, 즉 불기둥들의 싸움으로 말한다. 이 모든 것들이 하늘과 땅과 관련 있고, 이중 그리고 종종 삼중의

---

209 이것을 신중하게 분석해서 숙고해 볼 때, 이것이 심지어 우리 시대에서도 과학처럼 과학적이라는 것이 발견될 것이다.

의미를 가지며, 아래에 있는 것처럼 위에 있는 것들에 비의적 적용을 갖는다. 그것들은 개별적으로 천문학적 싸움, 신들의 기원에 관한 싸움, 그리고 인간의 싸움과 관련 있다; 구체들의 조정, 그리고 국가와 부족 사이에서 패권 다툼과 관련 있다. 대우주가 현현된 순간부터 "생존경쟁"과 "적자생존"이 최고로 지배하였고, 그 사실이 고대 성자들의 예리한 시야에서 피할 수 없었다. 그래서 하늘의 신, 인드라와 아수라들—높은 신들에서 우주의 악마들로 강등된—과의 끊임없는 싸움; 그리고 브리트리(Vritri) 혹은 아히(Ah-hi)와의 끊임없는 싸움; 별들과 성좌들 사이, 달과 행성들 사이의 싸움—나중에 왕과 유한한 인간들로 화신하였다. 그래서 미카엘과 그의 무리가 용 (주피터와 루시퍼-비너스)에 대항한 하늘에서의 전쟁에서, 반항하는 무리의 별들 삼분의 일이 공간 속으로 내던져지고, 그리고 "그것의 장소가 하늘에서 더 이상 보이지 않았다." 오래 전에 다음과 같이 말했다—"이것이 비밀 주기의 기초적 그리고 근본적인 주춧돌이다. 그것은 브라만과 타나임도 . . . 상당히 다윈 방식으로 세계의 창조와 발전에 대하여 추론하였다는 것을 보여주고, 둘 다 종의 자연선택, 적자생존 그리고 변형에 대하여 그와 그들의 학파를 예상하였다. . . 새로운 세계들에 의해서 정복되어 사라진 오래된 세계들이 있다" 등등. (아이시스 언베일드, 2 권, p. 260) 모든 세계들 (별, 행성 등등)—(미분화된) 라야 상태 속에 있는 원초의 질료 핵이 방금 죽은 항성의 체에서 해방된 원리들로 활기가 불어넣어 지자마자—이 먼저 혜성으로 되고, 그러면 태양들이 거주할 수 있는 세계들로 식어간다는 것이, 리쉬들 만큼이나 오래된 가르침이다.

이렇게 비밀의 서는 근대 사색가가 그 가르침을 철저하게 이해할 수만 있다면 부인할 수 없는 천문학을 분명하게 가르친다.

왜냐하면 태고의 천문학 그리고 고대 물리학과 수학은 근대 과학과 동일한 견해를 표현하였고, 훨씬 더 중요한 의미의 많은 것을 나타냈기 때문이다. 여기 아래 우리 행성의 위에서처럼 위의 세계에서도 "적자생존"으로 "생존경쟁"을 분명히 가르친다. 그러나 이 가르침은 과학에서 "전적으로 거부하지" 않더라도 완전한 전체가 거부되는 것이 틀림없다. 왜냐하면 삼위일체의 하나(ONE)에서 발산된 일곱의 스스로 태어난 원초의 "신들"만이 있다고 단언하기 때문이다. 다른 말로 하면, 모든 세계 혹은 천체가 (항상 엄격한 유추에 따라) "거대한 대시대" 초기에 원초의 현현을 이룬 후에 다른 것에서 차츰 형성되었다는 의미이다. 공간 속에 천체들의 탄생이 "불"의 축제에서 많은 수의 "순례자들" 혹은 군중에 비유된다. 일곱 고행자가 사원의 입구에서 불이 붙여진 일곱 선향을 가지고 나타난다. 이 빛으로 첫째 줄의 순례자들이 그들의 선향에 불을 붙인다. 그 뒤에 모든 고행자가 자신의 선향을 머리 둘레 공간에서 빙빙 돌리기 시작하고, 나머지 순례자들이 불을 붙인다. 천체의 경우도 이렇다. 라야 센터가 다른 "순례자"의 불로 점화되어 깨어나서 생명을 갖게 된다. 그 뒤에 새로운 "센터"가 공간 속으로 쇄도하여 혜성으로 된다. 그것이 그 속도를 잃어가고 불의 꼬리가 없어지면서, 비로소 "불의 용"이 천체 가족의 정규 일원으로서 조용하고 꾸준한 삶으로 자리 잡게 된다. 그러므로 다음과 같이 말한다:

헤아릴 수가 없는 공간의 심연에서 태어난, 세계-혼(World-Soul)으로 불린 동질의 원소에서 나온, 모든 우주 물질의 핵이 갑자기 존재로 내던져진 채, 가장 적대적인 환경 하에서 삶을 시작한다. 무수히 많은 시대를 거치는 동안 내내, 그것은 무한 속에서 자신의 위치를 싸워서 정복해야만 한다. 그것은 더 조밀하고 이미 고정되어 있는 천체들 사이를 회전하면서, 그것을 끌어당기는 어느 한 점 또는 센터로 당겨지거나 갑자기 움직이면서, 암초와 가라앉은 바위들이 산재한 해협 속으로 이끌린 배처럼, 그것을 끌어당기거나 밀치는 다른 천체들을 피하려고 한다; 그들의 질량이 더 강력한 질량을 통해서 분해되고, 어떤 태양계 안에서 태어날 때, 주로 다양한 태양들의 만족할 줄 모르는 배 속에서 태어날 때, 많은 것이 사라진다. (스탠저 IV 주석 참조.) 더 느리게 움직이고 타원형 궤도로 나아가는 것들은 머지않아 소멸될 운명이다. 포물선으로 움직이는 다른 것들은 그들의 가속도 때문에 일반적으로 파멸을 피한다.

매우 비판적인 어떤 독자들은 모든 천체가 지나간 혜성 단계에 대한 이 가르침이 지구의 어머니인 달에 대하여 말한 진술과 모순된다고 아마도 상상할 것이다. 그들은 아마도 그 둘을 조화시키기 위해서는 직관이 필요하다고 상상할 것이다. 그러나 사실 직관은 전혀 필요하지 않다. 과학은 혜성과 그것의 발생, 성장 그리고 궁극의 행동에 대하여 무엇을 아는가? 없다. 절대적으로 아무것도 없다! 그리고 무엇

때문에 라야 센터—즉 동질의 잠재하는 우주 원형질 덩어리로 갑자기 활기가 불어넣어져서 불이 붙을 때—가 공간 속에 있는 그 층으로부터 쇄도하게 해서 분화된 원소들의 축적과 첨가로 그것의 동질적 유기체를 강화하기 위해서 깊숙한 심연을 돌게 만드는 것이 불가능하다는 것인가? 그리고 그런 혜성이 왜 자리잡아서, 살고, 거주할 수 있는 구체로 되지 않겠는가?

"포하트의 거주처는 많이 있다"고 말한다. "그는 그의 넷의 불의 (양전기) 아들들을 '네 개 원' 속에 놓는다"; 이런 *원들*은 적도, 황도 그리고 두 개의 회귀선 혹은 평행선이다—그것의 *기후들*을 주재하기 위하여 넷의 신비한 실체들이 배치된다. 다시 말하면: "다른 일곱 아들들이 물질의 알 (우리의 지구와 양극) 양 끝에 있는 일곱의 뜨거운 *로카*와 일곱의 차가운 *로카* (정통 브라만들이 말하는 여러 지옥)를 주재하도록 임명된다." 일곱 로카는 다른 곳에서 "고리들"과 "원들"로 부른다. 고대인은 극의 원을 유럽인처럼 두 개가 아니라 일곱 개로 만들었다; 왜냐하면 북극, 즉 메루 산은 일곱 개의 금 계단과 일곱 개의 은 계단이 있다고 말하기 때문이다.

스탠저 중 하나에서 이상한 진술을 한다: "포하트와 그의 아들들의 노래가 정오의 태양과 달을 합친 것처럼 *찬란*하였다;" 그리고 *중앙의* 사중 원에 있는 네 아들이 "그들 아버지의 노래를 *보았고* 그의 태양-태음의 광휘를 *들었다*;"고 이 문장에 관한 주역서에서 다음과 같이 설명한다: "지구의 차가운 두 끝 (북극과 남극)에서 *포하트적* 여러 힘의 동요가 밤에 여러 색깔의 찬란함을 생기게 하지만 그것들은 아카샤 (에테르) *색*과 소리의 여러 특질을 가지고 있다." . . . . "소리는 아카샤 (에테르)의 특질이다: 그것은 공기를 발생시키고, 그것의 특질이 촉각이다; 그것이 (마찰로) 색과 빛을 생기게 한다." . . . (비쉬누 푸라나.)

아마도 위의 진술이 고대의 허튼소리로 간주될 것이지만, 독자가 지상의 전기적 그리고 자성적 힘의 중심에서 일어나는 북극광과 남극광을 기억한다면 더 잘 이해할 것이다. 양극이 동시에 우주적 그리고 지상의 활력 (전기)의 저장소, 수용기 그리고 해방자라고 말한다; 이 두 개의 자연스러운 "안전밸브"가 없었다면, 그것의 과잉으로 지구가 아주 오래 전에 산산 조각 났을 것이다. 동시에 극의 빛의 현상이 강력한 소리, 휘슬 소리, 쉿 소리, 그리고 날카로운 소리 같은 강력한 소리를 동반하고 만든다는 것이 최근에 금언이 된 이제는 하나의 이론이다. (북극광에 관한 트럼볼트 교수의 저작과 논란의 여지가 있는 달에 관한 서신 참조).

---

7. 오! 라누여, 그대가 작은 수레바퀴(*체인*)의 올바른 나이를 알고자 한다면, 계산해 보라. 그것의 네 번째 바퀴살이 우리의 어머니 (지구)이다 (a). 니르바나에 이르는 지식의 네 번째 길의 "네 번째" 과실에 도달하라. 그러면 그대는 이해하게 될 것이다. 왜냐하면 그대가 볼 것이기 때문이다 (b).

(a) "작은 수레바퀴"는 우리 구체들의 체인이고, 네 번째 바퀴살이 지구 체인의 네 번째, 지구이다. 그것은 "태양의 뜨거운 (양성의) 숨결"이 직접 영향을 주는 것 중에 하나이다.[210]

하지만, 스탠저에서 제자에게 요청하듯이, 우리가 대칼파의 숫자를 받지 않았기에, 그것의 나이를 계산하는 것이 좀 어렵고 그리고 이런 기간을 대략으로 제시하는 것 이외에, 작은 유가들의 기간을 출판하는 것이 허락되지 않는다. "더 오래된 수레바퀴가 한 번 반의 영원 동안 회전하였다"고 말한다. 우리는 "영원"이 의미하는 것은 브라흐마의 한 시대, 즉 311,040,000,000,000 년의 칠 분의 일이라는 것을 안다. 그렇다면 그것은 무엇인가? 먼저 위의 숫자를 기초로 시작하면, 먼저 브라흐마의 100 년 (즉 311,040,000,000,000)에서 산디야 (여명)의 2 년을 빼야 한다. 그러면 98 이 남고, 그것을 14 × 7 이라는 신비적 조합으로 가져가야 한다.

---

210 구체들 혹은 천체들의 일곱 가지 근본적인 변형, 오히려 그것을 구성하는 물질 입자의 일곱 가지 근본적인 변형은 다음과 같다: (1) *동질적*, (2) *공기 같은 빛나는* (기체의); (3) *응유 같은*(성운); (4) *원자적, 에텔적* (운동의 시작, 그래서 분화의 시작); (5) *씨앗 같은, 불 같은* (분화되었지만, 가장 초기 상태에 있는 원소들만의 씨앗으로 구성되어 있어서, 그것들이 우리 지구에서 완전히 계발되었을 때, 일곱 상태를 가진다); (6) *사중의, 증기 같은* (미래의 지구); (7) *차갑고* (생명과 빛을 태양에) *의존하는*.

그러나 우리는 우리의 작은 지구의 진화와 형성이 언제 정확하게 시작되었는지 모른다. 그러므로 그것의 탄생 시간이 없다면 지구의 나이를 계산하는 것이 불가능하다—스승들께서 그것을 제공하기를 거부한다. 그러나 SD 1 권 끝부분과 2 권에서, 어떤 연대기적 힌트가 주어질 것이다. 게다가 유추의 법칙이 인간뿐만 아니라 여러 세계들에도 유효하다는 것을 기억해야만 한다; 그리고 *"하나* (신)가 *둘*(데바 또는 천사)로 되고, 그리고 *둘*이 *셋*(인간)으로 되듯이," 등등, 우리는 *응유* (세계-질료)가 방랑자 (혜성)로 되고, 혜성이 항성으로 되며, 항성 (소용돌이의 센터)이 *우리의 태양과 행성들*로 된다고 배운다—그것을 간략하게 표현하면.[211]

(b) 대중 문헌에서 언급된 입문의 네 단계가 있으며, 그것을 산스크리트어로 각각 스로타판나, 사가르다간, 아나가민 그리고 아라한으로 부른다. 여기 네 번째 라운드에서, 니르바나로 가는 네 가지 길로 같은 명칭을 지니고 있다. 아라한은 과거, 현재, 그리고 미래를 볼 수 있지만, 가장 높은 입문자가 아니다; 왜냐하면 입문을 받은 자, 즉 초인 자신도 더 높은 입문자의 제자가 되기 때문이다. 아라한 자격의 사다리 정상에 도달하려는 아라한은 세 가지 더 높은 등급을 정복해야 한다. 현재 우리의 다섯 번째 인종 중에서도 그곳에 도달한 분들이 있으나, 이 상위의 등급을 성취하기 위해서 필요한 능력들은 보통 수련자의 경우에 이번 근원인종 말기, 그리고 여섯 번째 그리고 일곱 번째 근원인종에서 충분히 계발될 것이다. 이렇게 이 작은 만반타라, 즉 현재의 *생명-주기*가 끝날 때까지 입문자와 세속인이 항상 있을 것이다. 일곱 번째 계단의 "불-안개"의 아라한들은 그들 하이어라키의 초석(Root-Base)—지구에서 그리고 우리 지상 체인에서 가장 높은 곳—에서 한 계단만 떨어져 있다. 이 "초석"은 번역되면 몇 개의 복합어로만 번역될 수 있는 이름을 가지고 있다—"언제나 살아 있는 인간 반얀(ever-living-human-Banyan)." 이 "불가사의한 존재(Wondrous Being)"는 세 번째 근원인종의 남성과 여성으로 분리되기 이전에, 세 번째 대시대의 초반부에 "높은 영역"에서 내려왔다고 말한다.

---

211 데카르트도 "행성들이 한때는 소용돌이의 센터인 빛나는 별이었기 때문에 행성이 자전한다" 고 생각했기에 이것이 그렇게 *비과학적* 일리가 없다.

이 세 번째 인종은 "*수동적 요가의 아들들*(Sons of Passive Yoga)"이라고 종종 집합으로 불린다; 즉, 그 인종은 두 번째 인종에 의해서 무의식적으로 만들어졌기 때문이고, 두 번째 인종은 지성적으로 활동하지 않았기 때문에, 요가 상태에서 필요로 하는 일종의 백지 상태의 혹은 추상적 관조 속에 지속적으로 떨어진다고 한다. 이 세 번째 인종의 존재 초기에 혹은 초반부에, 그것이 아직 순수성의 상태에 있을 동안에, 곧 보게 될, 이 세 번째 근원인종 속으로 화신한 "지혜의 아들들(Sons of Wisdom)"이 "의지와 요가의 아들들(Sons of Will and Yoga)," "불-안개의 아들들" 혹은 "아드(Ad)의 아들들"로 불려지는 자손을 *크리야샤크티*로 만들었다. 그 인종의 일부분이 이미 우월한 영적인 지성의 신성한 불꽃으로 생명이 불어넣어졌기 때문에, 그들은 의식적인 산물이다. 그것은 근원인종이 아니라, 자손이다. 처음에는 "입문주재자"라고 불린 놀라운 대존재였고, 그분 뒤로 반신 그리고 반인적 존재들의 그룹이었다. 태고의 *발생기*에 어떤 목적을 위해서 "*별도로 떼어진 채,*" 그들은 이 지구에서 현재 주기 동안에, *미래 인간의 초인들 양성소를 형성하기 위해서* 최고의 디야니들, "이전 만반타라에서 온 무니들과 리쉬들로 화신하였다"고 말하는 그런 존재들이다. 이 "의지와 요가의 아들들"은 말하자면 순결한 방식으로 태어나서, 인류의 나머지와 철저히 떨어진 채 그대로 있었다고 설명된다.

방금 언급된 이 "대존재(BEING)"는 무명으로 남아 있어야 하며, "*거대한 나무*"로, 이 나무에서 후세에 리쉬 카필라, 헤르메스, 에녹, 오르페우스 등등 같은 *역사적으로* 알려진 모든 성자들과 대사제들이 분기되어 나왔다. 객관적 *인간*으로서, 그분은 (세속인에게 언제나 보이지 않는) 신비스러운 그럼에도 언제나 실재하는 분으로, 그분에 관하여 동양에서는, 특히 오컬티스트들과 신성 과학의 학생들 사이에서, 전설이 너무 많다. 그분이야말로 형태를 바꾸지만, 언제나 똑같은 분이다. 그리고 전세계에 걸쳐서 *입문 받은* 초인들에 대하여 영적인 지배력을 갖는 분도 바로 그 분이다. 말했듯이, 그분은 많은 이름들을 가진 "무명의 하나(Nameless One)"이고, 그럼에도 그분의 이름들과 성질이 알려지지 않았다. 그분이 바로 "위대한 희생(GREAT SACRIFICE)"으로 불려지는 그 "입문주재자(Initiator)"이다. 왜냐하면 빛(LIGHT)의 경계선에 앉아서, 그분은 어둠의 원 안에서 그것을 지켜보지만, 그분은 어둠의 원을 건너지 않을 것이기 때문이다; 그분은 이번 생명-주기의 마지막 날까지 그분의 자리를 지키고 계실 것이기 때문이다. 왜 이 고독한 주시자는 그분이 스스로 선택한 자리에 그대로 있는 것일까? 그분은 이 지상에서 그리고 그 하늘에서 더 이상 모르는 것이 없어서 배울 것이 없는데, 왜 그분은 더 이상 마시지 않는 태고의 지혜의 샘 옆에 앉아 계시는가? 왜냐하면 집으로 돌아가는 길에 있는 외롭고 아픈 발의 순례자들이 지상의 삶이라고 부르는 물질과 환영의 이 무한한 사막 속에서 마지막 순간까지 그들이 길을 잃지 않을까 확신하지 못하기 때문이다. 왜냐하면 그분이 육체와 환영의 구속으로부터 자신을 해방시키는 데 성공한 모든 포로에게 그분 자신이 자발적으로 망명해 온 그 자유와 빛의 영역으로 가는 길을 보여주고자 하기 때문이다. 왜냐하면 소수의 선택된 자만이 위대한 대희생으로 혜택을 얻을지라도, 간단히 말해서, 그분이 인류를 위해서 자신을 희생하였기 때문이다.

이런 마하 (위대한) 구루의 직접적이고 고요한 안내 하에서 인류의 모든 다른 낮은 신성한 스승들과 교사들이 인간 의식의 최초 각성부터 초기 인류의 안내자가 되었다. 바로 이 "신의 아들들"을 통해서 아기 인류가 영적인 지식뿐만 아니라 모든 예술과 과학에 대한 최초 개념을 얻었다; 그리고 근대 학자와 학생들을 너무 당혹스럽게 만드는 저 고대 문명의 최초의 초석을 놓은 것도 바로 그분들이었다.[212]

---

212 이 진술을 의심하는 사람이 어떤 다른 동등하게 합리적인 이유를 토대로 고대인들이— 구석기 시대 동굴 인간인, 낮은 동물 같은 야만인에서 발전하였다고 주장하는—소유한 비범한 지식의 신비를 설명하게 해보자. 그들이 아우구스투스 대제 시대의 책인 비트루비우스 폴리오의 건축에 관한 저작들 같은 문헌으로 주의를 돌리게 하자. 예를 들면, 건축에 대하여, 만약 진정으로 신성한 예술을 알고, *비율의 모든 규칙과 법칙 속에 숨겨진 심오한 비의적 의미를 이해하고자* 한다면, 비율에 관한 모든 규칙들은 *고대에 입문에서 가르친 것들*이다. 구석기시대 동굴-거주자들로부터 물려받은 사람은 그 누구도 도움을 받지 않은 채, 심지어 수 천년의 사고와 지성적 진화 속에서도, 그런 과학을 진화시킬 수 없을 것이다. 세 번째 근원인종의 화신한 리쉬들과 데바들의 제자들이 이제는 잃어버린 그 *비율에 관한 법*과 함께 그들의 지식을 한 세대에서 다음 세대로, 이집트와 그리스로 전해주었다; 네 번째 근원인종인 아틀란티스인의 입문자들 제자들이 그 지식을 그들의 *싸이클롭스*, "주기의 아들들" 혹은 "무한의 아들들"에게 전해주었으며, 그들로부터 그 이름이 한층 나중 세대의 그노시스파 사제들에게 전해졌다. "바로 그 건축의 비율에 대한 신성한 완전성 때문에 고대인들이 후세의 모든 경이로운 것들, 그들의 신전, 피라미드, 동굴사원, 지석묘 (환상열석), 기념비, 제단을 세울 수 있었으며, 그들이 근대 건축 스킬이 아이들 장난처럼 보일 정도로 그리고 그 스킬을 "백 개의 손을 가진 거인들의 작품"으로 말하는 기계학에 대한 지식과 기계에 대한 힘을 가졌다는 것을 증명한다." (케널리, *"신의 서"* 참조) 근대 건축가들은 이 규칙들을 완전히 무시하지 않았지만, 그들은 그 합당한 비율을 파괴하기에

먼저 이 신비스러운 "신의 아들들"에 관한 적어도 한 가지 세부 사항을 평범한 말로 말해보겠다. 고위의 드위자들, 입문 받은 고대의 브라만들이 바로 이 브라흐마푸트라들, 그들로부터 혈통을 합당하게 주장하였으며, 근대 브라만들은 그들이 브라흐마의 입에서 직접 나왔다고 낮은 계급 사람들이 글자 그대로 믿게 만든다. 이것은 비의 가르침으로, 그것에 다음을 덧붙인다. *"크리야샤크티"*의 선조들이 나중에 양성으로 나누어졌듯이, "의지와 요가의 아들들"에서 나온 (당연히 영적으로) 이 후손들도 시간이 지나면서 양성으로 나누어졌다; 심지어 그들의 타락한 자손들은 현재에 이르기까지 창조적 기능에 대한 존경과 숭배를 간직하였으며, 그것을 종교적 의식의 관점에서 간주한다. 반면에 더 문명화된 국가들은 그것을 단순히 동물적 기능으로 간주한다. 이 문제들에 대한 서구의 관점과 실습을 마누 법전에 나오는 그리하스타와 결혼 생활의 법칙과 비교해 보라. 진정한 브라만은 이렇게 "그의 일곱 선조들이 달-식물(소마) 즙을 마셨던 자이고," 그리고 "트리수파르나"이기도 하다. 왜냐하면 그는 베다의 비밀을 이해하였기 때문이다.

그리고 오늘날까지 그 브라만들은 다음을 알고 있다. 즉, 초기에, 심령적 그리고 육체적 지성이 잠자고 있고 의식이 여전히 계발되지 않았기 때문에, 그 인종의 영적인 개념이 물리적 환경과 상당히 연결되지 않았다는 것이다. *신성한* 인간이 그의 동물—비록 외적으로 인간이지만—형태 속에 거주하였다; 그리고 그 속에서 본능이 있지만, 어떤 자의식도 잠재하는 다섯 번째 원리의 어둠을 깨우지 않았다.

충분한 경험적 혁신을 더 보탰다. 불멸의 신들을 위해서 세워진 그리스 사원의 건축 규칙을 후대에 준 사람이 바로 비트루비우스이다; 그리고 *입문자였던* 마르쿠스 비트루비우스 폴리오의 건축에 대한 열 권의 책은 비의적으로만 연구될 수 있다. 드루이드교 환상열석, 돌맨, 인도, 이집트, 그리고 그리스의 사원, 프랑스 학사원에 의해서 "기원이 싸이클롭스"라는 유럽 127 마을과 거대한 탑은 모두 입문을 받은 사제-건축가의 창작물이다. 사제-건축가들은 "건설자들"이라고 합당하게 불린 "신의 아들들"이 일차로 가르친 사람들의 자손들이다. 이것이 감탄하는 후손이 그 자손들에 대하여 말하는 것이다. "그들은 회반죽이나 시멘트도 사용하지 않았고, 돌을 자르는데 철이나 강철도 사용하지 않았다; 하지만 페루에 있는 많은 곳에서 두께가 5.5 미터나 되지만, 많은 곳에서 결합점이 보이지 않으며, 쿠스코 요새 벽은 한층 더 큰 크기의 돌로 지어졌지만, 예술같이 만들어졌다." (*아코스타*, 6 권 14 장) "다시 5400 년 전에 건설된 시에네 우물 벽은 지금은 아니지만 그것이 열대에 있을 때 너무 멋지게 세워져서, 하지 정오 정확한 시간에 태양의 전체 표면이 우물 속 수면 위에 반사되어 보였다—그것은 현재 유럽의 모든 천문학자 기술을 합쳐도 그것을 만들어낼 수가 없는 것이다." (*케닐리, "신의 서"* 참조.)

진화의 법칙으로 움직여서, 지혜의 주들이 인간 속으로 의식의 불꽃을 주입하였을 때, 그 불꽃이 생명과 활동으로 각성시킨 첫 번째 느낌은 그의 영적인 창조자와의 하나됨, 일체감이었다. 아이의 첫 느낌이 어머니와 유모에 대한 것처럼, 원시 인간 속에서 깨어나는 의식의 첫 번째 열망은 그분들에 대한 것으로 그가 자신 속에서 느낀 그리고 그와 독립적이며 밖에 있는 그분들의 요소이다. 헌신이 그 느낌에서 일어났고, 그의 성질 속에서 가장 최초의 원동력이 되었다; 왜냐하면 그것만이 인간의 가슴 속에서 자연스럽고, 우리 속에서 선천적이며, 우리가 인간 아기와 어린 동물 속에서 똑같은 보는 것이기 때문이다. 원시 인간 속에 있는 억누를 수가 없는 본능적인 이 열망이 아름답게 그리고 직관적이라고 말할 수 있게 칼라일이 묘사하였다. "태고의 위대한 가슴," 그가 외치길, "그 단순성에서 아이같고, 진지한 엄숙함과 깊이에서 어른 같다! 그가 지구에서 어디를 가건, 어디에 서건, 하늘이 그 위에 놓여 있다; 지구의 모든 것을 신비한 사원으로 만들면서, 지상의 모든 일을 일종에 예배로 만든다. 밝은 피조물들을 힐끗 본 것이 공통의 햇빛 속에서 번쩍인다; 천사들이 인간 사이에서 신의 메시지를 행하면서 맴돈다 . . . . 경이, 기적이 인간을 둘러싼다; 그는 기적의 요소 속에서 살아간다[213] . . . 이 두 개의 무한성 (천국과 지옥)처럼 높은, 의무의 위대한 법칙이 다른 모든 것을 왜소하게 만들면서, 모든 다른 것을 절멸시킨다—그것은 실재였고, 지금도 그렇다: 그것의 의복만이 죽는다; 그것의 본질은 모든 시대와 모든 영원 동안 살아간다!"

그것은 부인할 수 없게 살고 있으며, 근절시킬 수 없는 그런 강력함과 힘 속에서 최초의 "마인드에서 태어난" 아들들을 통해서 곧바로 세 번째 근원인종으로 온 아시아의 아리안 가슴 속에 자리잡았다—그것은 *크리야사크티*의 과실이다. 시간이 흘러가면서 입문자들의 신성한 계층이 한 시대에서 다른 시대로 그리고 좀처럼 그런 완전한 피조물을 만들지 못하였다: 외적으로 그들을 만든 분들과 똑같지만, 내적으로는 별개의 존재가 되었다.

세 번째 원시 인종의 요람기에 있을 때: —

---

213 원시 인간의 눈에 *자연이던* 그것이 이제 우리에게는 *기적이* 되었다; 그리고 원시인에게 기적이었던 것은 우리의 언어로 결코 표현될 수가 없다.

"한층 더 고양된 종류의 피조물이

아직 필요하였고, 그래서 디자인되었다;

생각을 의식하고, 더 널찍한 가슴을 의식하는,

나머지를 지배하기에 적합하고 형성된 제국을 위해서 . . ."

상위 영역에 화신하는 거주자들을 위해서 준비된 완벽한 매개체, 그것이 존재하게 되었다. 그들은 그들의 거주처를 *영적인 의지*와 인간 속에 있는 자연적인 신성한 힘에서 태어난 이 형태 속에서 갖게 되었다. 그것은 순수한 영의 아이로, 멘탈적으로 지상의 요소의 기미가 조금도 없었다. 그것이 지성을 위에서 직접 끌어왔기에, 그것의 육체 틀만이 시간과 생명에 속한 것이었다. 그것은 신성한 지혜의 살아 있는 나무였다; 그래서 북유럽 전설에 나오는 세계의 나무에 비유될 수 있고, 그 나무는 생명의 마지막 싸움을 싸울 때까지 시들어 죽지 않으며, 그것의 뿌리는 니드호그 용이 항상 갉아먹고 있다; 심지어 크리야샤크티의 시초의 성스러운 아들은 시간의 이빨이 그의 체를 갉아먹었지만, 그의 내적인 존재의 뿌리는 영원히 썩지 않고 강력한 체 그대로 있었다. 왜냐하면 그 뿌리가 시상이 아니라 하늘에서 성장하고 확장하기 때문이다. 그는 첫째(First) 중에 첫째였고, 그는 모든 다른 것들의 씨앗이었다. 두 번째 영적인 노력으로 만들어진 다른 "크리야샤크티의 아들들"이 있었지만, 첫째가 오늘에 이르기까지 신성한 지식의 씨앗으로 그대로 있으며, 지상의 "지혜의 아들들" 중에서 하나(One)이자 지고자(Supreme)이다. 이 주제에 대하여 더 이상 말할 수 없다. 다만, 모든 시대에—아니 심지어 우리 시대에도—그 문제를 올바르게 이해하였던 위대한 지성인들이 있었다는 것을 덧붙이는 것을 제외하고.

어떻게 우리의 육체가 지금처럼 완전한 상태로 되었을까? 그것은 물론 수백만 년의 진화의 성과이지만, 유물론이 가르치듯이, 결코 동물에서 혹은 동물을 통해서 온 것이 아니다. 왜냐하면 칼라일이 말하는 것처럼, ". . . 우리 존재의 본질, 자신을 '나(I)'라고 부르는 우리 속에 있는 그 신비—우리는 그런 것들을 표현하는 무슨 단어를 가지고 있는가? — 그것은 하늘의 숨결이고, 최고의 대존재가 인간 속에서 자신을 드러낸다. 우리의 이 체, 이 기능들, 이 생명, 그것은 이름 붙일 수 없는 존재(UNNAMED)의 덮개로써 전부가 아니겠는가?"

하늘의 *숨결*, 혹은 성서에서 *네페쉬*로 부른 생명의 숨결은 모든 동물, 광물 원자처럼 모든 입자 속에 있다. 그러나 그것들 어느 것도 인간이 가지고 있는 형태 속에 그런 신성한 조화를 가지고 있지 않기 때문에, 그것들은 인간처럼 최고의 대존재의 성질의 의식을 가지고 있지 않는다. [214] 노발리스가 말했듯이, 그리고 그것을 칼라일이 반복했듯이, 그것을 더 잘 말한 사람이 없다: ㅡ

"우주에는 하나의 사원만이 있고, 그것은 인간의 체이다. 어떤 것도 그 고귀한 형태보다 더 신성한 것은 없다 . . . 우리가 인간의 체에 손을 놓을 때 우리는 하늘을 만지는 것이다!" 그리고 칼라일이 덧붙인다. "이것이 단순히 과장된 미사여구처럼 들리지만, 그렇지 않다. 잘 생각해보면 그것은 과학적인 사실이다; 사물의 실제 진리의 표현이다. 우리는 기적들 중에 기적이다ㅡ거대한 불가사의한 신비이다."

---

214 헌신과 종교적 신비주의 느낌이 힌두인 보다 더 계발되고 두드러진 국가는 세계에 없다. 맥스 뮬러가 그의 저작에서 힌두인의 이런 특이성과 국민적 특징에 대하여 말하는 것을 참조하라. 이것은 세 번째 근원인종의 원시의 *의식적* 인간으로부터 직접 받은 유산이다.

스탠저 VII – 지구 인류의 부모들

1. 무형의 유정의 생명의 시작을 보아라 (a).

먼저, 신성한 (매개체) (b), 즉 어머니-영(*아트만*)에서 나온 하나; 다음은 영적인 것 (*아트마-붓디, 영-혼*)²¹⁵ (c). (다시) 하나에서 셋이 (d), 하나에서 넷이 (e), 그리고 다섯 (f), 이로부터 셋, 다섯, 일곱 (g)—이것들이 삼중이고 아래로 향한 사중이다; 즉 "첫째 주 (*아발로키테스와라*)의 마인드에서 태어난 아들들"이고, 빛나는 일곱 (*"건설자들"*)이다. ²¹⁶ 오, 제자여, 그들이 바로 그대이고 나이며 그이다; 그대와 그대의 어머니 부후미 (지구)를 지켜보는 자가 바로 그들이다.

(a) 창조적 권능들(Powers)의 하이어라키는 황도십이궁에 기록된 열 둘의 거대한 등급들(Orders) 속에 있는 비의적 일곱 (혹은 4 와 3)으로 나누어진다; 현현하는 정도의 일곱은 일곱 행성들과 연결되어 있다. 이 모든 것이 신성한 영적, 준-영적 그리고 에텔적 존재들의 무수한 그룹들로 다시 나누어진다.

이것들 중에서 주요 하이어라키들이 위대한 4 중체, 혹은 대중적으로 브라흐마의 "네 개 체와 세 개 능력," 그리고 판차시암(Panchasyam), 다섯 브라흐마, 혹은 불교 체계에 있는 다섯 디야니-붓다 속에서 암시되어 있다.

최고의 그룹은 소위 신성한 불기둥들(Flames)로, 또한 "불의 사자들(Fiery Lions)" 그리고 "생명의 사자들(Lions of Life)"로 부르는 구성되며, 그들의 비의 가르침이 십이궁의 사자궁 안에 안전하게 숨겨져 있다. 그것은 상위의 신성한 세계의 *핵(nucleole)*이다. (부록의 첫 몇 페이지에 있는 주석 참조) 그들은 무형의 불의

---

215 이것은 우주적 원리들과 관련 있다.
216 일곱 창조 리쉬들이 이제 큰곰자리 성운과 연결된다.

대숨결들(formless Fiery Breaths)이고, 한 측면에서 상위 세피로스 삼개조(Sephirothal TRIAD)와 동일하며, 카발리스트들은 이 삼개조를 "원형계"에 놓는다.

동일한 숫자를 가진 똑같은 하이어라키가 일본 체계에서, 즉 신토와 불교 종파가 가르친 "태초들" 속에서 발견된다. 이 체계에서, 인류발생론이 우주발생론보다 먼저 오고, 신성이 인간 속으로 합쳐지면서, (물질 속으로 하강하는 도중에) 보이는 우주를 창조한다. 전설의 인물들—오모이에를 경건하게 말한다—은 "더 높은 (비밀의) 가르침과 그것의 지고한 진리의 상투적인 구체화로써 이해되어야 한다." 그것을 충분히 자세하게 말하는 것이 너무 많은 공간을 차지하기에, 여기서 이 고대 체계에 대한 몇 마디가 적절하겠다. 다음은 이 인류-우주발생론의 간단한 요약이고, 그것은 가장 분리된 개념들이 똑같은 하나의 태고의 가르침을 얼마나 밀접하게 메아리 치는지 보여준다.

모든 것이 아직 *카오스(콘-톤)*였을 때 셋의 영적직 존재가 미래 창조 무대에 나타났다: (1) "중앙 하늘의 신성한 군주"; (2) "하늘과 땅의 고귀하고 제국의 신성한 자식"; 그리고 (3) 단순히 "신들의 자손."

이들은 형태나 질료가 없었다. (아루파 3 개조이다) 왜냐하면 천상의 질료나 지상의 질료도 아직 분화되지 않았으며, "사물의 본질이 아직 형성되지 않았기 때문이다."

조하르—이것은 13 세기에 시리아와 칼데아의 기독교 그노시스파의 도움으로 모세스 드 레온이 이제 정리하고 재편집하였으며, 한참 후에 많은 기독교도들의 손으로 수정되고 개정되었기에, 성서 자체보다는 약간 덜 대중적이다—에서 이 신성한 "매개체"가 "칼데아인의 수의 서"에 있는 것처럼 더 이상 나타나지 않는다. 말할 것도 없이, 아인-소프, 절대적인 끝없는 아무것(ABSOLUTE ENDLESS NO-THING)이 하나(ONE)의 형태, 현현된 "천상의 인간" (제일 원인)을 그것의 매개체로 (유대어로는 *메르카바*; 산스크리트어로는 *바한*) 혹은 현상계에 하강해서 현현하기 위한 매개체로서 사용한다. 그러나 카발리스트들은 절대자로서 그것이 속성들이 없기 때문에, 절대자(ABSOLUTE)가 어떻게 어떤 것을 사용할 수 있는지 혹은 어떤 속성을 행사할 수 있는지 분명하게 밝히지 않는다; 또한 그들은 사실상 아담 카드몬을 통해서 *두 번째 로고스*를 현현시키는 것이 시초의 영원한 이데아(IDEA), 제일 원인 (플라톤의 로고스)이라는 것도 설명하지 않는다. "수의 서"에서 엔(En)—혹은 아인(Ain), 아이오루(Aior)—이 유일하게 자존하고, 반면에 그것의 "심연(Depth)"— *프로파토르(Propator)*로 불린, 그노시스파의 *비토스(Bythos)* 혹은 *부톤(Buthon)*—은 주기적이라고 설명한다. 후자가 (중성) 브라흐마 혹은 파라브라흠에서 분화된 브라흐마이다. 그것은 추상적 *이데아(Idea)* 혹은 *미현현한* 로고스인 심연, 빛의 원천(Source of Light), 혹은 프로파토르로, 아인-소프가 아니며, *이것의 광선*이 아담 카드몬 혹은 *현현된* 로고스 (객관적 우주) "남성과 여성"을—이것을 통해서 현현하는 탈것으로—사용한다. 그러나 조하르에서 다음과 같은 불일치를 보게 된다: "*고대의 하나(Ancient One)는 숨겨져 보이지 않는다; 마이크로프로소푸스가 현현되었고 현현되지 않았다.*" (로젠로스의 *카발라 엔베일드*; "*숨겨진 신비의 서*") 이것은 틀린 것이다. 왜냐하면 *마이크로프로소푸스* 혹은 소우주는 현현 동안만 존재할 수 있고, 마하-프랄라야 동안에는 소멸되기 때문이다. 로젠로스의 카발라는 안내서가 되지 못하고, 너무 자주 수수께끼가 많다.

(b) 일본 체계처럼, 이집트 체계 그리고 모든 고대 우주 발생론에서, 하강하는 세 개 그룹들이 그 "하나(One)," 이 신성한 불기둥(FLAME)에서 점화된다. 그들의 잠재적 존재를 더 높은 그룹 속에 가지고 있지만, 그들이 이제 구분되는 별개의 실체들로 된다. 이것들이 "생명의 처녀들(Virgins of Life)," "대환영(Great Illusion)" 등등으로 그리고 집합으로 "육각별(Six-pointed Star)"이라고 불린다. 거의 모든 종교에서 육각별이 최초 발산으로서 *로고스*의 상징이다. 인도에서는 그것이 비쉬누의 상징 (*차크라* 혹은 수레바퀴)이고, 테트라그라마톤의 그림문자, "네 글자의 그(He of the four letters)" 혹은—비유적으로—카발라에서 "마이크로프로소푸스의 사지"로, 그것이 각각 10 과 6 이다. 그러나 후대 카발리스트들, 특히 기독교 신비가들은 이 웅대한 상징을 슬프게도 엉망진창으로 만들어 버렸다.[217] 왜냐하면 천상의 인간의 "10 개

---

217 진실로 마이크로프로소푸스—철학적으로 말하면 "아버지와 하나"인 미현현한 영원한 로고스와는 상당히 구분된다—는 여러 세기의 끝없는 노력, 궤변과 모순으로 마침내 하나의 살아있는 신(!) 혹은 여호와와 하나로 간주되어왔다. 반면에 여호와는 여성 세피로스인 비나에 불과하다. 이

팔다리"는 10 개 세피로스이기 때문이다; 그러나 최초 천상의 인간은 우주의 미현현한 영이고, 결코 마이크로프로소푸스—지상계의 인간의 원형, 작은 얼굴(Face) 혹은 용모(Countenance)—까지 끌어내려서는 안 된다. [218] 그러나 이것에 대해서는 나중에 말하겠다. 육각별은 대자연의 여섯 가지 힘 혹은 권능, 여섯 가지 계, 원리 등등을 말하고, 그것 모두가 일곱 번째 혹은 별 속에 있는 중심점에 의해서 통합된다. 이 모든 것들이 상위 하이어라키와 하위 하이어라키를 포함해서 "하늘의 처녀 혹은 천상의 처녀(Celestial Virgin)," [219] 모든 종교에서 위대한 어머니, 자웅동체, 세피라-아담-카드몬에서 발산하여 나온다. 그것의 *통일성(Unity)* 속에서, 원초의 빛이 일곱 번째 원리 혹은 최고의 원리, *다이비-푸라크리티*, 미현현한 로고스의 빛이다. 그러나 그것의 분화 속에서, 그것은 포하트, 혹은 "일곱 아들들"로 된다. 전자는 이중 삼각형 속에 있는 중심점으로 상징된다; 후자는 육각형 자체 혹은 마이크로프로소푸스의 "여섯 사지"로 상징되고, 일곱 번째가 말후트, 기독교 카발리스트들의 "신부(Bride)" 혹은 우리 지구이다. 그래서 이렇게 표현한다:

"'하나(One)' 뒤에 첫 번째가 신성한 불(Fire)이다; 두 번째는 불 그리고 아에테르(AEther)이다; 세 번째는 불과 아에테르와 물로 이루어져 있다; 네 번째는 불, 아에테르, 물과 공기로 이루어져 있다." [220] *하나(One)는 인류를 갖는 구체들과는 관련 없고, 내면의 보이지 않는 영역들과 관련 있다. 주석에서 말하듯이, "'첫째로 태어난 것'은 생명(LIFE), 우주의 심장과 고동이다; 두 번째가 그것의 마인드(Mind) 혹은 대의식이다."* [221] 주석에 말한다.

사실을 독자에게 아무리 자주 강조해도 지나치지 않는다.
218 방금 말한 것처럼, 마이크로프로소푸스는 현현된 로고스이고, 그런 로고스는 많이 있다.
219 세피라는 수학의 X (미지수)처럼 추상적인 원리 속에만 있는 왕관, 케테르(KETHER)이다. 분화된 자연계에서, 세피라는 최초 자웅동체인 아담 카드몬의 여성 대응부분이다. *"빛이 있으라(Fiat Lux)"* (창세기 1장)는 말은 어둠에 반대되는 빛을 말하는 것이 아니라, 세피로스의 형성과 전개를 언급한다고 카발라는 가르친다. 랍비 시메온은 말한다: "오! 동료들이여, 동료들이여, 인간은 하나의 발산으로서 남성이자 양성으로, 진실로 아담 카드몬이었고, 바로 이것이 '빛이 있으라, 그리고 그것이 빛이었다'라는 말의 의미이다. 그리고 이것은 이중의 인간이다."(조하르 발췌, pp. 13-15)
220 다음 각주를 참조하라. 불, 공기 등등의 이런 원소들은 합성 원소가 아니다.
221 여기의 "대의식"은 우리의 의식과는 아무런 관계가 없다. "현현된 하나"의 의식은 절대적이 아니더라도, 여전히 조건화되지 않는다. 마하트 (보편 마인드)는 브라흐마-창조자의 최초 산물이며, (미분화된 물질) 프라드하나의 최초 산물이다.

(C) 천상의 존재들의 두 번째 등급, (영과 혼 또는 아트마-붓디에 상응하는) 불과 아에테르의 존재들은 그들의 이름이 수없이 많고, 여전히 무형이지만, 더 분명하게 "실질적(substantial)"이다. 그들은 이차적 진화 혹은 "창조" (잘못된 명칭이다)에서 첫 번째 분화이다. 그 이름이 보여주듯이, 그들은 화신하는 지바들 혹은 모나드들의 원형이고, 생명의 불의 영(Fiery Spirit of Life)으로 구성되어 있다. 바로 이들을 통해서, 순수한 태양광선처럼, 광선이 지나가고, 그들이 광선에게 미래의 매개체, 신성한 혼, 붓디를 제공한다. 이들은 *우리* 태양계 상위계의 무리들과 직접 관련 있다. 이 이중의 *단위들(Units)*로부터 *삼중(threefold)*이 발산한다.

일본의 우주발생론에서, 혼돈 덩어리에서 알 같은 핵이 자체 속에 모든 지상의 생명뿐만 아니라 모든 우주의 생명의 씨앗과 잠재성을 가지고 나타날 때, 그것이 방금 말한 분화하는 "삼중"이다. 천상과 지상 사이에 분리가 일어날 때, "남성 아에테르"(Yo) 원리는 상승이고 더 물질적이며 조잡한 여성 원리(In)는 질료의 우주 속으로 떨어진다. 이것에서 여성, 어머니, 최초의 기초적 객관 존재가 태어난다. 그것은 정묘하고, 형태나 성이 없다. 그럼에도 바로 이것과 어머니로부터 신성한 일곱 영들이 태어나고, 그들로부터 *일곱 창조*가 발산한다. 마치 코덱스 나자레우스에서 카랍타노스와 어머니 *스피리투스*로부터 *악한 성향의* (물질적) 일곱 영이 태어나듯이. 여기서 일본의 우주발생론에 나오는 이름을 제시하기에는 시간이 많이 걸릴 것이다. 하지만 번역을 하면 그 순서는 아래와 같다:

1) "보이지 않는 독신자," 창조하지 않는 "아버지"의 창조적 로고스, 혹은 현현된 아버지의 창조적 잠재력.
2) (카오스의) "광선 없는 심연의 영 (또는 신)"; 이것이 분화된 물질 혹은 세계 질료로 된다; 또한 광물 영역이 된다.
3) "식물계의 영," "풍부한 식물"의 영이 있다.
4) 이것은 이중의 성질이고, "지구의 영(Spirit of the Earth)"인 동시에 "모래의 영(Spirit of the Sands)"이다. 전자는 남성 요소의 잠재성을 담고 있고, 후자는 여성 요소의 잠재성을 포함하고 있다. 이 둘이 결합된 하나의 자연을 형성한다.

이 둘이 하나(ONE)지만, 둘을 의식하지 못한다.

이런 이분성 속에 (a) 남성의, 어둡고 힘찬 존재와 (b) 여성적, 아름답고 약한 혹은 더 섬세한 존재가 포함되어 있다. 그리고 나서: —

(5 번째와 6 번째) 자웅동체의 혹은 양성의 영들, 그리고 마지막으로:

(7 번째) *일곱 번째* 영, "어머니"에게서 발산한 마지막이 뚜렷하게 남성과 여성의 모습을 한 최초의 신성한 인간 형태로서 나타난다. 푸라나에서처럼, 인간이 브라흐마의 일곱 번째 창조이듯이, 그것이 일곱 번째 창조이다.

이들이 천상의 다리 (은하수)에 의해서 우주 속으로 하강하였고, "*스나기*는 구름과 물이 혼돈 덩어리를 멀리 아래에서 지각하면서 보석으로 된 그의 창을 심연 속으로 찔렀으며, 그리고 마른 땅이 나타났다." 그리고 그 둘은 *오노코로*, 즉 새롭게 창조된 섬-세계를 탐험하기 위해서 분리되었다; 등등... *(오모이에)*

이것이 일본의 대중적 우화는 그렇다. 이 우화는 씨크릿 독트린에서 말하는 것과 똑같은 진리의 핵심을 감추는 껍질이다. 모든 우주발생론에 있는 비의적 설명으로 돌아가면: —

(d) *세 번째* 그룹은 *아트마-붓디-마나스*: 영, 혼과 지성(Intellect)에 상응하고, "삼개조(Triad)들"이라고 부른다.

(e) *네 번째*는 실질적인 실체들이다. 이들이 루파들 (원자의 형태들)[222] 중에서 가장 높은 그룹이다. 그것은 인간적, 의식적, 영적인 혼들의 탁아소이다. 그들은 "불멸의

---

222 근대 화학이 오컬티즘과 종교의 미신으로써 천사들, 엘리멘탈들로 부르는 실질적이고 보이지 않는 존재들에 대한 이론을 거부하는 반면에—이 무형의 실체들에 관한 철학을 조사한 적이 없고, 그것에 대하여 생각한 적도 없이—관찰과 발견으로 화학 원자들의 진화 속에서 오컬티즘의 디야니들과 원자들처럼 똑같은 비율의 진행과정과 질서를 무의식적으로 채택하고 인정하지 않을 수가 없었다는 것을 주목할 만하다—유추가 오컬티즘의 첫 번째 법칙이기 때문이다. 위에서 보았듯이,

지바들(Imperishable Jivas)"로 불리며, 그들 자신 아래 그룹을 통해서, 첫 번째 칠중[223] 무리의 첫 번째 그룹이다—인간의 의식적 그리고 지성적 존재의 거대한 신비. 왜냐하면 이것들이 *발생 속으로 떨어질* 배아를 *결여 상태 속에* 숨긴 채 놓여 있는 장이기 때문이다. 그 배아가 태아의 발달을 안내하고, 인간의 모든 내재적인 특질들과 기능들을 유전적으로 전달하는 원인이 되는, 육체 세포 속에 있는 영적인 잠재성으로 될 것이다. 하지만 후천적 기능이 전달된다는 다윈 이론은 오컬티즘에서 가르치지 않고 받아들이지도 않는다. 진화는 그 속에서 아주 다른 선들 위에서 나아간다; 비의 가르침에 의하면, 육체적인 것은 영적, 멘탈적, 심령적인 것에서 점진적으로 진화한다. 육체 세포의 내적인 혼—배아의 원형질을 지배하는 이런 "영적인 원형질"—이 발생학의 어두운 신비라고 지금 말하는 생물학자의 미개척지의 문을 언젠가는 열어주는 열쇠이다. (아래 원문과 주 참조)

첫 번째 그룹의 루파 천사들의 첫 번째 그룹은 사중체이며, 하강하는 단계로 원소가 하나씩 추가 된다. 마찬가지로 화학에서 원사들이 아래로 신행하면서, "1가원사," "2가원사," "4가원사"라는 구절을 채택한다. 불, 물, 그리고 공기, 혹은 소위 "1차 창조의 원소들"은 지상에 존재하는 그런 복합 원소가 아니라, 본체적 동질적 원소, 그러므로 영들이라는 것을 기억해야 한다. 그리고 나서 칠중 그룹 또는 칠중 무리가 따라온다. 그림으로 원자들과 병행하여 놓는다면, 그런 존재들의 성질들(Natures)이 하강하는 정도에서 유추에 따라서 수학적으로 동일한 방식으로 복합 원소들에 상응하는 것으로 보일 것이다. 이것은 물론 오컬티스트들이 만든 도표만 말하는 것이다; 왜냐하면 천사 같은 존재들의 등급이 과학의 화학 원소들의 등급과 평행선에 놓인다면—가설적인 헬륨 원소부터 우라늄에 이르기까지—그들이 물론 다르다는 것을 발견할 것이기 때문이다. 왜냐하면 이것들은 아스트랄계에서 상응으로써 가장 낮은 네 등급만 가지고 있기 때문이다—원자 속에 있는 상위의 세 가지 원리들 혹은 오히려 분자적 혹은 화학의 원소는 입문한 당마의 눈에만 지각될 수 있다. 그러나 화학이 바른 길로 나아가고자 한다면, 화학 원자 배열표를 오컬티스트들이 만든 표로 수정해야 할 것이다. 그러나 화학계는 그렇게 하는 것을 거부할 것이다. 에소테릭 철학에서, 모든 물질 입자는 그것의 상위 *본체*—그것의 본질이 속하는 그 존재—에 상응하며 그것에 의존한다; 그리고 아래에서처럼 위에서, 영적인 것은 신성에서 진화하고, 심령적-멘탈적인 것은 영적인 것에서 진화한다—영적인 것은 아스트랄적인 것으로 낮은 계로부터 오염된다. 그러므로 생물과 (겉보기에) 무생물의 전체 대자연이 평행선상에서 진화하고, 그 속성들을 아래에서뿐만 아니라 위에서도 끌어온다.

223 숫자 7은 일곱 실체만을 암시하지 않고, 앞에서 설명된 것처럼, 일곱 그룹 혹은 일곱 무리도 암시한다. 최고 그룹, 즉 "밤"으로 변한 브라흐마의 첫째 체에서 태어난 아수라들은 칠중이다. 즉 그들은 피트리처럼 일곱 등급으로 나누어져서, 셋은 아루파 (무형)이고, 넷은 체를 가지고 있다. (비쉬누 푸라나, 1권 참조.) 그들은 사실 최초 육체 인간을 투사한 피트리 보다 더 진정한 의미에서 우리의 *피트리* (선조들)이다. (SD 2권 참조.)

(f) 다섯 번째 그룹은 매우 신비스러운 그룹이다. 이것이 인간을 나타내는 오각별, 소우주의 펜타곤과 연결되어 있기 때문이다. 인도와 이집트에서 이 디야니들은 악어와 연결되어 있고, 그들의 거주처가 염소자리이다. 이들은 인도 점성학에서 서로 바꾸어 쓸 수 있는 용어이다. 왜냐하면 십이궁의 열 번째 사인이 *마카라(Makara)*로 불리며, 느슨하게 "악어"로 번역되기 때문이다. 그 단어 자체는 나중에 보듯이 오컬트적으로 다양하게 번역된다. 이집트에서는 죽은 자—그 상징이 오각형 혹은 오각별로, 오각별 점들은 인간의 사지를 나타낸다—가 상징적으로 악어로 변형된 것으로 보여준다: 제랄드 메시 씨가 말하듯이, 세바크(Sebakh) 혹은 세베크(Sevekh) 또는 "일곱 번째"는 그것이 지성의 유형이었다는 것을 보여주면서, 악어가 아니라 사실상 용이다. 그는 "지혜의 용," 혹은 마나스, "인간혼(Human Soul)," 마인드, 지성의 원리(Intelligent principle)로, 우리의 에소테릭 철학에서 "다섯 번째" 원리로 부른다.

"*의례*" 혹은 "사자의 서" 88 장에서 "오시리스화된" 사자가 악어의 머리를 가진 미이라 형태의 신의 그림문자로 다음과 같이 말한다: —

(1) "나는 인간 사이에 그의 혼이 도착할 때 . . . 두려움을 주재하는 신 (악어)이다. 나는 파괴를 위해서 데려온 신-악어이다." (이것은 인간이 선과 악의 지식을 획득할 때 신성한 영적인 순수성의 파괴를 넌지시 언급하는 것이다; 그리고 또한 모든 신통기의 "추락한" 신들 혹은 천사들을 언급하는 것이다).

(2) "나는 위대한 호루스의 물고기이다. (*마카라*가 "악어," 즉 바루나의 매개체이듯이) 나는 세크텐(Sekten) 속에 융합된다."

이 마지막 문장이 에소테릭 불교의 가르침을 확증하고 반복한다. 왜냐하면 그것은 다섯 번째 원리 (마나스) 혹은 그 본질의 가장 영적인 부분을 직접적으로 넌지시 말하는 것이기 때문이며, 그 본질이 인간의 죽음 후에 아트마-붓디 속으로 합치고, 흡수되어 하나가 된다. 왜냐하면 세-켄(Se-khen)은 켐(Khem) 신 (호루스-오시리스 혹은 아버지와 아들)의 거주처 혹은 로카이기 때문에, 아트마-붓디의 "데바찬"이다.

"사자의 의식"에서는 사자가 호루스-토트와 함께 세켐 속으로 들어가서 거기에서 "순수 영으로서 나오는" 것으로 보여준다. (64 장 29) 이렇게 사자가 말한다 (5 장 130): "나는 (나 자신의 다양한) 인간의 형태들이 영원히 변형되는 것을 본다. . . . 나는 이것(장)을 안다. 그것을 아는 자는...모든 종류의 살아있는 형태들을 취한다..."

그리고 35 절에서, 이집트인의 비의 가르침에서 말하는 "선조의 심장(ancestral heart)" 혹은 재화신하는 원리, 영구적 자아(EGO)로 불리는 그것을 마술 공식으로 말하면서, 사자가 말한다: ─

"오! 나의 심장이여, 나의 변형을 위해서 필요한 나의 선조의 심장이여, . . . 저울들(Scales)의 수호자 앞에서 그대 자신을 나와 떨어지게 하지 말아라. 그대는 나의 가슴 속에 있는 나의 개성이며, *나의 육체를 지켜보는* 신성한 동반자이다. . . ."

바로 세켐 속에 "신비스러운 얼굴(Mysterious Face)," 혹은 허위의 개성 아래 숨겨진 실재 인간, 이집트의 삼중-악어, 상위 삼위일체 혹은 인간 삼개조, *아트마*, *붓디*, *마나스* 혹은 상위 삼위일체의 상징이 숨겨져 있다. [224] 고대 모든 파피루스에서 악어는 *세베크* (일곱 번째)로 불리는 반면에, 물은 비의적으로 다섯 번째 원리이다; 그리고 이미 말한 대로, 악어는 "일곱 번째 혼, 일곱의 지고의 하나이다─보이지 않게 보는 자(Seer unseen)"라는 것을 제랄스 메시 씨가 보여준다. 대중적으로도 *세켐*은 켐 신(god Khem)의 거주처이고, 켐은 그의 아버지 오시리스의 죽음을 복수하는 호루스이며, 그래서 인간이 육체를 벗어난 혼이 될 때 인간의 죄를 벌한다. 이렇게 "오시리스화된" 사자가 켐 신으로 되었고, 이 신이 *아안루* 들판에 떨어져 있는 이삭을 줍는다," 즉 그는 그의 상이나 벌을 모은다. 왜냐하면 그 들판은 천상의 장소 (데바찬)이며, 거기에서 사자는 신성한 정의의 음식, *말*을 받기 때문이다. 천상의 존재들의 다섯 번째 그룹은 자체 속에 우주의 영적 물질적 측면들의 이중의

---

224 이 이집트인의 종교적 상징의 실재의 그렇지만 숨겨진 의미를 설명한 것 중에 하나는 쉽다. 악어는 아침 태양의 게걸스러운 불을 기다려서 만나는 첫 번째이며, 바로 곧 태양열을 인격화하게 되었다. 해가 떠오를 때, "신들에게 생명을 불어넣는 신성한 혼"이 지상에 그리고 인간 사이에 오는 것과 같았다. 그래서 이상한 상징이다. 미이라는 그가 지상에서 도착한 혼이라는 것을 보여주기 위해서 악어의 머리를 입었다.

속성을 간직한다고 생각된다; 말하자면 마하트, 보편적 대지성의 양극이고, 인간의 이중의 성질, 영적 그리고 물질적 성질이다. 그래서 숫자 5 는 곱해져서 10 이 되고, 그것을 십이궁도의 10 번째 사인, *마카라*와 연결시키는 것이다.

(g) 여섯 번째와 일곱 번째 그룹은 사중체의 하위 특질을 띤다. 그들은 에테르처럼 보이지 않는, 의식 있는, 에텔 실체들이며, 그들은 넷의 첫 번째 중심 그룹에서 나뭇가지들처럼 뻗어 나와서, 다음으로 무수히 많은 곁가지 그룹들을 뻗어낸다. 그 중에서 낮은 것은 자연령 혹은 헤아릴 수 없이 다양한 종류의 엘리멘탈이다; 무형의 비실질적 그룹—그들의 창조자들의 이상적인 생각들(THOUGHTS)—부터 인간의 지각에는 보이지 않는 원자적 유기체들에 이르기까지 다양하다. 이것들이 "원자의 영"으로 여겨진다. 왜냐하면 그들이 물질 원자에서 (뒤로 가서) 한 겹 떨어져 있기 때문이다—지성적이지 않지만, 유정의 피조물들이다. 그들 모두가 카르마에 종속되고, 모든 주기에 걸쳐서 카르마를 해소해야만 한다. 왜냐하면 가르침에서 가르치듯이, 우주 속에서, 우리 태양계이건 다른 태양계이건, 내면의 세계이건 혹은 외부 세계이건,[225] 서구 종교와 유대교의 천사들처럼, 그런 특권을 가진 존재가 없기 때문이다. 디얀-초한은 그런 하나가 되어야 한다; 그는 생명의 계에서 온전히 개화된 천사로서 갑자기 태어나거나 나타날 수가 없다. 현재 만반타라의 천상의 하이어라키는 다음 생명 주기에는 더 높은 상위계로 이동할 것이며, 우리 인류들 중에서 선택된 자들로 구성된 새로운 하이어라키를 위해서 여지를 만들 것이다. 존재는 하나의 절대적 영원 안에 있는 끝없는 주기이며, 그 속에서 유한하고 조건화된 무수히 많은 내부의 주기들이 움직인다. 그렇게 창조된 신들은 신이란 것만으로 사적인 공과를 나타내지 못한다. 그런 부류의 존재들은 그들 속에 내재하는 특별한 순결한 성질에 의해서만 완전하기에, 고통받고 고군분투하는 인류 그리고 심지어 더 낮은 창조를 생각하면, 성격상 사탄적인 영원한 불공정의 상징, 언제나 실재하는 범죄가 될 것이다. 그것은 대자연 속에서 기형이고 불가능이다. 그러므로 "넷"과 "셋"이 다른 모든 존재들처럼 화신 해야만 한다. 게다가 이 여섯

---

225 "더 높은 세계"라고 부를 때 세계는 그것의 위치 때문에 높은 것이 아니라, 특질 혹은 본질에서 더 우세하다는 것이다. 그러나 세속인들이 그런 세계를 "천국"으로 이해하고, 우리 머리 위에 위치한다고 이해하는 것이 일반적이다.

번째 그룹은 인간과 거의 불가분의 관계로 남아 있으며, 인간은 그것으로부터 그의 최고 원리와 최저 원리 혹은 그의 영과 체를 제외하고 모든 것을 끌어오며, 중간의 다섯 인간 원리들이 그 디야니들의 본질 바로 그것이다. [226] 홀로, 신성한 광선 (아트마)이 하나(One)로부터 직접 나온다. 그것이 어떻게 그럴 수 있을까? 그 "신들" 혹은 천사들이 그들 자신의 발산이면서 동시에 개별 자아가 될 수 있다는 것을 어떻게 상상할 수 있을까? 물질계에서 아들은 아버지의 핏줄이고, 아버지의 뼈 중에 뼈이며, 살 중에 살이기 때문에, 아들이 그의 아버지라는 의미와 같은 의미인가? 이 질문에 대하여 스승은 다음과 같이 대답한다. "진실로 그러하다." 그러나 이 진리를 충분히 이해할 수 있기 전에 존재의 신비 속으로 깊이 들어가야만 한다.

----

2. 하나의 광선이 더 작은 광선들을 증가시킨다. 생명이 형태보다 앞서고, 생명은 형태 (*형태, 스툴라-샤리라, 외부의 체*)의 마지막 원자보다 더 오래 생존한다. 무수히 많은 광선들을 통하여, 생명 광선, 즉 하나가 많은 구슬 (*진주들*)을 꿰맨 실처럼 이어진다 (a).

(a) 이 구절은 연속적인 세대를 통하여 이어지는 *수트라트마(Sutratma)*, 즉 생명-줄(life-thread)의 개념—다른 곳에서 이미 설명하였듯이, 순전히 베단타 개념이다—을 표현한다. 그러면 어떻게 이것이 설명될 수 있을까? 이용가능한 모든 유추들이 그렇듯이, 필연적으로 불완전하지만, 익숙한 어떤 설명, 어떤 비유를 사용함으로써 설명할 수 있다. 하지만 그것에 호소하기 전에, 우리가 태아가 몇 그램 밖에 안 되는 건강한 아기로 성장과 발전하는 것으로 알려진 그 과정을 생각해볼 때, 그것이 우리 모두에게 *부자연스러운* 것처럼, 최소한 "초자연적인" 것처럼 보이는지 묻고 싶다— 무엇에서 나오는 것인가? 극미량의 작은 난자와 정자의 세포 분열에서; 그리고

----

226 파라셀수스는 그들을 *플라개(Flagae)*로 부른다; 기독교인은 "수호천사"로 부른다; 오컬티스트는 "선조들, 피트리"로 부른다; 그들은 *육종의 디얀 초한으로*, 그들 여러 체의 구성요소 속에 여섯 가지 영적인 요소를 가지고 있다—사실은 육체를 뺀 인간이다.

나중에 우리는 그 아기가 건장한 성인으로 성장하는 것을 본다. 이것은 미시적으로 작은 것에서 거대한 어떤 것으로, (육안으로는) 보이지 않는 것에서 볼 수 있는 객관적인 것으로, 원자적 그리고 물리적 확장을 말하는 것이다. 과학이 이것에 대한 모든 것을 제공하였다; 그리고 물리적 현상의 정확한 관찰이라는 점에서, 과학의 이론들, 발생학적, 생물학적, 그리고 생리학적 이론이 매우 정확하다고 감히 말한다. 그렇지만 발생학의 두 가지 주된 어려움—즉, 태아 형성에서 작용하는 힘이 무엇이고, 육체적, 윤리적 혹은 멘탈적 유사성의 "유전적 전달"의 *원인*은 무엇인가— 이 결코 적절하게 해결되지 않았다; 과학자들이 오컬트 이론을 받아들일 때까지 그것들은 결코 해결되지 않을 것이다.[227] 그러나 이런 물리적 현상이 발생학자들을 당혹하게 만든다는 것을 제외하고 아무도 놀라게 하지 않는다면, 왜 우리의 지성적

---

227 다윈학파의 유물론자들과 진화론자들은 위에서 말한 발생학의 두 가지 신비 중 하나에 대하여, [유전론 연구] (1875 년)의 저자 바이스만 교수가 해결한 것처럼 보이는 새롭게 풀어낸 이론을 받아들이지 않는 것이 좋을 것이다. 왜냐하면 그것이 해결될 때, 과학은 진실로 오컬트 영역으로 도약하여 들어갈 것이고, 다윈이 가르친, 변형의 영역에서 영원히 나올 것이기 때문이다. 유물론 관점에서 본다면, 오컬트와 과학은 서로 양립할 수 없다. 오컬티스트들 관점에서 보면, 그것은 이 모든 신비를 해결한다. 한때 열렬한 다윈 신봉자였던 바이스만 교수의 새로운 발견을 알지 못하는 사람은 부족한 부분을 서둘러 고쳐야 할 것이다. 독일의 발생학자이자 철학자인 바이스만 교수는—이렇게 그리스의 히포크라테스와 아리스토텔레스의 머리를 뛰어넘어서, 고대 아리안들의 가르침 속으로 곧바로 되돌아가면서—하나의 유기체를 형성하는데 작업하는 수 백 만개의 다른 세포들 중에서 하나의 극미량의 세포가 아무 도움 없이 혼자서 지속적인 분열과 증식을 통해서 육체적, 멘탈적, 심령적 특이성을 갖는 미래 인간 (혹은 동물)의 올바른 이미지를 결정하는 것을 보여준다. 바로 그 세포가 어느 먼 조상 혹은 부모의 특징을 새로운 개인의 얼굴과 형태에 각인시키는 것이다; 바로 그 세포가 그의 어버이의 지성적 그리고 멘탈적 특이성 등등을 그에게 전달하는 것이다. 이 원형질은 우리 여러 체의 불멸의 일부분이다—단순히 연속적인 동화 가정을 통해서. 다윈의 이론은 발생학적 세포를 모든 다른 세포들의 본질 혹은 추출물로 보기에 무시된다; 그것은 유전적 현상을 설명할 수 없다. 유전의 신비를 설명하는 두 가지 방법만 있다; 종자세포의 질료가 분리된 유기체의 건설로 이어지고 그리고 나서 동일한 종자세포의 재생산으로 이어지는 전체 변형의 주기를 가로지르는 기능을 부여받았거나, 혹은 *그 종자세포들이 그것들의 발생을 개인의 체 속에서 갖는 것이 아니라, 오랜 세대들을 거쳐서 아버지로부터 자식에게 전해진 선조의 종자세포에서 직접 나오는 것*이다. 바이스만 교수는 후자 가설을 받아들여 연구였다; 그리고 그가 인간의 불멸 부분을 추적한 것이 바로 이 세포이다. 지금까지는 좋다; 그리고 거의 정확한 이 이론이 받아들여질 때, 생물학자들은 이 불멸의 세포의 최초 출현을 어떻게 설명할 것인가? 인간이 "불멸의 탑시(Topsy)"처럼 성장하지 않고 태어나지 않고, 구름에서 떨어졌다면, 발생학적 세포가 그 속에 어떻게 태어났을까?

내적인 성장, 인간적-영적 단계에서 신성한-영적 단계로의 진화가 다른 것보다 더 불가능한 것처럼 혹은 더 불가능한 것으로 간주되어야 하는가? 이제 비유를 보자.

앞의 각주에서 언급된, 물질 원형질, 즉 모든 물질적 잠재성을 가진 인간의 "종자 세포"를 "영적인 원형질," 혹은 여섯 원리의 디얀의 다섯 하위 원리를 간직하는 유체와 비교해보라. 그러면 당신이 그것을 이해할 만큼 충분히 영적이라면 그 비밀을 갖는 것이다.

"동물 남성의 씨앗이 동물 여성의 토양에 뿌려질 때, 그 씨앗은 육중의 천상의 인간의 다섯 가지 힘 (원리로부터 발산 혹은 유체)으로 비옥하게 되지 않는다면 발아할 수 없다. 그래서 소우주가 "대우주," 즉 헥사곤 별 (육각별) 속에 있는 펜타곤 (오각형)으로 나타내어진다. ([*인간*(Ανθρωπος)], 오컬트 발생학에 대한 문헌, 1 권) 그러면 "이 지구에 있는 *지바(Jiva)*의 기능들은 오중의 성격이다. 광물원자 속에서, 지바는 지구의 영들 (6 중의 디야니)의 가장 낮은 원리들과 연결되어 있다; 식물 입자 속에서, 그들의 두 번째―*프라나* (생명)와 연결되어 있다; 동물 속에서, 이 모든 것에다가 세 번째와 네 번째 원리와 연결된다; 그리고 인간의 경우에, 그 씨앗은 다섯 가지 원리의 결실을 받아야만 한다; 그렇지 않으면, 인간은 동물보다 더 높게 태어나지 못할 것이다"; 즉, 선천적인 백치로 태어난다. 이렇게 인간 속에서만 지바가 완성된다. 인간의 일곱 번째 원리에 관하여, 그것은 보편 태양의 한 줄기의 광선에 불과하다. 모든 이성적 피조물은 그것의 근원으로 돌아가야 하는 그것의 일시적인 대여물만을 받는다; 반면에 그의 육체는 물리적, 화학적, 생리학적 진화를 거치면서, 가장 낮은 지상의 생명들로 형성된다. "축복받은 분들은 물질의 정화와는 아무 관계가 없다." (카발라, 칼데아인의 수의 서)

요약하면 이렇게 된다: 인류는 최초의 원형적, 그림자 같은 형태에서 생명의 엘로힘 (피트리들)의 자손이다; 그의 특질적 그리고 물리적 측면에서, 인류는 "선조들," 지구의 영들 혹은 가장 낮은 디야니들의 직계 자손이다; 그의 윤리적, 심령적, 그리고 영적인 성질에서, 그것은 신성한 대존재들의 그룹에 빚졌으며, 그 그룹의 이름과 특이성들이 2 권에서 주어질 것이다. 집단적으로서, 인간은 다양한 영들의 무리들의 수공예이다; 분배적으로, 인간은 그 무리들의 거주처이다; 그리고 가끔 그리고 개별적으로, 그 무리중 어떤 것의 매개체이다. 현재 매우 유물적인 우리 다섯 번째 인종에서, 네 번째의 지상의 영(earthly Spirit)이 아직도 우리 속에서 강력하다; 그러나 우리는 진화의 펜줄럼이 그것의 스윙을 결정적으로 위로 향하는 때로 다가가고 있으며, 인류를 영성에서 원시의 세 번째 근원인종과 같은 단계로 데려가고 있다. 인류의 초기 시기 동안에는, 인류는 전적으로 그 천사의 무리로 이루어져 있었다. 그 천사 무리는 (지금처럼) 무수히 많은 작은 생명들로 건설되고 구성된 네 번째 근원인종의 괴물 같은 거대한 "흙으로 지어진 거주처"에 생명을 불어넣은 내재하는 영들이었다.[228] 이 문장은 현재 주석의 나중에 설명될 것이다. 그 "거주처"가 그들을 실어 나른 지구와 함께 성장하고 발전하면서, 조직과 형태의 균형에서 향상되었다; 그러나 물리적 향상이 내면의 영적인 인간과 성질을 희생하면서 일어났다. 지구와 인간 속에 있는 세 가지 중간 원리들은 모든 인종마다 점점 더 물질적으로 되었다; 혼이 물리적 지성에게 자리를 만들어주기 위해서 뒤로 물러났다; 그리고 원소들의 본질이 지금 알려진 물질적 합성 원소들로 되어가고 있다.

인간은 "주 신(Lord God)"의 완전한 작품이 아니며, 그렇게 될 수도 없다; 그러나 그는 *엘로힘*의 자식으로, 이것이 너무 자의적으로 단수의 남성으로 바뀌어 버렸다. 최초의 디야니들은 인간을 그들 이미지로 "창조"하라는 위임을 받았지만, 그들은 물질의 자연령들이 작업하기 위한 섬세한 모형처럼, 그들의 그림자만을 뿜어낼 수 있었다. (2 권 참조) 인간은 의심할 여지없이 육체적으로 지구의 먼지에서 형성되었지만, 인간의 창조자와 주조자는 많이 있다. 만일 주 신(Lord God)이 보이지 않더라도 편재하는 "하나의 대생명(ONE LIFE)"과 동일시되지 않는다면, 그리고 똑같은 작용이 그 신성한 영 혹은 *루아흐*가 아니라, *모든 살아 있는 혼—혹은*

---

228 과학은 이 진리를 희미하게 지각하면서 인간의 체 속에서 박테리아와 다른 미생물을 발견할 수 있고, 그것들 속에서 병의 원인이 되는 다른 비정상적인 방문자들만 볼 수 있을 것이다. 오컬티즘—오컬티즘은 광물 속에 있건, 인간의 체 속에 있건, 공기나 불 혹은 물 속에 있건, 모든 원자와 분자 속에서 생명을 구분한다—은 우리의 전체 체가 그런 생명들로 이루어져 있다고 확언한다. 현미경으로 보이는 가장 작은 박테리아는 그 생명과 비교하면 코끼리와 가장 적은 적충을 비교하는 것과 같다.

네페쉬, 즉 활기 혼(vital Soul) 대신에, "신(God)" 때문이라고 생각되지 않는다면, "주신(Lord God)이 코 속으로 생명의 숨결을 불어넣었다"고 말할 수 없으며, 그 신성한 영 혹은 *루아흐*는 어떤 동물도 이번 화신 주기에 결코 도달할 수 없는 신성한 불멸의 단계를 인간에게만 보장한다. 유대인들이 한 부적절한 구분으로 인해서 그리고 이제는 서구의 형이상학자들에 의해서 삼중 인간─영, 혼, 체─이상을 알지 못하고, 이해할 수도 없으며, 그래서 받아들일 수 없어서, 이렇게 "생명의 숨결"과 불멸의 영을 [229] 혼동하게 되었다. 이것은 개신교 신학자들에게 직접 해당된다. 그들은 요한복음 3 장 8 절을 번역할 때, 그 의미를 완전히 왜곡시켰다. 진실로 그 구절은 *"영(Spirit)이* 가고 싶은 곳으로 간다"는 것이 아니라, 원문과 그리스 동방교회 번역처럼, *"바람(wind)이* 바라는 곳으로 분다"고 해야 한다.

이렇게 인간의 육체적 기능과 심령적, 영적, 그리고 멘탈적 관계에 대한 철학이 거의 뗄 수 없게 혼동 속에 있다. 고대 아리안 심리학이나 이집트인 심리학이 지금은 제대로 이해되고 있지 못하다. 비의적 칠중 구조 혹은 인간의 내면 원리에 대하여

---

229 "생명의 새로운 측면"의 박식하고 매우 철학적인 저자는 그의 독자에게 이렇게 인상을 주려고 한다. 유대인에 따르면, *네페쉬 차이야* (살아있는 혼)는 "영 혹은 생명의 숨결이 태동하는 인간의 체 속으로 주입됨으로써 나왔고 혹은 만들어졌으며, 이렇게 구성된 자아 속에서 그 영을 대신하는 것이며, 그래서 영은 살아있는 혼 속으로 들어가서, 보이지 않고, 사라져버렸다." 인간의 체는 어떤 매트릭스로 보아야 하며, 그 혼이 (그를 영보다 높게 놓는 것 같다) 그 속에서 그리고 그것에서 계발되어 나온다─*기능적으로* 그리고 활동의 관점에서 고려하면, 그 혼은 이 유한하고 조건화된 마야 세계에서 부인할 수 없이 더 높다─그가 말하길, 그 혼은 "궁극적으로 인간의 생명이 불어넣어진 체에서 나온다." 이렇게 저자는 "영 (아트마)"과 "생명의 숨결"을 단순히 동일시한다. 동양의 오컬티스트들은 이 주장에 이의를 제기할 것이다. 왜냐하면 그것은 *프라나*와 *아트마* 혹은 *지바트마*가 하나의 동일한 것이라는 잘못된 개념에 근거하기 때문이다. 저자는 고대 유대인과 그리스인, 심지어 라틴인에게, *루아흐, 프네우마* 그리고 *스피리투스*─부인할 수 없이 유대인에게는 그렇고, 그리스인과 로마인에게는 매우 그럴듯하다─는 바람을 의미했다는 것을 보여줌으로써 그 주장을 지지한다; 그리스어 *아네모스(Anemos)*와 라틴어 *애니마* "혼"이 어떤 의심스러운 관계를 갖는다.
　이것은 터무니없는 주장이다. 이 의문을 결정한 합당한 전쟁터를 거의 찾을 수 없다. 왜냐하면 프라트 씨는 실질적이고 사실적인 형이상학자로, 일종의 카발리스트-실증주의자이고, 동양의 형이상학자들, 특히 베단타 학파는 모두가 이상주의자이기 때문이다. 오컬티스트들은 극단의 비의적 베단타 학파이고, 그들은 하나의 대생명 (파라브라흠)을 거대한 대숨결(Great Breath)이자 회오리바람(Whirlwind)이라고 부른다; 그러나 그들은 일곱 번째 원리를 물질과 전적으로 단절시키거나 혹은 어떤 연결관계나 관계를 끊어버린다.

적어도 베단타의 오중 분류를 받아들이지 않고는 그것들이 결코 흡수될 수 없다. 그 이해가 없다면, 어느 한 계에 있는 디얀-초한 혹은 대천사와 다른 계에 있는 인류 사이의 형이상학적 그리고 순전히 심령적 그리고 심지어 생리학적 관계를 이해하는 것이 영원히 불가능할 것이다. 동양의 (아리안의) 비의 문헌이 지금까지 출판되지 않았지만, 우리는 "인간의 일곱 혼" 혹은 일곱 원리에 대하여 명확하게 말하는 이집트의 파피루스를 가지고 있다.[230] 사자의 서에서는 모든 사자가 그의 모든 원리들—명확히 하기 위해서 에텔 실체 혹은 에텔체로 물질화된—을 하나씩 벗어버리는 동안, 모든 사자가 겪는 "변형들"에 대한 완전한 리스트를 제공한다. 더구나, 고대 이집트인들은 재화신을 몰랐으며 가르치지 않았다는 것을 증명하려는 사람들에게 사자의 "혼" (자아)이 영원 속에 살고 있다고 말하는, 즉 혼은 불멸하고, 필요성의 주기 동안에, "태양의 배와 같은 시대이고 같이 사라진다"는 것을 알려주어야 한다. 이 "혼"은 *티아오우(Tiaou)* (*생명의 원인*의 영역)에서 나타나며 그리고 *낮에는* 지상의 살아있는 자와 합류하고, 밤마다 *티아오우*로 돌아간다. 이것은 자아의 주기적인 존재를 표현하는 것이다. (사자의 서, cvxliii)

그 그림자, 즉 아스트랄 형태가 절멸되어, "우라에우스(Uraeus)에게 먹히고" (cxlix., 51), *마네스(Manes)*가 절멸될 것이다; 두 쌍둥이 (네 번째 그리고 다섯 번째 원리)가 흩어질 것이다; 그러나 혼의 새(Soul-bird), "신성한 제비—그리고 불기둥의 우라에우스" (마나스와 아트마-붓디)는 영원 속에서 살 것이다. 왜냐하면 그들은 그들 어머니의 남편이기 때문이다.[231]

---

230 제랄드 메시와 프란츠 램버트가 각각 구분한, 2권 2부에 있는 "인간의 일곱 혼" 참조.
231 아리안 혹은 브라만 비의 가르침과 이집트인의 비의 가르침 사이에 또 다른 암시적 유추가 있다. 아리안 가르침은 피트리를 인류의 "달의 조상들"이라고 부른다; 그리고 이집트인은 달의 신, 타흐트-에스문을 최초의 인류 조상으로 만들었다. 이 "달의 신"은 자기자신 이전에 있던 일곱의 자연력을 표현하였고, 그 속에서 일곱 혼으로서 요약되었으며, 그는 여덟 번째 혼 (그러므로 여덟 번째 영역)으로써 현현한 자였다. 그노시스파 돌 위에 새겨진 칼데아의 헵타키스 혹은 이이아오(Iao)의 일곱 광선도 똑같은 칠중의 혼을 나타낸다." . . . "신비적인 일곱(SEVEN)의 최초의 형태가 큰곰자리의 거대한 일곱 별로 하늘에서 나타내어졌고, 이집트인들은 그 성운을 시간의 어머니이자 일곱 엘리멘탈 힘의 어머니로 정하였다." (*일곱 혼*, 등 참조.) 모든 힌두인에게 잘 알려져 있듯이, 이 똑같은 성운이 일곱 리쉬를 나타내고, 그래서 *릭샤* 그리고 *치트라-시칸디나스*로 불린다.

같은 것만이 같은 것을 만든다. 지구는 인간에게 그의 체를 주고, 신들 (디아니들)은 그의 다섯 가지 내적인 원리, 심령적 그림자를 주며, 그 신들이 생명을 불어넣는 원리이다. 영(SPIRIT) (아트마)은 하나이다—그리고 분리되지 않는다. 그것은 *티아오우* 속에 없다.

그러면 *티아오우*는 무엇인가? "사자의 서"에서 그것을 자주 언급하는 것은 어떤 신비를 간직하고 있다. *티아오우*는 밤 태양(Night Sun)의 길, 하위의 반구, 혹은 이집트인이 *달의 숨겨진 面*에 있다는 지옥의 영역이다. 인간은 이집트의 비의 가르침에서 달에서 나왔다 (이것은 삼중 신비이다—천문학적, 생리학적 그리고 심리학적 신비이다); 인간이 존재의 전체 주기를 건넜고 그리고 그의 탄생지에서 다시 나오기 전에 거기로 되돌아갔다. 이렇게 사자가 서쪽에 도착해서, 오시리스 앞에서 그의 심판을 받고, 호루스 신으로서 부활하여, 항성의 하늘을 도는 것으로 보여주며, 이것은 태양, 라(Ra)에 비유적으로 동화(흡수)되는 것이다; 그리고 나서 *누트(Noot)* (천상의 심연)를 건너서, 다시 한번 티아오우로 되돌아온다: 생명과 생식의 신으로서 달에 거주하는 오시리스에게 동화되는 것이다. 플루타르크는 (아이시스와 오시리스, 43 장) 이집트인들이 "달 속으로 들어가는 오시리스의 입구"로 불린 축제를 축하하는 것을 보여준다. 41 장에서는 사후의 삶을 약속 받는다; 그리고 생명의 재생이 오시리스-루너스의 후원 아래 놓인다. 왜냐하면 달은 매달 성장, 쇠퇴, 죽음 그리고 재출현하기 때문에 생명의 갱생 혹은 재화신의 상징이었기 때문이다. *기념비* (iv. 5)에서 말한다: "오! 오시리스-루너스여! 그것이 그대에게 그대의 부활을 새롭게 한다." 그리고 사페크가 세티 1 세에게 (마리에트의 아비도스, 51 판) "그대는 아기일 때 루너스 신으로서 그대 자신을 새롭게 한다"고 말한다. 그것이 루브르의 파피루스에서 더 잘 설명된다 (피에르, "이집트학의 습작"): "그(오시리스-루너스)가 하늘에서 보일 때 성교와 잉태가 많이 있다." 오시리스가 말한다: "오, 달의 유일한 찬란한 광선이여! 나는 순환하는 (별들의) 군중에서 나온다 ...... 나에게 티아오우를 열어 주오, 왜냐하면 오시리스 N, 나는 살아있는 자들 가운데서 내가 해야 하는 것을 하기 위해서 낮까지 나올 것이기 때문이다" ("사자의 서," 2 장)—즉, 잉태를 만들기 위해서.

오시리스는 "발생으로 현현하는 신"이었다. 왜냐하면 고대인들은 달이 잉태의 신비에 미치는 실재 오컬트 영향을 근대인보다 훨씬 더 잘 알았기 때문이다.[232] 나중에, 달이 여신들[233]—다이아나, 아이시스, 아르테미스, 주노 등등의 여신들—과 연결되었을 때, 그 연관성은 생리학과 여성의 성질, 심령적만큼 육체적 성질에 대한 철저한 지식에 기인하였다. 그러나 일차적으로, 태양과 달이 유일하게 볼 수 있는 그리고 말하자면 (그들의 영향으로) *만져서 느낄 수 있는* 심령적 생리적 신성— 아버지와 아들이었다. 반면에 공간과 공기는 대체로 혹은 이집트인이 누트(Noot)라고 부른 저 광대한 하늘은 그 둘의 숨겨진 영 혹은 대숨결이었다. 이 "아버지와 아들"은 그들의 기능에서 상호교환 가능하고 지상의 자연과 인류에게 미치는 그들의 영향에서 조화롭게 함께 작용하였다; 그래서 그들은 개체화된 대실체로서 둘(TWO)이지만 하나(ONE)로 간주되었다. 그들은 둘 다 남성이었고, 둘 다 인류의 원인이 되는 발생에서 구분되면서 동시에 협력하는 작업을 하였다. 너무 많은 것이 천문학적 우주적 관점에서 상징 언어로 표현되고 관찰되었다—그것이 우리의 마지막 인종에서 신학적이고 독단적으로 되었다. 그러나 우주적 점성학적 상징의 이 베일 뒤에, 인간의 태초의 발생과 기술적 인류학에 대한 오컬트 신비가 있었다. 이 문제에서, 상징에 관한 어떤 지식도—혹은 유대인의 *대홍수 이후의* 상징 언어의 열쇠조차도—내중적으로 사용하기 위해서 여러 민족의 성전에 규정된 그것을 참고하는 것이외에 아무 도움이 되지 않을 것이며, 될 수도 없다; 하지만 그 성전 전부가 아무리 교묘하게 숨겨졌더라도 각각의 민족의 실재 원시의 역사의 아주 작은 부분에 불과하였고, 자주—유대인의 성전에서처럼—그 민족의 신성한 삶이 아닌,

---

232 가장 오래된 체계에서 우리는 달이 항상 남성이라는 것을 발견한다. 이렇게 소마는 힌두인들에게 일종의 별의 세계의 돈 후앙, "왕"이고, 사생아일지라도, 붓다—지혜—의 아버지이다. 이 지혜는 오컬트 지식을 말하는 것으로, 성적 발생의 신비를 포함한 달의 신비를 철저히 이해함으로써 얻어진 지혜이다. ("지성소" 참조)

233 수많은 빈민들이 주일학교에서 쓸모 없는 가르침을 성경에서 배우는 대신에, 그들이 점성학을 배웠다면—지금까지 적어도 달의 오컬트 특성과 발생에 미치는 영향에 관한 것이라도— 인구 증가를 걱정할 필요가 없거나 인구 억제를 위한 맬더스의 의문스러운 연구에 의존할 필요가 없었을 것이다. 왜냐하면 잉태를 조절하는 것이 바로 달과 달의 합(conjunction)이며, 인도의 모든 점성가는 그것을 알고 있기 때문이다. 이전 인종과 현재 인종 기간 동안에, 최소한 현재 인종 초기에, 부부관계를 결실 없게 만든 어떤 달의 단계 동안에 그 부부관계를 가진 사람들은 흑마술사와 죄인으로 간주되었다. 그러나 오컬트 지식과 그것의 남용으로 인한 고대의 죄가 그런 오컬트 영향의 불신과 완전한 무지로 저질러지는 오늘날의 범죄들보다 더 나은 것처럼 보인다.

지상의 인간적인 삶만을 말하는 것이었다. 그것의 심령적 영적인 요소는 신비의식과 입문에 속한 것이었다. 중앙아시아에서처럼, 바위와 지하 동굴 벽에 새겨진 것을 제외하고, 두루마리 속에 결코 기록되지 않은 것들이 있다.

그럼에도 불구하고, 전세계가 "하나의 언어와 하나의 지식"이었던 때가 있었고, 그리고 인간은 지금보다도 그의 기원에 대하여 더 많은 것을 알아서, 태양과 달이 인간의 체의 구성, 성장 그리고 계발에서 아무리 큰 역할을 하더라도, 그들이 인간이 지구에 출현하는 직접적인 동인이 아니라는 것을 알고 있었다; 왜냐하면 이 동인들은 사실 오컬티스트가 디얀-초한으로 부르는 살아있는 지성적 권능들이었기 때문이다.

이것에 대하여, 유대인 비의 가르침의 박식한 숭배자가 "카발라에서 엘로힘이 어떤 *'일반적인 추상성'* 이라고 분명하게 말한다"고 우리에게 말한다; "우리가 수학에서 '상계수' 혹은 '일반함수'라고 부르는 것이 특정한 작도가 아닌 모든 작도에 늘어간다; 즉 1 대 31415 의 비율로, (전분-디야니 그리고) 엘로힘 숫자로 들어간다." 이것에, 동양의 오컬티스트가 답한다: 상당히 그렇다. 그것은 우리의 육체적 감각에는 추상성이다. 그러나 우리의 영적 지각과 우리의 내면의 영적인 눈에는, 엘로힘 혹은 디야니도 우리의 혼과 영이 추상성이 아니듯이 추상성이 아니다. 하나를 거부하면 다른 것도 거부해야 한다—왜냐하면 우리 속에서 *살아 남는 실체*인 그것이 부분적으로 *그 천상의 실체들 자신*이자 부분적으로 그것의 직접적인 발산이기 때문이다. 한 가지는 확실하다; 유대인은 다양한 사악한 힘과 주술에서 완전하게 정통하였다; 하지만 다니엘과 에스켈 같은 몇몇 위대한 예언자를 제외하고 (에녹은 아주 먼 인종에 속하며 어느 한 국가가 아닌 일반적인 인물로서 모든 나라에 속한다), 그들은 실재의 신성한 오컬티즘에 대하여 거의 몰랐고, 그것을 다루려고도 하지 않았다. 그들의 민족성이 그들 자신의 민족적, 부족적, 혹은 개인적 혜택에 직접 영향을 주지 않는 것은 무엇이건 싫어하기 때문이다—그 나라의 예언자들과 그들이 "목이 뻣뻣한 인종"에게 외친 저주를 보라. 그러나 카발라조차도 세피로스 혹은 엘로힘과 인간 사이의 직접적인 관계를 분명하게 보여준다.

그러므로 여호와와 여성 세피로스, 비나의 카발라적 동일성이 그 속에 또다른 숨겨진 오컬트 의미를 가지고 있다는 것이 증명될 때, 오직 그때만 오컬티스트는 카발리스트에게 완벽하다는 칭찬을 할 준비가 될 것이다. 그때까지, 여호와가 추상적 의미에서 "하나의 살아있는 신"이기 때문에, 단일수, 형이상학적 허구, 그리고 하나의 발산이자 세피로스로서 그의 적합한 자리에 놓일 때만 하나의 실재가 된다고 주장된다. 조하르가 (하여튼 "수의 서"에서 목격된 것처럼) 기독교 카발리스트들이 그것을 왜곡하기 전에 처음부터 제공하였고, 우리처럼 여전히 똑같은 가르침을 전해준다고 우리는 주장할 권리가 있다; 즉, 인류가 하나의 천상의 인간으로부터 발산하여 나오는 것이 아니라, "피만더, 신성한 사고(Thought Divine)"에서처럼, 천상의 인간들 혹은 천사들의 칠중 그룹에서 나온다.

---

3. 하나가 둘로 될 때—"삼중"이 나타난다 (a). 셋이 (*연결되어*) 하나이다; 그리고 그것은 우리의 줄, 오! 제자여, 삽타파르나로 불린 인간-식물의 심장이다 (b).

(a) "하나(ONE)가 둘로 될 때, 삼중이 나타난다": 즉, 영원한 하나(One Eternal)가 그것의 반영을 현현의 영역 속으로 떨어뜨릴 때, 그 반영, "광선(Ray)"이 "공간의 물(Water of Space)"을 분화시킨다; 혹은 "사자의 서"에 있는 말로, "(중심) 태양의 말씀(WORD)의 위대한 마법의 힘의 도움으로 완전한 어둠을 흩어지게 하면서 원초의 빛의 광선의 광휘를 통해서, 카오스 (혼돈)가 멈춘다." 카오스는 남성-여성으로 되고, 물은 빛을 통해서 부화되며, 그리고 "삼중 존재가 그것의 최초 태어난 자로서 나온다." 대주기 동안에 "오시리스-푸타 (혹은 라)는 그의 양상들을 인격화시킬 운명인 신들을 창조함으로써 (브라흐마처럼) 그 자신의 사지를 창조한다. (17 장 4) 이집트인의 라(Ra)는 심연(DEEP)에서 나오면서 그것의 현현 측면에서 신성한 보편 혼(Divine Universal Soul)이고, "*아카샤 속에 숨어 있으며 에테르 속에서 실재하는,*" 푸루샤, 나라야나도 마찬가지이다.

이것은 형이상학적 설명이며, 진화의 바로 그 시작 혹은 신통기의 시작을 말한다. 스탠저의 의미가 인간과 그의 기원에 대한 신비를 언급하는 데 또 다른 관점에서 설명될 때 한층 더 이해하기가 어렵다. 하나가 둘로 되고, 그리고 나서 "삼중"으로 변형되는 것에 대한 명확한 개념을 형성하기 위해서, 학생은 우리가 "라운드"로 부르는 것을 완전하게 이해해야 한다. 에소테릭 붓디즘—태고의 우주발생론의 근접한 개요를 그리려는 첫 번째 시도—을 참고하면, "라운드"가 발생기의 물질 성질의 일련의 진화, 생명 주기 전체 기간 동안에 광물계, 식물계 그리고 동물계 (인간은 동물계에 포함되며 동물계의 가장 앞에 선다)를 가진 우리 체인의[234] 일곱 구체의 연속적 진화를 의미한다는 것을 발견할 것이다. 브라만은 이 생명의 전체 주기를 "브라흐마의 낮"으로 불렀다. 간략히 말하면, 라운드는 일곱 구체들로 (혹은 또 다른 의미로 일곱의 분리된 "수레바퀴들") 구성된 "수레바퀴" (우리의 행성 체인)를 한번 도는 것이다. 진화가 물질 속으로 하강하여 구체 A 에서 구체 G 혹은 구체 Z 까지 돌았을 때, 서구의 학생들이 부르듯이, 이것이 1 라운드이다. 우리의 현재 "라운드"인 네 번째 중반에: "진화가 물질적 계발의 정점에 도달하였고, 그 작업이 완전한 육체 인간으로 절정을 이루었으며, 바로 이 시섬부터 그 작업이 영으로 향하게 된다." 이 모든 것이 "에소테릭 붓디즘"에서 잘 설명되었기에 여기에서는 반복할 필요가 없다. 그 책에서 거의 설명되지 않았고, 언급된 작은 부분도 많은 사람을 오해하게 만든 것이 인간의 기원이며, 그것에 대하여 2 권에서

---

234 몇몇의 적대적인 비평가들은 이전 저작인 "아이시스 언베일드"에서 인간의 일곱 원리나 우리 체인의 칠중 구조를 가르치지 않았다는 것을 증명하려고 한다. 그 책에서 그 가르침이 힌트만 주어졌더라도, 인간과 체인의 7 중 구조가 공개적으로 언급된 많은 구절들이 있다. 2 권 420 페이지에서 엘로힘에 관하여 말할 때 이렇게 말한다: "그들은 일곱 번째 하늘 (혹은 영계) 위에 남아 있다. 왜냐하면, 카발리스트에 따르면, 여섯 개 물질계를 연속해서 형성한 혹은 오히려 일곱 번째 세계인 우리 세계보다 앞선 세계를 시도한 것이 바로 그들이기 때문이다." 물론 우리 구체는 "체인"을 나타내는 그림에서 일곱 번째이자 가장 낮은 것이다; 이 구체들에서의 진화가 주기적이기 때문에, 물질의 원호를 따라서 하강할 때 네 번째이다. 또 2 권 367 페이지에 그것이 쓰여 있다: *철학에 근거를 둔 모든 다른 종교의 개념처럼*, 이집트인의 개념에서도, 인간은 . . . 단순히 혼과 체의 합일이 아니다; 그는 영이 부가될 때 삼위일체이다; 그리고 게다가 그 가르침에서 인간은 체, 아스트랄 형태 혹은 그림자, 동물혼, 상위 혼, 그리고 지상의 지성 그리고 여섯 번째 원리 등등—일곱 번째 원리—영으로 구성되어 있다." 이 원리들이 아주 명확하게 언급되어서, 심지어 p. 683 에 있는 색인에서도 다음을 보게 된다: "인간의 여섯 원리"—일곱 번째가 여섯의 통합이고, 엄밀히 말하면 *원리가 아니라* 절대적 전체(Absolute ALL)의 광선이다.

그것의 합당한 곳에서 충분히 설명될 것이기 때문에, 여기서는 스탠저를 더 이해할 수 있을 만큼만 충분히 이것에 약간의 빛을 비출 수 있다.

모든 구체—네 번째 구체 (우리의 실제 지구)까지 아래로—가 세 가지 상위 계에서 순서대로 그것을 선행하는 한층 더 그림자 같은 구체의 더 조밀하고 더 물질적인 복사판이듯이, 이제 (하강하는 단계에서) 모든 "라운드"는 그것을 선행한 라운드를 한층 더 구체적인 형태로 반복하는 것에 불과하다. (스탠저 VI 주석 6 참조) 상승하는 원호를 따라서 위로 가는 길에서, 진화가 말하자면 만물의 일반적인 성질을 영성화시키고 에텔화시켜서, 맞은편에 있는 쌍둥이 구체가 놓여 있는 그 계와 같은 수준으로 데려간다; 결과는 (어느 라운드이건) 일곱 번째 구체에 도달할 때 진화하는 모든 것의 성질이 그것의 시작점에 있던 상태로 돌아가며, 그리고 매번 돌아갈 때마다, 새롭고 더 우수한 정도의 의식 상태로 돌아간다. 이렇게 우리의 현재 라운드에 혹은 이 행성에서의 생명 주기에서 소위 "인류의 기원"이 이전 라운드에서처럼—국부적 조건과 시간에 바탕을 둔 세부사항을 제외하고—같은 순서에 같은 장소를 차지해야만 한다는 것이 분명해진다. 다시, 각 라운드의 작업이 소위 "창조자들" 혹은 "건축가들"의 서로 다른 그룹에 배정된다고 말하듯이, 마찬가지로 모든 구체의 작업도 그렇다는 것을 명심해야 한다; 즉, 그것이 특별한 "건설자들"과 "감시자들"—다양한 디얀 초한들—의 관리와 지도 하에 있게 된다.

그래서 인류를 "창조하도록" [235] 위임받은 하이어라키의 그룹은 특별한 그룹이다; 그럼에도 더 높고 한층 더 영적인 그룹이 세 번째 라운드에 인류를 진화시켰듯이, 이번 주기에 그것이 그림자 같은 인류를 진화시켰다. 그러나 그것이 여섯 번째이기에—영성의 하강하는 정도에서—마지막이자 일곱 번째는 인간의 육체를 점진적으로 형성하고 건설하며 응축시키는 것이 지상의 영들(엘리멘탈)이다—이 여섯 번째 그룹은 미래 인간의 그림자 같은 형태, 매우 얇고, 거의 보이지 않는 투명한 그들의 복사판만 진화시킨다. 텅 빈 에텔 동물 형태에 생기를 불어넣어서

---

235 창조는 사용하기에 정확하지 않은 단어이다. 어떤 종교도, 인도의 비시쉬타 아드와이타 종파—심지어 파라브라흐맘까지 인격화시킨다—도 기독교인과 유대인처럼 無(nihil)에서 창조를 믿지 않지만, 이미 존재하는 재료에서 진화를 믿는다.

그것을 이성적 인간(Rational Man)으로 만드는 것이 다섯 번째 하이어라키—인도와 이집트에서처럼 마카라 혹은 "크로커다일"인 염소자리 성운을 주재하는 신비스러운 존재들—의 과업이 된다. 이것은 일반 사람에게는 언급할 수 있는 것이 거의 없는 그런 주제 중의 하나이다. 그것은 진실로 거대한 신비이지만, 온전한 의식을 인간에게만 제한하면서, 그것을 "두뇌의 기능"으로서만 제한하는, 우주에 있는 지성적 의식적 영적 대존재들의 실재를 거부할 준비가 된 사람에게만 그렇다. 인간의 출현 이후, 인간 속에 육체로 화신한 영적인 실체들이 많이 있으며, 그럼에도 불구하고, 그들은 공간의 무한성 속에서, 이전처럼 독립적으로 여전히 존재한다...

더 분명하게 표현하면: 볼 수 없는 대실체가 초감각 영역에서 그것의 위상과 기능을 포기하지 않은 채 지상에 육체적으로 실재할 수도 있다. 이것에 대하여 설명이 필요하다면, 독자에게 심령주의에서 매우 드물지만 비슷한 경우를, 적어도 실체의 성질이 화신하거나[236] 영매를 일시적으로 소유하는 사례를 상기시키는 것보다 더 나은 것이 없다. 어떤 사람들—살아 있는 사람들 사이에서 유사한 사례로 돌아가보면—이 어떤 독특한 조직화나 획득한 신비한 지식의 힘을 통해서 그의 체가 멀리 떨어져 있지만 어느 한 곳에서 그들의 "복체" 속에 있는 것이 보일 수 있듯이; 마찬가지로 더 우세한 대존재들의 경우에도 똑같은 일이 일어날 수 있다.

인간은, 철학적으로 고려하면, 그의 외적인 형태에서 단순히 동물에 불과하며, 세 번째 라운드의 유인원 같은 조상보다 그렇게 완전하지 않다. 그는 살아있는 존재가 아니라, 살아있는 체이다. 왜냐하면 존재의 인식, "자아-합계(Ego-Sum)"는 자아-의식을 필요로 하고, 동물은 직접적인 의식 혹은 본능만 가질 수 있기 때문이다. 고대인들은 이것을 잘 이해하였으며, 심지어 카발리스트도 혼과 체, 서로 독립된 두 개의 생명으로 생각하였다.[237] 혼의 체의 매개체가 아스트랄, 에텔적 실질 외피로

---

236 종종 영매의 체를 소유할 수 있는 소위 "영들"은 육체를 벗은 개성들의 모나드나 상위 원리가 아니다. 그런 "영"은 엘리멘터리이거나 니르마나카야일 뿐이다.

237 *생명의 새로운 측면*의 저자가 340-351페이지 (혼의 기원)에서 카발라 가르침을 말한다: "카발리스트들은 기능적으로 영과 상응하는 투명도와 밀도를 가진 물질은 합체하려는 경향이 있다고 주장하였다; 그리고 결과로 창조된 영들은 육체를 벗어난 상태에서 엘리멘탈 혹은 창조되지 않은 영의 서로 다른 불투명도와 투명도가 재생되는 어떤 등급을 구성한다고 주장하였다. 그리고 육

죽을 수 있고 사람이 여전히 지상에서 살고 있을 수 있다—즉, 혼이 광기나 영적 육체적 타락 같은 다양한 이유로 그 거처에서 자신을 자유롭게 해서 떠날 수 있다. [238] 그러므로 살아 있는 사람들 (입문자들)이 할 수 있는 그것을, 방해하는 육체를 가지고 있지 않은 디야니스가 한층 더 잘 할 수 있다. 이것이 대홍수 이전 시대의 믿음이었고, 그들의 천사들의 편재를 가르치는 그리스와 로마 교회뿐만 아니라 심령주의에서 근대 지성인 사회의 신념으로 빠르게 되고 있다. 조로아스터교도들은 그들의 암샤스펜드를 이중의 실체 (페로우에르)로 간주하였으며, 이 이중성—하여튼 비의 철학에서—을 우리 눈에 보일 수 있는 공간 속에 있는 무수히 많은 세계의 모든 보이지 않는 영적인 거주자들에게 적용한다. 칼데아인의 신탁에 관한 다마시우스 (6 세기)의 메모에서, 우리는 이 가르침의 보편성에 대한 삼중의 증거를 보게 된다. 왜냐하면 그가 말하기 때문이다: "이 신탁에서 성 바오로도 언급한 세계의 일곱 건축가(Cosmocratores) ('세계-기둥들')가 이중이다—한 세트는 상위 세계, 영계와 항성계를 지배하도록 위임받았고, 다른 하나는 물질 세계를 안내하고 지켜보도록 위임받았다." 그것이 이암블리쿠스의 의견으로, 대천사와 "통치자들(Archontes)" 사이를 분명하게 구분한다. ("신비," 2 부 3 장 참조) 물론 위에서 말한 것이 영적인 존재들의 정도 혹은 등급들 사이에 구분한 것에 적용될 수 있고, 바로 이런 의미에서 로마 카톨릭이 그 차이를 해석해서 가르치려

체를 벗어난 상태에 있는 이 영들은 자신의 상태와 일치하는 엘리멘탈 영과 엘리멘탈 물질을 끌어 당기고, 흡수하며, 소화하고 동화시킨다고 주장하였다." "그러므로 그들은 창조된 영들의 상태에는 폭넓은 차이가 있다고 가르쳤다; 그리고 영의 세계와 물질 세계 사이의 밀접한 연관성에서, 육체를 벗어난 상태에 있는 더 불투명한 영들이 물질계의 더 조밀한 부분으로 이끌려갔으며, 그래서 그들 상태에 가장 적합한 조건을 발견한 지구의 중심으로 향하는 경향이 있다고 가르쳤다; 반면에 더 투명한 영들은 지구를 둘러싸고 있는 행성의 오라 속으로 들어가서, 가장 희박한 영들이 위성 (달)에서 집을 찾는다고 가르쳤다." 이것은 오로지 우리의 엘리멘터리 영들만을 말하는 것이며, 행성적, 항성적, 우주적 혹은 상호-에텔적 지성적 힘 혹은 로마 카톨릭 교회가 말하는 "천사"들과는 아무런 관계가 없다. 유대인의 카발리스트들, 특히 의례의 마법을 다룬 실천적 오컬티스트들은 행성의 영들과 소위 "엘리멘탈들"을 다루는데 바빴다. 그러므로 이것은 비의 가르침의 일부분만을 커버한다.

238 육체가 지상에서 계속 살아가는 동안에, 보이지 않는 세계에 거주하는 그 "혼" (즉, 영원한 영적 자아(Ego))의 가능성은 탁월하게 오컬트 가르침으로, 특히 중국 철학과 불교 철학에서 그렇다. 아이시스 언베일드, I, p. 602 예를 보라. 우리 가운데 많은 사람이 *혼이 없는* 사람들이다. 왜냐하면 "성스러움에서 진보하여 결코 돌아오지 않는" 사람들뿐만 아니라 사악한 물질주의자들 속에서도 그런 일이 일어나는 것이 발견되기 때문이다. (II, p. 369 참조)

한 것이다; 왜냐하면 그 가르침에서 대천사는 신성하고 성스러운 반면에, 그들의 복체는 악마로서 비난받기 때문이다.[239] 그러나 "페로우에르(ferouer)" 단어가 이런 의미로 이해되어서는 안 된다. 왜냐하면 그것은 단순히 어떤 속성 혹은 특질의 맞은편을 의미하기 때문이다. 이렇게 오컬티스트가 "악마는 신의 안감이다" (악, 금속의 뒷면)라고 말할 때, 그는 두 개의 분리된 실체를 의미하는 것이 아니라, 똑같은 통일성의 두 가지 측면을 말하는 것이다. 이제 최고의 살아 있는 인간이 대천사와 나란히—신학에서 묘사되었듯이—악마가 출현할 것이다. 그래서 그것의 원형보다 물질 속으로 훨씬 더 깊게 담가진 하위의 "복체"를 비하하려는 어떤 이유가 있게 된다. 그러나 그들을 악마로 간주하려는 이유가 여전히 거의 없다. 그리고 이것이 로마 카톨릭 교회가 모든 이성과 논리에 반하면서 주장하는 것이다.

(b) 이 구절의 맺는 문장에서 인간이 그 구성에서 7 중이라는 믿음과 가르침이 얼마나 태고 것인지 보여준다. 인간에게 생명을 불어넣고 그의 모든 개성 혹은 여기 지구에서의 재탄생을 꿰뚫고 지나가는 존재의 줄 (수트라트마를 말하는 것), 게다가 그의 모든 "영들"이 꿰배어신 그 줄은 "3 중," "4 중," 그리고 "5 중"의 본실에서 뽑아져 나온다; 이것들이 앞의 모든 것을 담고 있다. 바가바타 푸라나 (V. XX. 25-28)에 따라서, *판차시카(Panchasikha)*는 비쉬누를 경배하기 위해서 스베타-드비파로 가는 일곱 *쿠마라들* 중의 하나이다. 나중에 우리는 "증식"을 거부한 "독신의" 순결한 브라흐마 아들들과 지상의 인간들 사이에 어떤 관계가 있는지를 깊게 볼 것이다.

---

239 영과 그것의 물질 "복체" 사이의 이런 동일성이 (인간의 경우, 그와 반대이다) 이 책에서 이미 언급되었듯이 리쉬들과 프라자파티의 숫자들뿐만 아니라 이름들과 개체들 속에서, 특히 사티야 유가와 마하바라타 시대 사이에서, 혼란을 한층 더 잘 설명한다. 그것은 또한 씨크릿 독트린에서 뿌리 마누와 씨앗 마누에 대하여 가르치는 것에 추가적인 빛을 비춘다. (2권 "인류의 원시 마누들에 대하여" 참조) 우리 인류의 선조들뿐만 아니라, 모든 인간이 영적인 영역에 각자의 원형을 가지고 있다고 배웠다; 그 원형은 일곱 번째 원리의 최고 본질이다. 이렇게 일곱 마누가 14 마누로 되고, 뿌리 마누가 주요 원인(Prime Cause)이며, "씨앗 마누"는 그것의 영향이다; 그리고 14 마누가 (첫 번째 단계에) 사트야 유가에서 영웅 시대로 도달할 때, 이 마누들 혹은 리쉬들이 수에서 21로 된다.

한편 "인간-식물," 삽타파르나가 일곱 원리를 언급하는 것이 분명하며, 인간이 불교도 사이에서 아주 신성시하는 이 이름의[240] 일곱 잎을 가진 식물에 비유된다.

삽타파르나와 상징학분만 아니라 오컬티즘에서 7 이라는 숫자의 중요성에 관한 세부사항을 위해서, 독자는 2 권 2 부의 상징체계에 있는 *삽타파르나*, "베다에 있는 칠중 원리" 등등을 참조하길 바란다.

---

4. 그것은 결코 죽지 않는 뿌리, 네 개 심지의 세 개 혀를 가진 불기둥이다

(a)[241] . . . 그 심지들은 일곱에 의해서 밖으로 나온 세 개 혀의 불기둥 (그들의 *상위 삼중체*)에서 그들의 불기둥을 끌어당긴 불꽃들이다; 하나의 달의 빛줄기와 불꽃들이 지구 (*부후미* 혹은 *프리티비*)의 모든 강의 흐르는 파도에 반영된다 (b).[242]

(a) 결코 죽지 않는 "세 개 혀를 가진 불기둥"은 불멸의 영적 삼개조—아트마, 붓디, 마나스—이고 지상계 생이 끝날 때마다 마나스의 결실이 아트마와 붓디에 의해서 흡수된다. 죽어서 꺼지는 "네 개 심지"는 육체를 포함한 네 가지 하위 원리이다.

---

240 이미 언급된 "사자의 서"에 있는 이집트인의 비유, "혼의" 보상을 말하는 찬가는 시적일 뿐만 아니라 우리가 말하는 칠중구조 가르침을 암시하고 있다. 사자가 아안루 들판에 있는 땅 일부를 할당 받는다. 거기서 마네스, 즉 사자의 신격화된 망령이 생에서 그들이 생에서 그들의 행위로 뿌린 수확으로써 14 부분과 7 부분으로 나누어진 영역에서 자라는 7 큐빗 높이의 곡식을 수확한다. 이 곡식은 그들이 먹고 번성할, 혹은 아멘티에서 그들을 죽일 음식으로, 아안루 들판이 그것의 영역이다. 왜냐하면 찬가에서 말하듯이 (32 장 9 절 참조), 사자는 "77 번의 일곱 배의 생"을 지상에서 보내거나 보낸 결과로, 영원 속에서 순수 영으로 되거나, 혹은 아멘티에서 파괴된다. "우리 행위의 과실"로써 수확된 곡식의 개념이 매우 생생하다.
241 네 개 심지를 가진 세 개 혀의 불기둥은 세피로스 나무의 네 개 단일체와 세 개 이원체에 상응한다. (스탠저 VI 주석 참조.)
242 여기서 주어진 용어가 산스크리트어를 번역한 것이라고 반복해서 말할 필요가 없다; 원문의 용어는 유럽에서 알려지지 않았고 들어보지도 못한 것으로 독자만 더욱 혼란스럽게 만들 뿐이며, 아무런 도움이 되지 않기 때문이다.

"나는 세 개 심지를 지닌 불기둥이고, 내 심지는 불멸이다"라고 사자가 말한다. "나는 세켐의 영역 (그 팔이 육체를 벗은 혼에 의해서 만들어진 행위의 씨앗을 뿌리는 신)으로 들어가고 나는 그들의 적들을 파괴한," 즉 죄를 만드는 "네 개 심지"를 제거한, "불기둥 영역으로 들어간다." ("사자의 서," 1장, 7장과 "로-스탄(Ro-stan)의 신비" 참조)

(b) 무수히 많은 밝은 불꽃이 하나의 똑같은 달이 빛나는 대양 위에서 춤을 추듯이, 덧없는 우리의 개성—불멸의 모나드-자아(MONAD-EGO)의 환영 같은 덮개들—도 마야의 파도 위에서 반짝거리며 춤춘다. 밤의 여왕이 흐르는 생명의 물 위에 그녀의 광택을 방사하는 동안만, 그것들은 달빛으로 만들어진 수천 개의 불꽃처럼, 지속하고 나타난다: 만반타라 기간; 그리고 그들은 사라지고, 달빛 광선—우리의 영원한 영적 자아의 상징—만이 살아 남아서, 어머니-근원 속으로 다시 융합되어 이전처럼 하나가 된다.

---

5. 불꽃이 가장 섬세한 포하트의 실로 불기둥에 매달려 있다. 그것은 마야의 일곱 세계를 두루 여행한다 (a). 그것이 첫 번째 왕국에서 멈추고, 광물과 돌이 된다; 그것은 두 번째 왕국으로 지나가고, 보라! 식물이다; 그 식물이 일곱 형태를 지나가면서 신성한 동물로 된다; (육체 *인간의 최초 그림자*) (b).
이것들의 조합된 속성에서, 마누 (*인간*), 사고자가 형성된다.
누가 그를 형성하는가? 일곱 생명들; 그리고 하나의 대생명 (c). 누가 그를 완성시키나? 5중 "라(LHA)." 그리고 누가 마지막 체를 완성시키는가? 물고기, 죄, 그리고 "소마" (*달*) (d).

(a) "마야의 일곱 세계를 두루"라는 구절은 여기서 일곱 라운드와 행성 체인의 일곱 구체 혹은 모든 만반타라 혹은 "거대한 생명 주기" 시작에, 모나드 혹은 "불꽃" 앞에

있는 활동하는 존재의 49 개 정박지를 말한다. "포하트의 줄"은 전에 언급된 생명의 줄이다.

이것은 철학의 가장 거대한 문제를 말하는 것이다—생명의 물리적 실질적 성질로, 그것의 독립적인 성질을 근대 과학이 이해할 수 없기 때문에 부인한다. 환생론자와 카르마를 믿는 사람들만이 생명의 전체 비밀이 (육체 속에 있건, 분리되어 있건) 일련의 중단 없는 현현 속에 있다는 것을 어렴풋이 지각한다. 왜냐하면 만약 —

> "생명은, 많은 색깔의 유리 천장처럼,
> 영원의 백색 광휘를 착색한다" —

그럼에도 그것은 자체로 그 영원의 일부이다; 왜냐하면 생명만이 생명을 이해할 수 있기 때문이다.

"불기둥에 매달려 있는" 그 "불꽃(Spark)"은 무엇인가? 그것은 지바(JIVA)로, 마나스와 결합한 모나드, 혹은 오히려 마나스의 아로마이다—가치 있을 때, 각각의 개성에서 남아 있으며, 불기둥인 아트마-붓디에 생명 줄로 매달려 있는 그것이다. 인간이 어떤 방식으로 해석되건 그리고 몇 가지 원리로 나누어지건, 이 가르침이 베다부터 이집트의 종교에 이르기까지, 조로아스터교에서 유대교에 이르기까지, 고대의 모든 종교들에 의해서 지지되었다는 것을 쉽게 볼 수 있다. 유대교의 경우, 카발라 문헌들이 이 진술에 대하여 풍부한 증거를 제공한다. 카발라 숫자의 전체 체계가 삼개조에 매달려 있는 신성한 칠중구조 (그래서 *10 개조*를 형성한다)와 그것의 변형인 7, 5, 4, 3 에 토대를 두고 있으며, 모두가 결국에는 하나(ONE) 자체 속으로 합쳐진다: 끝없이 무궁한 원(Circle)이다.

조하르에서 말한다: "신(Deity) (언제나 보이지 않는 실재)은 그것의 방사하는 증인들인 10 세피로스를 통해서 자신을 현현한다. 신은 바다와 같고 거기서 대지혜라고 부른 시냇물이 흘러나오며, 그 시냇물이 지성으로 불린 호수 속으로 떨어져서 들어간다. 그 호수 유역에서 7 개 통로처럼 7 개의 세피로스가 나온다. . . .

왜냐하면 *10 은 7 과 같기 때문이다.* 데카드(10)는 *넷*의 단일체들(Unities)과 *셋*의 이중체들을 포함한다." 10 의 세피로스는 인간(MAN)의 사지에 상응한다. 엘로힘이 말하게 만든다: "내가 아담 카드몬을 만들었을 때, 영원의 영(Spirit of the Eternal)이 7 백만 개 하늘의 파도 위에 동시에 방사한 번개의 벌판처럼 그의 체에서 분출하였고, 나의 *10 가지* 광휘가 그의 사지였다." 그러나 아담 카드몬의 머리나 어깨를 볼 수가 없다; 그러므로 *세프라 드제니오우타* ("숨겨진 신비의 서")에서 다음과 같이 읽는다:

"시간의 태초에, 엘로힘 ("빛과 생명의 아들들" 혹은 "건설자들")이 영원한 본질에서 하늘들과 땅을 형성한 후에, 그들은 세계를 6 개씩 형성하였고, 일곱 번째는 *말후트*로 우리의 지구이며 (*만투안 코덱스* 참조) 다른 모든 의식적 존재계에서 가장 낮은 계이다. 칼데아인의 *"수의 서"*는 이 모든 것에 대한 자세한 설명을 가지고 있다. "아담 카드몬의 첫 삼개조 (일곱 계[243] 중 상위 세 가지 계)는 혼이 옛날부터 계신 분 앞에 서게 되기 전까지 보이지 않을 것이다." 이 상위 삼개조 세피로스는 다음과 같다: ― "1, *케테르* (왕관)는 매크로프로소푸스의 이마로 나타난다; 2. 호크마 (지혜, 남성 원리)는 그의 오른쪽 어깨로; 그리고 3, *비나* (지성, 여성 원리)는 왼쪽 어깨로." 그리고 나서 *일곱* 사지 (혹은 세피로스)가 현현계로 오고, 이 네 개의 현현계 전체가 *마이크로프로소푸스* (작은 얼굴), 혹은 "4 글자"의 신비, 테트라그라마톤으로 나타난다. "현현된 일곱과 숨겨진 셋의 사지가 신의 체(Body)가 된다."

이렇게 우리의 지구, 즉 *말후트*는 *일곱 번째* 세계이자 *네 번째* 세계로, 위의 첫째 구체부터 셀 때 일곱 번째이고, 계로 계산하면 네 번째이다. 말후트는 여섯 번째 구체 혹은 "토대(foundation)," *예조드(Yezod)*로 불린 세피로스에 의해서 생긴다. 혹은 수의 서에서 말하듯이, "예조드에 의해서, 그(He) (아담 카드몬)가 원시의 헤와(Heva) (이브 혹은 우리의 지구)를 잉태시킨다." 신비 언어로 표현되어서, 이것이 "열위의 어머니(inferior Mother)," 마트로나(Matrona), 여왕(Queen) 그리고 토대의 왕국으로 불린 말후트가 왜 테트라그라마톤 혹은 마이크로프로소푸스 (제 2 로고스), 천상의 인간의 *신부(Bride)*로 보여지는 이유를 설명한다. 그녀가 모든 불순성에서 자유롭게

---

243 "살이 있는 혼"의 형성 혹은 인간이 그 생각을 한층 더 명확하게 제시할 것이다. "살아 있는 혼"은 성서에서 인간과 동의어이다. 이것이 우리의 일곱 "원리"이다.

될 때 그녀는 영적인 로고스와 결합할 것이다, 즉, 제 7 라운드 제 7 인종에—
"안식일," "사바스(SABBATH)" 날에, 갱생한 후. 왜냐하면 *일곱 번째 날*은 우리의
신학자들이 꿈에도 상상하지 못한 오컬트 의미를 가지고 있기 때문이다.

"마트로니타(Matronitha), 즉 어머니가 분리되어 왕과 마주하게 될 때, 안식의 탁월함
속에서, 만물이 일체가 된다"고 "소성회" 22 장 746 절에서 말한다. "일체(one
body)가 된다"는 것은 만물이 다시 흡수되어 하나의 원소 속으로 들어간다는 것으로,
인간의 영들은 *열반자(Nirvanee)*가 되고 다른 모든 것의 원소들은 이전 상태인
프로타일 혹은 미분화된 질료로 다시 된다는 것이다. "사바스"는 *휴식* 혹은
니르바나를 의미한다. 그것은 6 일 후에 오는 일곱 번째 날이 아니라, 그 기간은
7 일의 기간 혹은 일곱 부분으로 구성된 어떤 기간과 같은 기간이다. 그래서
프랄라야가 지속 기간에서 만반타라와 같고 혹은 브라흐마의 밤이 이 "낮"과 같은
기간이다. 만약 기독교도가 유대교의 관습을 따른다면, 그들은 그 관습의 사문자가
아닌 그 정신을 채택해야만 한다; 즉, 7 일의 한 주간 일하고 일주일 휴식을 취해야
된다. "사바스"라는 단어가 신비적인 의미를 가지고 있다는 것은 예수가 안식일에
대하여 그리고 누가복음 18 장 12 절을 말한 것으로 보여준 경멸 속에서 나타난다.
거기서 사바스가 *한 주 전체*로 여겨진다. (한 주가 *시바스*로 불린 그리스어 원문을
보라. "나는 사바스에 두 번 단식을 한다.") 입문자인 바울이 천국에서 영원한 휴식과
지복을 사바스라고 말했을 때 그것을 잘 알았다; "그리고 그들의 행복이 영원할
것이다. 왜냐하면 그들은 언제나 주(Lord)와 (하나로) 있을 것이고 *영원한 사바스*를
누릴 것이기 때문이다." (히브리서 4 장 2 절.)

현재 왜곡된 기독교 신비가들의 카발라로 잘못 나타내어진 카발라가 아닌,
칼데아인의 "*수의 서*"에 포함되어 있는 카발라와 태고의 비의적 비디야, 두 체계
사이의 차이는 진실로 매우 적으며, 그 차이가 표현과 형태의 중요하지 않은 차이로
제한된다. 이렇게 동양의 오컬티즘은 우리 지구를 네 번째 세계, 체인의 가장 낮은
세계라고 말하고, 그 위에는 양쪽으로 각각 세 개씩 여섯 개의 구체가 있다. 한편
조하르에서는 지구를 더 낮은 세계 혹은 *일곱 번째*라고 부르며, 지구 안에 있는
모든 것들이 여섯 개에, 즉 "마이크로프로소푸스"에 의존한다고 덧붙인다. "더 작은

얼굴"은 현현하여 유한하기 때문에 더 작으며, *"여섯 세피로스로 구성되어 있다"*고 조하르에서 말한다. "일곱 왕이 *세 번 파괴된 세계*에 와서 죽는다"—(말후트, 우리 지구는 그것이 지나간 세 번의 라운드 각각 후에 파괴되었다). "그리고 그들 (일곱 왕)의 통치가 끝날 것 것이다." (*수의 서*, 1 권 8 장 3 절) 이것은 일곱 인종을 말하는 것으로, 다섯 인종이 이미 나타났고, 두 인종이 이번 라운드에 나타날 것이다.

우주발생론과 인간의 기원에 관한 일본의 신토의 비유 설명도 같은 내용을 암시한다.

파운즈 선장은 일본 사원에서 거의 9 년 동안 일본의 다양한 종파들의 근저에 놓여있는 종교를 연구하였다. . . 그가 말한다: "창조에 대한 신토의 사상은 다음과 같다: 카오스(*콘톤*)에서 지구(*인*)가 침전된 퇴적물이었고, 하늘(*요*)은 상승한 에텔 본질이었다: *마아*(*Maa*) (*진*)가 그 둘 사이에 나타났다. 최초 인간은 쿠니-토 탓치-노-미코토라고 불렸고, 그에게 *5 개의 다른 이름들이 주어졌으며*, 인류가 남성과 여성으로 나타났다. 이사나기와 이사나미는 *텐쇼코 도이진*, 지구의 다섯 신 중 첫째 신을 낳았다." 이 "신들"은 우리의 다섯 인종으로, 이사나기와 이사나미가 "조상들"의 두 종류이며, 이들이 동물 인간과 이성적 인간을 낳았다.

숫자 7 뿐만 아니라 인간의 7 중 구조의 가르침이 모든 비밀 체계에서 매우 두드러졌다는 것을 (SD 2 권 2 부) 보게 될 것이다. 7 은 동양의 오컬티즘에서 뿐만 아니라 서구의 카발라에서도 중요한 역할을 한다. 엘리파스 레비는 숫자 7 을 "모세의 창조와 모든 종교의 상징의 열쇠"라고 부른다. 그의 저서 *"위대한 신비의 열쇠"*에서 제시한 그림이 칠중이듯이, 카발라가 인간의 칠중 구분을 충실하게 따른다는 것을 그가 보여준다. 그의 저서 389 페에지에서 "파라셀수스의 예언과 여러 사상"을 보면, 올바른 생각이 매우 교묘하게 숨겨져 있더라도, 이것을 볼 수 있다. 또한 레비가 지은 "위대한 신비의 열쇠"에서 발췌한 (매더스의 카발라에 있는 그림 VII) "혼의 형성"에 대한 그림을 보면, 서로 다른 해석이지만 똑같다는 것을 발견하게 된다.

이렇게 카발라 명칭과 오컬트 명칭을 붙였다: —

이제 매우 조심스러운 엘리파스 레비가 그의 그림을 설명한 내용에서 말한 것과 비의 가르침에서 가르치는 것을 표 형태로 제시할 것이다—그리고 그 둘을 비교할 것이다. 레비도 카발라와 오컬트 영학(Pneumatics)을 구분한다. ("*마법의 역사,*" pp. 388, 389)

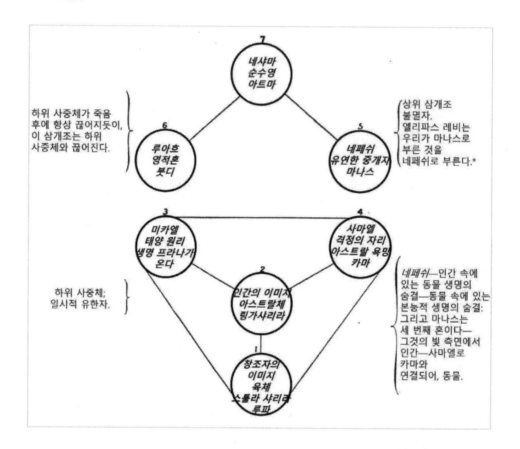

카발리스트, 엘리파스 레비에 말한다:	신지학자가 말한다:
카발라 영학	비의 영학
1. 혼(혹은 자아)은 옷을 입은 빛이다; 이 빛은 3 중이다.	1. 좌동. 혼은 아트마-붓디-*마나스*이기 때문이다.
2. 네샤마 — 순수영.	2. 좌동.[244]

---

244 엘리파스 레비가 의도적이건 그렇지 않건 숫자들을 혼란스럽게 만들었다: 우리의 경우, 그의 2번과 1번 (영)이다; 그리고 네페쉬를 유연한 중개자이자 생명으로 만들어서, 그는 사실상 여섯

3. 루아흐 — 혼 혹은 영.	3. 영적 혼.
4. 네페쉬 — 가소성의 중개자.[245]	4. 영과 그의 인간 사이의 중개자. 인간 속에 있는 마인드, 이성의 자리.
5. 혼의 옷은 이미지(아스트랄 혼)의 외피(체)이다.	5. 정확하다.
6. 이미지는 이중이다. 왜냐하면 그것은 선과 악을 반영하기 때문이다.	6. 너무 쓸데없이 묵시적이다. 그냥 아스트랄은 선한 인간뿐만 아니라 나쁜 인간도 반영을 한다고 말하면 된다; 언제나 상위 삼각형으로 향하거나 혹은 사중체와 같이 사라진다.
7. 이마고(Imago), 체.	7. 지상의 이미지.

오컬트 영학 엘리파스 레비 제시	오컬트 영학 오컬티스트 제시
1. *네페쉬*는 불멸이다. 왜냐하면 그것은 형태의 파괴로 그것의 생명을 새롭게 하기 때문이다. [그러나 네페쉬, "생명의 숨결"은 잘못된 명칭이고 학생에게 쓸모 없는 수수께끼이다.]	1. *마나스*는 불멸이다. 왜냐하면 매번 화신한 후에 마나스는 아트마 붓디에게 그것의 어떤 것을 보태서, 자신을 모나드에 동화시킴으로써 모나드의 불멸을 공유하기 때문이다.
2. *루아흐*는 디에아 (원형)의 진화로 진보한다. (!?)	2. *붓디*는 매번 새로운 화신과 죽음 후에 마나스에서 얻는 부가물로 의식하게 된다.
3. *네샤마*는 망각이나 파괴 없이 전진한다.	3. *아트마*는 발전하지도, 잊어버리지도, 기억하지도 않는다. 아트마는 이 세계에 속하지 않는다: 그것은 물질이 비추고자 할 때 물질의 어둠을 통해서 그리고 그 위로 환하게 비추는 영원한 빛의 광선이다.

원리를 만든다. 왜냐하면 그가 처음 둘을 반복하기 때문이다.

245 비의 가르침도 똑같은 것을 가르친다. 그러나 마나스는 네페쉬가 아니다; 네페쉬가 아스트랄 도 아니고, 네 번째 원리 그리고 두 번째 *프라나*이다. 왜냐하면 네페쉬는 그 속에 영성을 가지고 있지 않은 육체적, 물질 생명의 숨결, 동물이나 곤충 속에 있듯이, 인간 속에 있는 "생명의 숨결" 이기 때문이다.

4. 혼은 세 개의 거주처를 가지고 있다.	4. 혼 (집합으로 상위의 삼개조로서)은 네 번째 계, 지상계분만 아니라, 세 개의 계에서 산다; 그리고 그것은 또 셋의 가장 높은 계에서 영원히 존재한다.
5. 거주처들: 인간계, 상위 에덴; 하위 에덴.	5. 거주처들: 육체 인간 혹은 동물적 혼을 위한 지구; 육체를 벗은 인간 혹은 그의 *껍질*을 위한 카마-로카 (헤이데스 혹은 림보); 상위 삼개조를 위한 데바찬.
6. 이미지(인간)는 탄생의 수수께끼를 내는 스핑크스이다.	6. 맞다.
7. 치명적 이미지(아스트랄)는 네페쉬에 그것의 적성을 부여한다; 하지만 루아흐는 이런 (손상된) 네페쉬를 네샤마의 영감에 따라서 정복된 이미지로 대체할 수 있다.	7. 카마 (욕망)를 통해서 아스트랄은 마나스를 물질적 격정과 욕망의 영역으로 끊임없이 끌어내린다. 그러나 더 나은 인간 혹은 마나스가 치명적인 인력에서 벗어나려고 노력하고 아트마—영—를 열망하면, 그러면 붓디(루아흐)가 정복해서, 마나스를 영원한 영의 영역으로 데리고 간다.

프랑스의 카발리스트 엘리파스 레비는 진정한 가르침을 충분히 알지 못했거나, 아니면 그것을 그의 목적에 적합하게 뒤틀었다는 것이 매우 분명하다. 이렇게 그는 같은 주제에 대하여 다루면서 말하고 오컬티스트인 우리는 그와 그의 숭배자들에게 아래와 같이 대답한다.

1. 체는 네페쉬의 주형이다; 네페쉬는 루아흐의 주형이다; 루아흐는 *네샤마의 의상들의* 주형이다.	1. 체는 선하건 악하건 마나스의 변덕을 따른다; 마나스는 붓디의 빛을 따르려고 하지만, 종종 실패한다. 붓디는 아트마의 "의상들"의 주형이다. 왜냐하면 아트마는 체도, 형상도, 어떤 다른 것도 아니며, 붓디는 단지 *비유적으로* 그의 매개체이기 때문이다.

2. 빛(혼)은 체를 입을 때 개성화되고 개성은 그 옷이 완전할 때만 지속된다.	2. 개성아가 화신 할 때 모나드는 개성아로 된다; 그리고 마나스가 붓디를 흡수할 수 있을 만큼 충분히 완전해질 때, 마나스를 통해서, 그 개성의 어떤 것이 그대로 남아 있게 된다.
3. 천사들은 인간이 되기를 열망한다; 완성된 인간, 즉 인간-신은 모든 천사들 위에 있다.	3. 맞다.
4. 14,000 년마다, 혼은 다시 원기를 회복하여, 망각의 환희의 잠 속에서 휴식한다.	4. "대시대," 혹은 브라흐마의 낮 기간 동안에, 14 인의 마누가 통치한다; 그 후 프랄라야가 와서 모든 혼(=자아)이 니르바나에서 휴식한다.

그것이 카발라에 있는 비의 가르침의 왜곡된 복사본이다. 그러나 SD 2 권에 있는 "인류의 원초의 마누"를 참조하라.

이제 스탠저 VII 로 돌아가자.

(b) 잘 알려진 카발라의 금언은 이렇다: — "돌이 식물로 된다; 식물이 동물로; 동물이 인간으로; 인간이 영으로; 그리고 영이 신으로." 그 "불꽃"이 신성한 인간 속으로 들어가서 만들기 전에 모든 왕국들에 순서대로 생명을 불어넣고, 신성한 인간과 그의 전신인 동물 인간 사이에, 세상에서 모든 차이가 있다. 창세기는 인류학을 잘못된 끝에서 시작해서 (분명히 블라인드이다) 어디에도 도달하지 못한다. [246] 마땅한 순서로 시작했더라면, 그 속에서 먼저 천상의 로고스(celestial

---

246 창세기 도입장은 우리 지구의 창조에 대한 이야기를 조금이라도 나타내려고 한 것이 결코 아니었다. 우주들의 형성에서 진화의 법칙으로 연속적인 시도가 이루어질 때, 그것은 영원 속에 있는 어떤 불특정한 기간에 대한 형이상학 개념을 포함한다. 그 개념이 조하르에서 분명하게 언급된다: "존재하자마자 사라진 오래된 세계들이 있었고, 그것들은 무형이며, 불꽃들로 불렸다. 이렇게 대장장이가 쇠망치를 두드릴 때 불꽃들이 모든 방향으로 튕겨나간다. 그 불꽃들은 원초의 세계들이며, 존속할 수 없었다. 왜냐하면 *성스러운 노인*(*Sacred Aged*) (세피라)이 아직 왕과 여왕 (세피라와 카드몬)의 형태 (양성, 상반되는 성)를 취하지 않았기 때문이고, *주인*(*Master*)이 아직 그의 일을 시작하지 않았기 때문이다." 조하르 "이드라 수타," 3 권, p. 292, b. "지고자가 세계 건축가—그의 로고스—와 창조에 관하여 상의하다"를 보라. ("아이시스 언베일드," 2 권, p. 421.)

Logos), "천상의 인간"을 발견하였을 것이며, 천상의 인간이 로고스들의 복합 단위(Compound Unit)로써 진화시키고, 이들에서 프랄라야 잠―판유리 위에 분리된 수은 방울들이 하나의 덩어리 속으로 합치듯이, 마야계에 흩어져 있는 영(cypher)을 하나(One) 속으로 모으는 잠이다―후에 로고스들이 전체로 최초의 "남성과 여성" 혹은 아담 카드몬, 이미 보았듯이, 성서의 "빛이 있으라(Fiat Lux)"로써 나타난다. 그러나 이런 변형은 지구상에서 혹은 어떤 물질계에서 일어나지 않으며, 영원한 뿌리-물질의 최초 분화를 이루는 공간의 심연 속에서 일어난다. 초기의 우리 구체 위에서 상황이 다르게 진전된다. "아이시스 언베일드," 1권 302페이지에서 말했듯이, 모나드 혹은 지바는 먼저 진화의 법칙에 의해서 물질의 가장 낮은 형태, 광물 속으로 떨어진다. 돌 (혹은 제 4 라운드에서 광물과 돌이 될 그것) 속에 넣어진 채 칠중의 회전 후에, 그것이 돌에서 말하자면 이끼처럼 기어 나온다. 거기서부터 식물 물질의 모든 형태들을 지나가면서, 동물 물질로 부르는 것 속으로 들어가면, 이제 모나드는 그것이 육체 인간이 될 말하자면 동물의 배아가 되는 지점에 도달한 것이다. 제 3 라운드까지 이 모든 것이 물질로써 무형이고, 의식으로써 무감각이다. 왜냐하면 모나드 혹은 지바 자체는 영이라고도 부를 수가 없기 때문이다: 모나드는 하나의 광선, 절대자(ABSOLUTE) 오히려 절대성의 숨결이고, 절대적 동질성은 조건화된 상대적 유한성과 어떤 관계가 없기 때문에, 우리의 계에서는 무의식적이다. 그러므로 모나드는 그것의 미래 인간 형태를 위해서 필요한 재료 외에도, 다음 두 가지가 필요하다. (a) 그 물질이 형상을 취할 수 있도록 해주는 영적인 모형 혹은 원형; (b) 그것의 진화와 진보를 안내할 지성적인 의식으로, 동질의 모나드가 살아있지만 무감각한 물질이 이것들 어느 것도 소유하지 않는다. 먼지로 만들어진 아담은 그에게 불어넣어질 *생명의 혼*(Soul of Life)이 필요하다: 두 가지 중간 원리로, 이성 없는 동물의 *유정의*(sentient) 생명과 인간 혼이다. 왜냐하면 유정의 생명은 인간 혼이 없으면 이성이 없게 되기 때문이다. 잠재적인 자웅동체로부터, 인간이 남과 여로 나누어졌을 때만, 비로소 인간이 이 의식적, 이성적, 개인적 혼, (*마나스*) "엘로힘의 원리 혹은 지성"을 부여받게 될 것이며, 그것을 받기 위해서, 그는 선과 악의 나무에서 지식의 열매를 먹어야만 한다. 그가 이 모든 것을 어떻게 얻을 수 있을까? 오컬트 가르침은 이렇게 가르친다. 모나드가 계속 순환하며 하강하면서 물질 속으로 들어가는 반면, 이 엘로힘―혹은 피트리, 하위의 디얀-초한들―은 더 높고 더 영적인 계에서 모나드와 같이 *나란히* 진화하면서, 그들 자신의 의식계에 있는 물질 속으로 상대적으로 하강한다. 그들이 어떤 지점에 도달한 후, 가장 낮은 물질에 쌓인 채, 화신하는 무감각한 모나드를 만날 때, 영과 물질 두 가지 잠재성을 융합시키는데, 그 합일이 공간에 있는 "천상의 인간"의 지상의 상징—완전한 인간(PERFECT MAN)—을 만들 것이다. 상기야 철학에서, 푸루샤 (영)는 푸라크리티 (물질)의 어깨에 올라타지 못하면 무기력한 어떤 것으로 말해지는데, 그것은 혼자 남겨지면 무감각(senseless)하다. 그러나 비밀 철학에서, 그것들은 여러 등급이 있는 것으로 본다. 그 기원에서 영과 물질이 똑같지만, 일단 그들이 분화계에 있을 때, 각자가 진화상의 발전을 서로 상반된 방향으로 시작한다—영은 점진적으로 물질 속으로 떨어지고, 물질은 원래의 상태, 순수한 영적 질료 상태로 상승하게 된다. 둘 다 분리될 수 없지만, 언제나 떨어져 있다. 극성에서, 물질계에서, 두 가지 유사한 극은 항상 서로 밀치지만, 음극과 양극은 서로가 끌어당기듯이, 영과 물질도 이런 관계이다—똑같은 동질의 질료, 우주의 근원-원리의 양극이다.

그러므로 완전한 인간을 형성하기 위해서 푸루샤가 푸라크리티의 어깨 위로 올라갈 때가 되었을 때—첫 2 와 1/2 근원인종의 기초 인간이 *최초* 인간으로, 점진적으로 진화해서 *가장 완전한 포유류로* 진화되면서—피트리가 육체 인간 혹은 동물 인간을 형성하기 위해서 이전에 들어왔듯이, 천상의 "선조들" (이전 세계에서 온 실체들로, 인도에서는 시쉬타로 부른다)이 여기 우리 세계로 들어와서, 육체 혹은 동물 인간 속에서 화신한다. 이렇게 두 과정—두 창조: 동물 인간과 신성한 인간의 창조 과정—이 크게 다르다. 피트리가 그들의 에텔체에서 한층 더 에텔적이며 그림자 같은 그들 자신과 유사한 것 혹은 그들 자신과 닮은 "복체" 혹은 "아스트랄 형태"로 부르는 것을 분출시켰다. [247] 이것이 모나드에게 첫 번째 거주처를 제공하고, 맹목적인 물질에게 앞으로 그 위에 그리고 주위에 지을 모형을 제공한다. 그러나 *인간은 아직 불완전하다.* 마누 법, 1 권에서 스와얌부바 마누에서, 일곱의 원시 마누 혹은 프라자파티가 하강하였고, 그들 각자는 코덱스 나자레우스에 이르기까지 원시 인종을 하나씩 낳았으며, 코덱스 나자레우스에서 카랍타노스 혹은 페타힐 (맹목적

---

247 아이시스 언베일드, 2 권, 297-300 페이지 코덱스 나자레우스의 가르침을 읽어보라—우리 가르침의 모든 교리가 서로 다른 형태와 비유로 거기서 발견된다.

호색적 물질)은 그의 어머니 "스피리투스"에게서 일곱 인물을 낳는데, 이들 각각이 원초의 일곱 인종들 중의 하나의 조상이다—이 가르침이 태고의 모든 경전에 그것의 영향을 남겼다.

"누가 마누 (인간)를 형성하고 누가 그의 체를 만드는가? 생명(LIFE)과 생명들(LIVES). 신(SIN)와[248] 달." 여기서 마누는 영적인 천상의 인간, 우리 속에 있는 실재의 불사의 자아(EGO)로, "하나의 대생명" 혹은 절대적 신성의 직접적인 발산이다. 혼의 신전의 집, 외적인 육체에 관하여, 씨크릿 독트린에서는 이상한 가르침을 가르친다; 너무 이상해서 철저하게 설명되어 올바르게 이해되지 않는다면, 미래의 정밀 과학만이 그 이론을 충분히 입증하는 운명이 될 것이다.

오컬티즘은 대우주 속에는 무기물 같은 것이 있다는 것을 받아들이지 않는다고 이전에 언급하였다. 과학에서 "무기 질료"라고 사용하는 표현은 소위 "불활성 물질"의 분자 속에 잠자고 있는 잠재하는 생명이 인식될 수 없다는 것을 의미하는 것에 불과하다. 만물은 생명이다(ALL IS LIFE), 그리고 우리의 이해와 지각을 넘어서더라도, 심지어 광물 먼지의 모든 원자도 하나의 생명(LIFE)이다. 왜냐하면 그것은 오컬티즘을 거부하는 사람들에게 알려진 법칙의 범위 밖이기 때문이다. "원자 자체는 생명을 향한 욕망을 본능처럼 보인다"고 틴달이 말한다. 그러면 "유기적 형태 속으로 들어가려는" 그 성향은 어디에서 오는지, 우리는 당연히 묻고 싶을 것이다. 오컬트 과학의 가르침에 의하지 않고서는 그것을 설명하는 것이 가능할까?

주석서에서 말한다. "세속인에게, 세계들은 알려진 원소들로 세워졌다. 아라한의 개념에서, 이 원소들 자체는 집합적으로 하나의 신성한 생명이다; 분포적으로, 현현의 계에서, 그것들은 셀 수 없이 무수한 생명들이다.[249] 하나의 대실재의 계에서,

---

248 이 단어 "SIN"은 기묘하지만, 달과 독특한 오컬트 관계를 가지고 있으며, 또한 칼데아어에 상응하는 것이다.

249 만약 파스퇴르 씨가 이 주제에 관한 그의 충분한 의견을 대범하게 표현하였다면, 유기 세포들은 그들에게 오는 산소의 흐름의 중단으로 그것의 활동을 멈추지 않고, 그것 때문에, 산소의 영향으로 유지되는 생명 자체와 그것의 관계를 끊지 않는 어떤 활기의 잠재성을 부여받았다고 말하는 것을 선언할 때, 그가 오컬트 과학을 향한 첫 걸음을 무의식적으로 내딛고 있는 것일까? 파스퇴르 씨가 계속 말한다: "배아의 진화는 복잡한 현상에 의해서 수반되고, 그

불(Fire)만이 하나(ONE)이다: 현현된 그래서 환영의 존재의 계에서, 그것의 입자들은 불의 생명들로 그것들이 태워버리는 다른 모든 생명의 희생으로 살고 존재한다. 그러므로 그들이 "걸신들린 듯 먹는 자들(DEVOURERS)"로 불린다. . . "이 우주에 있는 볼 수 있는 모든 것은, 의식을 가진 신성한 원초의 인간부터 물질을 건설하는 무의식적 대리인들에 이르기까지, 그런 생명들(LIVES)로 세워졌다." . . . "무형의 창조되지 않는 하나의 대생명에서, 생명들의 우주가 생겨난다. 시초에 카오스(심연)에서 공간의 응유를 형성한 차갑게 빛나는 불 (기체의 빛?)이 현현되었다." "(아마 분해 불가능한 성운?) . . . ." . . . 이것들은 싸웠고, 만나서 부딪치면서 엄청난 열이 발현되었으며, 이것이 회전을 만들었다. 그리고 나서 최초의 현현된 물질, 불, 뜨거운 불꽃들, 하늘의 방랑자들 (혜성)이 왔다; 열이 습기를 발생시킨다; 그것이 단단한 물을 형성한다(?); 그러면 건조한 안개, 그리고 나서 액체의 물 안개가 생겨서, 순례자들 (혜성?)의 빛나는 광휘를 꺼버리고 단단한 물 같은 수레바퀴들

현상 중에 우리는 발효의 과정을 분류해야 한다고 추가하고 싶다"; 그리고 클라우드 버나드와 파스퇴르에 의하면, 생명은 발효 과정에 불과하다. 심지어 우리 지구에서도 공기 없이 살아서 번식할 수 있는 존재들 혹은 생명들이 대자연 속에 있다는 것이 이 과학자들에 의해서 증명되었다. 파스퇴르는 비브리오네즈 같은 많은 하등생명과 어떤 미생물 그리고 박테리아가 공기 없이도 존재할 수 있으며, 그 반대로 공기가 그것들을 죽였다는 것을 발견하였다. 그것들은 증식을 위해서 필요한 산소를 그들을 둘러싸는 다양한 질료로부터 얻었다. 그는 그것들을 호기성 생물과 혐기성 생물이라고 부르며, 호기성 생물은 우리의 물질의 조직이 통합적으로 살아있는 전체의 일부분을 형성하는 것을 멈출 때 (그러면 과학에서 매우 비과학적으로 "죽은 물질"이라고 부른다) 우리의 물질의 조직에서 살아간다. 한 가지 종류는 산소를 묶어서, 동물 생명과 식물 조직의 파괴에 광대하게 기여하며, 나중에 다른 유기체들의 구성요소로 들어가는 많은 재료를 대기중으로 내보낸다; 다른 하나는 소위 유기 질료를 파괴하거나, 오히려 마지막으로 전멸시킨다; 그것의 참여가 없다면 궁극적인 부패가 불가능하다. 효모 같은 어떤 종자 세포들은 공기 속에서 발전하고 증식하지만, 공기가 없어지면, 공기가 없는 삶에 적응해서 발효체가 되어, 접촉하는 물질로부터 산소를 흡수해서, 그 물질을 황폐하게 만든다. 과일의 세포들은 자유로운 산소가 없을 때, 발효체로써 작용하여 발효를 촉진시킨다. "그러므로 이 경우 식물 세포는 혐기성 생물과 똑같이 생명 활동을 보인다. 그러면 이 경우 왜 유기적 세포를 예외라고 하는가?"라고 보고루보프 교수는 묻는다. 우리의 조직과 기관의 질료 속에서, 세포가 충분한 산소를 찾지 못하면, 과일 세포처럼 똑같은 방식으로 발효 작용을 자극시킨다는 것을 파스퇴르가 보여준다. 그리고 효소들이 형성된다는 파스퇴르의 생각이 혈관이 협착되었을 때 요소가 혈액 속에서 증가한다는 사실에서 확인된다고 클라우드 베르나드는 생각했다. 그러므로 생명은 우주 모든 곳에 있고, 오컬티즘에서는 그것이 원자 속에도 있다고 가르친다. 또한 이 세션 끝 아래를 보라.

(물질 구체들)을 형성하게 만든다. 부후미 (지구)가 여섯 자매와 함께 나타난다. [250]
이들은 연속적인 운동으로 하위의 불, 열 그리고 물기의 안개를 만들어내며, 이 안개가 세 번째 세계-원소—물—를 낳는다; 그리고 만물의 숨결에서 (대기의) 공기가 태어난다. 이 넷이 만반타라의 첫 네 기간 (라운드)의 네 개의 생명이다. 마지막 셋은 뒤에 올 것이다."

이것은 매번 새로운 라운드에 과학에 알려진 복합 원소들 중에 하나를 계발시킨다는 것을 의미한다—과학은 복합 원소들을 그것의 구성요소로 세분하기를 선호하기에, 원초의 분류를 거부한다. 만약 대자연이 현현계에서 "언제나-되어가는 것(Ever-becoming)"이라면, 그러면 그 원소들도 같은 관점에서 간주되어야 한다: 그것들은 만반타라가 끝날 때까지 진화하고 발전하며 증가해야 한다. 이렇게 첫 번째 라운드에서 하나의 원소만 계발시켰고, 자연과 인류가 소위 대자연의 한 측면 속에서 있었다—사실상 그럴 수도 있지만, 어떤 사람은 비과학적으로 "일차원 공간"으로 불렀다.

두 번째 라운드에서는 두 개의 원소—불과 땅—를 가져왔고 계발시켰으며, 그리고 이런 대자연의 조건에 적응된 두 번째 라운드의 인류는, 만약 인간에게 알려지지 않은 상태에서 사는 존재들에게 인류라는 이름을 줄 수 있다면—순전히 비유적인 의미에서 (그것을 엄격하게 사용할 수 있는 유일한 방법) 친숙한 구절을 사용하면—"이차원적 종"이었다. 우리가 지금 고려하는 자연의 계발 과정은 2차원, 3차원, 4차원 혹은 "다차원 공간"의 속성에 대하여 추론하는 방식이 신뢰할 수 없다는 것을 명확하게 보여줄 것이다; 그러나 말이 나온 김에, "4차원 공간"이라는 현대적 표현의 사용을 촉발시켰던—심령주의자들과 신지학자들, 그리고 몇몇 과학자들 사이에서,

---

250 "세 개 하늘에 상응하는 세 개의 지구가 있고, 우리의 지구 (네 번째)는 부후미로 부른다"는 것은 베다의 가르침이다. 이것은 서구의 동양학자의 대중적 설명이다. 그러나 베다에서 그것에 대한 암시와 비의적 의미는 그것이 우리의 행성 체인, 세 개 "지구"는 하강 선상에 있고, 세 개 지구 혹은 구체인 세 개의 "하늘"은 한층 더 정묘한, 상승 혹은 영적인 선상에 있다는 것을 말하는 것이다: 첫 세 개로 우리는 하강하여 물질로 들어가고, 다른 셋을 통해서 우리는 영으로 상승한다; 하위의 지구, 우리 지구인 *부후미*가 말하자면 전환점을 형성하며, *잠재적으로* 물질만큼 영을 포함하고 있다. 이것은 뒤에서 다룰 것이다.

그 문제에 대하여[251]—건전하지만 불완전한 직관의 진정한 중요성을 지적하는 것이 가치 있다. 먼저, 공간 자체가 어느 방향으로 측정 가능하다고 가정하는 피상적인 불합리가 거의 중요치 않다. 그 친숙한 구절은 더 온전한 형태를 줄인 말에 불과하다— *"공간 속에 있는 물질의 4 차원."*[252] 그러나 그것은 심지어 이렇게 확장된 부적절한 구절이다. 왜냐하면 진화의 발전으로 우리가 물질의 새로운 특이성들을 경험하는 것이 운명일 수 있다는 것이 완전히 맞지만, 우리가 이미 알고 있는 물질의 특이성들은 3 개 차원보다 실재로 더 많기 때문이다. 물질의 기능 (능력), 혹은 아마도 이용가능한 가장 좋은 용어로, 물질의 특이성은 항상 인간의 감각들과 직접적인 관계를 분명하게 가져야 한다. 물질은 연장, 색, 운동 (분자 운동), 맛 그리고 냄새를 가지고 있고, 이것들은 인간의 존재하는 감각에 상응하며, 다음 특이성—그것을 일단 투과성이라고 부르자—이 충분하게 계발될 때쯤 되면, 이것은 인간의 다음 감각—그것을 "정상적 투시력"이라 부르자—에 상응할 것이다; 이렇게 어떤 대담한 사상가가 물질을 통과하는 물질 그리고 끝없는 줄 위에 매듭을 만드는 것을 설명하기 위해서 4 차원을 간절히 원할 때, 그들이 실재로 필요로 하는 것은 *물질의 여섯 번째 특이성*이다. 3 차원은 진실로 물질의 한 가지 속성 혹은 특이성인 연장성에만 속한다; 그리고 대중적인 일반 상식을 가진 사람은 사물의 어떤 상태 하에 있건 길이, 폭 그리고 두께와 같은 그런 차원 3 가지 이상이 있을 수 있다는 생각에 합당하게 반발할 것이다. 이 용어들과 "차원"이라는 용어 자체 모두가 사고의 어느 한 계, 진화의 한 단계, 물질의 한 가지 특이성에 속하는 것이다. 대우주의 자원 속에 있는 물질에 적용할 수 있는 기준자가 있는 한, 그것을 세 가지 방식으로 측정할 수 있으며 그 이상은 아닐 것이다; 그리고 측정의 개념이 인간의 이해 속에 처음 자리잡았던 때부터, 측정을 세 방향으로만 적용할 수 있어 왔다. 하지만 이런 고려사항도 시간이 지나면서—인간의 능력이 배가되면서—물질의 특이성도 마찬가지로 배가될 것이라는 확신에 결코 불리하게 작용하지 않는다. 하여튼 "4 차원

---

251 졸르너 교수의 이론은 몇몇 과학자들, 예를 들면 성 피터스버그 대학의 버틀로프 교수와 바그너 교수 같은—심령주의자인—과학자에 의하여 크게 환영받았다.

252 "추상성에 실재를 부여하는 것은 사실주의의 오류이다. 공간과 시간이 어떤 측면에서 마인드의 모든 구체적인 경험을 일반화하는 대신에, 마인드의 구체적인 모든 경험들과 분리된 것으로 자주 보게 된다." (베인, *논리*, 2 부, p. 389.)

공간"이라는 표현은 심지어 "해가 떠오르고 진다"는 친숙한 표현보다는 훨씬 부정확하다.

이제 우리는 라운드를 지나가는 물질의 진화를 고려하는 것으로 다시 돌아가자. 두 번째 라운드에 물질은 비유적으로 2 차원으로 언급될 수 있다고 말했다. 그러나 여기서 또다른 경고가 들어온다. 느슨한 비유적 표현—방금 보았듯이, 사고의 하나의 계에서—은 인간의 두 번째 지각 능력 혹은 감각에 상응하는 물질의 두 번째 특이성과 동등한 것으로 간주될 수 있다. 그러나 이렇게 두 개가 연결된 진화의 범위는 단 하나의 라운드 범위 안에서 진행되는 과정들과 관련 있다. 라운드의 연속과 관련 있는 대자연의 1 차적 측면의 연속은, 이미 나타냈듯이, (오컬트 의미에서) "원소들," 즉, 화, 풍, 수[253] 그리고 지의 계발과 관계가 있다. 우리는 단지 네 번째 라운드에 있으며, 지금까지 우리의 원소 목록은 거기 까지가 끝이다. 3 라운드에 (우리가 아는 것처럼 인류 속에서 계발될 운명인) 의식의 센터들이 세 번째 원소, 즉 물을 지각하는 데 도달하였다.[254] 네 번째 라운드의 의식의 센터들은 현재의 변형된 다른 세 개 원소들뿐만 아니라 물질의 상태로써 지(earth)를 추가하게

---

253 이 원소들이 위에서 배열된 순서가 비의적인 목적과 비밀의 가르침에서 맞다. 밀턴이 "화, 풍, 수, 지의 힘들"에 대하여 말했을 때 그가 옳았다; 지질학에서 말하는 우리의 지구의 시작인 수억 년 전에, 4 라운드 이전에 우리가 지금 알고 있는 지구는 존재하지 않았다. 구체는 "1 라운드 동안에 에텔 인간과 동물처럼 *불 같았고, 차가웠으며 빛난다*'고 현재 과학의 의견에서 모순 혹은 역설을 언급하는 주석서에서 말한다; "2 라운드 동안에 구체가 *빛나고(luminous)* 더 조밀하고 무거워졌다; 3 라운드 동안에는 물 같았다." 이렇게 원소들이 반대로 되었다.

254 만약 우리가 지질학자들이 제공하는 자료에 따라서 결론을 내려야만 한다면, 그러면 우리는 석탄기 동안에 조차도 실재의 물이 없었다고 말할 것이다. 탄산가스로써 대기 속에 이전에 퍼져서 존재한 거대한 양의 탄소가 식물에 흡수되었으며, 한편 그 가스의 거대한 부분이 물 속에 섞였다고 들었다. 이제 이것이 그렇다면, 그리고 우리가 역청탄, 갈탄 등을 형성했던 그 식물들을 구성하는데 들어간, 그리고 석회암을 형성하는데 들어간 그 모든 탄산, 이 모든 것이 그 기간에 기체의 형태로 대기 속에 있었다고 믿어야 한다면, 그러면 액체 상태의 탄산의 바다와 대양이 있었음에 틀림없지 않을까? 그러나 그러면 어떻게 그런 가정으로 데본기와 실루리아기—연체 동물과 물고기가 많았던 시기—가 석탄기보다 먼저 있을 수 있었던가? 더구나 기압이 현재 기압의 수 백배를 넘어섰음에 틀림없었다. 유기체들, 심지어 어떤 물고기와 연체동물 같은 유기체가 그것을 어떻게 견뎌낼 수가 있었을까? 블란차드가 쓴 생명의 기원에 관한 기묘한 책이 있으며, 그 책에서 저자는 동료의 이론에 이상한 모순과 혼란이 있다는 것을 보여준다. 독자에게 이 책을 추천한다.

되었다. 간단히 말해서, 이전 세 번의 라운드에서 지금의 원소들은 어느 것도 지금처럼 존재하지 않았다. 우리들이 알고 있는 바로는, 불(FIRE)은 *순수 아카샤*, 즉 창조자들과 "건설자들"의 *걸작(Magnum Opus)*의 최초 물질, 역설적인 엘리파스 레비가 한편으로 "성령의 체(body of the Holy Ghost)"라고 부르고, 다른 한편으로 "바포메트(Baphomet)," "멘데스의 자웅동체의 산양(Androgyne Goat of Mendes)"[255]으로 부르는 저 아스트랄 빛이었을 수 있다; 공기(AIR)는 단순히 질소, 즉 이슬람교 신비가들이 말하는 "천상의 돔의 지지자들의 숨결"이었을는지 모른다; 그리고 물(WATER)은, 모세에 의하면, *살아있는 혼*을 만들기 위해서 필요했던 원초적 유액이었을지도 모른다. 그리고 이것이 창세기에서 발견되는 악명 높은 불일치와 비과학적인 진술을 설명할 수도 있다. 창세기 1 장과 2 장을 나누어라; 그리고 1 장을 엘로힘 숭배자의 성전으로 읽고, 2 장은 훨씬 젊은 여호와 숭배자의 성전으로 읽어보라; 행간을 읽는다면, 창조된 사물들이 나타나는 똑같은 순서를 발견하게

---

255 엘리파스 레비는 그것이 "대자연에 있는 어떤 힘"이며, 그것에 의해서 "그것을 숙달할 수 있는 단 한 사람이라도 ... 세계를 혼란에 빠뜨릴 수 있고 지상을 변형시킬 수 있다"는 것을 매우 진실하게 보여준다; 왜냐하면 그것은 "초월적인 마법의 위대한 신비"이기 때문이다. 서구의 위대한 카발리스트의 말을 번역된 형태로 인용하면 (A.E. 웨이트, "마법의 신비" 참조), 똑같은 주제에 대한 서구의 설명과 동양의 설명의 차이를 보여주기 위해서 한 두 마디를 덧붙임으로써 더 낫게 설명할 수 있을 것이다. 레비는 위대한 마법의 동인에 대하여 말한다 — "둘러싸듯이 모든 것을 관통하는 이 유체, 대기의 무게(?!)와 중앙의 인력으로 고정된 ... (중심의 혹은 영적인) 태양의 광휘에서 떨어져 나온 이 광선 ... 아스트랄 빛, 이 전자기적 에테르, 활기 있으며 빛나는 열소가 고대의 기념물에서는 두 기둥을 꼬아 놓은 아이시스의 허리띠로서 나타내어지며, 그리고 고대의 신통기에서는 신중함과 새턴의 상징"—무한성, 불멸성 그리고 크로노스, "시간"의 상징이며, 농업의 새턴 신(god Saturn)이나 행성의 상징이 아니다—"자신의 꼬리를 먹는 뱀으로써 나타내어진다." "그것은 메데아의 날개 달린 용, 헤르메스 지팡이의 이중의 뱀, 그리고 창세기에 나오는 유혹자인 뱀이다; 하지만 그것은 또한 타우(Tau)를 감싸는 모세의 놋뱀이고, 마지막으로 그것은 대중 도그마에서 말하는 악마이며, 그것은 실제로 맹목적인 힘 (그것은 맹목적이지 않았으며, 레비는 그것을 알았다)으로, 혼들이 지상의 속박에서 자신들을 해방하기 위해서 정복해야만 하는 힘이다; '그들이 정복하지 못하면,' 그들은 그들을 처음에 만든 바로 그 똑같은 힘에 흡수될 것이며 그리고 중앙의 영원한 불로 돌아갈 것이다." 이 위대한 *아르케우스*는 필라델피아의 J.W. 킬리 씨 한 사람에 의해서 발견되었다. 다른 사람도 그것을 발견하지만, 거의 무용지물이다. "거기까지만 그대가 갈 것이다 . . ." 위의 내용은 하나의 오류를 제외하고 모두가 정확하며 실제적이다. 이것을 나중에 본문에서 설명할 것이다. 엘리파스 레비는 아스트랄 빛을 우리가 말하는 아카샤와 항상 동일시하는 큰 실수를 저지른다. 아스트랄 빛이 실제 무엇인지 대하여 2 권 2 부에서 주어질 것이다.

된다—즉, 불 (빛), 공기, 물 그리고 인간 (또는 땅). 왜냐하면 "태초에 신이 하늘과 땅을 창조하였다"는 문장은 오역이기 때문이다; 그것은 "하늘과 땅"이 아니라, *이중의* 하늘, *상위* 하늘과 *하위* 하늘, 혹은 상위에 있는 빛과 하위에 있는 어두운 원초의 질료의 분리—혹은 현현된 우주—(감각에) *보이지 않는* 것과 우리의 지각에 *보이는* 이원성 속에 있는 원초 질료의 분리이다. 신은 그 빛을 어둠에서 나누었다 (4 절); 그리고 창공, 공기를 (5 절), "물 가운데 창공을 만들었고, 그것으로 물에서 물을 나누게 하라" (6 절), 즉 "창공 위에 있는 물 혹은 보이지 않는 존재계에서 창공 아래 있는 물 (보이는 현현된 우주)을 나누게 하라." 1 장에서 *빛이 태양 이전에 만들어진* 것처럼, 창세기 2 장에서 (여호와 숭배자의) 식물과 풀이 물보다 먼저 창조되었다. "신은 땅과 하늘을 만들었고 *모든 식물이 땅에 있기 전에* 그리고 들판의 모든 풀이 *자라기 전에* 그것을 창조하였다; 왜냐하면 엘로힘 (신들)이 아직 땅에 비를 내리게 하지 않았기 때문이다, 등." (5 장)—비의적인 설명이 받아들여지지 않으면 이것은 터무니없는 것이다. 그 식물은 땅이 있기 전에 창조되었다—*왜냐하면 그때는 지금처럼 그런 땅이 없었기 때문이다*; 그리고 들판의 초목은 4 라운드에 지금처럼 성장하기 전에 존재하고 있었다.

위에서 언급된 "원초의 불(primordial fire)"과 보이지 않는 원소들의 성질에 대하여 논의하고 설명하면서, 엘리파스 레비는 그것을 변함없이 "아스트랄 빛"으로 부른다. 그에게 그것은 "마법의 위대한 동인(grand Agent Magique)"이다; 그것이 그렇다는 것을 부인할 수 없지만, 블랙 매직과 관련해서만 그렇고, 우리가 에테르로 부르는 것의 가장 낮은 계에서만 그렇다. 그리고 에테르의 본체는 아카샤이다; 그리고 심지어 정통 오컬티스트는 이것조차도 잘못된 것으로 생각할 것이다. "아스트랄 빛"은 파라셀수스가 말한 더 오래된 *별의(sidereal) 빛*에 불과하다; 그리고 "존재하는 모든 것이 그것에서 진화되어 나왔고, 그것이 모든 형태들을 유지하고 재생한다"고 말하는 것은 두 번째 명제에서만 진실을 말하는 것이다. 첫 번째 부분은 틀렸다; 왜냐하면 만약 존재하는 만물이 그것을 *통해서 (거쳐서)* 진화되었다면, 그것은 아스트랄 빛이 아니기 때문이다. 아스트랄 빛은 *만물*을 담는 용기가 아니라, 기껏해야 이 *만물*의 반사에 불과하다. 엘리파스 레비가 다음과 같이 쓰고 있다: —

"마법의 위대한 동인은 생명 원리의 네 번째 발산이고 (우리는 생명 원리가 내적인 우주에서 첫 번째이고, 외적인 (우리의) 우주에서 두 번째 발산이라고 말한다), 태양은 그것의 세 번째 형태이다 . . . 왜냐하면 낮에 보이는 별(태양)은 진리의 중앙의 태양의 반영이자 물질적 그림자에 불과하기 때문이다. 진리의 중앙의 태양은 영의 (보이지 않는) 지성계를 환하게 밝히며, 그 자체가 절대자(ABSOLUTE)로부터 빌려온 하나의 섬광에 불과하기 때문이다."

지금까지는 그가 맞다. 그러나 서구의 카발리스트 중의 위대한 권위자인 레비가 "그것은 인도의 대사제들이 상상했던 것처럼 불멸의 영이 아니다"라고 덧붙일 때, 우리는 그가 말한 대사제들을 비방하는 것이라고 대답한다. 왜냐하면 그들은 그런 종류에 대하여 아무것도 말하지 않았기 때문이다; 심지어 대중적 푸라나 문장조차도 그 주장을 단호하게 반박한다. 인도인은 어느 누구도 *푸라크리티*—아스트랄 빛은 물질 대우주, 즉 푸라크리티의 가장 낮은 계 바로 위에 있는 것에 불과하다—를 "불멸의 영"과 혼동한 적이 없었다. 푸라크리티는 언제나 *마야*, 즉 환영으로 불리며, 프랄라아 때에 신들을 포함해서 다른 만물과 함께 사라질 운명이다; 왜냐하면 아카샤가 심지어 에테르가 아니라고 하는데, 하물며 아스트랄 빛일 수가 없다는 것을 보여주기 때문이다. 푸라나의 사문자 너머로 꿰뚫어 볼 수 없는 사람들은 종종 아카샤를 푸라크리티로, 에테르로, 그리고 심지어 보이는 하늘로 혼동한다! 아카샤라는 용어를 변함없이 "에테르"로 번역하는 사람들은 (예를 들면 윌슨처럼) 그것을 "소리의 물리적 원인"으로 부르고, 게다가 이 *하나의 속성만*을 (비쉬누 푸라나) 가지고 있다는 것을 발견하면서, 그것을 무지하게 물리적인 의미에서 "물질"이라고 상상한 것도 사실이다. 또한 만약 그런 특이성들이 글자 그대로 받아들여진다면, 물질적인 혹은 물리적인 것은 어떤 것도 그러므로 제한된 일시적인 것은 어떤 것도 불멸일 수가 없기에—형이상학과 철학에 의하면—아카샤도 무한하거나 불멸일 수 없다고 따라올 것이다. 그러나 이 모든 것이 잘못된 것이다. 왜냐하면 *프라드하나* (태초의 물질)와 어떤 속성으로써 *소리*(sound)라는 단어들이 잘못 이해되었기 때문이다; 프라드하나는 확실히 *물라푸라크리티* 그리고 아카샤와 동의어이며, 소리는 말씀(Verbum) 혹은 로고스와 동의어이다. 이것은 증명하기 쉽다; 왜냐하면 비쉬누 푸라나에 나오는 다음 문장에서 보여주기 때문이다: "태초에 낮도

밤도 없었고, 하늘도, 땅도, 어둠도, 빛도 없었다. . . 지성으로 이해할 수 없는 단 하나(ONE) 이외에, 혹은 브라흐마이며 품스(Pums) (영)이자 프라드하나 (원초의 물질)인 그것을 제외하고.". . . (1 권 2 장)

이제 프라드하나가 만물의 근원인 물리푸라크리티의 또다른 측면이 아니라면 무엇인가? 왜냐하면 프라드하나가 프랄라야 동안에 하나(ONE)를 절대적 상태로 남겨 두기 위해서 다른 모든 것처럼 신성과 합친다고 말하지만, 그럼에도 프라드하나는 여전히 무한하고 불멸하다고 생각되기 때문이다. 주석가는 신성(Deity)을 "하나의 *프라드하니카* 브라흐마 영(One *Pradhanika* Brahma Spirit): 그것, 있었다(THAT, was)"라고 묘사하고, 그 복합어를 프라드하나와 결합된 어떤 것처럼, 한정적으로 사용된 파생어가 아니라, 명사로서 해석한다.[256] 그래서 프라드하나는 심지어 푸라나에서도 어떤 진화가 아닌 파라브라흐맘의 측면이고, 베단타의 물라푸라크리티와 똑같은 것임에 틀림없다. "푸라크리티는 그것의 *일차적* 상태에서 아카샤이다"라고 한 베단타 학자가 말한다. ("5 년간의 신지학," p. 169 참조) 그것은 거의 추상적 성질이다.

그러면 아카샤는 프라드하나의 또다른 형태이고, 그렇기 때문에 물질과학에서도 얻으려고 애쓰는 언제나-볼 수 없는 동인인 에테르가 될 수 없다. 그것은 또한 아스트랄 빛도 아니다. 말했듯이, 그것은 칠중으로 분화된 푸라크리티의 [257] *본체*이다—*아버지 없는* 아들의 언제나 순결한 "어머니"로, 그 아들이 더 낮은 현현계에서 "아버지"로 된다. 왜냐하면 마하트는 프라드하나 혹은 아카샤의 최초 산물이고, 마하트—보편적 지성으로 "그것의 *특징적인 속성*은 붓디이다"—는 바로 *로고스*이기 때문이다. 왜냐하면 그가 "이쉬와라" 브라흐마, 바바 등으로 불리기 때문이다. (*링가 푸라나*, 70 장 12 이하; 그리고 바유 푸라나를 보라. 특히 링가 푸라나, 8 장, 67-74 를 참조하라) 즉, 그는 "창조자" 혹은 "만물의 원인," 창조적 작용을 하는 신성한 마인드이다. 그가 푸라나에서 "마하트와 물질은 우주의 내부와

---

256 더구나 학생은 푸라나가 진화론 체계가 아니라, 이원론 체계라는 것을 주목해야 하고, 이런 측면에서, 훨씬 더 많은 것이 비의적 관점에서, 상기야 철학 그리고 심지어 이 철학과 많이 다르더라도, *마나바-다르마-사스트라*에서도 발견될 것이라는 점을 주목해야 한다.

257 상기야 철학에서, 일곱 푸라크리티 혹은 "생산적 생산(productive productions)"은 *마하트*, *아함카라*, 그리고 *다섯 탄마트라*이다. "*상가야-카리카*," III 과 그 주석을 참조하라.

외부 경계선이다," 혹은 우리의 언어로, 이중 성질 (추상적 그리고 구체적)의 음극과 양극이라고 말하는, "첫째로 태어난 자"이다. 왜냐하면 푸라나에서 다음과 같이 덧붙이기 때문이다: "이런 방식으로—푸라크리티의 *일곱* 형태 (원리)가 마하트부터 땅 (지구)까지 세듯이—그렇게 프랄라야 (프라티아하라) 시간에 이 일곱이 순서대로 서로의 속으로 다시 들어간다. 브라흐마의 알 (사르바-만달라)은 그의 일곱 지대 (드비파), 일곱 대양, 일곱 영역 등과 함께 용해된다." (비쉬누 푸라나, 6 권, 4 장)[258]

바로 이런 이유 때문에 오컬티스트들이 아스트랄 빛의 이름에 아카샤를 붙이지 않으며, 혹은 그것을 에테르라고도 부르지 않는 것이다. "내 아버지 집에는 많은 저택들이 있다"는 구절을 오컬트 격언인 "우리 어머니 집에는 일곱 거처가 있다" 혹은 일곱 계가 있다는 구절과 대조할 수 있으며, 가장 낮은 계가 우리 위와 주위에 있는 바로 아스트랄 빛이다.

원소들은 단일 원소이건 복합 원소이건 우리 체인의 진화가 시작된 이후 똑같이 그대로 있었을 리가 없다. 우주에 있는 모든 것은 기대한 주기에서는 꾸준히 진보하는 반면에, 더 작은 주기에서는 끊임없이 올라갔다 내려갔다 한다. 대자연은 만반타라 동안에 결코 정체되지 않으며, 그것은 단순히 *"존재(being)"*하는 것이 아니라, 언제나 *되어간다*[259] ; 그리고 광물, 식물 그리고 인간의 생명은 그들의 유기체를 그때 지배하는 원소들에 항상 적응시키고 있으며, 그래서 원소들이 현재의 인류의 삶에 적합하듯이, *그런* 원소들이 그때에도 그들에게 적합하였다. 다음 라운드

---

258 자신들의 푸라나를 외우는 힌두인에게 그렇게 말할 필요는 없지만, 윌슨의 번역을 권위 있는 것으로 생각하는 동양학자들과 서구인들에게는 비쉬누 푸라나의 영문 번역에서 그가 가장 바보 같은 모순과 오역을 저질렀다는 것을 환기시키는 것이 유용하다. 그래서 일곱 푸라크리티 혹은 브라흐마 알의 일곱 지대에 대한 똑같은 주제에 관해서도, 두 가지 설명이 완전히 다르다. 1 권 40 페이지에서, 그 알이 외적으로 일곱 덮개로 덮여 있다고 말한다. 윌슨이 언급한다: "수, 풍, 화, 에테르 그리고 아함카라에 의하여" (아함카라는 산스크리트 원문에는 존재하지 않는다); 그리고 비쉬누 푸라나 5 권 198 페이지에는, "이런 방식으로 자연 (푸라크리티)의 일곱 형태가 마하트부터 땅까지 세어진다."(?) 마하트 혹은 마하-붓디와 "물, 등등" 사이에, 그 차이는 매우 상당한 것이다.
259 위대한 형이상학자 헤겔에 따르면 그렇다. 그에게 대자연은 *영원히 되어가는 것(perpetual becoming)*이다. 이것은 순전히 비의적인 개념이다. 기독교 의미의 창조 혹은 기원은 절대적으로 생각할 수 없다. 헤겔이 말한대로: "신 (보편 영)은 *자신을 대자연으로서 객관화하고*, 또한 대자연에서 솟아난다."

혹은 5 라운드가 되어서야, 비로서 다섯 번째 원소, *에테르*—이렇게 부를 수 있다면, 아카샤의 조밀한 체—가, 공기가 오늘날 우리에게 익숙한 것처럼, 모든 사람에게 대자연의 친숙한 한 가지 원소로 됨으로써, 현재처럼 더 이상 가설로써, 또한 아주 많은 다른 것들의 "동인"으로써 되지 않게 될 것이다. 그리고 5 라운드 동안에만 아카샤가 촉진시키는 그런 상위 감각들의 성장과 계발이 완전한 확장으로 될 수 있게 된다. 이미 나타냈듯이, 여섯 번째 감각과 동시에 계발되어야 하는 물질의 특이성—침투성—에 대한 *부분적인* 친숙함이 이번 라운드의 적절한 시기에 계발되는 것을 기대할 수 있을 것이다. 그러나 다음 라운드에서 다음 원소가 추가되면서, *투과성*이 물질의 한 가지 특이성으로써 아주 분명해져서 가장 조밀한 물질 형태가 인간의 지각에는 자욱한 안개 정도처럼 방해하는 것처럼 보일 것이고, 그 이상도 아닌 것으로 보일 것이다.

이제 생명의 주기로 돌아가 보자. *더 높은* 생명들(LIVES)에 대하여 주어진 묘사를 상세하게 들어가지 않은 채, 우리는 지금 지상의 존재들과 지구 자체로 관심을 돌려야만 한다. 지구는 첫 번째 라운드에 원소들 속에 있는 다른 생명들의 씨앗을 분해하고 분화시키는 "먹어 치우는 자들"로 세워졌다고 들었다; 현재 단계의 세계처럼 호기성 생물들이 어떤 유기체 속에 있는 화학 구조를 손상시키고 파괴하면서, 동물 물질을 변형시키고 그것들의 구성 요소에서 다양한 질료를 발생시킬 때와 아주 유사하다. 이와 같이 오컬티즘은 과학에서 말하는 소위 무생대 시대를 폐기시켜 버린다. 왜냐하면 그것은 지구상에서 생명이 없던 때가 결코 없었다는 것을 보여주기 때문이다. 심지어 가장 희박한 기체 상태 속에서도, 물질 원자, 입자 혹은 분자가 있는 곳에는, 생명이 아무리 잠재하고 무의식적일지라도 그 속에 존재한다. *"라야 상태를 떠나는 것은 무엇이건 활동하는 생명으로 된다; 그것은 대운동(MOTION) (생명의 연금술적 용매)의 소용돌이 속으로 끌려 들어간다; 영과 물질은 하나(ONE)의 두 가지 상태로, 영도 물질도 아니며, 둘 다 절대적 생명으로 잠재 상태에 있다." ("잔의 서," 주석서 III 권, 18 절). . . "영은 공간의 (그리고 공간 속에서) 첫 번째 분화이다; 그리고 물질은 영의 첫 번째 분화이다. 그것(That), 영도 아니고 물질도 아니며—그것은 그것(IT)—영과 물질의 원인 없는 대원인(Causeless*

CAUSE)이고, 이것들은 대우주의 원인이다. 그래서 그것(THAT)을 우리는 하나의 대생명(ONE LIFE) 혹은 우주 안의 대숨결(Intra-Cosmic Breath)이라고 부른다."

한 번 더 말한다—*같은 종류는 같은 종류를 낳는다(like must produce like)*. 절대적 생명은 단일체이거나 복합체이거나 무생물의 원자를 만들 수가 없고, 마치 어떤 사람이 엄청난 강직증 상태에 있더라도—겉으로 보기에 시체 같아도—여전히 살아 있는 존재이듯이, 심지어 *라야* 상태 속에서도 생명이 존재한다.

"먹어 치우는 자들" (과학자들이 어느 정도 이성의 표시를 가지고 "불의 안개"의 원자들을 보려고 한다면, 오컬티스트는 반대하지 않을 것이다)이 어떤 독특한 분할 과정으로 "불-원자들(fire-atoms)"을 분화시켰을 때, "불-원자들"은 생명의 씨앗으로 되며, 이것들이 응집성과 친화성의 법칙에 따라서 모이게 된다. 그러면 생명의 씨앗들은 또다른 종류의 생명들을 만드는데, 이 생명들이 우리 구체들의 구조에서 일을 한다. * * * *

이렇게 첫 번째 라운드에 구체가 원시적 불-생명들로 세워져서, 즉 구체로 형성되어—어떤 고체성이나 어떤 특성이 없으며, 차가운 광도를 제외하고, 형태도 색도 가지고 있지 않는다; 1 라운드가 끝날 무렵에서야 비로소 그것은 한 개의 원소를 계발시켰고, 그것의 무기적 혹은 단순한 에센스에서, 지금 라운드에 우리가 태양계에 두루 퍼져 있는 것으로 아는 불이 되었다. 지구는 최초의 루파 속에 있었고, 그것의 본질은 * * *로 불린 아카샤 원리로, "이제는 매우 잘못 불려지는 아스트랄 빛으로 알려진 그것"이다. 엘리파스 레비는 그것을 "대자연의 상상력"이라고[260] 부르며, 아마도 다른 사람들처럼, 그것의 올바른 이름을 제시하는 것을 피하기 위해서 그랬을 것이다.

---

260 "마법의 역사" 서문에서 그것에 대하여 말하면서, 엘리파스 레비가 말한다: "이 힘을 통해서 모든 신경 센터들이 비밀스럽게 서로 소통한다; 그것에서—공감과 반감이 생겨난다; 그것에서 우리는 꿈을 가진다; 그리고 투시력과 초자연적 비전의 현상이 일어난다. . . . 아스트랄 빛은 강력하의지의 충동으로 작용하면서 만물 속에서 파괴하고, 응고시키며, 분리하고, 부수고, 모은다 . . . 신이 *'빛이 있으라(Fiat Lux)'* 말했을 때 그것을 창조하였고, 그것은 *에그레고어들*, 즉 에너지와 작용의 영인 혼들의 우두머리들에 의해서 지시된다." 엘리파스 레비는 아스트랄 빛 혹은 원초의 질료

"일곱 등급의 디야니들의 일곱 체의 방사를 통해서 그리고 그 체의 방사로부터, 일곱의 분리된 질량 (원소들)이 태어나며, 그것의 운동과 조화로운 합일(Union)이 현현된 물질 우주를 만든다." (주석서)

두 번째 라운드에는 두 번째 원소, 공기(AIR)를 현현시킨다. 그 원소의 순수성으로 그것을 사용하는 자에게 연속적인 생명을 확실하게 해줄 것이다. 그것의 구성이 동양의 최고 입문자들 사이에서 항상 알려져 왔지만, 유럽에서는 그것을 발견해서 심지어 부분적이라도 실제로 적용했던 사람은 단지 두명의 오컬티스트뿐이었다. 근대 화학자들의 오존은 자연 속에 실제로 존재하지 않았다면 결코 생각될 수 없는 진정한 보편적 용매에 비하면 독에 불과한 것이다. *"두 번째 라운드부터, 지구— 지금까지 공간의 모체 속에 있는 태아처럼—가 그것의 실재 존재를 시작하였다: 지구는 그것의 두 번째 원리, 개별적인 유정의 생명을 발달시켰다. 두 번째 원리는 여섯 번째 원리에 상응한다; 두 번째는 연속적인 생명이고, 여섯 번째 원리는 일시적인 생명이다."*

세 번째 라운드에는 *세 번째* 원리, 물(WATER)을 계발시켰다; 반면 네 번째 라운드에는 우리 구체의 가스 상태의 유액과 가소성의 형태가 우리가 현재 살고 있는 단단하고 지각 있는 조잡한 물질 구체로 변형되었다. "부후미"는 그녀의 *네 번째* 원리에 도달한 것이다. 이것에 지금까지 많이 주장해온 유추의 법칙이 깨진다고 반대할 수도 있다. 전혀 그렇지 않다. 지구는 일곱 번째 라운드 후에 만반타라가 끝날 무렵에 그녀의 궁극의 형태—(이 점에 있어서는 인간과는 반대로)—그녀의 체의 껍질에 도달할 것이다. 유지니어스 필라레테스가 어느 누구도 *지구* (즉, 본질적인 형태에서 물질)를 본 적이 없다고 *그의 명예를 걸고* 독자들에게

가, 물질이라면 비의적으로 설명해서 럭스(Lux)로 불린, *그 영들 자신의 체이고 그들의 본질 자체 인* 그것이라고 추가했어야만 했다. *우리의 물질 빛은* "빛(LIGHTS)"과 "불기둥(FLAMES)"으로 불리는 존재들의 집합체로부터 발산하는 *신성한* 빛이 반사된 광휘이자 *우리 계에서 현현한 것이다.* 그러나 어떤 다른 카발리스트들도 엘리파스 레비만큼 모순에 모순을 쌓아 올리고, 같은 문장에서 그런 유창한 언어로 하나의 역설이 다른 역설을 쫓도록 만드는 재능을 가지지 않았다. 그는 독자를 가장 아름답고 멋지게 꽃이 피어나는 계곡을 안내하여 지나가서, 결국에는 바위투성이 섬과 사막에서 오도가도 못하게 고립시켜버린다.

확실할 때 그가 맞은 것이다. 지금까지 우리의 구체는 카마루파 상태—하위계에 있는 마하트의 자손, 어두운 자아성(Egotism), *아함카라*의 욕망으로 이루어진 아스트랄체—에 있다.

우리의 모든 "원리들" 중에서 가장 조밀한 것이 분자로 구성된 물질—인간의 육체는 더욱 아니다—이 아니라, *중간* 원리, 실재 동물 센터이다; 반면에 육체는 그 껍질에 불과하고, 우리 속에 있는 야수가 그것을 통해서 평생동안 행동하는 무책임한 인자이자 매개체이다. 모든 지성적인 신지학생은 나의 진정한 의미를 이해할 것이다. 이렇게 우리 지구의 암석투성이 지각처럼, 인간의 육체도 무수히 많은 *생명들*로서 이루어져 있다는 사상에 대하여 진정한 신비가는 전혀 반발하지 않는다. 과학도 오컬트 가르침에 반대할 수가 없다. 왜냐하면 현미경으로 궁극의 살아있는 원자 혹은 생명을 감지하지 못한다고 해서 그 가르침을 거부할 수 없기 때문이다.

(c) 과학에서는 인간과 동물의 죽은 유기체뿐만 아니라 살아있는 유기체는 수백 가지 다양한 종류의 박테리아들로 가득 차 있다고 가르친다; 그리고 외부로부터 우리는 들이쉬는 모든 숨결마다 병원균의 침입으로 위협받으며, 그리고 내부로부터는 호기성 생물, 혐기성 생물 등으로 위협을 받는다고 가르친다. 그러나 과학은 동물, 식물, 그리고 광물의 체뿐만 아니라 우리의 체가 그런 존재들로 만들어졌다는 오컬트 가르침과 아직 멀리 가지는 못하고 있다; 더 거대한 존재들을 제외하고는 어떤 현미경도 그것들을 감지할 수 없다. 지금까지 인간의 순전히 동물적 물질적 부분에 관하여, 과학은 이 이론을 확증하는 방향으로 멀리 가는 여러 가지 발견하는 도중에 있다. 화학과 생리학은 미래에 두 가지 위대한 마법사가 될 것이며, 위대한 물리적 진리에 대하여 인류의 눈을 열어줄 운명이다. 나날이, 동물과 육체 인간 사이의 동일성, 식물과 인간, 심지어 파충류와 그것의 보금자리, 바위와 인간의 동일성이 점점 더 명확하게 보여지고 있다. 모든 존재의 물리적 화학적 구성 요소가 동일하다는 것이 발견되기 때문에, 화학에서 황소를 구성하는 물질과 인간을 형성하는 물질 사이에 차이가 없다고 말하는 것이 나을 수 있다. 그러나 오컬트 가르침은 훨씬 더 분명하다. 오컬티즘은 말한다: — 화학적 복합물이 똑같을 뿐만 아니라, *볼 수 없는 똑같은 극소의 생명들*이 산과 어린 국화의 체, 인간과 개미의 체,

코끼리와 코끼리를 태양으로부터 보호하는 큰 나무의 체의 원자를 구성하고 있다. 각각의 입자—우리가 그것을 유기체 혹은 무기체라고 부르건—는 *하나의 생명*이다. 우주에 있는 모든 원자와 분자는 형태에게 *생명을 주기도* 하고 *죽음을 주기도* 한다. 왜냐하면 그것이 응집으로 여러 우주들과 이주하는 혼을 받아들일 준비가 된 일시적인 매개체를 만들고, 그리고 그 *형태들을* 영원히 파괴하고 바꾸어서 그 혼들을 그들의 임시 거주처에서 쫓아내기 때문이다. 그것은 창조하고 죽인다; 그것은 스스로 재생하고 스스로 파괴한다; 그것은 신비중에 신비—인간, 동물 혹은 식물의 *살아 있는 체*—를 시간과 공간 속에서 매순간 존재하게 만들고 절멸시킨다; 그리고 그것은 마찬가지로 생명과 죽음을, 아름다움과 추함을, 선과 악을, 그리고 심지어 유쾌함과 불쾌함을, 이로운 감흥과 해로운 감흥을 발생시킨다. 바로 그 신비로운 생명(LIFE)이 지금까지 이해할 수 없는 격세유전의 법칙을 그것 나름의 산발적인 방식으로 따르는 무수히 많은 생명들에 의해서 집단적으로 나타내어진 것이다; 그것이 모든 미래 인간의 발생자들의 오라 속에서 각인되는 것들뿐만 아니라 가족의 유사성을 복사하는 것으로, 간단히 말해서, 신비이며, 다른 곳에서 더 충분한 관심을 받을 것이다. 현재로서, 한 가지 예가 설명으로 인용될 수 있다. 근대 과학에서 휘발성 에테르의 도움으로 추출된 프토마인 (부패하는 물질과 시체에서 발생된 염기성 독—또한 *하나의 생명*이다)이 가장 신선한 오렌지 꽃의 냄새만큼 강한 냄새를 낸다는 것을 발견하기 시작한다; 그리고 산소가 없어지면, 이 염기성 물질은 아주 메스껍고 역겨운 냄새를 내거나, 아니면 가장 섬세한 향기를 내는 꽃을 기억나게 하는 가장 기분 좋은 아로마를 낸다는 것을 발견한다. 그리고 그런 꽃들이 유독한 프토마인 때문에 기분 좋은 냄새를 낸다는 것이 의심된다; 어떤 버섯의 독을 분비하는 에센스가 뱀들 중에서 가장 치명적인 뱀, 인도의 코브라의 독과 거의 같다고 한다.[261] 이렇게 과학은 여러 가지 결과를 발견하였기에, 그것들의 1 차적

---

261 프랑스의 대학자 아르나우드, 가우티에르 그리고 빌리에르는 살아있는 사람의 타액 속에서 두꺼비, 도룡뇽, 코브라와 포르투갈의 트리고노세팔루스의 침 안에 있는 것과 똑같은 유독한 알칼로이드를 발견하였다. 가장 치명적인 종류의 독이, 프토마인, 류코마인 혹은 칼카로이드로 부르건, 살아 있는 인간과 동식물에 의해서 발생된다는 것이 증명된다. 가우티에르는 신선한 황소고기과 그것의 뇌 속에서 알카로이드를 발견하였고, 파충류의 유독한 침에서 추출된 물질과 비슷한 키산토크레아티닌으로 부르는 독을 발견하였다. 근육 조직이 동물의 육체 조직에서 가장 활동적인 기관으로써 독을 발생시키거나 인자로 의심을 받는다. 독은 생명의 기능에서 탄산 및 요소와 똑같은 중요성을 갖기에, 체내 연소의 마지막 산물이다. 그리고 미생물의 관여와 개입

원인도 발견해야 한다; 그리고 그것은 고대의 과학들, 연금술, 오컬트 식물학과 오컬트 물리학의 도움 없이는 이것을 결코 할 수가 없다. 모든 생리적 변화, 병리적 현상들과 더불어, 질병들—아니, 생명 자체—혹은 오히려 생명이 체 속에서 활동하도록 만드는 체의 조직 속에서 어떤 상태와 변화로 만들어진 객관적 생명 현상; 이 모든 것은 미생물들이라고[262] 일반적이고 느슨하게 부르는 보이지 않는 그 창조자들(CREATORS)과 파괴자들(DESTROYERS)에 기인한다고 배운다. 파스퇴르 같은 실험자들은 파괴자들의 가장 좋은 친구이자 조력자이며 창조자들—만약 이 창조자들이 동시에 파괴자들이 아니라면—의 최악의 적이다. 어찌 되었건, 이것에서 한 가지는 확실하다: 이런 1 차적 원인들과 모든 원소의 궁극의 에센스, 그것들 생명, 기능, 특성, 그리고 변화 조건에 대한 지식이 마법의 토대를 이룬다. 파라셀수스가 기독교 시대 이후 지난 여러 세기 동안에 이런 신비에 정통했던 아마도 유럽의 유일한 오컬티스트였다. 대자연이 그에게 할당한 수명보다 여러 해 전에 범죄자가

없이 독이 살아있는 동물의 기관 체계에 의해서 발생될 수 있는지는 아직 충분하게 결정되지 않았지만, 동물이 생리적 상태 혹은 살아있는 상태에서 독성 물질을 만든다는 것은 확인되었다.

262 이 "불의 생명들"과 과학의 미생물이 동일하다고 생각될 수 있다. 이것은 사실이 아니다. "불의 생명들"은 물질계의 일곱 번째이자 가장 높은 구분이며, 물질계에서만 일지라도, 개인 속에서 우주의 하나의 대생명에 상응하는 것이다. 과학에서의 미생물은 두 번째 계—물질적 프라나 (혹은 생명)의 계—의 첫째이자 가장 낮은 하위구분이다. 인간의 육체는 7 년마다 완전한 구조 변화를 겪고, 육체의 파괴와 보존은 불의 생명들이 "파괴자"와 "건설자"로서 그 기능을 번갈아 가면서 하는 기능으로 기인한다. 불의 생명들은 미생물들의 파괴적인 영향력을 억제시키기 위해서 자신을 활기의 형태 속에서 희생시킴으로써 "건설자들"이고, 그들은 그 미생물들에게 필요한 것을 공급함으로써, 그런 억제 하에서 그것들이 물질체와 세포를 건설하게 만든다. 그들은 또한 그런 억제가 제거되어 미생물들이 건설적인 활기 에너지를 공급받지 못한 채 파괴적인 *동인*으로써 날뛰도록 내버려둘 때 "파괴자들"로 된다. 이렇게, 사람의 삶의 전반기 동안에 (각각 7 년인 첫 다섯 기간), "불의 생명들"이 인간의 육체를 건설하는 과정에 간접적으로 관여한다; 생명이 상승하는 길에 있고, 그 힘이 건설과 증진을 위해서 사용된다. 이 기간이 지난 후에, 후퇴의 길이 시작되고, "불의 생명들"이 그들의 힘을 소진하고, 파괴와 감소 작업이 시작된다.

만반타라 (인간 같은 행성의) 전반부에 영이 물질 속으로 하강하는 우주의 사건과 후반부에 물질을 희생하면서 상승하는 것 사이의 유추를 여기서 찾아볼 수 있다. 이런 고찰은 물질계와만 관련 있지만, "불의 생명들"이 두 번째 계의 가장 낮은 하위계에 미치는 억제하는 영향—미생물—이 파스퇴르에 관한 각주에서 언급된 사실로 확인된다. 즉, 기관의 세포들은, 자신들에게 충분한 산소를 찾지 못할 때, 그 조건에 적응해서 *효소들을* 형성하고, 이 효소들은 그들과 접촉하는 질료로부터 산소를 흡수함으로써, 그것을 파괴시킨다. 이렇게 활기의 공급이 충분하지 않을 때 이웃하는 세포에게서 활기의 원천을 빼앗는 어느 한 세포에 의해서 그 과정이 시작된다; 그리고 그렇게 시작된 파괴가 꾸준히 진행된다.

그의 생명을 끝내지 않았다면, 생리적 마법이 문명 세계에서 지금보다 비밀이 거의 없었을 것이다.

(d) 그러나 달이 이 모든 것과 무슨 관련이 있는가? 라고 물을 수 있다. 스탠저의 계시적인 말 속에 있는 "물고기, 죄, 그리고 달"이 "생명-미생물"과 무슨 관계가 있는가? 미생물이 준비한 흙으로 이루어진 집을 사용하는 것을 제외하고, 미생물과는 아무 관계가 없다; 신성하고 완전한 인간과는 모든 관계가 있다. 왜냐하면 "물고기, 죄, 그리고 달"이 결합하여 불멸의 존재의 세 가지 상징을 만들기 때문이다.

이것이 제공될 수 있는 전부이다. 또한 필자가 이 이상한 상징에 관하여 대중적 종교에서 추론될 수 있는 것보다 더 많이 아는 것처럼 하지도 못한다; 아마도 다음 신비로부터 추론될 수 있을 것이다. 비쉬누의 *마츠야* (물고기) *아바타*, 칼데아인의 오아네스(Oannes), 인간-물고기(Man-Fish)로, 십이궁도의 불멸의 물고기 자리에 기록되었으며, "물고기의 아들 (눈:Nun)"이자 예수인 여호수아의 인물 속에서 두 성서를 관통하여 지나간다; 그리고 비유적인 "죄" 혹은 물질 속으로 영의 추락 그리고 달—그것이 "달의" 조상들인 피트리와 관계가 있는 한.

현재로서 독자에게 다음을 상기시키는 것이 좋을 것이다. 달의 여신들은 모든 신화에서, 특히 그리스 신화에서, 달이 여성과 임신에 미치는 영향 때문에, 아이의 탄생과 관련 있지만, 우리의 달이 실제로 그리고 오컬트적으로 수태와의 연결 관계가 오늘날까지 생리학에서는 알려지지 않았으며, 생리학에서는 이와 관련된 대중적 모든 관습을 조잡한 미신으로 간주한다. 그것을 자세하게 논의하는 것이 소용없기 때문에, 언급한 미신이 가장 고대의 믿음에 속하고, 심지어 기독교의 토대인 유대교에도 속한다는 것을 보여주기 위해서, 달의 상징을 가볍게 논의할 수 있다. 이스라엘 사람들에게, 여호와의 주된 기능은 "아이를 주는 것이며," 성서의 비의 가르침은 카발라적으로 해석되면 사원에 있는 지성소가 자궁의 상징에 불과하다는 것을 부인할 수 없게 보여준다. 이것은 의심할 여지없이 성서 전반과 특히 창세기를 *숫자적으로* 읽으면 증명된다. 유대인은 그 사상을 이집트인과 인도인으로부터 차용하였음에 틀림없다. 이집트인과 인도인의 지성소는 오늘날까지도 대피라미드 속에 있는 왕의 침실로 상징되고 (*"측정의 기원"* 참조), 그리고 대중적 힌두교의 요니(Yoni) 상징이다. 전체를 더 명확하게 하고 동시에 고대 동양의 오컬티스트와 유대인의 카발리스트 사이에 있는 똑같은 상징에 대한 원래의 의미와 해석의 정신에서 엄청난 차이를 보여주기 위해서 독자가 2 권 "지성소(The Holy of Holies)"를 참조하기를 바란다.[263]

---

6. 최초-태어난 자 (*원시의 혹은 최초 인간*)로부터 침묵의 주시자와 그의 그림자 사이의 줄이 변화할 (*재화신*) 때마다 점점 더 강해지고 빛난다 (a). 아침의 태양 빛이 변해서 한낮의 영광으로 바뀌었다. . . .

(a) 이 문장: *"침묵의 주시자*와 그의 *그림자* (인간) 사이의 줄이—매번 재화신마다— 점점 더 강하게 된다"는 또 다른 심리학적 신비로, 2 권에서 그 설명을 보게 될 것이다. 우선 "주시자"와 그의 "그림자"—그림자는 모나드에게 재화신만큼 그 수가 많이 있다—는 하나라는 것을 말하는 것으로 충분할 것이다. 주시자(Watcher) 혹은 신성한 원형은 존재의 사다리의 윗 계단에 있다; 그림자는 아래 계단에 있다. 게다가 살아있는 모든 존재의 *모나드*는, 도덕적 타락으로 그 연결고리가 끊어져서 느슨하게 되어 "달의 길 속으로 길을 잃어버리지" 않는다면—오컬트 표현을 사용하면—어느 특정한 만반타라 동안에 *일종에 그 자신의 영적인 개체성, 다른 디얀 초한들과 구분되는, 개별의 디얀 초한이다.* 그것의 *1 차*(Primary), 즉 영(아트만)은 당연히 *파람아트마* (하나의 보편 영)와 하나이지만, 그것이 속에 간직되는 그 매개체 (바한), *붓디*가 디얀-초한의 본질의 일부분이다; 그리고 몇 페이지 뒤에서 논의된 *편재성(ubiquity)*의 신비가 놓여 있는 것이 바로 이것이다. "하늘에 계시는 나의

---

263 남근 숭배는 그 상징의 진정한 의미에 대한 열쇠를 잃어버리면서 발전하였다. 그것은 진리와 신성한 지식의 높은 길에서 허구의 옆길로 빠지는 마지막이자 가장 치명적인 전환점으로, 인간의 거짓과 사제의 야심을 통해서 그것이 도그마로 올려졌다.

아버지와 나는 하나이다"라고 기독교 성서에서는 말한다; 어쨌든 이것 속에서 그것은 비의 가르침의 충실한 메아리이다.

---

7. 이것이 그대의 현재 수레바퀴이다─불기둥이 불꽃에게 말했다. 그대는 나 자신이고, 나의 이미지이며 나의 그림자이다. 나는 그대 속에 자신을 입었고, 그대는 "우리와 함께 있으라"고 말하는 날까지 나의 바한 (매개체)이다. 그날에 그대는 나 자신과 다른 존재들, 그대 자신과 나로 다시 될 것이다 (a). 그때 건설자들은 그들의 최초 옷을 입은 채, 찬란한 지구로 내려와서, 자신인 인간을 통치할 것이다 (b).

(a) 스탠저에 있는 대로 "불꽃이 다시 불기둥으로 (인간은 그의 *디얀 초한* 속으로 섞일 것이다) 나 자신과 다른 존재들, 그대 자신과 나로 다시 되는" 그 날은 이것을 의미한다: *파라니르바나*─프랄라야에서 물질체와 심령체 뿐만 아니라 심지어 영적 *자아(Ego)*까지도 그것들의 원래의 원리로 환원시켰을 때─속에서 과거, 현재 그리고 심지어 미래의 인류도 모든 것처럼 똑같이 하나가 될 것이다. 만물이 *거대한 대숨결* 속으로 다시 들어갈 것이다. 다른 말로 하면, 만물이 신성한 통일성 혹은 "브라흐마 속에 융합"될 것이다.

어떤 사람들이 생각하듯이, 이것이 절멸인가? 혹은 다른 비판자들─인격신을 숭배하는 사람들과 비철학적인 천국을 믿는 사람들─이 생각하는 것처럼 무신론인가? 둘 다 아니다. 가장 세련된 성격의 *영성*이 있는 그것에 대한 암시적인 무신론의 문제로 돌아가는 것은 쓸모 없는 것보다 더 최악이다. 니르바나 속에서 절멸을 보는 것은 어떤 사람이 건전한 *꿈 없는 수면─육체 기억과 두뇌에 아무런 인상을 남기지 않는 수면이다. 왜냐하면 수면자의 상위 자아가 그 시간 동안에 절대적 의식이라는 원래의 상태 속에 있기 때문이다*─속에 깊이 담가져 있다는 것과 같다. 그래서 그도 절멸된 것이다. 후자의 비유는 그 문제의 한 면─가장 물질적인 면─에만 해당될 뿐이다; 왜냐하면 *재흡수*는 결코 그런 "꿈 없는 수면"이 아니라, 그 반대로 *절대적 존재*, 무조건의 통일성 혹은 상태로, 인간의 언어로 그것을 묘사하는 것이 절대적으로 완전히 부적절하기 때문이다. 그것에 대한 포괄적인 개념 같은 어떤 것에 대한 유일한 접근방법이 신성한 모나드의 영적인 개념작용을 통해서 혼의 파노라마적 비전 속에서만 시도될 수 있다. 다시 흡수되기 때문에, 개체성— 조금이라도 남아 있다면 *심지어 그 개성의 본질도*—이 상실되지 않는다. 왜냐하면 인간의 관점에서 파라니르바나 상태가 아무리 무한하더라도, 그것은 영원 속에서 여전히 어떤 한계를 갖고 있기 때문이다. 일단 파라니르바나 상태에 도달하면, 똑같은 모나드가 한층 더 높은 존재로서, 훨씬 더 높은 계에서, 다시 나타나서, 완전해진 활동의 주기를 다시 시작하게 될 것이다. 인간의 마인드는 현재의 계발 단계에서 이런 생각의 계에 거의 도달할 수가 없으며, 넘어설 수도 없다. 그것은 이해할 수 없는 절대성과 영원성의 변두리에서 아장아장 걷고 있다.

(b) "주시자들"은 사티야 유가 전체 기간과 뒤에 오는 더 작은 유가 동안, 세 번째 근원인종 초기까지 인류를 동치한다; 그 이후 인류를 동치하는 것은 더 낮은 단계의 화신한 디야니들, 성조들, 영웅들 그리고 마네스 (*사제들이 솔론에게 열거한 이집트의 왕조들을 참조하라*)에서, 메네스 왕과 여러 나라들의 왕까지이다; 모든 것이 신중하게 기록되어 있다. 상징학자들의 시각에서 이 *신화 같은 시대*가 당연히 하나의 동화로 간주된다. 그러나 그런 *신성한 왕들*—신들의 왕조 다음으로 인류를 통치하는 영웅들 혹은 거인들의 왕조들—의 왕조들에 대한 전통과 심지어 연대기가 모든 나라의 기록 속에서 존재하기 때문에, 지상에 있는 모든 민족들, 그들 중에 어떤 민족은 광대한 대양으로 분리되어 있어서 고대 페루인들과 멕시코인들 그리고 칼데아인처럼 서로 다른 반구에 속하는데, 이들이 어떻게 똑같은 "동화들"을 사건들의 동일한 순서로 만들어냈는지 이해한다는 것이 어렵다.[264] 하지만 씨크릿 독트린에서 역사—이 역사는 비의적이고 전통적이지만 그럼에도 불구하고 세상의 역사보다 더 신뢰할 만하다—를 가르치기 때문에, 우리도 다른 사람들처럼

---

264 오귀스트 르 프롱종이 지은 "11,500 년전 마야인과 키체인들의 성스러운 신비"를 참조하라. 거기서 그는 이집트인 의식과 믿음이 그들과 동일하다는 것을 보여주고 있다. 마야와 이집트의 고대 승려용 문자는 거의 동일하다.

종교가이건 회의론자이건 우리의 신념을 가질 권리가 있다. 그리고 그 독트린에서 두 가지 상위 그룹의 디야니-붓다들, 즉 "주시자들" 혹은 "건축가들"이 많은 다양한 인종에게 신성한 왕들과 리더들을 제공하였다고 말한다. 인류에게 예술과 과학을 가르친 것이 건축가들이고, 하위 왕국의 매개체를 막 벗어버렸던—그리고 그들의 신성한 기원에 대한 모든 기억을 잃어버렸던—화신한 모나드들에게 초월적인 세계들의 대한 위대한 영적인 진리를 드러낸 것이 주시자들이었다. (2 권, "신성한 왕조들" 참조)

이렇게 스탠저에서 표현되었듯이, 주시자들은 지상으로 하강하여 *그들 자신들인* 인간을 지배하였다. 통치하는 왕들은 이전 라운드들에서 지구와 다른 세계들에서 그들의 주기를 마쳤다. 미래 만반타라에 그들은 우리 행성계보다 더 높은 태양계로 올라갈 것이다; 그리고 우리 인류의 선택된 자들, 진보의 어렵고 힘겨운 길에 있는 개척자들이 그들 전임자들의 위치를 차지할 것이다. 다음 대 만반타라에서 우리 자신의 생명 주기의 인간이 동물계의 가장 지성적인 동물 속에 갇혀 있는—준-의식적인—모나들의 안내자이자 지도자가 되는 것을 볼 것이다. 반면에 동물의 하위 원리들이 아마도 식물계 최고 종에 생명을 불어넣을 것이다.

이렇게 7 중 진화의 주기가 칠중 성질로 나아간다; 즉, 영적 혹은 신성 성질; 심령적 혹은 준 신성한 성질; 지성적, 격정적, 본능적 혹은 인지적; 준물질적 그리고 순전히 물질적 혹은 육체적 성질. 이 모든 것이 주기적으로 진화하고 진보하며, 하나에서 다른 것으로, 원심적인 그리고 구심적인 방식, 2 중의 방식으로 지나가면서, 그것들의 궁극적인 본질에서는 *하나(one)*이고, 그것들의 측면에서는 *일곱*이다. 가장 낮은 성질은 물론 우리의 오감의 육체에 의존하면서 따르는 것이다.[265] 지금까지 개별로, 인간의, 유정의, 동물과 식물 생명으로, 각자가 그것의 상위 대우주의 소우주이다. 우주도 마찬가지로, *하나의 대생명*의 날숨인 무수한 수의 *생명들*의 집단적 진보의 목적을 위해서, 주기적으로 현현한다; 즉 "*언제나-되어가는 것*"을 통해서, 이 무한한 우주 속에 있는 모든 우주의 원자는, 무형의 만질 수 없는 성질에서 반물질의

---

[265] 가장 오래된 우파니샤드에 의하면, 나중에 보여주겠지만, 인간의 감각은 5개가 아니고, 실제로는 7개이다.

혼합된 성질을 지나서 온전한 발생을 하는 물질까지 지나가서, 그리고 나서 새로운 매주기마다 다시 상승하여 최종 목표에 점점 더 높이 그리고 가까이 다가간다; 모든 원자는 *개별 공과와 노력을 통하여* 그것이 하나의 무조건적 전체(ALL)로 다시 되는 그 계에 도달할 수 있다고 우리는 말한다. 그러나 알파와 오메가 사이에는 가시로 둘러싸인 피곤한 "길"이 있으며, "그 길은 먼저 아래로 가지만, 그리고 나서 ―

줄곧 위로 지나면서, 그렇다, 바로 그 길이 끝날 때까지. . . ."

그 긴 여행을 순결한 상태로 출발하여, 죄가 가득한 물질 속으로 점점 더 깊이 하강하면서, 그리고 자신을 현현된 *공간* 속에 있는 모든 원자와 연결하면서, 그 *순례자*는 모든 생명과 존재의 형태를 거쳐서 고군분투하고 고통받으면서 지나간 후에, 물질의 계곡 바로 그 바닥에 있으며, 그리고 그가 자신을 집합적 인류와 동일시하였을 때, 그의 주기 절반을 지나간 것이다. 이것을, *그가 그 자신의 이미지로 만든 것이다.* 위로 그리고 집으로 향하는 길로 나아가기 위해서, 그 "신(God)"은 이제 생명의 골고디로 가는 피곤한 언덕길을 올라가야 힌다. 그것은 자의식적 존재의 순교이다. 비스바카르만처럼 그는 모든 피조물들을 구원하기 위해서, 다수의 생명으로부터 *하나의 대생명*을 부활하기 위해서, *자신을 자신에게* 희생시켜야 한다. 그러면 그가 진실로 천국으로 상승한다; 그곳에서 파라니르바나의 불가해한 절대적 존재와 지복 속으로 담가진 채, 그가 무조건적으로 지배하고, 그리고 거기에서 그가 다음 "재림(coming)"에 다시 하강할 것이며, 이것이 인류의 일부분이 사문화된 의미로 *재림(second advent)*으로 기대하고, 다른 사람은 마지막 "칼키 아바타"로써 기대하는 것이다.

요 약

"창조와 세계의 역사가 시작부터 현재까지 *7 장*으로 구성되어 있다. 아직 *일곱 번째* 장이 쓰이지 않았다."

— T. 수바 로우, "신지학자," 1881 년 —

이 일곱 장 중에 첫 번째 부분이 시도되어 왔고 이제 끝났다. 설명으로써 아무리 불완전하고 미약할지라도, 하여튼 그것은 모든 후속의 우주발생론의 가장 오래된 토대인 그것의 근사치이다—수학적 의미로 그 단어를 사용한다. 언제나 주기적으로 회귀하는 대법칙—보편 마인드에서 나오는 똑같은 것을 반사한 존재들에 의해서 대의식을 부여받은 최초 인종의 유연한 마인드에 각인된—의 웅장한 파노라마를 서구의 언어로 표현하려는 시도가 대담한 것이다. 왜냐하면 어떤 언어도 *신들의* 언어인 산스크리트어를 제외하고, 그것을 어느 정도 적합하게 표현할 수 없기 때문이다. 하지만 이 책에서 아무리 부족함이 있더라도 그것의 동기 때문에 그것이 용서받아야만 한다.

전체적으로, 앞에 나온 것이나 뒤에 나올 내용은 어디에서도 충분히 찾아볼 수 없다. 인도의 육파 철학 어디에서도 그것을 가르치지 않는다. 왜냐하면 그것은 그 육파 철학의 총합—일곱 번째, 즉 오컬트 가르침—이기 때문이다. 그것은 이집트의 부서지는 파피루스에서 찾아볼 수 없으며, 앗시리아의 타일이나 화강암 벽에서도 흔적을 더 이상 찾아볼 수가 없다. 인류 지식의 결정판인 *베단타* 문헌들에서는 이 세계-우주발생론에 대한 형이상학 측면만 전해준다; 그리고 그것들의 값어치를 따질 수 없는 보고, *우파니샤드*—우파-니-샤드(Upa-ni-shad)는 "비밀의, 영적인 지식의 계시로 무지의 정복"을 의미하는 복합어이다—는 이제는 학생이 그것의 충분한 의미에 도달할 수 있기 위해서는 부가적으로 만능 열쇠가 필요하다. 그 이유에 대해 본인이 대스승으로부터 배운 대로 여기에서 서술해보겠다.

"*우파니샤드*"라는 이름은 보통 "비의적 가르침"으로 번역된다. 이 소론들은 *스루티(Sruti)*, 혹은 "계시된 지식," 말하자면 *계시록(Revelation)*의 일부분을 형성한다. 그리고 세 번째 구분으로써 베다의[266] "*브라흐마나*" 부분에 일반적으로 붙어있다. 동양학자들에게 알려진 그리고 그들이 열거한 우파니샤드는 150 개 이상 있으며, 그들은 가장 오래된 것이 아마도 기원전 600 년쯤에 쓰였다고 한다; 그러나 *진본*은 그 수의 5 분의 1 도 존재하지 않는다. 우파니샤드와 베다의 관계처럼 카발라가 유대 성서와 비슷한 관계를 갖는다. 우파니샤드는 베다 본문의 비밀스럽고 신비한 의미를 다루고 설명한다. 우파니샤드는 우주의 기원, 신의 성질, 그리고 영과 혼의 성질, 또한 마인드와 물질의 형이상학적 연결 관계에 대하여 말한다. 간략히 말해서: 우파니샤드은 *인간의 모든 지식의 시작과 끝을 포함하지만*, 붓다 시대 이후로 *이제 그것을 더 이상 드러내지 않았다*. 그렇지 않다면, 우파니샤드가 *비의적이라고* 부를 수 없을 것이다. 왜냐하면, 우파니샤드가 지금은 브라만 성전에 공공연하게 붙어있으며, 우리 시대에 심지어 "*외부인*"들과 유럽의 동양학자들에게도 접근 가능하게 되어버렸기 때문이다. 그것들 속에서 한 가지—그리고 이것은 모든 우파니샤드에 있다—가 변함없이 꾸준하게 그것이 고대의 기원이라는 것을 가리키며, (가) 그것 모두가 카스트 제도가 여전히 그렇듯이 압제적인 제도로 되기 *이전에* 어느 부분에서 쓰였다는 것과, (나) 우파니샤드 내용의 반 정도는 제거되었고, 어느 부분은 다시 쓰여서 축약되었다는 것을 증명한다. "상위 지식을 가진 위대한 스승들과 브라만들이 제자가 되기 위해서 크샤트리아 왕들에게 가는 것으로 계속해서 나타내어진다." 코웰이 적절하게 말하듯이, 우파니샤드는 "(다른 브라만 저작물과는) 완전히 다른 정신," 즉 "리그 베다 찬가를 제외하고 이전의 어떤 작품에서도 알려지지 않은 사상의 자유를 불어넣는다." 두 번째 사실은 붓다의 생애에 관한 사본 하나 속에서 기록된 전통으로 설명된다. 그것에 의하면, 우파니샤드는 개혁 초기 이후에 브라흐마나에 원래 부속되었고, 그 개혁이 "두 번 태어난 자"가 인도를 침략한 이후 몇 세기가 지나서 브라만들 사이에서 현재의 카스트 제도의 배타성으로

---

266 "베다는 명확하게 구분되는 두 가지 의미를 가지고 있다—하나는 글자 그대로의 의미이고, 다른 하나는 베다의 생명 같은 *스바라(swara)*—음조—와 운율(metre)로 나타낸 것이다. 박식한 학자와 언어학자들은 당연히 "*스바라*"는 철학이나 고대 비의 가르침과는 관련 없다고 부인한다; 그러나 *스바라(swara)*와 *빛(light)* 사이의 신비스러운 연결 고리가 가장 심오한 비밀들 중에 하나이다." (T. 수바 로우, "5년간의 신지학," p. 154.)

이어지게 되었다. 우파니샤드가 그 당시에는 완전하였고, 제자들의 입문을 준비하기 위한 가르침으로 사용되었다.

이것이 베다와 브라흐마나가 사원에 속한 사원-브라만들의 배타적 소유로 남아 있는 동안 지속되었다—반면에 어느 누구도 *성스러운* 카스트 밖에서 그것을 공부하거나 심지어 읽을 권리를 갖지 못했다. 그리고 나서 카필라바스투의 왕자, 고타마가 왔다. *라하시야* 혹은 *우파니샤드*에 있는 브라만 지혜 전체를 *배우고* 나서, 그 가르침이 눈 덮인 히말라야 영역에서 거주하는 "생명의 대스승들"의 가르침과[267] 거의 다르지 않다는 것을 알게 된 후에, 브라만의 제자는 성스러운 지혜가 브라만을 제외하고 모든 사람으로부터 거둬들여졌기 때문에 분개를 느끼면서, 그것을 세상에 알려서 온 세계를 구제하겠다고 결심하였다. 그런데 그들의 성스러운 지식과 오컬트 지혜가 "외부인들" 손에 들어가는 것을 본 브라만들은 베다와 브라흐마나를 합쳐서 원래 세 배 정도를 포함하던 우파니샤드의 본문을 한 단어도 바꾸지 않고 축소시켰다. 그들은 존재의 신비 마지막 부분이 있는 가장 중요한 부분의 사본을 분리시켰다. 그때부터 브라만의 비밀 코드의 열쇠를 입문자들만 가진 채 남아 있게 되었고, 이렇게 브라만은 주요한 질문들에 대하여 영원히 침묵한 채 그들의 우파니샤드에 호소함으로써 붓다의 가르침의 정확성을 공공연하게 부정하는 입장에 있게 되었다. 그것이 히말라야 너머의 비의적 전통이다.

역사 시대에 살았던 가장 위대한 입문자, 스리 샹카라차리아는 우파니샤드에 관한 많은 *바샤 (주석서)*를 썼다. 그러나 그의 원문들이 세속인의 수중에 들어오지 않았다고 가정하는 이유가 있다. 왜냐하면 그것들이 수도원 (*마탐*)에서 아주 빈틈없이 보존되기 때문이다. 그리고 브라만의 비의 가르침에 관하여 브라만의 가장 위대한 해설가의 값으로 따질 수 없는 주석서가 *스마르타바*(Smartava) 브라만을 제외하고 대부분의 힌두인에게는 앞으로도 오랜 세월 동안 사문자로 남아있을

---

[267] 또한 "지혜의 아들들," "불-안개의 아들들"로 그리고 중국 기록에서는 "태양의 형제들"로 불렸다. 복건성 지방의 신성한 도서관에 있는 사본에서 티베트(*Si-dzang*)가 붓다 이전 태고 시대부터 오컬트 학습의 위대한 중심지로 언급된다. 위대한 유(Yu) 황제 (기원전 2,207년), 경건한 신비가이자 위대한 초인은 그의 지식을 티베트에 있는 "눈 덮인 능선의 위대한 교사들"로부터 얻었다고 말하고 있다.

것이라고 믿는 데는 한층 더 중대한 이유가 있다. 이 종파는 샹카라차리아에 의해서 창시되었으며, (지금도 남인도에서 여전히 매우 강력하다) 주석서의 사문자를 이해하는데 충분한 지식을 보존해온 학생들을 배출하는 유일한 종파이다. 그 이유는 그들만이 수도원장으로 종종 진정한 입문자를 가진다고 들었다. 예를 들면, 마이소르 서부 가우트에 있는 "스링가-기리"에 있는 수도원 같은데 수도원장으로 진정한 입문자가 있다고 한다. 다른 한편으로, 필사적으로 배타적인 브라만들의 카스트 안에서, 스마르타바 종파보다 더 배타적인 종파는 없다; 그리고 그들이 오컬트 과학과 비의 가르침을 알 수 있다고 말하는 추종자들의 침묵이 그들의 자만심과 배움에 필적한다.

그러므로 현재 진술을 하는 필자는 상당한 반대와 심지어 본서에서 제시된 그런 진술들에 대한 부정도 만날 준비가 되어 있어야 한다. 여기서 말한 모든 것의 세부사항이 절대적으로 옳고 완전무결하다고 주장하는 것이 아니다. 사실이 거기 있고, 그것을 거의 부인할 수 없다. 그러나 다루어진 주제들의 내재하는 어려움 그리고 근대 서구 언어로 (다른 유럽 언어처럼) 어떤 개념을 표현하는데 넘어설 수 없는 한계 때문에, 아마도 필자가 설명을 가장 명백한 형태로 제시하지 못하였을 것이다. 그러나 모든 어려운 환경 하에서 할 수 있는 모든 것을 다 하였고, 이것이 작가가 누구이건 그로부터 기대할 수 있는 최선일 것이다.

설명한 주제를 충분히 논한다는 것이 불가능하지는 않더라도 얼마나 어려운지 그 주제의 광대함을 보여주고 요약해 보자.

(1) 씨크릿 독트린은 오랜 세월의 축적된 지혜(Wisdom)이고, 우주발생론만으로도 가장 방대하고 정교한 체계이다: 즉, 심지어 대중적인 푸라나에서도 그렇다. 그러나 실제로 수많은 세대의 입문한 현자들과 예언자들을 당혹케 하는 일련의 진화상의 발전 속에서 정리하여 적어 놓고 설명하는데 차지한 사실들이 모두 몇 페이지의 기하학 기호와 그림문자로 기록되어 있다는 것이 오컬트 상징학의 신비한 힘이다. 그 현자들의 섬광 같은 응시가 물질의 핵심까지 꿰뚫고 들어가서, 거기에 사물의 혼을 기록하였다. 한편 세속인은 아무리 박식할지라도 형태의 외적인 작업만 지각할

수 있었다. 그러나 근대 과학은 "사물들의 혼"을 믿지 않고, 그래서 고대 우주발생론의 전체 체계를 부정할 것이다. 이런 체계가 따로 격리된 몇 사람의 공상이 아니라는 것은 말할 필요도 없다. 그것이 현자들의 수 천 세대를 망라하는 단절되지 않은 기록으로, 그들 각자의 경험은 인류의 요람기를 지켜보았던 고귀하고 높은 존재들의 가르침에 대하여 하나의 초기 인종에서 다음 인종으로 구전으로 전해진 전통들을 테스트하고 확증하는 것이다. 오랜 세월 동안, 다섯 번째 근원인종의 "현자들," 마지막 재앙이자 이동하는 대륙에서 구원된 인종의 현자들은 그들의 삶을 *가르치는 데가 아닌 배우는데* 보냈다. 그들은 어떻게 그렇게 하였는가? 자연의 모든 부문에서 위대한 초인들이 각자의 비전으로 오래된 전통을 체크하고, 테스트하며, 확인하면서 보냈다; 즉 그들은 그들의 육체적, 멘탈적, 심령적 그리고 영적인 기관들을 가능한 최대로 계발하고 완전하게 만든 사람들이다. 어느 한 분의 초인의 비전도 다른 초인의 비전—독립적인 증거로써 획득한—과 몇 세기에 걸쳐서 경험으로 확증될 때까지 받아들여지지 않았다.

(2) 그 체계 속에 있는 근본적인 대법칙, 중심의 점으로 그것에서 만물이 출현하였고, 만물이 그 주위를 돌고 그것으로 돌아가며, 그리고 그것 위에 나머지 철학이 걸려 있는 것으로, 그것은 하나의 동질적 신성한 질료 원리(SUBSTANCE-PRINCIPLE), 하나의 근본 원인이다.

> . . . "그 등불이 더 밝게 빛났던 몇 분들이
> 원인에서 원인으로 대자연의 비밀의 머리로 안내되었고,
> 그리고 하나의 첫 번째 대원리가 있음에 틀림없다는 것을 발견하였다 . . ."

그것을 "질료-원리"라고 부른다. 왜냐하면 그것은 현현된 우주계에서 "질료"로 되고, 그래서 환영이지만, 반면에 그것은 시작도 끝도 없는, 볼 수 있고 볼 수 없는, 추상적 공간(SPACE)에서는 "원리(principle)"로 있기 때문이다. 그것은 편재하는 대실재(Reality)이다: 그것은 모든 것과 만물을 포함하기 때문에 *초월적(impersonal)*이다. *그것의 초월성이 이 체계의 근본 개념*이다. 그것은 우주에

있는 모든 원자 속에 잠재하고, 우주 자체이다. (2 부 상징체계에 대한 여러 장에서 "원초의 질료와 신성한 생각" 참조)

(3) 우주는 이 미지의 절대적 에센스(Absolute Essence)의 주기적 현현이다. 하지만 그것을 "에센스"라고 부르는 것은 철학의 정신 바로 그것에 반하는 것이다. 왜냐하면 명사 "에센스(essence)"가 동사 esse, 즉, "있다"에서 온 것이지만, 그럼에도 "그것(IT)"은 인간의 지성으로 인식할 수 있는 어떤 종류의 *존재(being)*와 동일시될 수 없기 때문이다. "그것(IT)"은 영이나 물질이 아니고, 둘 다라고 가장 잘 묘사된다. "파라브라흐맘과 물라푸라크리티"는 사실상 하나(One)이지만, 그럼에도 현현된 보편 개념 속에서, 심지어 그것의 최초 현현인 하나의 로고스(One Logos) 개념 속에서도 둘이다. 유능한 강연자인 수바 로우 씨가 "바가바드 기타에 대한 주석"에서 보여주듯이, "그것(IT)은 하나의 로고스의 객관적 관점에서 파라브라흐맘이 아닌, 물라푸라크리티"로써 나타난다; 즉 무조건적 절대적인 배후에 숨겨진 하나의 대실재가 아닌 그것의 *베일*로서 나타난다.

(4) 우주는 그 속에 있는 모든 것과 함께 마야(MAYA)라고 부른다. 왜냐하면 그 속에 있는 모든 것은 개똥벌레의 덧없은 생명부터 태양의 생명에 이르기까지 일시적인 것이기 때문이다. 하나(ONE)의 영원 불변성과 그 원리의 무변화성에 비하면, 우주는 언제나 변하는 덧없는 형태와 함께 철학자의 마인드 속에서 필연적으로 도깨비 불과 차이가 없을 것이다. 하지만 우주는 자체처럼 비실재적인 만큼 그 속에 있는 의식적인 존재들에게 그것은 충분히 실재적이다.

(5) 우주 속에 있는 모든 것, 모든 왕국에 두루 걸쳐서 있는 모든 것은 의식적이다: 즉 그것 나름대로의 지각의 계와 그것 나름대로의 의식을 부여받았다. 우리가 예를 들어 돌 속에서 의식의 어떤 표시—우리가 알아볼 수 있는 어떤 표시—를 지각할 수 없기 때문에, *거기에는 의식이 존재하지 않는다고* 말할 권리가 없다는 것을 기억해야만 한다. "맹목적" 혹은 "무의식적" 법칙이 없듯이, "죽은" 혹은 "맹목적" 물질 같은 것은 없다. 이런 것은 오컬트 철학의 개념들 사이에 아무 데도 없다. 오컬트 철학은 표면의 겉모습에서 결코 멈추지 않는다. 오컬트 철학에서 *본체의*

*본질*이 그것의 객관적인 대응 부분보다 더 실재성을 갖기 때문이다; 그것은 중세 명목론자와 비슷하다. 왜냐하면 그들에게, 실재는 보편적인 것이고, 이름과 인간의 공상 속에서만 존재한 것은 특정한 것이기 때문이다.

(6) 우주는 *안에서 바깥으로 안내되고* 작용된다. 위에서처럼 아래에서도, 하늘에서처럼 땅에서도 그러하다; 그리고 인간—소우주이며 대우주의 축소판—이 이런 보편적인 대법(Universal Law)과 그 법칙의 작용 방식의 살아있는 증거이다. 모든 *외적인* 움직임, 행위, 제스처는 그것이 자발적이건 기계적이건, 유기적이건 멘탈적이건, *내적인* 느낌 혹은 감정, 의지 혹은 결단, 그리고 생각 혹은 마인드가 선행되어 생긴다는 것을 우리는 알고 있다. 앞에서 말한 세 가지 기능들 중에 하나를 통해서 주어진 내적인 충동으로 일어나지 않는다면 인간의 외적인 체 속에서 정상적일 때 어떤 외적인 움직임이나 변화가 일어날 수 없듯이, 외적인 혹은 현현된 우주도 마찬가지이다. 전체 대우주가 거의 끝없는 유정의 대존재들의 하이어라키로 안내되고, 통제되며, 생명이 불어넣어지고, 각자가 수행할 사명을 갖고 있고 그들— 우리가 그들을 어느 한 이름으로 부르건, 디얀-초한 혹은 천사들이라고 부르건—은 대우주의 법칙과 카르마의 대리인이라는 의미에서만 "메신저들"이다. 그들은 각자의 의식과 지성의 정도에서 무한하게 다양하다; 그리고 그들을 "시간이 먹이로 삼지 않는" 어떤 세속적인 불순함이 없는 순수한 영들로 부르는 것은 시적인 공상에 불과할 뿐이다. 왜냐하면 이런 대존재들 각각은 현재는 아닐지라도 과거에 인간이었거나 다가오는 주기 (만반타라)에 인간이 되려고 준비하고 있기 때문이다. 그들은 *초기의* 인간이 아닐 때 *완성된* 인간이다; 그리고 그들은 *인간의* 감정적 성질과 개성의 느낌—두 가지 순전히 지상의 특이성이다—이 없다는 점에서만, 그들은 상위의 (덜 물질적) 영역에서 지상의 인간과 윤리적으로 다르다. 완전한 인간은 이런 느낌에서 자유롭게 되었다. 왜냐하면 (가) 그들은 더 이상 육체의 체— 혼을 언제나 마비시키는 무거운 짐—을 더 이상 가지고 있지 않기 때문이다; 그리고 (나) 순수한 영적인 요소가 속박되지 않은 채 더 자유롭게 남겨지기에, 그들은 인간이 언제나 영향받을 수 있는 것보다 마야에 덜 영향을 받는다. 만약 그가 두 개의 개성—영적 인간과 육체적 인간—을 전적으로 분리시킨 채 간직하는 초인이 아니라면, 그는 언제나 마야에 영향을 받는다. 시초의 모나드들은 결코 지상의 여러

체들을 가지고 있지 않아서 개성의 느낌 혹은 에고-이즘(EGO-ism)을 가질 수 없다. "개성(personality)"이 의미하는 그것은 어떤 제한과 관계로, 혹은 코울리지가 정의하듯이, "자체로 존재하지만 어떤 바탕으로 성질을 가진 개체성(individuality)"으로, 이 용어는 당연히 인간이 아닌 실체들에게 적용될 수가 없다; 그러나 많은 세대의 현자들이 강하게 주장해 온 하나의 사실로써, 이 대존재들 어느 것도 상위 존재이건 하위 존재이건 분리된 실체들로써 개성이나 개체성을 가지고 있지 않는다. 즉, 그들은 인간이 *"나는 나 자신이며 다른 누구도 아니다"*라고 말하는 의미에서 개체성을 가지고 있지 않다; 다른 말로 하면, 그들은 지상에 있는 인간과 사물처럼 구분하는 그런 분리성을 의식하지 않는다. 개체성이 그들 단위들이 아닌, 그들 각자의 하이어라키의 특이성이다; 그리고 이 특이성은 그 하이어라키들이 속한 계의 정도에서만 다양하다: 동질성이자 하나의 신성 영역에 가까우면 가까울수록, 하이어라키 속에 있는 개체성이 더 순수하고 덜 강조된다. 그들은 그들의 상위 원리—보편적 신성한 불기둥을 반영하는 불멸의 불꽃—를 제외하고 모든 면에서 유한하며 다른 것과 마찬가지로 분화에 의해서 환영의 영역에서만 개체화되고 분리된다. 그들은 "살아 있는 하나들(Living Ones)"이다. 왜냐하면 그들은 절대적 대생명(ABSOLUTE LIFE)에서 환영의 대우주 스크린에 투사된 흐름들이기 때문이다; 무지의 불이 이 "생명들(Lives)"을 감지하는 사람들 속에서 꺼지기 전까지, 그 존재 속에서 생명이 꺼질 수가 없다. 대생명의 강 기슭에서 방사하는 거대한 중심의 태양의 반영, 즉 창조되지 않은 광선의 재생시키는 영향 아래에서 존재하게 되었기에, 불멸의 물에 속하는 것이 바로 그들 속에 있는 내면의 원리이고, 반면에 그것의 분화된 외피 (옷)는 인간의 체처럼 소멸될 수 있다. 그러므로 "천사들은 우세한 종류의 인간"일 뿐 그 이상은 아니라고 말할 때 에드워드 영이 옳았다.

그들은 "보살피는" 천사도 아니고 "보호하는" 천사도 아니다; 그들은 또한 "지고한 분의 선구자들(Harbingers of the Most High)"도 아니며 인간의 공상이 만들어 낸 어떤 신의 "노여움의 사자들"도 더더욱 아니다. 그들의 보호를 호소하는 것은 어떤 종류이건 비위를 맞추는 것으로 그들의 동정을 획득할 수 있다고 믿는 것만큼이나 어리석은 것이다; 왜냐하면 그들도 인간 자신처럼 불변의 카르마의 법칙과 대우주 법칙의 노예이자 피조물이기 때문이다. 그 이유는 명백하다. 그들의 본질 속에 어떤 개성의 요소를 가지고 있지 않기 때문에, 그들은 대중 종교에서 말하는 인격신—기뻐하고 분노를 느끼는, 제물로 기뻐하며, 허영심에서 어리석은 유한한 인간보다 더 독재적인, 시기질투하는 배타적인 신—에 속하는 그런 개성적 특질들을 가질 수 없기 때문이다. 2 권에서 보여주듯이, 인간은 이 모든 천상의 하이어라키의 에센스의 복합체이기 때문에, 한 가지 의미에서 어떤 특정 하이어라키나 등급 또는 심지어 그들의 조합보다 자신을 더 상위로 만드는 데 성공할 수도 있다. "인간은 데바들을 명령하거나 달랠 수 없다"고 말한다. 그러나 그의 하위 개성을 마비시켜서, 하나의 절대적 대아(One absolute SELF)와 그의 상위 대아(SELF)의 *비분리성에 대한* 온전한 지식에 도달함으로써, 인간은 심지어 지상에서 사는 동안에도 "우리 중의 하나(One of Us)"가 될 수도 있다. 이렇게 인간은 무지를 떨쳐버리는 지식의 과실을 먹음으로써, 엘로힘 혹은 디야니들 중에 하나처럼 된다; 그리고 일단 *그들의* 계에 있게 되면, 모든 하이어라키를 통치하는 연대성과 완전한 조화의 영이 그 위로 확장해서 모든 상세한 것에서 그를 보호해 준다.

과학자가 자연령 뿐만 아니라 신성한 영을 믿지 못하게 막는 주된 어려움은 그들의 유물주의 때문이다. 심령주의자가 떠난 자들의 "영"에 대한 맹목적 믿음을 유지하면서, 그가 자연령과 신성한 영을 믿지 못하게 만드는 주된 장애물은 어떤 오컬티스트들과 카발라 학자들을 제외하고 물질의 진정한 에센스와 성질에 대한 전반적인 무지 때문이다. 죽은 자의 영 이외에 우리 주위에 다른 의식적 존재들의 존재를 믿거나 믿지 않는 것은 *궁극적 에센스로 대자연 속에 있는 만물의 통일성의* 이론을 수용하거나 거부하는 것에 주로 달려있다.

학생이 마인드 속에서 오컬트 우주발생론을 더 명확하게 설명하기 위하여 그리고 그의 후속 연구를 안내할 수 있는 유일하게 확실한 실마리를 위하여, 그는 영-물질(Spirit-Matter)과 그것의 실재 에센스의 태초의 진화를 올바르게 이해하는 것에 의지해야 한다.

지금까지 설명한대로, 실제로 소위 모든 "영"은 *육체를 벗은 인간이거나 미래의 인간*이다. 최고의 대천사 (디얀 초한)부터 마지막 의식적인 "건설자" (영적 실체들의 하위 등급)에 이르기까지, 모두가 여기 구체에서 혹은 다른 구체에서 다른 만반타라에서 아주 오랜 억겁이전에 살았던 인간들이다; 마찬가지로 하위 단계의 반지성적 그리고 비지성적 엘리멘탈들도 모두가 *미래* 인간이다. 오컬티스트에게 그 사실—영이 지성을 부여받았다는 사실—만으로도 그 존재가 인간이었고, 인간의 주기를 거쳐서 그의 지식과 지성을 획득하였음에 틀림없다는 증거가 된다. 우주에는 하나의 분할할 수 없는 절대적 전지(Omniscience)이자 대지성(Intelligence)이 있으며, 이것은 어떤 경계를 갖지 않는, 그리고 사람들이 공간이라고 부르며 그 속에 담긴 것이 어떤 것이건 독립적으로 여겨지는 그 유한한 전체 우주의 무한하게 작은 점과 모든 원자를 관통해서 고동친다. 그러나 현현된 세계에서 *그것의 반영*의 최초 분화는 순전히 영적이며, 그 속에서 발생된 존재들은 우리가 생각하는 것과 어떤 관계를 갖는 어떤 의식을 부여받지 않았다. 그들은 개별적으로 그리고 개인적으로 인간 의식이나 지성을 획득하기 전에는 그것을 가질 수가 없다. 이것이 신비일 수 있지만, 에소테릭 철학에서 그것은 하나의 사실이며, 매우 명백한 사실이다.

자연의 전체 질서는 한층 *더 높은 삶*을 향해서 점진적인 진행을 보여준다. 겉으로 보기에 가장 맹목적인 힘의 작용 속에는 디자인이 있다. 그 끊임없는 적응을 하는 전체 진화 과정이 이것의 증거이다. 강한 종을 위한 여지를 만들기 위해서 약하고 미약한 종을 뽑아내는, 그리고 당면한 작용에서 잔인할지라도, "적자생존"을 확실히 하는, 불변의 법칙—모두가 웅대한 목적을 향해서 일하고 있는 것이다. 적응이 일어나고, 생존 경쟁에서 적자가 살아남는다는 바로 그 사실은, 소위 "무의식적 대자연"으로 부르는 것이 사실상 높은 행성영 (디얀 초한)에 의해서 안내되는 반지성적 존재들 (엘리멘탈)에 의해서 조작되는 힘의 집합체라는 것을 보여준다. 행성영들의 집합은 미현현된 "로고스(LOGOS)"의 현현된 말씀을 구성하며, 동시에 우주의 "마인드(MIND)"와 그것의 불변의 법칙을 구성한다.

우주의 세 가지 뚜렷한 표상이 그것의 세 가지 구분되는 측면에서 에소테릭 철학에 의해서 우리의 생각에 각인되고 있다: 언제나 존재하는 것(EVER-EXISTING)에서 진화한 존재-이전(PRE-EXISTING) 그리고 현상계—그것의 반영 그리고 그림자인 환영의 세계이다. 만반타라로 알려진 생명의 위대한 신비이자 드라마가 진행되는 동안에, 진정한 대우주는 마치 마법 환등기가 불러낸 그림자를 드리우는 흰색 스크린 뒤에 놓인 사물과 같다. 실제 형상과 사물은 보이지 않은 채 남아 있지만, 진화의 줄이 보이지 않는 손으로 당겨지고 있다; 그리고 사람과 사물은 대환영 혹은 *마하마야*의 올가미 *뒤에 있는* 실재들이 백색 판 위에 비춰진 반영들에 불과하다. 이것은 대홍수 이전과 이후, 모든 철학과 모든 종교에서, 그리고 인도와 칼데아에서, 중국과 그리스 성자들이 가르친 것이었다. 인도나 칼데아에서는 이런 3 가지 우주가 중심의 영원한 배아에서 발산하여 그것과 함께 지고의 통일성을 구성하는 세 가지 삼위일체로 대중 가르침에서 비유적으로 가르친다: *시초의, 현현된,* 그리고 *창조적* 삼개조 혹은 하나 속의 셋이다. 마지막 (창조적 삼개조)은 구체적인 표현에서 *이상적인* 처음 둘의 상징에 불과하다. 그래서 비의 철학에서는 이 순전히 형이상학적 개념의 필요성을 넘어가서, 첫 번째 존재를 언제나 존재하는 것(Ever Existing)으로 부른다. 이것은 인도의 모든 육파 철학의 견해이다—*대지혜의 그 단위체의 여섯 원리로,* "*그노시스,*" *숨겨진* 지식이 그것의 일곱 번째이다.

일곱 스탠저에 대한 주서들이 피상적으로 다루어졌을 지라도, 본서의 우주발생론 부분에서 태고의 가르침이 대중적 측면에서 판단하도록 남겨진 어떤 다른 고대의 경전들보다도 표면상에서 (현대 의미로) 더 *과학적*이라는 것을 보여주기 위하여, 충분하게 제시되었다고 필자는 기대한다. 하지만 이전에도 말했듯이, 본서에서 *제공하는 것보다 훨씬 더 많은 것이 보류되었기* 때문에, 학생이 자신의 직관을 사용하기를 바란다. 우리의 주된 관심은 이미 주어진 것을 그리고 유감스럽게도 가끔 매우 부정확하게 주어진 것을 명확하게 설명하는 것이다; 그리고 부가적인 재료로 언제 어디서나 가능할 때마다 암시된 지식을 보충하는 것이다; 또한 근대 종파주의의 너무 강력한 공격과 특히 너무 자주 잘못 불린 과학이라는 우리 시대의 유물주의의 공격에 대항하여 우리의 가르침을 지키는 것이다. 반면에 사실상 "과학자"와 "사이비 학자"가 세상에 제시한 많은 비논리적인 이론에 책임을 져야만 한다. 엄청난 무지에서, 일반 대중은 "권위자들"로부터 나오는 모든 것을 맹목적으로 받아들이면서, 과학자로부터 나오는 모든 언명을 증명된 사실로써 간주하는 것이 당연한 의무인 것처럼 느끼면서, 일반 대중은 "이방인"의 원천에서 제시된 모든 것을 비웃으라고 배운다. 그러므로 유물주의 과학자들이 논쟁과 토론이라는 그들의 무기를 가지고 싸울 수 있기 때문에, 각자의 견해를 대조하면서 심지어 위대한 권위자들이 어떻게 오류를 범하는지 보여주면서 1 권, 2 권에다 부록을 추가하였다. 우리는 우리 적의 약점을 보여줌으로써 그리고 그들이 너무 자주 주장하는—과학적 언명으로 통하게 된—궤변이 틀렸다는 것을 증명함으로써 이것을 효과적으로 할 수 있다고 믿는다. 우리는 보편적인 성격에서 헤르메스와 그의 "지혜"를 고수한다; 과학자들은 진리가 서구 세계의 독점적 재산이라고 착각하면서 직관과 오랜 세월의 경험에 반대하듯이 아리스토텔레스를 고수한다. 그러므로 그들과 불일치가 있는 것이다. 헤르메스가 말한 것처럼, "지식은 감각과 많이 다르다; 왜냐하면 감각은 그것 위에 있는 사물들에 대한 것이지만, *지식(gyi)*은 감각의 끝이기 때문이다"—즉, 우리 육체 두뇌의 환영과 그것의 지성의 끝이다; 이렇게 감각과 마인드 (마나스)로 힘겹게 얻은 지식 그리고 영적인 신성한 혼, 즉 붓디(Buddhi)의 직관적 전지 사이의 대조를 강조하는 것이다.

먼 미래에 실제 이 저작의 운명이 어떤 것이 되건, 우리는 적어도 지금까지 다음 사실을 입증하였다고 기대한다:

(1) 씨크릿 독트린은 힌두인이 *"나스티카"*라고 말하는 의미를 제외하고, 혹은 모든 인격신을 포함한 *우상을* 거부한다는 의미를 제외하고, 어떤 *무신론*도 가르치지 않는다. 이런 의미에서 모든 오컬티스트는 *나스티카*이다.

(2) 씨크릿 독트린은 우주의 집합적 "창조자" 혹은 로고스를 인정한다; *데미-우르고스(Demi-urgos)*—어떤 건축물의 "창조자"로서 "건축가"에 대하여 말할 때 함축된 의미이다. 반면에 그 건축가는 건축물의 돌 하나도 건드리지 않지만, 계획을 제공하면서 모든 노동을 석공들에게 맡긴다; 우리의 경우, 그 계획이 우주 개념작용(Ideation)에 의해서 제공되고, 건설하는 노동은 지성적인 권능과 힘의 무리들에게 맡겨 둔다. 그러나 *데미우르고스는 인격의* 신이 아니라—즉, 불완전한 *우주 밖의 신이* 아니라—디얀-초한과 다른 힘들의 집합체이다.

그 다른 힘에 대하여 –

(3) 그들은 성격에서 이중이다; (가) 물질 속에 내재하는 비이성적 *야수적 에너지*, 그리고 (나) 그 에너지를 안내하고 지시하는 지성적 혼 혹은 우주적 의식이자, *보편 마인드의 개념작용을 반사하는 디얀-초한의 사고*로 구성된다. 이것이 만반타라 기간 동안에 지구에서 끊임없는 일련의 물리적 현상과 *윤리적 영향*을 낳으며, 전체가 카르마에 종속된다. 그 과정이 항상 완전하지 않기 때문에; 그리고 그 베일 뒤에서 안내하는 지성의 증거를 아무리 많이 나타내더라도, 그 과정은 여전히 갭과 갈라진 틈을 보이며, 심지어 매우 자주 분명한 실패도 낳는다―그러므로 집합적 무리 (데미우르고스)나 개별적으로 일하는 여러 힘 어느 것도 신성한 영예나 숭배의 적절한 대상이 아니다. 하지만 모두가 인류의 감사와 경의를 받을 자격이 있으며, 인간은 주기적인 작업에서 그의 능력 최대한 *자연과 협력자*가 됨으로써 *"이데아"*의 신성한 진화를 언제나 도우려고 노력해야만 한다. 언제나 알 수 없고 인식할 수 없는 *"카라나"*만이, 모든 원인들의 *원인 없는 대원인*이 우리들의 심장의 신성한 미답의 땅에 그것의 사원과 제단을 가져야 한다―그 땅은 우리의 영적인 의식의 "작고 조용한 목소리"를 통하는 것을 제외하고, 볼 수 없고, 만질 수 없으며, 언급되지 않는 곳이다. 그것 앞에서 예배하는 사람들은 침묵 속에서 그리고 그들 혼의 신성한 고독 속에서 그렇게 해야 한다;[268] 이렇게 그들의 영을 그들과 *보편 영(Universal Spirit)* 사이의 유일한 중개자로, 그들의 선한 행동을 유일한 사제로, 그리고 그들의 죄 많은 의도를 *실재(Presence)* 앞에 바치는 볼 수 있는 객관적 제물로 만들면서 그렇게 해야 한다. (2 부, *"숨겨진 신성에 대하여."*)

(4) 물질은 *영원하다*. 물질은 하나의 무한한 보편 마인드가 그곳에 그의 개념을 세우기 위한 *우파디* (물질적 기초)이다. 그러므로 비의가들은 자연계에는 죽은 물질 혹은 비유기적 물질이 없다고 주장한다. 과학에서 만든 둘 사이의 구분은 임의적이고 이치에도 맞지 않기에 근거가 없다.

---

268 "그대가 기도할 때, 그대는 위선자들처럼 하지 말고 . . . *그대의 내면의 방으로 들어가서 문을 닫고 비밀 속에 있는 그대 아버지에게 기도하라.*" (마태복음 6장 5-6). 우리의 아버지는 "비밀 속에" *우리* 속에, 우리 혼의 인식의 "내면의 방" 속에 있는, 우리의 일곱 번째 원리이다. "천국"과 신의 나라는 밖이 아닌, "우리 속에 있다"고 예수는 말한다. 왜 기독교도들은 그들이 기계적으로 반복하면서 즐거워하는 지혜의 말의 자명한 의미에 그렇게 절대적으로 눈이 멀었을까?

그러나 과학에서 무엇이라고 생각하건—그리고 정밀 과학은 우리가 경험으로 알듯이 변덕스럽다—오컬티즘은 *마누*와 *헤르메스*부터 파라셀수스와 그의 후계자에 이르기까지 태고적부터 알며 다르게 가르친다.

이렇게 세번이나 위대한 헤르메스 트라이스메기스투스가 말한다: "오, 나의 아들이여, 물질은 *되어간다*; 이전에 그것이 존재하였다; 왜냐하면 물질은 되어가는 매개체이기 때문이다.[269] 되어가는 것은 창조되지 않은 신의 활동 방식이다. 되어가는 씨앗을 받아서, 물질 (객관계)이 태어났다. 왜냐하면 창조력이 그것을 *이상적인 형태에 따라서* 형성하기 때문이다. 아직 발생되지 않은 물질은 어떤 형태를 갖지 않는다; 그것이 작용하게 될 때 되어간다. (*아스클레피오스의 정의*, p. 134, "세계의 처녀.")

"모두가 하나의 보편적 창조적 노력의 산물이다. . . . 대자연 속에는 죽은 것이란 아무것도 없다. *모든 것이 유기적이고 살아있으며*, 그러므로 전체 세계가 살아있는 유기체로 보인다." (파라셀수스, "*아테네인의 철학*," F. 하트만 번역, p. 44.)

(5) 우주는 그 이상적인 계획에서 진화되어 나왔고, 베단타 학자들이 파라브라흠으로 부르는 그것의 무의식 속에서 영원동안 지지된다. 이것은 실제적으로 최고의 서구 철학의 결론—지금은 본 하트만 철학에 반영된, 플라톤의 "타고난, 영원한 그리고 자존하는 이데아"—과 동일하다. 허버트 스펜서의 "불가지자"는 "현상 뒤에 있는 *힘*"—만물이 나오는 무한한 영원한 *에너지*—의 인격화처럼 자주 보이는,

---

269 그것에 대하여 헤르메스 단편 ("*세계의 처녀*" 참조)의 유능한 번역가이자 편찬자인 킹스포드 여사(박사)가 각주에서 말한다; "메나드 박사는 그리스어에서 똑같은 단어가 *'태어나다*와 '*되다*'를 나타낸다는 것을 관찰하였다. 여기서 세계의 재료가 본질에서 영원하지만, 창조 전에 혹은 '되어가기(becoming)' 전에 그것은 수동적이고 운동하지 않는 상태 속에 있다는 것이다. 이렇게 그것은 작용하게 되기 전에 '있었다'; 이제 그것이 '되고 (생겨나고), 즉 그것이 움직이며 진행한다." 그리고 킹스포드 여사는 헤르메스 철학의 순전히 베단타 철학의 가르침을 추가한다. 창조는 이렇게 신의 활동기간 (만반타라)으로, 헤르메스 사상에 따르면 (혹은 베단타 사상에 따르면), 신은 두 가지 방식을 가지고 있다—활동 또는 존재, *신이 진화시켰다*; 존재의 수동성 (프랄라야), *신이 끌어들였다*. 두 방식은 인간이 깨어 있는 상태와 수면 상태처럼 온전하고 완전하다. 독일의 철학자 피히테는 다양한 것으로의 존재(Daseyn)를 통해서만 아는 하나(One)로서 존재(Seyn)를 구분하고 있다. 이 견해는 철저히 헤르메스적이다. '이상적 형태'는 신플라톤 학파의 원형 개념이다; 사물의 영원하고 주관적인 개념이 '되어가기' 전에 신성한 마인드 속에서 존속한다. (p. 134)

오컬티스트가 믿는 초월적 *대실재*와 희미하게 닮았다. 반면에 "무의식 존재의 철학"의 저자 하트만은 이 점에서만 유한한 인간이 다다를 수 있는 위대한 *대신비*의 해결책에 근접한다. 고대 철학이나 중세 철학에서, 이 주제에 다가가려고 했던 혹은 심지어 그것을 암시라도 했던 철학자가 거의 없었다. 파라셀수스가 그것을 추론적으로 말했다. 그의 사상을 하트만 박사가 "파라셀수스의 삶"이라는 책에서 훌륭하게 종합하였다.

모든 *기독교* 카발리스트들은 동양의 근본 사상을 잘 이해하고 있었다: 활동적인 힘, "거대한 숨결의 영원한 운동"은 모든 새로운 주기의 새벽에 대우주를 깨어나게 하고, 두 가지 상반된 힘으로 [270] 그것을 활동하게 만들어서, 대우주가 환영계에서 객관적으로 되게 한다. 다른 말로 하면, 그 이중 운동이 대우주를 영원한 이상계에서 유한의 현현계로, 혹은 *본체계*에서 *현상계*로 옮긴다. *존재하는, 존재했던 그리고 존재할* 모든 것이 영원히 있으며, 심지어 무수히 많은 형태들도 객관계에서만 유한하고 사라지지만, 그것들의 *이상적인* 형태 속에서는 그렇지 않다. 그것들은 영원 [271] 속에서 이데아로서 존재하였고, 사라질 때 반영으로서 존재할 것이다. 인간의 형태나 동물, 식물, 광물의 어떤 형태도 *창조된* 적이 없고, 우리가 있는 현상계에서만 그것이 '되어가기' 시작했다. 즉, 가장 세련된 초감각적인 본질에서 가장 조잡한 겉모습으로, 현재의 물질성으로 객관화되어 갔다, 또는 *내부에서 외부로* 확장하였다. 그러므로 *우리의* 인간 형태는 영원 속에서 아스트랄 원형 혹은 에텔 원형으로서 존재하고 있었다; 그것들을 객관적인 존재이자 지상의 생명으로 가져오는 것이 그 의무인 영적 대존재 (혹은 신)들이 그 원형에 따라서 *그들 자신의 에센스에서* 미래 *자아들(Ego)*의 원형질 형태를 진화시켰다. 그 후에, 이 인간의 *우파디* 혹은 기본 모형이 준비되었을 때, 지상의 자연의 거대한 힘이 저 초감각적 틀 (금형) 위에서 작업하기 시작하였다. *그 틀은 그들 자신의 독특한 요소 이외에, 그들 속에 이 구체의 과거와 미래의 식물과 동물 형태의 모든 요소들을 간직하였다.*

---

270 원심력과 구심력은 남성과 여성, 양과 음, 물질과 영으로 둘 다 하나의 *원초의 힘*이다.

271 오컬티즘에서 그 이상적인 유형이 주관계에 존재하지 않으면, 어떤 형태도 자연이나 인간이 형태를 부여할 수 없다고 가르친다. 이것 이상이다; 어떤 형태나 형체도 원형으로 존재하지 않으면, 최소한 근사치라고 원형으로 존재하지 않으면, 인간의 의식 속으로 혹은 그의 상상력 속으로 들어올 수 없다.

그러므로 인간의 *외적인* 껍질은 그것이 인간의 형상을 취하기 전에 모든 식물 형태와 동물 형태를 지나갔다. 이것에 관해서는 2 권에서 주석과 함께 충분히 설명될 것이므로 여기서는 더 이상 언급할 필요가 없다.

파라셀수스의 헤르메스-카발라 철학에 의하면, 그것은 자체에서 대우주를 진화시킨 "일리아스터(Yliaster)"—윌리엄 크룩스 씨가 화학에서 도입한 *"프로타일"*의 선조이다—혹은 원초의 '*프로토마테리아*'이다.

"진화가 일어났을 때, 일리아스터가 자신을 나누었다 . . . 녹아서 분해되었고, 그 자체 속으로부터 *이데오스(Ideos)* 혹은 카오스를 계발시켰으며, 각각 *위대한 신비(Mysterium magnum)*, *일리아도스(Iliados)*, *림보스 메이저(Limbus Major)*, 혹은 원초의 물질로 부른다. 이 원초의 에센스는 일원적 성질이고, 자체를 활기 활동, 영적인 힘, 볼 수 없고 이해할 수 없는, 그리고 묘사할 수 없는 힘뿐만 아니라, 살아있는 존재들의 질료가 구성하는 활기 물질로서 현현한다." 원초 물질의 이 *이데오스* 속에, 혹은 *프로토-일로스* 속에—창조된 만물의 매트릭스이다—만물이 형성되는 질료가 간직되어 있다. 그것이 바로 카오스로 . . . 그것에서 대우주 그리고 나중에 *미스테리야 스페셜리아 (특정 신비)*[272] 속에서 진화와 분할에 의해서, 분리된 개별 존재가 존재하게 되었다. "만물과 모든 기초적 질료가 그 속에 *잠재적으로* 포함되었으며 *실제로* 있다는 것이 아니다"—하트만 박사가 합당하게 다음과 같이 관찰하였다: "파라셀수스가 300 년 전에 '물질의 잠재성'에 대한 근대의 발견을 예상한 것처럼 보인다." (p. 42)

그러므로 이 매그너스 림버스 혹은 파라셀수스의 일리아스터는 스탠저 II 와 다른 여러 스탠저에서, 공간 속에 출현하기 전에, *내부에 있는* "아버지-어머니"이다. 그것은 대우주와 소우주 (혹은 우주와 우리의 구체)라는 [273] 이중의 성격 속에서

---

272 이 단어는 하트만 박사가 그 앞에 가지고 있는 파라셀수스의 원문에서 다음과 같이 설명하고 있다. 이 위대한 장미십자회원에 따르면: "미스테리움(Mysterium)은 거기에서 어떤 것이 계발되어 나올 수 있는 모든 것으로, 그 안에 씨앗처럼 간직되어 있다. 씨앗은 식물의 '미스테리움'이고, 알은 살아있는 새의 미스테리움이다, 등등."

273 *소우주(Microcosm)*라는 용어를 인간에게 적용한 사람들은 유대인과 한 두 명의 신플라톤학

아디티-푸라크리티, 영적 성질과 물리적 성질로 의인화된 대우주의 보편 매트릭스 (모체)이다. 왜냐하면 우리는 파라셀수스에서 이렇게 설명하는 것을 보기 때문이다: "매그너스 림버스는 모든 피조물들이 성장하여 나오는 탁아소이다. 마치 나무가 작은 씨앗에서 자라나오듯이; 하지만 차이점은 대(great) 림버스는 그 기원을 말씀에서 갖지만, 소(minor) 림버스 (지상의 씨앗 혹은 배아)는 지구에서 가진다. 대 림버스는 모든 존재들이 나오는 씨앗이며, 작은 림버스는 그 형태를 재생하고, 그 자체가 대 림버스에 의해서 만들어진 각각의 궁극의 존재이다. 아들이 아버지와 비슷한 조직을 가지고 있다는 의미로, 소 림보스는 대 림버스의 모든 특질을 지니고 있다. (2 권, 단락 iii 주석 참조.) "일리아스터가 용해되면서, *아레스(Ares)*, 분할하고 분화시키며 개체화시키는 힘 (이미 알고 있는 *포하트*)이 작용하기 시작하였다. 모든 생산이 분리의 결과에서 일어났다. 이데오스로부터, 화, 수, 풍, 그리고 지 원소가 생겨났다. 그러나 그 탄생은 물리적인 방식으로 혹은 단순한 분리에 의해서 일어나지 않았고," 심지어 복잡한 결합이 아닌 영적인 그리고 역동적인 결합으로 일어났다―예를 들면, *화학적* 결합에 반대로 *기계적* 혼합처럼. 마치 원래 조약돌 속에 불꽃이 없고, 씨앗 속에도 나무가 없지만, 불이 조약돌에서 나올 수 있거나, 나무가 씨앗에서 나올 수 있듯이. 영은 살아있고, 생명은 영이며, 생명과 영 (*푸라크리티-푸르샤*)(?)은 만물을 만들지만, 그들은 본질적으로 하나이지 둘이 아니다. . . 원소들 각각도 자신의 일리아스터를 가진다. 왜냐하면 모든 형태 속에 있는 물질의 모든 활동은 똑같은 샘에서 나온 발산에 불과하기 때문이다. 그러나 씨앗에서 섬유를 가진 뿌리가 자라나고, 다음으로 가지와 입을 가진 줄기가 자라나며, 마지막으로 꽃과 씨앗이 된다; 마찬가지로 모든 존재들이 원소들에서 태어나고, 그들의 부모의 특이성을 간직하면서, 다른 여러 형태들이 존재할 수 있는 기초적 질료로 이루어진다." (번역자가 말한다: "이 가르침은 300 년전에 전해진 것으로, 다윈에 의해서 상세하게 설명되고 새로운 형상을 취한 후에, 근대 사상에 혁명을 일으킨 사상과 동일하다. 그것은 상기아 철학에서 카필라에 의해서 한층 더 자세하게 설명되었다.") . . . 원소들은 모든 피조물들의 어머니로서 *볼 수 없고,*

자들을 따르는 중세 카발리스트들 뿐이었다. 고대 철학은 지구를 대우주의 소우주로 그리고 인간을 그 둘의 산물이라 불렀다.

영적인 성질이며, 혼들을 가지고 있다.[274] 그것들은 모두 *"미스테리움 매그넘"*에서 솟아나온다. (*아테네인의 철학*)

이것을 비쉬누 프라나와 비교해 보라.

"크쉐트라그냐(Kshetrajna) (육화된 영?)가 주재한 *프라드하나* (원초의 질료)에서 여러 특질의 진화가 진행된다. . . 거대한 원리 *마하트* (보편 지성 혹은 마인드)로부터 섬세한 원소들의 기원이 진행되고 이것들에서 감각 기관들이 나온다. . ." (1 권, ii.)

이와 같이 자연의 모든 근본적인 진리가 고대에는 보편적이었고, 그리고 영, 물질, 우주, 혹은 신, 질료, 인간에 대한 기본적인 개념들도 동일했다는 것을 볼 수 있다. 지구상에서 가장 오래된 두 가지 종교 철학인 힌두교와 헤르메스 철학을 인도와 이집트의 성전에서 가져오면, 두 가지의 동일성이 쉽게 인식될 수 있다.

우리의 친구인 안나 킹스포드 박사가 가장 최근에 번역한 "헤르메스 단편"을 읽어본 사람에게 이것이 분명하게 된다. 종파적인 그리스인과 기독교인을 통해서 그것의 구절들이 왜곡되고 뒤틀려졌기 때문에, 역자가 아주 훌륭하게 직관적으로 그 단점을 잡아서 설명과 각주로 그것을 치유하려고 하였다. 그녀가 다음과 같이 말한다: . . "지고의 신의[275] 대리인으로서 타이탄들 혹은 '일하는 신들'에 의한 볼 수 있는 세계의 창조는 철저히 헤르메스 개념으로, *모든 종교 체계에서 인식할 수 있고* 근대 과학의 연구와 일치한다. 근대 과학 연구는 모든 곳에서 신성한 힘이 자연의 여러 힘을 통해서 작용하는 것을 보여주고 있다."

"저 보편적 대존재, 그것이 모든 것을 포함하고, 그리고 모든 것인 그것이 자연이 구성하는 모든 것, 혼과 세계를 움직이게 한다고 헤르메스가 말한다. 보편 생명의

---

274 동양의 오컬티스트가 말한다—"원소는 영적 존재들에 의해서 안내되고 활기가 채워진다"— 영적 존재들은 보이지 않는 세계와 오컬트 자연의 베일 뒤에 있는 작업자 혹은 *비밀 속에 있는 자연*이다.
275 말한 단편에서 빈번하게 나온 표현을 예외로 한다. *"보편 마인드(Universal Mind)"*는 어떤 *존재(Being)* 혹은 "신(God)"이 아니다.

수많은 통일성 속에서, 그것들의 변형들로 구분되는 무수히 많은 개체들이 전체가 하나이고 모든 것이 통일성에서 나오는 그런 방식으로 결합되어 있다."
(*아스클레피오스*, 1부)

"신은 마인드가 아니지만, 그 마인드가 존재하는 원인이다; *영이 아니지만*, *그 영이* 존재는 원인이다; 빛이 아니지만, 그 빛이 존재하는 원인이다." (*신성한 피만더*, IX 권, v. 64.)

위 내용은 기독교인의 "매만지기"로 어떤 구절들에서 아무리 많이 왜곡되었더라도, "신성한 피만더"가 진정한 철학자에 의해서 쓰였다는 것을 분명하게 보여준다. 한편 소위 "헤르메스 단편" 대부분은 인격화된 지고의 존재를 향한 성향을 가진 종파적인 이교도들의 산물이다. 하지만 둘 다 에소테릭 철학과 힌두교 푸라나의 메아리이다.

두 가지 기원문을 비교해보자. 하나는 헤르메스 학파의 "지고의 전체(Supreme All)"에 대한 기원이고, 다른 하나는 후세 아리아인들의 "지고의 전체"에 대한 것이다. 다음은 수이다스가 인용한 헤르메스 단편의 일부이다 (킹스포드 여사의 *"세계의 처녀"* 참조):

"나는 당신, 하늘, 위대한 신의 성스러운 작품에게 간청한다; 나는 당신, 우주 세계가 형성되었을 때 태초에 말한, 아버지의 목소리에게 간청한다; 나는 당신에게 만물을 지탱하는 아버지의 독생자, 말씀으로 간청한다; 호의를 베푸소서, 호의를 베푸소서."

이것은 이전에 다음과 같은 말이 있었다: "이렇게 이상적인 빛(Ideal Light)이 이상적인 빛 앞에 있었고, 빛나는 지성의 지성(Intelligence of Intelligence)이 항상 있었으며, *그것의 통일성은 우주를 감싸는 영에 불과한 것이었다. 거기에서 신이나 천사나, 어떤 다른 본질도 나오지 않는다.* 왜냐하면 그(그것)는 만물의 주이고 힘이며 빛이기 때문이다; 모두가 그(그것)에 의존하고 그(그것) 속에 있기 때문이다, 등등." (*암몬에 대한 헤르메스 글의 단편.*)

이것은 똑같은 트라이메기스토스에 의해서 다음과 같은 말로 반박된다: "신에 대하여 말하는 것은 불가능하다. 왜냐하면 물질적인 것은 비물질적인 것을 표현할 수 없기 때문이다 . . . 어떤 체나 겉모습, 형태나 질료를 가지고 있지 않는 것은 감각으로 이해될 수 없기 때문이다. 이해한다. 오, 타시오여! 이해한다. 정의하는 것이 불가능한 그것, 그것이 신이라고." (*육체적 윤리적 발췌, 스토베우스의 명문집.*)

위 두 구절 사이의 모순은 명백하다; 그리고 이것은 다음을 보여준다. (가) "헤르메스"는 모든 단체의 신비가 세대들이 사용한 포괄적인 필명이었다는 것이고, (나) 어떤 단편이 부정할 수 없게 고대의 것이라는 이유 때문에 비의적 가르침으로써 받아들이기 전에 큰 분별력이 사용되어야 한다는 것이다. 그러면 위의 기원문과 힌두 성전에 있는 비슷한 기원문을 비교해보자. 그것은 단편보다 훨씬 더 오래되지는 않았더라도 단편만큼이나 오래된 것이다. 여기서 마이트레야를 가르치는 아리안 "헤르메스"가 파라사라, 즉 인도의 아스클레피오스이며, 삼위일체에 있는 비쉬누를 부르고 있다.

"만물을 지배하는 강력한 자, 변할 수 없는, 신성한, 하나의 보편적 성질의 영원한 지고의 비쉬누에게 영광이 있으라; 히란야가르바, 하리(Hari) 그리고 삼카라 (브라흐마, 비쉬누, 시바)이며, 세계의 창조자, 보존자, 그리고 파괴자인 그에게; (그의 숭배자들의) 해방자, 바수데바에게; 그 본질이 하나이자 다양한 그에게; 정묘하고 물질적인, 분별하고 분별없는 그에게; 궁극의 해방의 원인, 창조, 존재, 세계의 끝의 원인인 비쉬누에게; 세계의 뿌리이며, 세계를 구성하는 비쉬누에게 영광이 있으라." (비쉬누 푸라나, L 권.)

이것은 근저에 풍부한 철학적 의미가 놓여있는 장엄한 기원이다; 그러나 세속의 일반인에게, 그것은 인격화된 존재의 최초를 암시하는 것과 같다. 우리는 둘 모두를 받아쓰게 한 그 느낌을 존중해야 한다; 그러나 그것의 내적인 의미와 온전한 부조화 속에서 있는 것을 발견하지 않을 수 없다. 다음과 같이 말한 똑같은 헤르메스 소론에서 발견되는 그것과도 모순이 있다:

트라이스메기스토스: "나의 아들아, 실재는 지상에 없다. 그리고 그것이 거기에 있을 수가 없다. . . 지상에 있는 것은 어느 것도 실재가 아니고, 겉모습일 뿐이다. . . 나의 아들이여, 인간은 인간으로서 실재가 아니다. 진정한 것은 오직 그 자체 속에 있으며 그리고 있는 그대로 남아 있다. . . 인간은 일시적인 것이다. 그러므로 그는 실재가 아니다. 그는 겉모습일 뿐이고, 외형은 지고의 환영이다.

타시오스: 그러면, 나의 아버지, 천체들도 변하므로 실재가 아닙니까?

트라이스메기스토스: 탄생과 변화를 하는 것은 실재가 아니다. . . 천체도 또한 변화가능한 것을 보면, 그 속에도 어떤 허위가 있다.

타시오스: 그러면 무엇이 원초의 실재입니까?

트라이스메기스토스: 오, 타시오스야, 하나이자 혼자인 그것; 물질로 만들어지지 않고, 어떤 체 속에도 없는 그것. 색깔이나 형태도 없고, 변하지 않고 전달되지도 않지만 항상 있는 그것이다."

이것은 베단타 가르침과 상당히 일치하고 있다. 주된 사상은 오컬트적이다; 그리고 씨크릿 독트린에 속하는 많은 구절이 헤르메스 단편 속에 있다.

처음부터 언급했듯이, 전체 우주는 지성적 그리고 반지성적인 힘과 권능들에 의해서 지배된다고 씨크릿 독트린은 가르치고 있다. 기독교 신학은 그런 믿음을 인정하고 심지어 강요하지만, 독단적인 구분으로 그것들을 "천사"와 "악마"로 말한다. 과학은 그런 것의 존재를 부정하고, 바로 그 생각을 비웃는다. 심령주의자들은 죽은 자의 영을 믿고, 이것 밖에서, 보이지 않는 존재들 등급이나 종류가 무엇이건 그것들을 완전히 부인한다. 오컬티스트와 카발리스트만이 이렇게 한편으로는 독단적인 도그마로, 다른 한편으로는 독단적인 부정으로 이제 최고점에 다다른 고대의 가르침을 이성적으로 설명하는 유일한 사람들이다. 왜냐하면 믿음과 불신은 영적 그리고 물리적 현현의 무한한 수평선 각각의 작은 한 모서리만을 포함하기 때문이다;

그리고 둘 다 그들 각자의 관점에서 맞고, 둘 다 그들이 그들 자신의 특별하고 협소한 장애물 속에 전체를 둘러쌀 수 있다고 믿어서 틀리다; 왜냐하면 그들은 결코 그렇게 할 수 없기 때문이다. 이런 점에서 과학, 신학, 그리고 심지어 심령주의조차도 타조처럼 발 밑의 모래에 머리를 박고 숨어서, 어리석은 머리가 차지한 그 제한된 영역과 관찰 지점 너머에는 아무것도 없다고 확신하기 때문에 지혜가 거의 없다는 것을 보여준다.

서구의 "문명화된" 인종의 세속인의 손에 닿을 수 있는 검토 중인 주제에 대하여 현존하는 유일한 문헌은 위에서 언급된 헤르메스의 서 혹은 오히려 헤르메스 단편이기에, 현재 그것을 비의 철학의 가르침과 비교할 수 있다. 이런 목적으로 어느 다른 것에서 인용하는 것은 쓸모가 없다. 왜냐하면 대중은 아라비아어로 번역된 그리고 수피 입문가들이 보존한 칼데아 작품에 대해서는 아무것도 모를 것이기 때문이다. 그러므로 신지학회 일원이었던 안나 킹스포드 여사가 최근 편집하고 해설한 "아스클레피오스의 정의"에서 어떤 것이 동양의 비의 가르침과 놀라울 정도로 일치하며 비교해 볼 필요가 있다. 적지 않은 구절에서 후대 기독교도 손에 들어갔다는 강한 인상을 보여주지만, 그럼에도 대체적으로 수호신 (지니)과[276] 신들의 특이성은 동양의 가르침이며, 다른 것들에 관해서는 우리의 가르침과는 상당히 다른 구절들이 있다. 다음이 그 몇 가지이다:

---

[276] 헤르메스 철학자들은 우리가 데바, 디얀 초한, 치트칼라(Chitkala) (불교도가 관-음으로 부름) 그리고 다른 이름으로 부르는 그런 실체들을, 테오이(Theoi), 신(gods), 지니(Genii) 그리고 데몬(Daimones) (원본에서)으로 불렀다. 데몬―소크라테스가 말하는 의미에서, 그리고 심지어 동양과 라틴 신학 의미에서도―은 인류의 수호령이다; 헤르메스가 말하는 것처럼, "불멸자들 이웃에 거주하며, 인간사를 지켜보는 존재들이다." 비의 철학 용어로 그들은 치트칼라로 불리며, 그들 중에 어떤 존재들은 그들 자신의 본질에서 인간에게 네 번째와 다섯 번째 원리를 제공하였다; 그리고 다른 존재들은 소위 피트리들이다. 우리가 완전한 인간의 생산을 다룰 때 이것이 설명될 것이다. 그 이름의 뿌리는 치티(Chiti), "지식의 작용과 종류의 결과와 영향이 혼 혹은 양심, 인간 속에 있는 *내면의* 목소리가 사용하기 위해서 그것에 의해서 선택되는 그것이다." 요기들에게, 치티는 마하트, 즉 첫 번째이자 신성한 지성과 동의어이다; 하지만 에소테릭 철학에서는 마하트는 치티의 뿌리, 그것의 씨앗이다; 그리고 치티는 붓디와 연결된 마나스의 특질로, 그것이 인간 속에서 충분히 계발될 때 영적인 친화력으로 자신에게 치트칼라를 끌어당기는 특질이다. 이것이 치티가 신비한 생명을 얻어서 관-음(Kwan-Yin)이 되는 목소리라고 말하는 이유이다.

지금까지 비밀이었던, 비공개 주석에서[277] 발췌: −

(xvii) "(브라흐마 시대 각각 다음에 오는 마하−프랄라야 후에) 마하−만반타라의 최초 여명 속에서 시초의 대존재(Initial Existence)는 의식적인 영적 특질이다. 현현된 세계들 (태양계들)에서, 그것은 도취된 투시가의 시선에 신성한 대숨결에서 나오는 얇은 막처럼 그것의 객관적 주관성 속에 있다. 그것은 라야에서[278] 나와서 무색의 영적인 유액처럼 무한으로 두루 퍼져 나간다. 그것은 일곱 번째 계에 있고, 우리 행성계 속에서 일곱 번째 상태에 있다.[279]

(xviii) "그것은 우리의 영적인 시력에는 질료이다. 인간이 깨어 있는 상태에서 그것을 질료라고 부를 수 없다; 그러므로 그들은 그것을 무지에서 '신−영(God-Spirit)'으로 불렀다.

(xix) "그것은 모든 곳에 존재하고 우리의 세계 (태양계)가 세워진 최초 우파디 (노내)를 형성한다. 우리의 세계 바깥에서 그것은 (태양계들 혹은) 우주의 별들, 이미 형성된 혹은 형성되고 있는 세계들 사이에서만 원시의 순수성 상태 속에서 발견된다; 라야 상태 속에 있는 그것들은 한편으로 그 가슴 속에서 쉬고 있다. 그것의 질료가 지상에서 알려진 질료와는 다른 종류이기에, 지상의 거주자들은 그것을 통하여 보면서, 그들의 무지와 환영에서 그것이 텅 빈 공간이라고 믿는다. 무궁한 (우주) 전체 속에서 손가락 하나 길이의 (앵귤라) 텅 빈 공간도 없다. . . .

(xx) "물질 혹은 질료는 우리의 세계를 넘어선 세계에서처럼 우리의 세계 속에서도 칠중이다. 게다가 그것의 상태 혹은 원리 각각은 일곱 단계의 밀도로 변화된다. 수리야 (태양)는 볼 수 있는 반사 속에서 일곱 번째 상태, 보편적 실재의 가장 높은 상태, 순수의 순수, 영원히 미현현한 사트─있음(Be-ness)─의 최초로 현현된 숨결의 가장 낮은 상태 혹은 첫 번째 상태를 보여준다. 중심의 물리적 혹은 객관적

---

277 이 가르침은 우리의 작은 우주 경계선 너머의 푸라크리티−푸루샤를 언급하는 것이 아니다.
278 궁극의 고요 상태: 일곱 번째 원리의 열반 상태.
279 그 가르침이 우리의 의식계에서 주어진 전부이다.

태양들 모두는 그것의 질료에서 숨결의 최초 원리의 가장 낮은 상태이다. 이것들 어느 것도 디얀 초한을 제외하고 모두의 시야에서 숨겨진 그들의 근원적 최초의 반영 이상이 아니다. 디얀 초한의 체의 질료는 어머니-질료의 일곱 번째 원리의 다섯 번째 구분에 속하며, 지금까지 태양이 반영된 질료보다 네 등급 높다. 일곱 다투(Dhatu) (인체 속에 주요 질료)가 있듯이 마찬가지로 인간과 모든 대자연 속에도 일곱의 거대한 힘이 있다.

(xxi) "숨겨진 것 (태양)의 실재 질료는 어머니-질료의 핵이다.[280] 그것은 우리의 태양계 우주 안에서 살아 있고 존재하는 모든 힘의 심장이자 매트릭스이다. 그것은 원자들이 그들의 기능상의 의무를 수행하도록 움직이게 만드는 모든 권능들을 주기적인 여행에서 퍼져가게 만드는 바로 그 핵심이고, 그것들이 매 11 년마다 일곱 번째 본질 속에서 다시 만나는 내면의 초점이다. 그대에게 태양을 보았다고 말하는 사람, 마치 그가 태양이 실제로 일간 경로로 움직인다고 말한 것처럼, 그를 비웃어라.[281]

(xxiii) "태양의 칠중 성질 때문에 고대인들은 태양이 베다의 운율과 같은 일곱 말에 이끌려간다고 말한다; 혹은 다시 태양이 자신의 구체 안에서 일곱 "가이나(Gaina)" (존재 등급)와 동일하다고 말하지만, 그는 진실로 그것들이며, 그것들과 구분된다고 말한다;[282] 그리고 또한 그가 진실로 가지고 있듯이, 그가 일곱 광선을 가지고 있다고도 말한다. . .

(xxv) "태양 속에 있는 일곱 대존재들은 성스러운 일곱 존재들로, 어머니 질료의 매트릭스 속에 내재하는 힘에서 스스로 태어난 존재들이다. 바로 그들이 광선으로

---

280 혹은 "과학의 꿈," 어느 인간도 이번 인종 혹은 라운드에서 객관화시킬 수 없는 원초의 실재로 동질적 물질.
281 "비쉬누는 태양의 활동 에너지 형태로 상승하지도 고정되지도 않고, 칠중 태양이면서 그것과 구분된다"고 비쉬누 푸라나에서 말한다. (2 권, 11 장.)
282 "어떤 사람이 스탠드 위에 놓인 거울에 다가가서, 그 속에서 자신의 이미지를 보는 것과 같은 방식으로, 마찬가지로 비쉬누 (태양)의 에너지 혹은 반사가 결코 분리되지 않고 거기 있는 거울 속에 있듯이 태양 속에 그대로 남아있다." (비쉬누 푸라나)

불리는 일곱 주요한 힘(*Seven Principal Forces*)을 내보내며, 이것들이 프랄라야의 초반에 다음 만반타라를 위하여 일곱의 새로운 태양 속으로 집중할 것이다. 그들이 모든 태양 속에서 솟아나서 의식적 존재로 되는 바로 그 에너지가 어떤 사람들이 비쉬누라고 (각주 참조) 부르는 것으로, 이것은 절대성의 대숨결이다.

우리는 그것을 현현된 하나의 생명―그 자체가 절대자의 반영―이다. . .

(*xxvi*) "절대자는 단어나 말로 결코 언급되어서는 안 된다. 그것이 그 상태를 향해서 열망하는 우리의 영적 에너지의 어떤 부분을 가져가지 못하도록. 전체 물질 우주가 그것의 현현된 센터를 향해서 (우주적으로) 이끌리듯이, 우리의 영적 에너지가 그것을 향해서 영적으로 언제나 이끌린다.

(*xxvii*) "이 존재 상태에 있는 동안에 하나의 대생명(*One Life*)으로 부를 수 있는 전자―시초의 대존재―는 앞에서 설명한 것처럼 창조적 목적 혹은 형성하는 목적을 위해서 하나의 얇은 막(*Film*)이다. 그것은 일곱 개 상태로 현현하고, 그것들의 칠중 하위구분으로 성전에서 언급된 49 개 불이다. . .[283].

(*xxix*) "최초는. . . '어머니' (프리마 마테리아)이다. 자체를 일곱 주요 상태로 분리시키면서, 그것은 주기적으로 내려간다; 자체가 조밀한 물질로써 그것의 마지막 원리 속에서 굳어졌을 때,[284] 어머니는 자전하고, 마지막 원리의 일곱 번째 발산으로 첫째이자 가장 낮은 원소 (자기 꼬리를 물고 있는 뱀)에게 생명을 불어넣는다. 하이어라키 혹은 존재의 순서에서, 그녀의 마지막 원리의 일곱 번째 발산은: ―

(*a*) 광물 속에서, 그 속에 잠재하고 있고, 그리고 음극(*Negative*)을 일깨우는 양극(*Positive*)에 의해서 그것의 덧없는 존재로 불려 나온 불꽃.

---

283 "비쉬누 푸라나"와 다른 푸라나에서.
284 "그녀가 천상의 인간을 만날 때 주기적으로 물질 속으로 하강하는" 헤르메스 "대자연" 참조.

(b) 식물 속에서 그것은 씨앗에 생명을 불어넣고 그것을 풀잎이나 뿌리 그리고 묘목으로 계발시키는 활력의 지성적인 힘이다. 그것은 그것이 안에 거주하는 그 사물의 일곱 원리의 매개체가 되는 씨앗으로, 그 식물이 성장하고 발전하면서 일곱 원리를 뻗어 내보낸다.

(c) 모든 동물에서도 그것은 마찬가지이다. 그것은 동물의 생명 원리이자 활력이다; 동물의 본능이자 특질이다; 그것의 특이성이자 특별한 성향이다. . .

(d) 인간에게서, 그것은 자연 속에 현현된 단위들 나머지 모두에게 나누어주는 모든 것을 준다; 그러나 그것은 인간 속에서 49 개 불 모두의 반영을 계발시킨다. 인간의 일곱 원리 각각은 "위대한 어머니"의 일곱 원리의 완전한 상속자이자 참가자이다. 어머니의 첫 번째 원리의 숨결이 그의 영 (아트마)이다. 그녀의 두 번째 원리는 붓디 (혼)이다. 우리는 그것을 일곱 번째로 잘못 부른다. 세 번째는 인간에게 *(a)* 물질계에서 두뇌 재료와 *(b)* 인간의 유기적 역량에 따라서 두뇌를 움직이게 하는 마인드를 제공한다. *(이것이 인간 혼이다— H.P.B.]*

(e) 그것은 우주 원소와 지상의 원소 속에 있는 안내하는 힘이다. 그것은 잠재 상태에서 촉발되어 나와서 활동하는 존재로 된 불 속에 거주한다; 왜냐하면 * * * 원리의 일곱 하위 구분 전체가 지상의 불 속에 거주하고 있기 때문이다. 그것은 미풍 속에서 소용돌이치고, 허리케인처럼 불며, 공기를 움직이고, 그 공기도 그 원리들 중에 하나에 참여한다. 주기적으로 나아가면서, 그것은 일곱 번째 원리가 생명을 불어넣는 혼인 그것의 고정된 법칙에 따라서, 그것은 물의 운동을 조절하고, 파도를[285] 끌어당기며 밀친다.

(f) 그것의 상위 4 개 원리는 우주의 신들로 계발하는 씨앗을 간직한다; 그것의 하위 3 개 원리는 원소의 생명들 (엘리멘탈)을 낳는다.

---

285 위 내용의 필자는 파도와 조수 등등의 물리적 원인을 완전하게 알고 있다. 여기서 의미하는 것은 전체 우주 태양체에 생명을 불어넣는 영이고, 그런 표현이 신비적인 관점에서 사용될 때마다 언급되는 것이 바로 이것이다.

(g) 우리 태양계에서, 하나의 대존재(One Existence)는 하늘과 땅이고, 뿌리이자 꽃이며, 행동이자 생각이다. 그것은 태양 속에 있고, 땅반딧불이 속에도 실재한다. 단 하나의 원자도 그것을 피할 수 없다. 그래서 고대의 성자들은 그것을 대자연 속에 현현된 신이라 현명하게 불렀다. . . ."

이런 맥락에서, 수바 로우 씨가 신비적으로 정의한 힘에 대하여 말한 것을 독자에게 환기시키면 흥미로울 것이다. "황도대의 12 개 사인"과 "5 년간의 신지학"을 참조하라. 그가 이렇게 말한다: "칸냐 (여섯 번째 사인, 혹은 처녀궁)는 처녀를 의미하고, 샤크티 혹은 마하마야를 나타낸다. 이 사인은 . . . . 여섯 번째 라시 혹은 구분이고, 대자연 속에 있는 여섯 가지 1 차 힘 (일곱 번째에 의해서 통합된다)이 있다는 것을 나타낸다." . . .

이 샤크티는 다음과 같다:

(1) 파라샤크티(Parasakti). 글자 그대로 위대한 힘 혹은 지고의 힘 혹은 권능. 그것은 빛과 열의 힘을 의미하고 포함한다.

(2) 그냐나샤크티(Jnanasakti) . . . 지성, 진정한 지혜 혹은 지식의 힘. 이것은 두 가지 면을 가지고 있다: 다음은 그것이 물질 상태의 영향이나 통제 하에 놓였을 때 그것의 몇 가지 현현이다. (a) 우리의 감흥을 해석하는 마인드의 힘. (b) 과거의 생각(기억)을 불러와서 미래의 기대를 일으키는 힘. (c) 근대 심리학자들이 "연상의 법칙"이라고 부르는 것에서 나타난 힘. 그 법칙은 다양한 그룹의 감흥과 감흥의 가능성 사이에서 지속하는 연결관계를 형성할 수 있게 해서, 외적인 대상에 대한 개념이나 생각을 발생시킬 수 있게 해준다. (d) 기억이라는 신비스러운 연결고리로 우리의 개념들을 연결시키고, 자아 혹은 개체성의 개념을 생기게 하는 힘; 그것이 물질의 구속에서 해방될 때 그 힘의 현현은 (1) 투시력, (2) 싸이코메트리이다.

(3) 이차하샤크티(Itchasakti)—의지의 힘. 그것의 가장 일상적인 현현은 원하는 대상의 성취를 위해서 필요한 그런 근육을 움직이게 하는 어떤 신경 흐름을 발생시키는 것이다.

(4) 크리야샤크티(Kriyasakti). 그것의 내재하는 에너지로 외부에서 지각가능한 현상적 결과를 만들 수 있게 하는 사고의 신비한 힘. *고대인들은 만약 관심이 어떤 생각에 심오하게 집중된다면, 어떤 개념이건 자체를 외적으로 현현시킬 것이라고 생각하였다. 비슷하게 강렬한 의지는 원하는 결과가 따라오게 될 것이다.*

요기는 보통 이차하샤크티와 크리야샤크티로 기적을 행한다.

(5) 쿤달리니-샤크티(Kundalini Sakti). 곡선 모양의 길로 움직이는 힘. 그것은 자연의 모든 곳에서 현현하는 보편적 생명-원리이다. 이 힘은 인력과 반발의 두 가지 거대한 힘을 포함한다. 전기와 자성은 그것의 현현에 불과하다. 이것이 바로 허버트 스펜서에 의하면 생명의 본질이라는 "내적 관계와 외적 관계의 연속적인 조정," 그리고 고대 힌두 철학자들의 가르침에서 혼의 이주의 토대인 *"내적인 관계에 대한 외적인 관계의 연속적인 조정"*을 일으키는 힘이다. 요기는 그가 모크샤을 성취할 수 있기 전에 이 힘을 완전하게 복종시켜야 한다.

(6) 만트리카-샤크티(Mantrika-sakti). 문자, 말 혹은 음악의 힘. 만트라 샤스트라는 그 주제로 이 힘을 모든 현현 속에 가지고 있다. . . 멜로디의 영향은 이것의 보통 현현 중에 하나이다. 말로 표현할 수 없는 이름의 힘이 이 샤크티의 극치이다.

근대과학은 위에서 언급된 (1), (2), (5)의 힘을 부분적으로 조사하였지만, 나머지 힘에 대해서는 전혀 밝히지 못했다. 6 가지 힘은 그것의 통일성으로 "다이비푸라크리티"(일곱 번째, 로고스의 빛)로 나타내어진다.

위의 내용은 똑같은 주제에 대하여 힌두교의 진정한 생각을 보여주기 위해서 인용된 것이다. 말할 수 있는 것의 10 분의 1 정도를 커버하지 못하지만, 그것 모두가 비의적이다. 우선, 언급된 여섯 가지 힘의 여섯 가지 이름은 디얀 초한의 여섯 하이어라키들의 힘으로, 그들의 1 차인 일곱 번째에 의해서 통합되며, 그들은 신비한 의미에서 "어머니" 혹은 우주 성질의 다섯 번째 원리를 인격화한 것이다. 요기의 힘만 열거하는 데 10 권 정도의 책이 필요할 것이다. 이런 힘 각각은 그 꼭대기에 살아 있는 의식적인 실체를 가지고 있으며, 힘은 그 존재의 발산이다.

그러나 방금 인용된 주석과 "삼중의 위대한" 헤르메스의 말을 비교해 보자:

"*태양에 의한 생명의 창조는* 태양의 빛처럼 연속적이다; 아무것도 그것을 제한하거나 제지하지 못한다. 태양 주위에, 위성들의 군대처럼, *수없이 많은 지니 (수호신)들의 성가대가 있다.* 이들은 "불멸자들" 이웃에 거주하고, 그래서 인간사를 지켜보고 있다. 그들은 *폭풍, 폭풍우 그리고 불의 이동과 지진으로* 신의 의지 (카르마)를 수행한다; 마찬가지로 불신에 대한 처벌로, 기근과 전쟁으로 신의 뜻을 수행한다.[286] . . 모든 피조물을 유지하고 자양분을 주는 것은 태양이다; 그리고 심지어 감각의 세계를 둘러싸는 이상적인 세계가 그 감각의 세계에 다양하고 풍부하게 형태를 채우듯이, 태양도 그 빛 속에 만물을 감싸면서 모든 곳에서 피조물들의 탄생과 발전을 성취한다. . ." "*태양의 명령아래 수호신의 성단 오히려 성단들이 있다. 왜냐하면 그들은 다양하게 많이 있고, 그들의 숫자가 별들의 수에 상응하기 때문이다. 모든 별은 성질상 혹은 오히려 그들의 작용에서 선과 악의 수호신 (지니)을 가지고 있다. 왜냐하면 작용이 수호신의 본질이기 때문이다. . .* 이 모든 수호신들은 *세속의 일을 주재하고,*[287] 그들은 국가와 개인들의 구성을 흔들고 뒤엎는다; 그들은 *그들의 유사성을 우리 혼에 각인시키며,* 그들은 우리의 신경 속에, 골수 속에, 정맥, 동맥, 그리고 *바로 우리의 뇌의 물질 속에 존재한다.* . . . 우리 각자가 생명과 존재를 받자마자, 탄생을 주관하는,[288] 그리고 아스트랄 힘 (초인간의

---

286 스탠저 III과 IV 그리고 그것의 주석을 참조하라. 특히 스탠저 IV에 있는 카르마의 대리인, "리피카와 마하라자 넷"에 대한 주석을 참조하라.

287 그리고 "신" 혹은 디야니스, 수호신(지니) 뿐만 아니라 "안내된 힘"도.

288 이것의 의미는 인간이 모든 위대한 원소들—화, 풍, 수, 지 그리고 에테르—로 구성되어 있기 때문에, 이런 원소들에 각각 속하는 엘리멘탈은 그들의 공동-본질 때문에 인간에게 끌린다. 어떤 구성요소에서 우세한 바로 그 원소가 평생에 걸쳐서 지배하는 원소가 될 것이다. 예를 들면,

아스트랄 영) 아래로 분류되는 지니 (엘리멘탈)가 책임을 맡게 된다. 그들은 끊임없이, 항상 똑같지 않게 변하며, 원을 그리며 회전한다.[289] 그들은 혼의 두 부분이 체에 스며 들어가서 체가 각자로부터 자신의 에너지의 각인을 받을 수 있다. 그러나 혼의 이성적인 부분은 지니에 영향받지 않는다; 그것은 신을[290] 수용하기 위해서 고안된 것이며, 신이 그것을 태양 광선으로 일깨운다. 이렇게 환하게 밝혀진 사람은 그 수가 적으며, 지니는 그런 사람을 피한다: 왜냐하면 지니나 신들은 단 하나의 신의 광선이 있는 곳에서는 아무 힘도 없기 때문이다.[291] 그러나 다른 모든 사람들은 혼과 체가 지니에 의해서 안내되고, 그들은 지니에 달라붙어서, 지니에게 영향을 미친다. . . 그래서 지니가 세계의 사물에 대한 통제를 가지고 우리의 여러 체가 그들의 도구로서 역할을 하는 것이다. . ."

위의 인용문은 몇 가지 종파적인 요점을 제외하고 약 1 세기 전까지 모든 나라에서 보편적인 공통의 믿음이었던 것을 나타낸다. 소수의 유물론자와 과학자를 제외한다면, 그것은 이교도인들과 기독교인들 사이에서 폭넓은 윤곽과 특징에서 여전히 정통적이다.

헤르메스의 지니와 그의 "신들"로 부르건, 라틴 교회와 그리스 정교처럼 "암흑의 힘들(Powers of Darkness)"과 "천사들(Angels)"로 부르건, 혹은 심령주의처럼 "사자의 영," 또는 다시 인도와 이슬람 국가에서 여전히 부트(Bhoots)와 데바(Devas), 샤이탄(Shaitan) 혹은 진(Djin)으로 부르건, 그것들 모두가 똑같은 하나이다—환영이다.

만약 어떤 사람이 땅의 원소가 우세하다면, 놈(땅 요정)이 동화시키는 금속—돈과 부 등등—으로 그를 이끌어줄 것이다. "동물 인간은 동물 원소의 아들이고, 그 원소에서 그의 혼(생명)이 태어났으며, 동물은 인간의 거울이다"라고 파라셀수스가 말한다 ("지혜의 근본"). 파라셀수스는 신중했고, 그가 말한 것과 성서가 일치하길 원했으며, 그래서 모든 것을 말하지 않았다.

289 발전에서 주기적인 진보.

290 인간 속에 신 그리고 자신의 일곱 번째 원리의 실재뿐만 아니라, 인간 속에서 고도로 영적인 디얀 초한, 즉 신의 화신.

291 그러면, 여기서 "신(God)"은 무엇을 의미하는가? 인격화된 소설의 "성부" 신이 아니다; 왜냐하면 그 신은 집합적으로 엘로힘이고, 그 무리와 분리된 존재란 있을 수 없기 때문이다. 게다가, 그런 신은 유한하고 불완전하다. 여기서 "적은 수"의 사람들이 의미하는 것은 높은 입문자들과 초인들이다. 그리고 바로 이 사람들이 "신들(gods)"을 믿고, "신(God)"이 아닌 하나의 보편적 무조건의 말하지 않는 신성(Deity)을 안다.

하지만, 베단타 학파의 위대한 철학 가르침이 서구의 학파에 의해서 최근에 왜곡되어왔다는 의미에서 이것을 오해하지 말아야 한다.

존재하는 모든 것은 절대자로부터 발산하며, 절대자는 그의 절대성만으로, 유일의 실재로 있다—그래서 이 절대자에게 이질적인 모든 것, 발생의 요소와 원인의 요소는 가장 부인할 수 없게 환영임에 틀림없다. 그러나 이것은 순수한 형이상학 관점에서만 그렇다. 자신을 멘탈적으로 온전하다고 여기며, 그의 이웃들도 그렇다고 생각하는 사람은 미친 형제의 비전—그의 환상이 경우에 따라서 그 희생자를 행복하게 혹은 지독히 비참하게 만든다—을 환영과 환상이라고 부른다. 하지만 그의 혼란된 마인드 속에 있는 끔찍한 그림자, 즉 그의 환영이 당분간은 그의 의사나 관리자가 볼 수도 있는 사물만큼이나 실재이며 사실이 아니라는 그 미친 사람은 어디에 있는가? 모든 것이 이 우주 속에서 상대적이고, 모든 것이 환영이다. 하지만 어느 계에서의 경험은 의식이 그 계에 있는 지각하는 존재에게는 실재이다; 말한 경험이 순전히 형이상학적 관점에서 볼 때 어떤 객관적 실재를 가지고 있지 않다고 생각되더라도. 그러나 비의 가르침이 싸워야 하는 상대가 형이상학자들이 아니라, 물리학자들과 유물론자들이다. 그리고 이런 활력, 빛, 소리, 전기에 대하여, 심지어 객관적으로 사물을 끌어당기는 자성에 대해서 조차도, 어떤 객관적 존재가 없으며, 단순히 "운동의 방식," "물질의 감흥과 감성"으로 존재하는 것일 뿐이라고 한다.

일반적으로 오컬티스트들과 신지학자들은 근대 과학자들의 관점과 이론이 신지학에 반대하고 있기 때문에 그런 견해가 잘못되었다고 거부하는 것이 아니다. 우리 신지학회의 첫 번째 규칙은 시저의 것은 시저에게 주는 것이다. 따라서 신지학생이 과학의 본질적인 가치를 인식하는 것이 첫 번째이다. 그러나 고위 사제들이 의식을 두뇌 회백질에서 나온 분비물로 귀착시키고, 그리고 자연 속에 있는 다른 모든 것을 운동의 방식으로 귀착시킨다면, 우리는 그 가르침이 과학 관점에서 그리고 심지어 비의적 지식의 오컬트 측면보다 그리고 심지어 그 이상 더 비철학적이고 자기모순적이며 간단히 터무니없는 것으로 반대한다.

조롱받는 카발리스트들의 아스트랄 빛은 진실로 그 속에서 볼 수 있는 사람에게 이상하고 기묘한 비밀들을 가지고 있다; 그리고 끊임없이 교란된 파도 속에 숨겨진 신비, 유물론자와 조롱하는 사람들 전체가 거기에 있다.[292] 다른 많은 신비들과 함께, 이 비밀들은 우리 시대의 유물론자들에게는 존재하지 않은 채로 남아 있을 것이다. 마치 중세시대 초기에 미국이 서구인들에게는 존재하지 않은 것처럼. 반면에 스칸디나비아인이나 노르웨이인들은 여러 세기 전에 매우 오래된 "신세계"에 실제로 도착하여 정착했었다. 하지만 콜럼버스가 태어나서 정반대에 있는 여러 나라들을 재발견해서 구세계가 믿도록 만들었듯이, 현재 오컬티스트들이 다양한 여러 형태의 거주자들과 의식적인 실체들과 함께 에테르 영역에 존재한다고 주장하는 신비들을 발견할 과학자가 태어날 것이다. 그러면 싫든 좋든, 과학은 몇 가지 다른 것들처럼 오래된 "미신"을 받아들이게 될 것이다. 과거의 경험으로 판단해볼 때, 일단 그것을 받아들이게 되면, 박식한 교수들은 아마도 메즈머리즘과 자성의 경우처럼, 이제 최면으로 이름을 바꾸었듯이, 그것의 창시자라고 하면서 그 이름을 거부할 것이다. 몰레스코트가 더 오래된 "(과학적) 두뇌의 신경 섬유 사이에서의 자동적 물리적 과정"의 새로운 이름을 선택하듯이, 새로운 명칭의 선택은 "운동의 방식"에 달려 있을 것이다; 아마도 명명자의 마지막 식사에 좌우될 것이다; 왜냐하면 새로운 물질 이상주의 체계의 창립자에 따르면, "대뇌 기능은 총칭적으로 유미와 같기

---

292 카발리스트들의 아스트랄 빛이 *아에테르*로 아주 잘못 번역되었다; 그리고 이 아이테르가 과학의 가설적인 에테르와 혼동되고 있다. 그리고 어떤 신지학자들이 이 두 가지가 아카샤와 동의어로 말한다. 이것은 커다란 잘못이다.

"합리적 반박"의 저자는 "아카샤의 특징을 묘사한다면, 그것을 에테르로 나타내는 것이 얼마나 부적절한지 보여줄 것이다" 라고 쓰면서, 이렇게 무의식적으로 오컬티즘을 돕고 있다. "차원 속에서 그것은 무한하다; 그것은 어떤 부분으로 구성되지 않았고, 색이나 맛, 냄새 그리고 촉감이 그것에 속하지 않는다. 그것은 시간, 공간, 이쉬바라 ("주(Lord)," 오히려 창조적 효능이자 혼—애니마 문디)에 정확하게 상응한다. 그것의 특수성은 소리의 물리적인 원인에 있다는 것이다. 그것을 제외한다면, 그것을 텅빔과 하나로 여길 것이다." (p. 120)

의심할 여지없이 합리론자들에게 그것은 *텅빔*이다. 하여튼 아카샤가 유물론자들 두뇌 속에서 분명히 텅 빈 상태를 만든다. 그럼에도 불구하고 아카샤가 과학의 에테르도 아니고, 심지어 오컬티스트의 에테르가 아니더라도, 오컬티스트는 에테르를 아카샤 원리들 중에 하나로만 정의한다. 그리고 에테르는 결코 물질적 원인이 아니라, 물리적 영적 원인으로 아카샤와 함께 확실히 소리의 원인이다. 에테르와 아카샤의 관계는 아카샤와 에테르 두 단어가 모두 베다에 있는 신에 대하여 말한 단어에 적용되는 것으로 정의될 수 있다. "자신이 진실로 자신의 아들이다." 하나가 다른 것의 자손이면서 그럼에도 자체이다. 이것은 보통 사람에게 어려운 수수께끼일 수 있지만, 신비가가 아니더라도 인도인이라면 누구나 쉽게 이해할 것이다.

때문이다."[293] 이런 터무니없는 명제를 믿는다면, 고대 것의 새로운 이름은 시험삼아 명명자의 간장의 영감에 맡기는 것이며, 그래서 이런 진리들이 과학적으로 될 수 있을 것이다!

그러나 진리가 일반적으로 맹목적인 대중에게 아무리 불쾌하더라도, 진리는 그녀를 위해서 죽을 준비가 된 투사를 항상 가졌으며, 새로운 이름이 무엇이건 과학이 그것을 채택하는 것에 반대할 사람은 오컬티스트들이 아니다. 그러나 많은 오컬트 진리가 과학자들의 수용과 주목으로 절대적으로 강제될 때까지 심령주의자들의 현상과 다른 심령 현상들처럼 금기시될 것이지만 결국에는 이전의 중상자들이 최소한의 인정이나 감사 없이 채택하게 될 것이다. 질소의 발견은 화학 지식에 상당한 것을 추가하였지만, 그것의 발견자 파라셀수스는 오늘날까지도 "돌팔이"라고 불린다.

훌륭한 저서인 "문명사" (1 권, p. 256)에서 다음과 같이 말한 H.T. 버클의 말이 매우 심오하게 맞다:

"아직 알려지지 않은 사정 때문에 (카르마 규정—H.P.B) 가끔 위대한 사상가들이 나타나며, 그들은 그들의 삶을 단 하나의 목적에 전념하면서, 인류의 진보를 예상할 수 있고 결국에는 중요한 영향을 일으키는 어떤 종교나 철학을 만들 수 있다. 그러나 역사를 조사해보면, 새로운 의견의 기원이 단 한사람 때문일지라도, 그 새로운 의견이 만든 결과는 그것이 전파된 사람들의 조건에 달려있다는 것을 명확하게 볼 것이다. 만약 어떤 종교나 철학이 국가에 비해서 너무 앞선다면, 그것은 실재하는 봉사를 주지 못하고 사람들의 마인드가 그것을 받아들일 정도로 무르익을 때까지 그것의 때를 기다려야 한다.[294] 모든 과학, 모든 신조는 그것의 순교자가 있어 왔다. *사건의 보통 흐름에 따르면, 몇 세대가 지나가서, 그러면 이런 진리들이 상식적인 사실로써 간주되는 시기가 오며, 좀 더 지난 후에는 그것들이 필요하다고*

---

293 1887년 1월 9일 내셔널 리포머. 르윈스 박사의 "정신-우주-생물학".
294 이것이 주기적 법칙이지만, 이 법칙 자체가 종종 인간의 완고함으로 거부된다.

선언되는 또 다른 시기가 와서, 심지어 가장 둔한 지성조차도 그 진리가 어떻게 거부되었을 수 있을까 의아해하게 된다."

현재 세대의 마인드들이 오컬트 진리를 받아들일 정도로 아직 상당히 성숙하지 않아서 그것이 거의 가능하지 않다. 여섯 번째 근원인종의 진보한 사상가들에게 에소테릭 철학을 온전하게 무조건적으로 수용하는 역사가 제공된 회고가 그럴 것이다. 한편, 우리의 다섯 번째 인종의 세대는 편견과 선입견으로 계속해서 빗나갈 것이다. 오컬트 과학은 모든 거리 골목에서 조롱의 손가락질을 받을 것이며, 모든 사람이 유물주의와 소위 과학이라는 더 큰 영광을 위해서 그리고 그 이름으로 오컬트 과학을 조롱하고 뭉개려고 할 것이다. 그러나 본서를 완성하는 부록에서는 몇 가지 과학의 반대에 대한 예상되는 답으로 과학과 오컬트의 상호 입장이 제시된다. 신지학자와 오컬티스트는 귀납적 과학의 깃발을 높이 들고 있는 대중 여론에 비난받고 있다. 그래서 귀납적 과학도 조사해봐야 한다; 그리고 자연 법칙 영역에서 과학의 발견과 성취가 우리의 주장이라기보다 자연속에 있는 사실과 얼마나 대조되는지 보여주어야 한다. 근대 여리고의 성벽이 너무 난공불락이어서 오컬트 트럼펫 소리가 그 성벽을 무너지게 만들 수 있을지 확인할 때가 되었다.

빛과 전기를 앞세우는 소위 여러 힘과 태양의 구조가 주의 깊게 조사되어야 한다; 또한 중력과 성운의 이론도 그렇다. 에테르와 다른 원소들의 성질도 논의되어야 한다: 이렇게 과학의 가르침과 오컬트 가르침을 비교하면, 지금까지 비밀이었던 오컬트 가르침의 비밀 원리를 드러낼 것이다. (부록 참조.)

약 15 년 전에, 필자는 카발리스트들 다음으로 비의 교리문답서에 있는 현명한 계율을 따른 첫 번째 사람이었다. "그대 입을 다물어라, 그대가 이것 (신비)에 대하여 말하지 않도록, 그리고 그대의 가슴을 닫아라, 그대가 크게 생각하지 않도록; 그리고 그대의 가슴이 그대로부터 도망갔다면, 그것을 원래 위치로 데려와라, 왜냐하면 그것이 우리 동맹 (결연)의 목적이기 때문이다." (세페르 예치라, 창조의 서.) 그리고 다시: "이것은 죽음을 주는 비밀이다: 그대 입을 다물어라, 그대가 그것을 세속인들에게 드러내지 않도록; 그대 두뇌를 꽉 눌러라, 어떤 것이 두뇌에서 도망쳐서 바깥으로 떨어지지 않도록." (입문의 규칙.)

몇 년 후에, 아이시스의 베일의 한 모퉁이가 들어올려졌다; 그리고 이제, 또 하나의 더 큰 틈이 만들어졌다. . .

그러나 오래되고 유서 깊은 잘못—날마다 점점 더 현란하고 자명해지는—이 그때처럼 지금도 전투 태세로 정렬해 서있다. 맹목적 보수주의, 자만 그리고 편견으로 집결된 채, 그것들이 이제 오랜 잠에서 깨어나서 들어가려고 문을 두드리는 모든 진리를 질식시키려고 준비한 채 지속적으로 감시하고 있다. 인간이 동물로 된 이후 언제나 그러했다. 이것이 모든 경우에 오래된 고대 진리를 밝히는 계시자들에게 도덕적 죽음이라는 것을 증명하듯이, 또한 얼마 안 되는 적은 가르침을 드러내는 것만으로도 혜택을 받을 준비가 된 사람들에게는 생명과 재생을 가져다주는 것이 확실하다.

헬레나 페트로브나 블라바츠키
(HELENA PETROVNA BLAVATSKY, 1831-1891)

근대 영적 문화의 흐름을 근본부터 뒤바꾼 인물, 영성계와 관련된 여러 인물 가운데 그녀만큼 많은 논란의 중심에 서 있는 동시에 인류의 다양한 분야에 거대한 영향을 끼친 사람은 없었다. 한때 유엔(UN)의 이사였던 폴 바인쯔바이크 박사는 1978 년, 탁월한 여성에 대한 글에서 그녀에 대하여 이렇게 말했다:

"그녀는 과학자, 시인, 피아니스트, 작가, 화가, 철학자, 교육자였으며 무엇보다 지칠 줄 모르는 빛의 전사였다. 그녀는 진리 추구와 보편적 형제애를 진지하게 탐구하는 과정에서 많은 적과 적의를 얻었다. 그 누구도 그녀만큼 19 세기의 종교적인 편견과 영적인 허풍, 그리고 지성적인 허세를 거슬리게 한 사람이 없었다."

오늘날엔 무리 없이 받아들여지는 사상들이지만, 당시 빅토리아 시대에는 급진적이고 파격적인 사상들을 전파하기 위해서 헌신한 선구자였다:
1) 인종이나 신조, 계급, 성, 피부 색깔의 차별 없는 인류의 보편적인 형제애를 형성하고,
2) 종교, 철학 그리고 과학 간의 비교 연구를 촉진하며,
3) 설명되지 않는 대자연의 법칙들과 인간 속에 잠재하고 있는 힘들을 탐구한다.

위와 같은 목적 하에 신지학회를 설립한 분이 바로 그녀, 블라바츠키 여사이다. 또한 바로 1875 년 9 월 뉴욕에서 설립된 이 신지학회(Theosophical Society: 종종 TS 라고 부름)가, 근대 영적 부흥의 시발점이라는 것에 대하여 서구에서는 대체적으로 동의하고 있다.

출생 및 어린 시절

그녀는 1831 년 8 월 12 일 카뜨린느 대제를 위해서 세워진 에카테리노슬라브 (카뜨린느의 영광)라는 우크라이나의 한 마을에서 태어났다. 그녀의 유전적인 배경 속에는 러시아, 프랑스, 독일 그리고 먼 과거로 거슬러 올라가면 스칸디나비아인

혈통이 섞여 있다. 어머니 헬레나 폰 한은 당시 유명한 작가였지만 건강이 약해서 29세라는 젊은 나이에 일찍 세상을 떠났으며, 아버지 피터 폰 한은 대령으로 새로운 지역으로 발령 받을 때마다 온 가족이 자주 이사를 하면서 살아야 했다.

어릴 적부터 그녀의 주위에서는 이상한 일이 많이 일어났으며, '살아 있건 그렇지 않건 모든 사물들과 형태의 목소리를 들었다'고 동생 베라(Vera)는 전한다.

오늘날의 블라바츠키 여사, 즉 헬레나가 사라토브로 이사 갔을 때 인근에 당시 100세가 넘는 '바라니그 바우이락'이라 불리는 성자가 있었다. 마을 사람들은 그를 성자, 치유가 혹은 마법사라고 불렀다. 그는 숲 속에 있는 험한 협곡에 살고 있었는데, 헬레나(HPB 이럴적 애칭)에 대하여 상당한 애정을 가지고 있었다고 씨넷트가 쓴 [블라바츠키 여사의 일화]에서 동생 베라가 전한다:

"언니는 이 이상한 노인을 찾아가서, 질문들을 쏟아내고 벌과 새 그리고 동물들의 말을 이해하는 방법에 대한 그 노인의 대답과 설명들을 열정적이고 진지하게 들었다. . . 그리고 그 노인은 반복해서 '이 어린 숙녀는 너희들과 아주 다르다. 미래에 그녀를 기다리고 있는 위대한 사건들이 있다. 나의 예언을 확인할 때까지 살지 못한다는 것을 생각하면 안타깝다'고 자주 말했다."

헬레나가 16세 되던 해는 일종의 전환기였던 것 같다. 1951년 출판된 [H.P.B.가 말한다(HPB Speaks)]에서 그녀는 "신비스러운 인도인을 두 번째 만났을 때까지, 나는 항상 나 자신에게도 신비하고 이해할 수 없었던 이중의 존재로 살아왔다"고 말했다. 그녀는 미지의 것과 신비한 것 등에 대한 호기심과 관심이 너무나도 컸으며, 할아버지 서재에 있는 신비 문헌들에 점점 더 깊이 빠져들었다. 그리고 무엇보다 자유와 독립에 대한 그녀의 집착을 아무도 통제할 수 없었다고 한다.

1848-49년 겨울 그녀가 17살 때, 그녀보다 나이가 훨씬 많고 (그녀가 자주?) 못생겼다고 놀려댔던 니키포르 블라바츠키와 (일종의 오기 끝에) 결혼하겠다고 선언하면서 가족들을 기겁하게 했다. 그렇게 엉뚱한 결혼을 한 후, 그녀는 조국과 남편을 떠날 계획을 바로 세웠으며, 여러 번의 시도와 실패 후에 결국에는 성공하였다.

세계 탐구 1: 대스승과의 만남

그녀가 당시 알고 지냈던 돈도우코프-코르사코프 왕자에게 보낸 편지가 인용된 [HPB 가 말한다(HPB Speaks)]를 보면 그녀가 조국과 남편을 떠난 이유가 나온다:

"그 당시 나는 보다 미지의 것을 찾고 있었습니다. 만약 내가 합일(union)에 대하여, '아스트랄 광물'과 '붉은 처녀(red Virgin)와의 결혼'에 대하여, '철학자의 돌'에 대하여 말하기 시작했다면, 왕자여, 당신은 나를 악마에게 보냈을까요?"

그녀는 드디어 꿈과 비전 속에서만 본 그녀의 "신비스러운 인도인 스승"을 직접 만나는 여행을 떠나게 되었다.

여행 중 그녀는 이집트, 레바논, 다마스커스 등을 지나면서 강령술과 점성술 그리고 수정점 등에 대하여 배웠지만, 어디에서도 철학자의 돌을 찾지 못했다고 실망하였다.

이후 그녀는 유럽을 여행했다. 1851 년 초 영국에서였다. 그녀는 모든 것에 신물이 났고 그만 죽고 싶은 강렬한 욕망에 사로잡혀 있었으며, 그 "돌"을 결코 찾을 수 없기 때문에 차라리 영원한 안식을 찾고 있었다고 한다. 그때 바로 그녀 앞에 그녀의 스승이자 보호자가 나타나서 그녀를 구해주고 위로해줬으며, 그 "돌과 처녀(Stone and Virgin)"를 그녀에게 약속했다고 전해진다.
"어느 날 밤을 걷고 있는데, 몇 명의 인도 왕자들과 함께 거리에 있던 키 큰 힌두인을 보게 되었다. 그를 보자마자 아스트랄 형체로 자주 보아왔던 바로 그 사람이라는 것을 즉각 알아차렸다. . . 곧장 그에게 달려가서 말하고 싶은 충동을 느꼈지만, 그는 그녀에게 움직이지 말라는 신호를 보냈고, 그가 지나가는 동안 마치 마법에라도 걸린 것처럼 그녀는 꼼짝하지 않고 서 있었다.

다음 날이었다. 전날 자신에게 일어난 놀라운 일을 혼자 생각해 보려고 그녀는 하이드파크로 산책을 나갔다. 그리고 어느 순간 문득 얼굴을 들었을 때, 바로 그 사람이 자신에게 다가오는 것을 보았다. 그녀의 스승은 중요한 사명 때문에 인도의 왕자들과 함께 런던에 왔다고 말했다. 그는 그가 막 시작하려고 하는 일에 그녀의 협력이 필요하다면서 개인적으로 만나고 싶다고 했다. 그 중요한 일을 위하여 그녀가 티벳에 와서 3년을 보내야 한다고도 말하였다."

바로 이 날이 1851년 8월 21일, 꿈 속에서 보았던 스승인 M(모리아:Morya) 스승을 그녀가 처음 육신으로 친견한 날이다. 또한 이날은 러시아 달력으로 7월 31일, 그녀의 스무 살 생일이기도 하다.

대스승을 만난 후 그녀는 미국을 거쳐 인도로 여행을 떠났다. 이 여정 동안 캐나다에서 북미 주술사들의 비밀을 배우기 위해 원주민 일행을 소개받기도 하였으나, 그들이 신발을 포함하여 일체의 소지품들을 가지고 달아났다는 에피소드가 전해진다. 이어 텍사스를 거쳐 멕시코, 중앙 아메리카와 남아메리카까지 가게 되었으며, 1852년 말 드디어 인도에 도착한다. 그녀가 앞서 왕자에게 쓴 편지를 보면 "영국에서 스승을 두 번 만났으며, 마지막 만났을 때, 스승께서 나의 운명이 인도에 있으며 그것은 28년 혹은 30년 후이다. 그러니 지금 가서 그 나라를 보라"고 말씀하셨다고 한다. 인도에서 약 2년을 머물면서 그녀에게 주어진 일정을 충실히 따르면서 여행하였지만, 이 기간 동안엔 한 번도 스승을 다시 만나지 못했다고 한다.

인도를 떠나기 전 티벳으로 들어가려고 시도했지만 어쩐 일인지 제지당했다. 그녀의 스승께서는 서신을 통해 그녀에게 '유럽으로 돌아가서 하고 싶은 것을 하되 언제든지 돌아올 준비를 하라'고 말씀하셨던 것이다. 그렇게 그녀는 인도를 떠나 다시 유럽으로 갔다.

세계 탐구 2: 성숙기

1854년 자바를 거쳐서 영국으로 돌아왔을 때 러시아와 영국, 그리고 프랑스 사이에 크림 전쟁이 발발했다. 그러자 (러시아 귀족의 딸인) 그녀는 몹시 난처한 입장에 처하게 되었다. 하지만 피아노 독주회를 열기로 한 계약 때문에 당분간 런던에 머물러 있어야 했으며, 그러는 동안 그녀의 뛰어난 음악적 자질로 인해 필하모닉 협회 회원이 되기도 했다.

독주회를 마친 후 그녀는 다시 미국을 향해 출발했다. 이번에는 이민자들 일부 그룹과 함께 많은 어려운 상황을 겪으면서 로키 산맥을 건너서 샌프란시스코에 도착했다. 거기서 만났던 사람들에 의하면 멕시코와 중앙 아메리카 그리고 남아메리카로 여정이 이어졌을 것이라 전한다. 그 후 그녀는 인도를 향해 다시 떠났다. 첫 번째 여행에서는 스승을 만나지 못했지만 이번 여행은 달랐다.

인도 여러 곳을 스승과 함께 여행하면서 소설 형태로 쓴 글이 나중에 [힌두스탄의 동굴과 정글에서] 라는 책으로 출판되었다. 여기서 굴랍 싱이라는 가명으로 나오는 스승과의 다양한 경험과 현상들, 이에 관련된 사건과 사실들, 인물들에 대하여 여러 이야기를 제시했다. 이 소설은 그녀가 '라다-바이'라는 필명을 써서 러시아에서 가장 먼저 출간하였으며 독자들에게 많은 흥미를 불러일으킨 후에 나중에 영어로 번역되어 출간되었다.

첫 번째 여행에서는 네팔을 통해 티벳으로 들어가려고 했지만, 이번에는 인도 북서부인 카시미르를 통과하여 들어가려고 했다. 여행길에 동행한 어느 샤먼과 함께 사막에서 헤매다가 그 샤먼의 친구들이 그들을 찾아냈으며 이렇게 티벳에서의 방황이 일 단락 되었고 마침내 국경까지 안내를 받기도 했다. 이 과정에서 그녀의 스승은 1857 년 인도에서 세포이 반란이 일어나기 바로 직전 그녀가 인도를 빨리 떠나도록 지시했다고도 전한다.

인도를 떠나 프랑스와 독일에서 몇 달을 보낸 후 그녀는 1858 년 러시아로 돌아왔다. 이때가 바로 그녀 주위에서 기이한 현상들이 무수히 일어난 때였고 그런 현상들을 그녀 주위의 사람들이 직접 많이 목격하고 경험했던 시기였다. 그녀가 가는 곳, 머무는 곳마다 사방에서 뚝뚝 소리가 나거나 가구들이 움직이고 물건들이 왔다 갔다 하는 일들이 끊임없이 일어났다고 한다. 나중에 윌리암 졋지에게,[295] 그녀가 말하길, 바로 이 당시가 그녀의 심령적인 힘들이 활동하도록 놓아둔 시기로 '그것들을 이해하고 통제하는 것을 한창 배웠던 시기'라 했다. 시간이 지나면서 그녀의

---

295 신지학회를 설립한 창립 멤버 중 한 사람으로, 아일랜드에서 태어나서 가족이 미국으로 이민 왔으며, 후에 변호사가 되었다. 신지학을 쉽게 이해할 수 있도록 돕기 위하여 많은 단편 글들과 책을 출판하였으며, [신지학의 대양], [나를 도와준 편지들] 등이 많이 읽히고 있다. 마지막까지 많은 사람들이 블라바츠키 여사를 떠났을 때도 마지막까지 지원한 분이었다.

오컬트적인 힘이[296] 점점 더 커졌고 그녀의 의지대로 그 힘들을 통제하게 되었으며 결국 '똑똑' 하고 소리 내는 정도 이상 소통할 필요가 없게끔 되었다. 이렇게 러시아에서 보낸 5 년간은 그녀에게 있어 보이지 않는 힘의 통제를 배웠던 강렬한 수련의 시기였다.

그렇게 러시아에서 한동안 가족들과 시간을 보낸 후 그녀는 다시 또 여행을 시작했다. 이번에는 이란, 시리아, 레바논, 예루살렘 등을 갔으며, 이집트, 그리스를 지나서 이탈리아로 갔다. 특히 이탈리아 멘타나에서 가리발디와 교황 사이 벌어진 전쟁에 참여, 가리발디 편에서 싸웠다는 것이 목격되었다고 하지만, 본래는 다른 이유로 거기 있었다고 후에 설명하였으며, 그 와중에 전쟁에서 큰 부상을 당해 거의 죽을 뻔했다고 한다. 전상이 거의 회복될쯤인 1868 년 초에 그녀는 다시 발칸을 횡단하였고 콘스탄티노플을 거쳐 인도로 다시 들어갔다. 그리고 이번에는 신비의 땅인 티벳으로 들어가서 한동안 머물게 되었다.

그녀가 티벳에 머무르는 동안 무엇을 했고 어떤 일이 있었는지에 대하여 알려진 것은 거의 없다. 한 가지 특이한 것은 그 기간 동안에 오데사에 있던 그녀의 숙모 나디아가 경험한 일이었다. 숙모가 올코트 대령에게 쓴 편지를 인용하면 다음과 같다:

"그녀가 세계 어디에 있는지 아무도 몰랐고 아무리 찾아봤지만 허사여서 우리는 많이 슬펐습니다. 그녀가 죽었다고 거의 믿었을 즈음, "KH"라는 분으로부터 편지가 왔습니다. 그 편지는 아시아인 같은 사람이 가져왔지만, 그는 편지를 전하자마자 바로 내 눈 앞에서 사라졌습니다. 그 편지에는 '그녀가 안전하게 있으니 걱정하지 말라'고 하는 내용이 적혀 있었습니다…."

그녀는 티벳을 떠나 오데사로 가기 전 사이프러스와 그리스로 가서 힐라리온 대사를 처음으로 만났다. 이어 시리아와 이집트에 머물고 계신 몇 분의 대스승들 밑에서

---

296 신지학 전파 이후 많은 새로운 용어들이 만들어지고 사용되어 왔지만, 오컬트라는 표현만큼 와전되고 오용된 예가 드물다. 그 의미는 "아직 대중적으로 알려지지 않은 대자연 속에 있는, 보이지 않는 세계"에 대한 법칙이나 힘 혹은 사실들에 대한 것을 나타낸다.

집중적인 공부를 했다 전한다. 이어 가족들과 함께 시간을 보내다가 다시 유럽으로 간 후 미국으로 갈 것을 그녀의 스승이 지시하여 그녀는 미국을 향해 다시 떠났다.

미국에서의 새로운 시작

18 세에 처음 러시아를 떠나 그녀의 스승을 만난 후 약 20 년이 넘도록 블라바츠키 여사는 아시아, 유럽, 아메리카 등의 여러 나라를 다니며 무수한 경험과 지식을 쌓은 이후 42 세에 미국에 다시 돌아오게 되었다.

당시엔 미국뿐 아니라 유럽 전역에서 심령주의가 만연되어 있었고, 특히 유럽에서는 유명한 영매인 대니얼 홈이 유명세를 타고 있었다. '나폴레옹 3 세, 알렉산더 황제, 윌리엄 황제 같은 힘 있고 저명한 인사들까지도 이런 놀라운 능력들을 수긍하고 있었다', 고 코난 도일의 기록이 전한다. 심지어 1860 년, 백악관에서도 강령회가 열렸었다고 링컨 대통령의 전기에 나오고 있을 정도다. 또한 당시 유명한 과학자들이 영매가 주관하는 강령회에 참석하여 그들 자신이 겪고 관찰한 내용을 발표하기도 했다.

이처럼 많은 영매의 출현과 관련 현상들로 인해 일반 대중들 사이에서는 죽은 자의 영이 지상으로 다시 돌아오는지 안 오는지에 대한 의문들이 산불처럼 일어나 급속도로 퍼져 나가고 있었다. 거의 모든 유력 신문사들마다 노련한 기자들을 보내 그런 현상들을 조사, 기사를 쓰도록 했다. 당시 헨리 올코트[297] 대령도 이런 죽은 영들의 현상에 대해 관심이 많았고, 데일리 그래픽이라는 신문사를 대신해서 에디 형제들의 영매 현상에 대하여 조사하기로 하고 그곳에 오게 되었다.

---

297 신지학회 창립 멤버 중에 한 사람이고 초대회장을 지냈으며, 대령으로 퇴역한 후 변호사 저널리스트 등으로 활동하면서 블라바츠키 여사와 만나게 되었다. 아시아에서 불교의 발전에 지대한 공헌을 한 분으로, 특히 스리랑카에서는 그를 불교의 부흥과 종교적 독립을 이끌어낸 영웅으로 받아들이고 있다.

그녀도 그런 영매 현상을 직접 조사하기 위해 에디 형제들이 사는 곳으로 갔으며, 거기서 올코트 대령과 처음 만나게 된다. 그녀가 하트만 씨에게 쓴 편지를 보면 관련 내용이 잘 나타나 있다:

"나는 목적을 가지고 에디 형제들이 있는 곳으로 보내졌다. 그곳에서 올코트 대령이 영(spirits)들을 좋아하는 것을 발견했다. . . 그리고 오컬티즘의 철학 없이 이런 영적인 현상들은 위험하고 잘못 안내한다는 것을 그가 알게 하도록 하라고 스승으로부터 지시를 받았다. 모든 영매들이 소위 그런 영들을 통해서 일할 수 있지만, 어떤 다른 사람들은 그런 영들 없이도 같은 능력을 행할 수 있다는 것을 그에게 나는 보여 주었다. 벨 소리, 생각을 읽는 것, 똑똑 소리 등 물리적인 현상들은 아스트랄 기관을 통해서 활동할 수 있는 사람은 누구나 할 수 있다는 것을 그에게 보여 주었다. 나는 4 살 이후부터 그런 능력을 갖고 있어서 가구들을 움직이고 물건들을 날아다니게 할 수 있다는 것 또한 그에게 말했다. 그에게 관련하여 전체적인 진리의 모습을 모두 전해주었다. 그리고 세계에 초인들, 형제들을 알게 되었다는 것을 말하여 주었고 오늘날에도 그 분들이 우리 곁에 존재하고 있다는 것을 일러주었다."

당시 유행처럼 번지던 영매 현상을 직접 본 후에 그녀가 동생에게 쓴 편지를 보면 심령주의의 섬뜩한 면이 여실히 드러난다.

"영매를 보면 볼수록 인류가 점점 더 위험에 둘러 쌓여 있다는 것을 보게 된다. . . 이 혼 없는 피조물들, 그리고 지상의 육체의 그림자들을 나는 본다. 그들 대부분은 혼과 영이 떠난 것들로 강령회에 오는 방문객뿐 아니라 영매들의 활력 에너지를 먹고 사는 반물질의 그림자들이다. . . 그 과정을 보면 소름이 돋는다. 그 장면은 종종 보는 사람을 현기증 나게 만들지만, 그것을 보아야 한다. 내가 할 수 있는 것은 그 구역질 나는 피조물들을 어느 정도 거리에 있게 하면서 더 이상 다가오지 못하게 하는 것이다. 심령주의자들이 이 그림자들을 환영하는 것을 지켜본다. 그 사람들은 이 텅 빈 물질화된 그림자를 입고 있는 영매 주위에서 울고 기뻐한다. 내가 보는 것을 그들이 볼 수만 있다면 하고 자주 생각한다. 이 인간의 복제품들이 전적으로 지상의 욕정, 죄악 그리고 세속적인 생각들로 만들어졌다는 것을 알기만 한다면…;

왜냐하면 이것들은 자유롭게 된 혼과 영을 따라갈 수 없는 찌꺼기들이고, 지상의 공기 속에서 두 번째 죽음을 위해 남겨진 것들이기 때문이다."

1875 년 봄, HPB 의 메모에는, 영매들이 보여주는 현상과 영매에 대한 진실을 일반 대중에게 알려줄 것을, 스승으로부터 명령받았다고 적혀있다. 그래서 그녀는 "이제부터 나의 순교가 시작될 것이고, 기독교인들과 비평가들을 포함한 모든 심령가들의 적이 될 것이다. 당신의 뜻이, 오…! M, 이루어질 것입니다" 라는 메모를 남겼다. 같은 해 그녀에게 큰 힘을 보태게 되는 또 다른 사람을 만나게 되는데, 바로 윌리암 젓지이다. 그 역시 영적인 현상에 관심을 갖고 있다가 올코트 대령이 쓴 책을 읽고 연락하여 그녀를 만나게 되었다. 윌리암 젓지가 그녀와 첫 만남에 대한 인상기는 이러하다.

"나를 끌어당긴 것은 그녀의 눈이었다. 그 눈은 지나간 오랜 생들에서 알고 지낸 바로 그 눈이었다. 처음 만났을 때에 그녀는 나를 보자 곧 알아보는 느낌이었고 그 표정은 그 이후 변하지 않았다."

나중에 친한 친구에게 젓지 씨는 다음과 같이 말했다:

"아이시스(Isis) (당시 친한 사람들 사이에서 HPB 를 그렇게 부름)가 나의 베일을 걷어 주기 전까지 나는 진실로 의식적인 존재가 아니었다."

1875 년 7 월, 그녀는 스승으로부터 다시 철학-종교 협회를 설립하여 회장으로 올코트를 정하라는 지시를 받았다. 그렇게 해서 뉴욕에서 신지학회가 설립되었다. 신지학의 본질은 인간 속에 있는 신성과 인간성의 조화를 추구하는 것으로 무엇보다 동물적인 격정을 지배하는 것이다. 친절, 악의나 이기심의 부재, 자비, 만물에 대한 선의(goodwill) 그리고 자신에 대한 철저한 정의가 그 주요 특징들이다. 선의를 가르치는 사람이 바로 신지학을 가르치는 것이다.

또한 이 당시 그녀는 중요한 변화를 경험하였다고 한다. 그 해 초, 심하게 다쳐서 거의 절단까지 이를 수 있었던 두 다리를 힌두의 스승이 완전하게 다 치유해줬고, 그녀 속에 또 다른 존재를 느꼈다고 한다. 나중에 알게 되었지만, 그 존재는 바로 그녀의 스승이었다. 그녀는 그 스승을 거의 매일같이 만나보았다. 그 스승은 그녀의 행동과 글쓰기에 대하여 충고해 주었으며, 주위에서 일어나는 모든 일과 다른 사람들의 생각이 무엇인지를 다 알고 있는 것처럼 보였다고 한다. 그녀가 받은 영감은 '말하고 쓰는 나(I)'가 아니라, '나를 위해서 쓰고 생각하는 상위 자아(higher Self)'였다고 한다.

당시 뉴욕에서 어떤 명망있는 인사가 죽으면서 올코트 대령에게 자신의 육체를 화장해줄 것을 유언했고, 그렇게 해서 미국에서 최초로 화장이 실시되었다. 이 화장에 대한 뉴스가 7천개 저널에 게재되었으며, 때문에 신지학회가 신성 모독의 이교도 관습을 들여왔다는 비난이 엄청나게 쏟아졌다. HPB도 그 명망가의 화장에 참석하려고 했지만 인도에서 이미 죽은 육체와 살아 있는 육체를 태우는 것을 충분히 봤기 때문에 굳이 참석하지 않았다. 이렇게 미국에서 최초의 화장이 실행되었고, 한 세기가 지난 후에야 비로서 그런 화장 문화가 자연스러운 장례절차의 일부분이 되었다.

그 해 여름부터 그녀는 [아이시스 언베일드]의 집필을 시작하였다. 매일 약 25 페이지 분량의 글을 하루 종일 홀로 쓰면서 보냈다. 그녀는 집필 중 그 누구에게도 상담이나 충고를 요청하지 않았고, 끊임없이 담배를 피워가면서 분명히 미국에는 없을 수많은 책들을 인용하면서 아침부터 밤까지 글을 썼다. 그녀가 인용한 수많은 문헌들이 유럽에서도 구하기가 매우 어려운 책들이었고, 거의 찾을 수 없는 통계치 또한 나중에 실제로 확인해 보면 정확하게 일치했다. 많은 사람들이 그런 작업과정과 방식에 놀랐다. 나중에는 거의 6 개월 동안 오트밀만 먹으면서 하루에 17 시간씩 글을 썼다. 그렇게 1200 페이지의 책을 마무리하면서 그녀는 당대의 많은 사람들이 반발하거나 그 사람들의 비난이 몰려올 것이라 예고했다. 그녀는 또한 밝은 미래가 바로 앞에 있지는 않지만, 어떤 조건이 충족된다면 20 세기가 아닌 21 세기에 그 가능성이 더 있다고 말했다. 1877 년 9 월 [아이시스 언베일드] 2 권이 출판되자마자 곧바로 천 부가 다 팔려나갔고 추가 인쇄에 들어갔다. 런던의 [여론]에서는 그 책을 19 세기에 가장 탁월한 작품들 중에 하나라고 불렀다. 그 두 권의 책은 당시까지 오컬트 주제에 대하여 거의 알려지지 않은 원본의 정보를 가지고 있다고 하면서 그 속에 있는 가르침과 사상을 보전할 책이라고 말했다.

그리고 이것들은 신지학을 공부하는 학생들과 신비가들에게 엄청난 가치가 있을 것이라고 했다.

1878 년 HPB 는 미국 시민권을 얻었다. 데일리 그래픽에서 왜 그녀의 나라인 러시아를 포기했는지 물었을 때, 그녀는 '자유를 좋아하기 때문'이라고 답했다. 당시 러시아에는 자유가 없었고 사소한 것들 때문에 벌금을 물어야 했는데 당시 그녀가 그렇게 자신의 조국에 바친 벌금만도 거의 1 만불이 넘었다 했다. 그러면서 그녀는 미국은 위대한 나라이지만 한 가지 큰 단점이 있는데 '사람들이 너무 영악하고 부패가 많다'는 것이라고도 말했다.

윌리암 젓지에 의하면, 신지학회가 시작되고 [아이시스 언베일드]를 끝내자마자 그녀는 인도로 가야 하고, 그리고 나서 영국으로 가야 한다고 말했다 한다. 그렇게 외적으로 지구 상에 세 가지 지역이 신지학 작업의 활동적인 지점이 되어야 한다고 말했다. 이제 그녀는 미국에서의 모든 작업이 끝났기에 인도로 갈 준비가 되었다.

인도에서의 미션

HPB(지인들이 줄여서 부른 이름)가 인도로 향할 무렵 인도는 영국의 통치 하에 놓여있었다. 과학과 상업, 기독교와 군국주의가 합쳐진 유럽 문명이 엄청나게 강력한 것처럼 보였기에, 점점 더 많은 교육을 받은 인도 사람들이 서구 문명을 받아들일 수밖에 없었던 상황이기도 했다. 기독교로의 개종 역시 엄청 빠르게 진행되는 듯도 보였다. 그러나 갑작스럽고 예상하지 못한 파도가 이 모든 흐름을 바꾸었다. 러시아, 영국, 미국에서 온 명망 있고 힘 있는 사람들이 동양의 고대 지혜에 대한 존경을 바치고 선언하기 시작했던 것이다.

1940 년 인도의 유명한 철학자인 라드하크리슈난은 이렇게 표현하였다:

"모든 정치적, 경제적인 실패들로 우리 인도인들이 자기 문화의 가치와 활기를 의심할 때, 신지학 운동이 그 가치들과 사상들을 온 세계에 보여주면서 엄청난 기여를 하였다. 신지학 운동이 인도 사회에 미친 영향은 헤아릴 수가 없다." 그래서일까, 인도 정부에서도 1975 년 신지학회 설립 100 주년을 맞아 신지학회

휘장과 "진리보다 더 고귀한 종교는 없다"는 모토를 담은 기념우표를 발행하기도 하였다.

인도에 도착한 후 초기에는 신지학 운동의 성과가 그리 잘 나타나지 않았다. 동인도 회사에서 그녀의 일거수일투족을 감시하였고, 종종 그녀가 보내거나 그녀에게 오는 편지를 중간에 압수하기도 하였으며, 인도인들 또한 신지학 운동에 의심을 갖고 있었기에 변화가 쉽지 않았다. 그러나 그녀는 자신이 편집한 [신지학자]를 전세계로 발행하기 시작하였으며, 신지학에 대하여 몰랐던 서구 사람들도 거기 게재된 글을 읽기 시작하면서 더욱 관심이 높아져갔다. 이 당시 [아이시스]를 읽고 그녀를 만나기 위해서 찾아온 인도인이 있었는데, 후에 신지학 운동에 중심 역할을 한 사람 중에 한 명이었다. 그는 다모다르 마발란카르였으며, 그의 가족이 신지학을 포기하는 조건으로 엄청난 돈을 주겠다고 하였지만, 그는 그것을 받아들이지 않았다. 그가 신지학을 만나게 된 것을 이렇게 말한다: "지금 살고 있는 삶과 이전에 살았던 삶 사이에는 엄청난 갭이 있다고 해도 과장이 아니다. 이전에 나는 더욱 더 많은 땅, 사회적 지위 그리고 변덕과 식욕을 채우는 것에만 관심이 있었다. 신지학을 공부하면서 나의 의무, 나의 나라, 그리고 종교에 대한 새로운 빛을 받았다." 다모다르는 '히말라야의 형제들'이라 불렸던 분들을 지칭하는 것으로 마하트마(Mahatma)라는 용어를 처음으로 도입한 신지학도였다. 마하트마가 물론 완전히 새로운 용어는 아니었지만, 고대 인도에서 현자들을 지칭할 때 사용되었던 용어였으므로 이는 나중에 신지학회에서도 자연스럽게 받아들여졌다.

그녀는 이제 인도 뭄바이에서 서서히 인도의 북쪽으로 여행을 시작했다. 1880 년 가을에 인도 북부에 있는 심라로 가서 씨넷트 씨를 만났다. 당시 그는 인도에서 가장 영향력 있는 신문 중에 하나인 [파이오니어]의 편집자였다. 그는 HPB 가 인도에 왔다는 소식을 듣고 당장 만나고자 했다. 그는 HPB 일행을 환대해줬고 거기서 그녀는 많은 사람들과 만났으며, 후에 인도 국민당의 아버지라고 부르는 알란 흄도 만났다. 그는 나중에 신지학회 회원으로 가입하였다. 씨넷트 집에 머무는 동안 HPB 가 많은 신비스러운 현상들을 보여 주었으며, 이를 나중에 씨넷트가 경험하고 목격한 현상들을 [오컬트 세계]라는 책에 담아 출판하였다. 이 책은 영국에서 상당한 반향을 일으켰다. 또한 나중에 그는 대스승 중에 한 분과 철학적, 과학적, 형이상학적 주제들에 대한 서신 교환을 통하여 [에소테릭 붓디즘]라는 책을 출판하였으며, 인간과 우주에 대한 진화의 새로운 사상을 열었고, 과학계와 신학계를 깜짝 놀라게 만들었다. 이전에는 거의 알려지지 않았던 카르마나 재화신이 이제 사람들의 대화에서 자주 등장하였다. 신문에는 새로운 사상에 대하여 많은 비평들이 가득 찼지만, 그것은 씨앗을 뿌린 것이라고 했다.

대스승 KH 께서 씨넷트에게 쓴 편지를 인용하면 다음과 같다:

"지식은 점진적으로 전달될 수 있다. 최고의 비밀들 중에 어떤 것들은 그대가 듣기에 미친 헛소리로 들릴 것이다. . . 오컬트 과학은 비밀을 갑자기 혹은 편지나 구두로 전달하는 것이 아니다. . . 우리가 의도적으로 비밀을 감춘다고 생각하는 것이 일반 사람들의 공통된 오해이다. . . 초심자가 깨달음의 정도에 필요한 조건을 성취하기 전까지, 그가 비밀을 받을 자격이 안되거나 적합하지 않다. 받아들이려는 수용성과 가르치려는 욕망이 똑같아야 한다. 깨달음은 내면에서 온다."

HPR 일행은 베나레스로 갔으며, 거기서 맥스 뮬러 교수의 후배이자 제자인 티바우트 교수를 만났다. 그날 저녁에는 요가가 대화의 주제가 되었다. 티바우트교수가 그녀에게 말했다: "블라바츠키 여사님, 여기에 있는 성직자들이 이르길, 고대에는 씨디스(심령 능력)를 계발했던 요기들이 있었으며 놀라운 일들을 행할 수 있었다고 말합니다. 그러나 지금은 그런 사람이 없다고도 합니다." 그러자 그녀가 의자에서 일어서 말했다. "그들이 그렇게 얘기하나요? 이제는 아무도 그렇게 할 수 없다구요? 그럼 제가 보여드리죠. 그들에게 말해주세요. 만약 그들이 서구의 스승들에게 덜 아첨하고 자신들의 악을 덜 좋아하면서 동시에 여러 면에서 그들의 고대 선조들처럼 한다면, 창피한 고백을 하지 않았어도 되고, 그들 경전의 진실을 증명하기 위해서 나이든 뚱뚱한 서구 여자가 없었어도 된다고 말해주세요." 그리고 나서 그녀는 고압적인 자세로 오른손을 공기 중에서 휩쓸었으며, 바로 그때 10 여개의 장미 꽃이 같이 있던 사람들 머리 위로 우르르 떨어졌다. 회중이 놀라움에 잠긴 것은 말할 것도 없었다. 그날의 대화자리가 파할 때쯤 그 교수가 오늘 저녁 만남의 선물로 장미 한 송이를 가져갈 수 있냐고 물었다. 사실 그 교수의 의도는 첫 번째 보여준 장미 꽃이 속임수였다면, 두 번은 다시 하지 못할 것이라 생각하면서 꺼낸 요청이었다. 하지만 HPB 가 기꺼이 원하는 만큼 다 가져가라고 하면서 다시 한번 그 장면을 보여주었고 이번에는 훨씬 더 많은 장미꽃들이 머리 위로 떨어졌다.

남쪽으로 가는 도중 HPB 일행은 스리랑카에 들렸다. 거기서 많은 사람들이 신지학회에 가입을 했으며, 이중에 16 살된 아나가리카 다르마팔라(Anagarika Dharmapala)가 있었다. 그는 후에 아시아의 영적 부흥에서 큰 역할을 할 사람이다. 그가 나중에 [아시아]라는 잡지에서 쓴 글을 보면 다음과 같다:

"HPB 와 올코트 대령이 마드라스로 가는 길에 콜롬보에 들렸다. 아버지에게 가서 그들과 같이 가서 일하겠다고 했고, 아버지께서 승낙하셨다. 그러나 출발 당일 부모님들 나쁜 꿈을 꾸어서 가지 못한다고 말씀하였다. 다른 승려들, 고위 승려들도 모두 반대하였다. 내 마음은 그 여행을 떠나기로 결심했지만, 어떻게 해야 할 줄을 몰랐다. 블라바츠키 여사가 가족들과 승려들을 대면했고 . . . 가족을 설득했다.

"한 번은 내가 육체적으로 멘탈적으로 순수하기 때문에 히말라야 형제들과 접촉할 수 있다고 말했다. 19 살에 오컬트 과학을 공부하는 데 평생을 보내겠다고 결심했다. 그러나 블라바츠키 여사는 그 계획에 반대했다. 너의 삶을 인류의 봉사를 위해서 바치는 것이 훨씬 더 현명할 것이다. 무엇보다도 붓다의 언어인 신성한 팔리어를 배워라.

여사가 아디야를 떠날 때까지 나를 돌보아주었다. 그리고 내 안에 있는 빛을 따르라고 편지를 썼다. 나는 철저하게 그분의 충고를 따랐다.

크건 작건 살아있는 만물에 대한 사랑, 영적인 영역에서 진보를 방해하는 관능적인 쾌락을 버리려는 욕망, 그리고 인류의 발전을 위해서 선한 행동들을 하려는 불굴의 노력이 HPB 라는 굉장한 분과 만난 이후 함께 해온 영적 중심추가 되었다."

이렇게 인도 북부 지역을 여행한 후 인도 남부로 힘든 여행을 시작하여 마드라스(Madras)에 도착하였으며, 신지학회 본부를 거기로 옮기게 되었다. 또한 여기에서 수바 로우가 처음으로 HPB 를 만나게 되었다. 그는 HPB 와 올코트 대령을 만나기 전까지 산스크리트 문학에 대한 지식이 거의 전무하였다. 학생일 때 영어 수필 쓰기나 심리학 분야에서 상을 받았지만, 신비주의나 인도 종교 혹은 형이상학에 대해서는 흥미가 없었다. 그러나 이들을 만나면서 오랫동안 잊고 있었던 오컬트 경험의 지식 창고가 열렸고 과거 생에 대한 기억들이 돌아왔으며 그의 스승을 알아보게 되었다. 그렇게 해서 신지학 운동을 지원하는 중요한 역할을 하였지만, 34 살이라는 젊은 나이에 세상을 떠났다. 마드라스에 있는 동안 HPB 는 글을 쓰는데 많은 시간을 보냈다. 특히 이 시기에는 [신지학자]에 글을 기고하는데 전념했으며, 이때 거의 700 페이지가 넘는 글들을 내보냈다.

이 즈음 런던 신지학회에서 불협화음이 나왔고, 설상가상으로 HPB 의 건강이 많이 악화되어 연차 총회에 목발을 짚고 나오게 되었다. 당분간 환경을 바꾸지 않으면 3 개월 안에 죽고말 것이라고 담당의사가 그녀에게 처방을 내렸다. 그래서 런던 신지학회의 문제도 해결하고 건강 회복을 위해서, HPB 는 유럽으로 떠나게 되었다. 프랑스 니스를 방문한 후 [씨크릿 독트린] 작업을 하기 위해서 파리에 잠시 동안 정착했다. 다시 독일과 런던으로 갔다가 인도로 돌아왔지만 여전히 건강이 심각하게 악화된 상태였다. 결국 의사들이 포기하고 그들이 할 수 있는 것이 없다고 선언하였다. 쿠퍼 오클리 부인이 그날 밤을 지키고 있었고 그녀 남편은 화장 허가서를 발급받기 위해서 마드라스 정부로 갔다. 그녀가 다음과 같이 회고하였다: "HPB 로부터 어떤 호출을 기다리면서 여러 명이 밖에서 속삭이며 앉아 있었다. 바로 그때 갑자기 베란다에 대스승 M 이 물현화하여 HPB 방으로 빠르게 들어갔다. 한편 밖에서는 사람들이 물러나 있었다. . . HPB 가 회복하였을 때, 그녀의 스승이 와서 두 가지 선택을 제시하였다고 했다. 하나는 죽어서 평화 속으로 들어감으로써 그녀의 순교를 끝내는 것, 다른 하나는 [씨크릿 독트린]을 쓰기 위해서 몇 년 더 사는 것. . ." 한편 그 HPB 가 인도 신지학회 본부를 잠시 떠난 사이에 가까이서 HPB 를 보필했던 콜롬보 부부가 신지학회 활동과 HPB 가 보여준 영적 능력들이 모두 사기라고 비방하는 사건이 크게 일어났고, 그 사건으로 인해서 HPB 가 많은 상처를 받았으며, 그녀가 원치 않았지만 결국 인도를 영원히 떠나게 되었다.

유럽에서의 활동

힘겹게 인도를 떠나서 이탈리아 토레 델 그레코에 잠시 머물렀다가, 독일 뷔르츠부르크로 와서 당대 거작인 [씨크릿 독트린]의 상당 부분을 집필하게 되었다. 여기서부터 콘스탄스 바흐트마이스터 백작부인이 HPB 를 도와주기 시작한다. HPB 의 건강 상태가 많이 안 좋아서 그녀가 먼저 HPB 를 도울 것을 요청했지만 그땐 HPB 가 거절했었다. 하지만 HPB 의 스승이 백작부인을 부르라고 했으며,

그렇게 해서 한 방에 칸막이를 친 상태로 함께 머물게 되었다. 백작부인은 이후 HPB 가 세상을 떠날 때까지 같이 살게 되었다. 나중에 백작부인은 [H.P. 블라바츠키와 씨크릿 독트린에 대한 회상]에서 회고한다: "HPB 가 책을 쓰면서 백작부인에게 옥스포드 보들리 도서관에 가서 본인이 아스트랄 빛 속에서 본 것을 확인해줄 수 있는 사람이 있는지 물었고, 그런 사람이 있다고 했으며, 그 사람에게 책 제목과 페이지 등을 알려주고 확인해 달라고 요청하였다. 나중에 더 힘든 일을 주었다. 바티칸에 있는 사본에서 발췌한 구절을 확인하는 일을 주었다. 친척을 통해서 그 구절을 확인하였는데 겨우 두 단어만 틀리고 나머지는 모두 맞았다. HPB 가 원하는 정보는 친구를 통해서 혹은 신문이나 잡지를 통해서 혹은 편안하게 읽는 책을 통해서 반드시 도달했다."

그리고 HPB 가 사람을 대하는 것이 사람마다 각각 모두 달랐다고 하면서, 그녀의 경우를 말했다: "제가 처음 HPB 를 만났을 때, 나는 세속적인 여자였습니다. 제 남편의 정치적인 입지를 통해서 저는 사회에서 어떤 위치를 차지하였습니다. 그래서 지금까지 삶에서 가장 원하던 것들의 공허함을 깨닫는 데 많은 시간이 걸렸습니다. 그리고 게으르고 편안하며 높은 지위의 삶이 가져다주는 자신 속의 만족감을 정복하기까지 많은 수련과 자신과의 많은 싸움을 하였습니다. HPB 의 말을 인용하면 '아주 많은 것을 제거해야 됐다'고 합니다."

그리고 얼마 지나지 않아서 호지슨 보고서가 발표되었다. 신지학회와 HPB 의 심령 현상이 사기라는 보고서로, 백작부인이 회고에 따르면, 그것은 HPB 에게 큰 상처를 주었으며, 그것으로 끝이라고 생각했다고 한다. 그 사건으로 그녀를 계속 충실하게 도와준 사람들과 그녀를 떠난 사람들이 구분되었고, 아이러니하게도 신지학에 대한 관심이 더 높아졌다고 한다. 그 이전까지 몰랐던 사람들이 신지학이 무엇인지에 대하여 접하게 되었고 더 많은 롯지가 생기게 되었다. 어느 날 저녁에 HPB 가 그 상황을 묘사하길, "당신에게 향하는 많은 나쁜 생각들과 흐름들이 어떤 것인지 당신은 모른다. 그것은 마치 수천 개의 바늘들이 찌르는 것 같다. 그래서 나는 지속적으로 보호 벽을 만들어야 했다." 우리가 다른 사람들에 대하여 갖는 생각이 얼마나 중요한지를 보여주는 대목이다.

더운 독일에서 잠시 피해서 그녀는 동생, 그리고 동생의 딸인 조카 베라와 벨기에의 오스텐드에 같이 머물게 되었다. 그때 조카딸인 베라가 경험한 것을 전했다: "아침에 내려오면 숙모가 일을 하는 것을 보았습니다. 어느 날 숙모 얼굴에 당황해하는 기색을 역력히 보고 가까이 다가가 말씀하길 기다렸습니다. . . 마침내 베라, 하고 부르시더니, 파이(pi)가 뭔지 아느냐고 물었습니다. 그래서 그건 일종의 영국 음식 아니냐고 했더니, 장난하지 말라고 하시면서, 약간 조급하게, 너한테 있는 수학 능력을 물어보는 지 모르겠냐고 하시면서 와서 보라고 하셨습니다. 그 페이지를 보니까, π = 31'4159 로 잘못 쓰여 있었습니다. 그래서 그게 아니라 π=3.14159 라고 고쳐주니까, 맞다고 하시면서 아침 내내 이 콤마가 마음에 걸렸다고 하셨습니다. 그리고 나서 너희 엄마와 너한테 여러 번 말했듯이, 내가 쓰는 것은 받아쓰는 것이고, 가끔 내가 하나도 모르는 사본이나 숫자 혹은 말들을 눈 앞에서 보고 있다고 그랬지."

HPB 의 건강이 점점 더 나빠졌으며, 이 기간에 씨넷트 씨가 [블라바츠키 여사의 삶에서의 일화들]이라는 책을 출판했다. 이 책에서 그녀의 놀라운 모습과 인간적이고 따뜻한 면들을 잘 묘사했으며, 대중들에게 폭넓게 깊은 인상을 주었다.

영국으로 옮긴 후 블라바츠키 롯지를 만들고, [씨크릿 독트린]를 끝내기까지 약 1 년 조금 넘게 남았기에, 정기간행물을 출판하기로 결정하였다. 그리고 그 이름은 [루시퍼(LUCIFER): 빛의 전달자(Light-bringer)] 로 정했다. 이 정기간행물 이름 때문에 기독교계에서 많은 반발이 일어났고, 지금까지도 그녀가 사탄 혹은 악마라는 터무니없는 주장으로 일관하고 있다. [그 이름에는 무엇이 있는가?]라는 시작 부분에서 설명한다:

"이 간행물의 이름을 루시퍼라고 부르는 것에 대하여 비난하는가? 멋진 이름이다. Lux, Lucis 는 빛이고, ferre 는 옮기다 라는 의미로 "빛의 전달자" 혹은 "빛을 옮기는 자"이다. 이보다 더 나은 이름이 있을까? 루시퍼가 추락한 영과 동의어로 된 것은 오직 밀턴의 실락원 때문이다. 이 간행물의 첫 번째 목적은 초기 기독교인들이 크리스트(Christ)로 사용한 이 이름에 대한 오해의 오점을 없애는 것이다.

그리스어로 "에오스포러스(Eosphoros), 로마어로 "루시퍼"이며, 이것들은 환한 밝은 태양빛의 전조로 아침 별인 비너스의 명칭이다. . . 크리스트가 자신에 대하여 말하지 않았는가? "나, 예수는 . . . 환한 새벽 별이다" (요한계시록 22:16) . . . 우리의 간행물도 또한 새벽의 창백하고 순수한 별처럼 진리의 환한 새벽을 알리도록 합시다—모든 부조화와 글자 그대로의 모든 번역들을 영에 의한 진리의 한 가지 빛 속에 합치도록 합시다.

한 번은 블라바츠키 롯지에서 젊은 자원자들이 열띤 토론을 하다가 어떤 딜레마에 봉착했다. 그래서 HPB에게 물어보기로 하고 그녀 방에 노크를 하고 물었다.

"여사님, 신지학을 공부하는 데 필요한 가장 중요한 것이 무엇인가요?"
"상식이지."

"여사님, 그럼 두 번째는 무엇인가요?"
"유머"

"세 번째는요?"
이 시점에서 그녀의 인내심이 약간 줄어들었던 것 같다.
"조금 더 많은 상식!"

당시 젊은 아일랜드인이었던 찰스 존스턴이 HPB를 방문했다. 그는 더블린 신지학회 창단 멤버 중에 한 명이었고, 거기엔 윌리암 버틀러 예이츠와 다른 작가들이 속해 있었다. 오늘날 그는 힌두 문학 번역가로 유명하다. 그는 HPB와의 만남을 이렇게 회고한다:

" . . . 사람의 얼굴 속에서 진정한 경외감과 존경을 보았다면, 그것은 그녀의 스승에 대하여 말할 때 나타난 그녀의 표정이었다. 그분의 나이를 물었을 때, 정확히 나도 모릅니다. 하지만 이렇게 말할 수 있을 것입니다. 제가 20살 때 그분을 만났습니다. 그 당시 그분은 전성기에 있었습니다. 지금 저는 나이든 늙은 여자가 되었습니다. 그러나 그분은 하루도 나이가 들지 않았습니다. 이것에 제가 말할 수 있는 전부입니다."

그리고 그녀는 다른 초인들에 대하여 말했다. 남인도, 티벳, 페르시아, 중국, 이집트와 그리스, 헝가리, 이탈리아, 영국에 있는 초인들. 그분들 사이에 서로 연결고리가 끊어지지 않으며, 그분들은 대자연에서 반드시 필요한 존재이고, 인류의 영적인 생명이 살아있도록 한다고 말했다. 또한 인간의 혼을 안내하며, 우리가 이해하기 어렵지만 직접 가르친다고 했다. . . "신지학자로서 당신은 무엇을 가르치나요?" 그녀가 말하길, "우리는 형제애를 가르칩니다. 애매하고 일반적인 얘기보다 구체적으로 말하면, 영국인들을 예로 들어보죠. 그 사람들이 얼마나 잔인한지 그리고 가련한 힌두인들을 얼마나 나쁘게 다루는지 보시죠." 그래서 내가 영국인들이 인도인들을 위하여 물질적으로 많은 혜택을 주었다고 반론을 제기하자, 그녀는 말했다. "만약 당신이 항상 도덕적으로 윤리적으로 짓밟힌다면 그런 것이 무슨 소용이 있나요! 영국인들은 그들을 돼지라고 부르고 열등한 민족이라고 항상 느끼게 만듭니다. 우리 인류에는 열등한 민족이란 없습니다. 모두가 하나이기 때문입니다." 그리고 흑마법의 위험에 대하여 강조했다. 최면과 암시는 엄청 위험한 힘이며, 아마도 좋은 의도와 올바른 목적을 가지고 시작할지 모르지만, 상대방의 의지를 훔치는 것이기 때문에 위험하다고 강조했다. 사람들의 가슴을 정화함으로써 그것이 오용되는 것에서 보호할 수 있다고 말했다.

1888 년 11 월에 [씨크릿 독트린] 1 권이, 12 월에 2 권이 출판되었고, 부제로 "과학, 종교 그리고 철학의 통합"으로 붙여졌다. 1 권은 우주발생론을, 2 권은 인간기원론을 다루고 있다. 각각은 세 부분으로 구성되어 있다. 즉, 잔(Dzyan)의 스탠져, 상징주의 진화, 그리고 과학과 SD 의 상호비교. SD 의 세 가지 기본 명제는 다음과 같다:

인간의 사고력을 초월하고 어떤 표현으로 축소될 수밖에 없는, 모든 추정이 불가능한, 모든 곳에 편재하고(Omnipresent) 영원하며(Eternal) 무한한(Boundless) 불변의 원리(Immutable PRINCIPLE). . . 이 개념을 일반 독자들에게 좀더 명확하게 하기 위해서, 모든 현현된, 한정된 존재보다 선행하는 하나의 절대적 실재(one absolute Reality)가 있다고 상정하자. 이 영원무궁한 원인은 . . . "과거에도 있었고, 현재에도 있으며, 미래에도 언제나 존재할" 모든 것의 뿌리 없는 뿌리이다. 그것은 모든 속성이 없고 본질적으로 현현된 유한한 존재와 아무런 관련이 없다. 그것은 존재(Being)라기 보다 있음(BE-NESS)으로 모든 생각과 추측을 넘어선다.

무궁한 계(plane)로서 전체 우주의 영원성(Eternity); "현현하는 별들"과 "영원의 불꽃"이라고 부르는, 주기적으로 "끊임없이 현현하고 사라지는 무수한 우주들의 놀이터". SD 는 또한 그 순례자(Pilgrim)의 영원성을 단언한다. . . "순례자는 화신의 주기 동안 우리 모나드(Monad)에게 붙여진 이름이다. 그것은 통합된 전체—보편 영(Universal Spirit)으로 거기에서 발산하여 나오고 주기가 끝날 때 다시 거기로 합쳐진다—와 분리될 수 없는, 우리 내면에 있는 불멸의 영원한 원리이다."

SD 의 두 번째 원리는 물질 과학이 자연의 모든 부문에서 관찰하고 기록해온 주기성의 법칙, 조수 간만의 법칙, 밀물과 썰물의 법칙의 절대적 보편성이다. 낮과 밤, 생과 사, 수면과 깨어남 같이 교차해서 일어나는 것은 예외 없이 일상적이고 보편적인 사실이라서, 그 속에서 우주의 절대적인 기본 법칙의 하나를 이해하는 것이 쉬운 일이다.

미지의 근원(Unknown Root)의 한 측면인 보편 대령(Universal Over-Soul)과 모든 혼들의 근본적인 동일성; 그리고 전체 기간 동안 주기와 카르마의 법칙에 따라서 화신의 주기(Cycle of Incarnation)를 통해서 모든 혼이 의무적인 순례의 여행을 가야 하는 것. 다른 말로 하면, 그 어떤 신성한 혼도 . . .그 대령(OVER-SOUL)의 순수한 본질에서 나온 불꽃이 (1) 현상계의 모든 엘리멘탈 형태를 지나고 . . . (2) 처음에는 자연적인 충동에 의해서 그리고 (카르마에 의해서 제한받으면서) 자기주도의 노력을 통해서, 가장 낮은 마나스에서 최고의 마나스까지, 광물에서 식물 그리고 가장 신성한 대천사(디야비-붓다)까지, 모든 지성의 단계들을 거쳐 올라감으로써 개체성(individuality)을 획득하기 전까지 독립적인(의식적인) 존재를 할 수 없다. 에소테릭 철학에서는 장구한 윤회를 통해서 개인적인 노력과 공과를 통해서 자기 자신의 자아(Ego)가 얻은 것을 제외하고는 그 어떤 특권이나 특별한 선물을 인정하지 않는다. . .

이것이 SD 의 세 가지 기본원리이다.

SD 1 권이 곧바로 다 팔렸다. 2 권이 나올 때쯤에 [폴 몰 가제트]와 [리뷰 중에 리뷰(The Review of Reviews)]의 유명한 편집자인 스테드는 SD 두 권을 리뷰해줄 사람을 찾지 못하고 있었다. 보통 리뷰를 해주던 사람들이 모두 거절했기 때문이다.

그때 애니 베산트를 떠올렸다. 당시 그녀는 자유사상가이자 급진 정치 운동가였고 페미니스트였으며 페이비안 사회주의로 초기에 전향한 사람이었다. 또한 사회운동가이자 개혁가이고 유명한 연설가이기도 하였다. 그녀가 SD 두 권을 받았을 때 그 순간으로 오게 된 진행단계를 자서전에서 다음과 같이 회고하였다:

"사회의 질병을 치료하기 위해서 가진 것 이상의 어떤 것이 필요하다는 느낌이 점점 더 커져갔다. 이타적인 사람들을 조직화하려는 노력이 실패했다. 자기 희생을 헌신하는 진정한 운동이 없었다. 그런 운동을 찾으면서 점점 더 절망감이 나를 짓눌렀다. 1886 년 이후부터 나의 철학이 충분하지 않다는 확신이 서서히 자랐다. 심리학이 빠르게 발전하고 최면 실험이 인간 의식의 복잡한 것을 나타내고 . . . 어둠 속으로 한줄기의 빛이 들어왔다. 즉, A.P. 씨넷트의 [오컬트 세계]가 내가 상상하는 것보다 폭넓은 법칙 하의 자연에 대한 것을 설명하였다. 심령주의 공부를 추가하면서 개인적으로 실험을 하지만 그것들에 대한 영적인 설명이 믿기 어려웠다."

1889 년 초에 스테드가 애니 베산트에게 SD 리뷰를 요청하였다. 그때의 경험을 이렇게 말한다: "한 페이지 한 페이지를 넘길수록 흥미가 빨려 들어갔다; 너무 익숙한 것처럼 보였다; 너무 자연스럽고, 너무 일관성 있고, 너무 섬세하고, 그러면서 너무 지성적이다; 끊어져 있던 사실들이 거대한 전체의 일부분들로 연결되는 그 빛에 눈부셨다. 그리고 모든 수수께끼와 문제들이 사라진 것처럼 보였다. 그 영향은 환영이었고, 나중에 직관이 이해한 것을 두뇌가 소화하는데 점진적으로 진행되었다. 그러나 그 빛을 보았다. 그리고 힘겨운 탐색이 끝났고 바로 그 진리를 찾았다는 것을 알았다. 그리고 저자를 소개해 달라고 요청하였다."

그 요청에 HPB 도 그녀를 만나고 싶다고 답장을 했다. 그렇게 만남이 이루어졌고 후에 애니 베산트가 신지학회에 가입하였다. HPB 가 그 소식을 친척들에게 알렸다: "물질주의자들과 무신론자들과의 싸움이 점점 더 악화될 것이다. 왜냐하면 그들이 아끼는 애니 베산트를 내가 꾀어서 진리의 길에서 벗어나도록 했기 때문에, 모든 자유사상가들, 자유주의자들이 나에게 적이 될 것이다. . . 그녀는 정말 놀라운 여성이다! 스커트를 입은 완전한 데모스테네스이다. 우리한테 없는 유창한 연설가이다."

1888 년 가을호 [루시퍼(LUCIFER)]에서 에소테릭 부문(Esoteric Section)을 운영하겠다고 선언하였다. 미국에 있는 J.D. 벅에게 보낸 편지에서 그 목적이 나타나 있다:

"그것이 필요하다는 것을 모든 곳에서 느꼈습니다. 많은 것을 대중에게 줄 수 없고 오컬티즘에서 어떤 것을 배울 자격이 있는 오래되고 경험 많은 회원들에게 내가 살아 있는 동안 도움이 될 수 있을 것이고 많이 요구가 있습니다. 어떤 독재나 통치 같은 여지가 없고 나를 위한 어떤 영광도 없지만, 가까운 미래에 오해와 비방 그리고 배은망덕한 것들이 일어날 것입니다. 그러나 맹세한 100 명의 신지학도들 중에서 10 명만이라도 올바르고 진정한 길로 가도록 할 수 있다면 행복하게 죽을 것입니다. 많은 사람들이 부름을 받지만, 선택되는 사람은 소수입니다. . . 나는 진리에 눈이 열린 사람들에게 오직 길을 보여줄 수만 있습니다. . ."

1889 년 중순경에 HPB 는 프랑스 퐁텐블로로 가게 되었다. 신지학 역사에서 여기가 중요한 것은 HPB 가 그곳에서 [침묵의 소리] 대부분을 썼기 때문이다. 애니 베산트가 그때를 기억하길, HPB 가 [금잠의 서]에서 놀라운 단편을 번역하고 있는 것을 보았으며, 그것은 지금 [침묵의 소리]라는 제목으로 알려진 책이었다. 영국의 계관 시인인 테니슨이 죽음이 다가올 때 이 시를 읽어왔다고 알려져 있고, 윌리암 제임스도 [종교적 체험의 다양성]에서 구절을 인용했다. 선불교를 서구에 알리는 데 큰 공헌을 한 스즈키 박사도 [침묵의 소리]를 읽고, 그의 약혼자인 베아트리스 레인에게 쓴 편지에서 "여기에 진정한 대승불교가 있다"고 말했다고 한다.

HPB 가 영국을 잠시 떠난 사이 [신지학의 열쇠]가 출판되었다. 이 책은 대화 형식으로 되어 있으며, 신지학에 대하여 좀 더 심오한 공부를 준비하게 해주는 열쇠를 준다고 한다. 다루는 주요 내용들을 보면, 사후 상태의 성질, 정신의 신비, 인간과 우주의 칠중 구조, 윤회와 카르마 등등이다.

HPB 의 건강이 점점 더 악화되어서 이제는 일하는 것이 금지되었고, 휴식을 취하며 건강을 회복하는 것이 가장 중요했다. 그럼에도 불구하고 그녀는 계속해서 글을 쓰고 가르쳤으며, 블라바츠키 롯지에서 있었던 미팅에서 그녀에게 질문한 내용들과 그녀가 대답한 내용들을 [블라바츠키 롯지의 대화록]라는 이름으로 출판하였다.

HPB 가 살아 있던 나머지 몇 개월 동안 [신지학 용어집]을 준비하였으며 사후에 출판되었다. 그리고 오컬트 소설인 [악몽 이야기]가 다양한 간행물에 게재되었지만, 나중에 [숨길 수 없는 미술관]라는 제목을 모아서 다시 출판하였다.

1891 년 4 월 당시 런던에는 감기가 대유행이었다. HPB 도 감기에 걸렸다. 그리고 그녀 의사에게 본인이 죽어가고 있다고 말했다 한다. 그녀가 지상을 떠나기 2 일 전에 쿠퍼-오클리 부인에게 마지막 메시지를 주었으며, 새벽 3 시에 갑자기 위를 쳐다보며 "이사벨, 이사벨, 연결고리가 끊어지지 않도록 유지해라; 나의 마지막 환생이 실패가 되지 않도록 하라"는 말을 남기고 조용히 눈을 감았다고 한다.

HPB 가 떠나기 전 후로 다양한 신비한 많은 일들이 일어났다고 한다. 집안에서는 별안간 깨지는 소리며 아스트랄 벨 소리, 아무도 치지 않는 피아노 소리 등이 알려졌으며, 가까운 지인들도 신비한 경험을 많이 했다고 알려졌다.

HPB 가 떠났다는 기사가 많은 신문에 게재되었다. 뉴욕 데일리 트리뷴은 다음과 같이 썼다:

"우리 시대의 여성들 중에서 블라바츠키 여사만큼 잘못 알려지고 비방당하고 중상 받은 사람이 거의 없다. 악의와 무지가 그녀에게 최악으로 해를 줬다 하더라도, 그녀의 평생에 걸친 일이 그렇지 않다는 것을 입증하기에는 충분하고, 그것은 지속될 것이고 영원히 작용할 것이다.

지난 20 년간 블라바츠키 여사는 가장 고귀한 윤리들의 기본 원리들, 가르침들을 전파하는 데 바쳤다. 19 세기에 인종, 국가, 계급 그리고 편견의 장벽을 무너뜨리고 형제애의 정신을 심어주려는 시도. . . 인류의 재건은 이타주의를 계발시키는 것에 바탕을 두어야 한다고 주장했다. 이것만으로도 현재까지분만 아니라 계속 해서 위대한 사상가들 중에 한 명이 된다. . .

또한 현 세대에서 그녀만큼 오랫동안 닫혀 있던 동양의 사상, 지혜 그리고 철학을 다시 여는데 공헌한 사람은 아무도 없다. 그 심오한 지혜와 종교를 설명하고 고대의

문학 작품들이 빛나도록 해서 그 깊이와 범위로 서구 세계를 놀라게 한 사람은 아무도 없었다.

동양 철학과 비전철학에 대한 그녀의 지식은 광범위하였다. 그녀의 작품을 읽은 사람은 그 누구도 이것을 의심할 수 없을 것이다. 그녀의 글들의 톤과 성향은 건강하고 상쾌하며 고무적이다. . ."

영향과 맺음말

HPB 를 만났던 많은 사람들과 그녀의 가르침을 접해본 사람은 그 영향에서 벗어날 수가 없었다. 근대 세계분만 아니라 현대 세계의 다양한 분야에서 많은 사람들이 신지학을 공부하거나 관심을 갖고 공부하고 있다. 종교계는 말할 것도 없이 문학계, 예술계, 철학계, 과학계에 미친 영향을 보면 근대 인류의 흐름을 바꾸었다는 것이 진정으로 맞는 말이다.

한 두 가지씩 예를 들면, 당시 과학계에서 원자는 나눌 수 없다고 하였지만, SD 에서 그것은 나눌 수 있으며 다른 아원자들 혹은 입자들로 구성되어 있다고 설명하였다. 또한 원자가 움직이지 않는다고 주장한 과학계와 달리 원자는 끊임없이 움직인다는 것도 말하였다. 시간이 지난 후에 과학계에서 이런 것을 다 인정하였다는 것이 놀라울 따름이다.

인간의 보이지 않는 또 다른 일부분으로 아스트랄체가 이제는 쉽게 받아들여지고 있지만, 당시에는 생소하였고 기독교 세계관에서 볼 때 터무니없는 개념이었다. 과학에서도 인간의 보이지 않는 부분에 대한 많은 연구에서 진전이 이루어졌고, 아스트랄 디자인 체에 대한 증거가 예일대 과학자인 헤럴드 팍스턴 버와 S.C. 노스롭에서 전기적 구조라고 부르는 것에서 보게 된다. 살아 있는 체들 속에는 그 개체를 만드는 전기적인 구조가 있고, 태어나기 이전부터 죽을 때까지 그 체 속에서 그대로 있다고 한다. 체 속에 있는 모든 것이 변하지만, 그 구조는 그대로 있다고 한다.

문학계에서의 영향을 보면, 아일랜드 신지학회 회원으로 적극 활동했던 예이츠는 영적인 현상에 관심이 많았으며, 블라바츠키 여사가 운영했던 비전부문 초기 회원으로 있었다. 그러다가 영적 현상만을 너무 추구하다가 학회를 떠나도록 요청받았다고 한다. 조지 러셀을 수줍게 찾아간 제임스 조이스도 빼놓을 수가 없다. 제임스가 러셀을 찾아간 주된 이유는 당시 러셀이 동양 철학에 대한 많은 정보를 가지고 있었고 다른 작가들과 접촉하는 통로였을 것이라고 말한다. 그가 신지학에 대하여 회의적이었지만, 주기, 윤회, 영원한 어머니 믿음 같은 것에 상당한 흥미를 가졌다고 한다. 그 외에도 영향을 받은 E.M. 포스터, D.H. 로렌스, T.S. 엘리엇, 손턴 와일더 등도 있다.

예술계를 보면, 근대 추상예술의 창시자인 칸딘스키와 몬드리안이 있으며, 또한 파울 클레와 심지어 상징주의 학파의 대표자인 폴 고갱도 신지학에 영향을 받았다고 미술사가인 토마스 부저가 [고갱의 종교]에서 말한다.

음악계를 보면, 구스타프 말러, 그의 친한 친구인 브루노 발터와 공공연하게 환생에 대하여 자주 말했다는 시벨리우스 그리고 신지학이 매우 강력한 영향력이었다는 알렉산더 스크랴빈이 있다.

또한 알버트 골드만에 의하면, 엘비스 프레슬리도 HPB 의 SD 와 침묵의 소리를 공부했다고 한다. 그리고 심지어 무대 위에서도 침묵의 소리에 있는 구절을 낭송하기도 했다고 한다.

이렇게 신지학 운동 이후 전세계적으로 영적인 관심이 폭발적으로 증가하였다. 물질 문명이 한창인 서구에서 물질계 너머의 세계, 삶의 의미와 죽음 너머의 세계, 기존 기독교에서 채워줄 수 없는 어떤 것을 갈망할 때, 동양의 철학과 고대의 지혜가 서양으로 밀물처럼 들어가게 되었다. 이런 영적 문화의 흐름을 만든 사람이 바로 헬레나 페트로브나 블라바츠키 여사였다. HPB 의 삶은 파란만장하였고, 구시대 종교와 체계를 고수하는 사람들에게 많은 비방과 험담을 들었지만, 그녀는 바로 눈앞의 날들을 위해서가 아니라 인류의 미래를 내다보고 후세대를 위하여 씨앗을 뿌린 것이다. HPB 가 남긴 글 중에 하나로 이 소개를 마치고자 한다.

주요 저작

- 씨크릿 독트린(THE SECRET DOCTRINE)

- 아이시스 언베일드(ISIS UNVEILED)

- 침묵의 소리(THE VOICE OF THE SILENCE)

- 신지학의 열쇠(THE KEY TO THEOSOPHY)

- 힌두스탄의 동굴과 정글에서(FROM THE CAVES AND JUNGLES OF HINDOSTAN)

- 신지학 용어집(THEOSOPHICAL GLOSSARY)

정기간행물

- 신지학자(THE THEOSOPHIST)

- 루시퍼(LUCIFER)

보리스 드 지르코프가 편집한 [HPB 전집(Collected Writings)] 15 권에서 그녀의 수많은 단편들과 메모, 편지 등 모든 글들을 집대성하여 출간하였다.

씨크릿 독트린 I (THE SECRET DOCTRINE I)
우주발생론

발 행 | 2024년 05월 03일
저 자 | H. P. 블라바츠키 (스로타파티 옮김)
펴낸이 | 한건희
펴낸곳 | 주식회사 부크크
출판사등록 | 2014.07.15(제2014-16호)
주 소 | 서울특별시 금천구 가산디지털1로 119 SK트윈타워 A동 305호
전 화 | 1670-8316
이메일 | info@bookk.co.kr

ISBN | 979-11-410-8371-7

www.bookk.co.kr